Buffy

CONTRE LES VAMPIRES

Le guide officiel

par

Christopher Golden *et* Nancy Holder

avec **Keith R.A. DeCandido**

**Traduit de l'américain par
Isabelle Troin**

FLEUVE NOIR

Un grand merci à toutes les personnes de Pocket Books, de la Twentieth Century Fox et de Buffy Contre les Vampires qui ont rendu possible l'existence de ce livre.

Gina Centrello, Donna O'Neil, Lisa Feuer, Juliae Blattberg, Gina DiMarco, Nancy Pines, Patricia MacDonald, Twisne Fan, Jennifer Sebree, Debbie Olshan, Caroline Kallas, Todd McIntosh et Lili Schwartz.

Titre original : The Watcher's Guide

© 1999, Editions Fleuve Noir
ISBN 2-265-06877-2

En souvenir de mon père, J. Laurence Golden JR., qui me réveillait au milieu de la nuit pour regarder Kolchak : The Night Stalker. Ce livre est pour toi, papa. Je suis sûr que tu l'aurais adoré.
— CG

En souvenir de ma grand-mère, Lucile M. Jones, et de mon père, Kenneth Paul Jones, qui espéraient tous les deux que je devienne écrivain. Merci aussi à Chris Golden pour être un tel mensch, ami et écrivain. C'est grâce à toi que ce livre existe.
— NH

A Laura Anne Gilman, qui sait pourquoi.
— KRAD

L'élaboration d'un ouvrage aussi ambitieux requiert l'infinie patience et l'assistance précieuse — sans oublier le soutien moral — d'un très grand nombre de gens. Pour cette raison, les auteurs aimeraient remercier toutes les personnes suivantes :

Joss Whedon, les acteurs et les membres de l'équipe technique de *Buffy*, avec une mention spéciale pour Caroline Kallas (ton nom devrait être sur la couverture, petite futée !), Todd McIntosh et Jeff Pruit ; notre éditeur Lisa Clancy et son infatigable assistante Elizabeth Shiflett ; nos agents Howard Morhaim et Lori Perkins.

Christopher voudrait remercier : Lucy Russo, Colleen Viscarra, Stefan et Carole Nathanson, Jeff et Gail Galin (pour leur patience), Ruth et Rachel Satrape, ainsi que Tom Sniegoski. Merci aussi à Nicholas et Daniel, pour tous les éclats de rire partagés ; j'espère qu'ils deviendront, en vieillissant, aussi nobles et courageux qu'Alex, et aussi doux et intelligents qu'Oz.

Nancy voudrait remercier : Lindsay Sagnette, Leslie Jones, les familles Simpson et Holder, le bataillon des baby-sitters (Ida Khazabian, April Koljonen, Andi Craft et Bekah « Bah » Simpson), Maryelizabeth Hart, Stinne Lighthart, Karen Hackett, Linda Wilcox, Susan Klug, Barbara Nierman, Brenda Van de Ven, Susie Johnson, Margie Morel et tous les autres amis qui m'ont ignorée si poliment.

Keith aimerait remercier : Helga Borck, Peg Carr, Cathy (également connue sous le pseudonyme de BuffyChic4), Amiee Collier, GraceAnne Andreassi DeCandido, Livia DeCandido, Robert L. DeCandido, Edward DeVere, John S. Drew, Laura Anne Gilman (également connue sous le pseudonyme de Meerkat), Orenthal V. Hawkins, Alan « Fou d'Anime » Hufana, le « cercle intérieur » des fans de Buffy (qui se reconnaîtront), Kate (également connue sous le pseudonyme de hrprobe), Andrea K. Lipinski, Peter Liverakos, Dave Lodgson, Sonja Marie, Pam McLaughlin, John Nestoriak, Carolyn Oldham, John Edward Peters, RayneFire, Leslie Remencus, Scott Robinson, Rainier Robles, Lisa Rose, Wedy Tillis, Jack Welsh, Jennifer Whildin, Sarah Winsor, et tous les participants de Buffy-L@planetx.com.

Par-dessus tout, nous tenons à remercier nos partenaires respectifs qui ont beaucoup souffert de notre négligence : Connie Golden (tu avais raison, ma douce, mais admets que le résultat en vaut la peine ! — CG) ; Wayne Holder (*Dai suki* — NH), et Marina Frants (regarde, chérie, on a réussi ! — KRAD).

TABLE DES MATIÈRES

AVANT-PROPOS

Buffy contre les Vampires n'a pas toujours été la série à succès que nous connaissons. Avant sa diffusion, les gens « bien informés » en parlaient avec une ironie teintée de dérision. Une pom-pom girl appelée Buffy qui tuait des vampires. Franchement, ça avait l'air un peu débile.

Mais il suffisait de voir un épisode pour comprendre.

Joss Whedon a prouvé à Hollywood qu'il est possible de mélanger l'action, la comédie, le drame et la terreur pour obtenir une série prenante… L'une des plus prenantes qui passent actuellement à la télévision, en fait ! Les critiques ne tarissent pas d'éloges à son sujet; aucun superlatif n'est trop extrême pour décrire *Buffy contre les Vampires.*

Cette série ne ressemble à aucune autre. Les choses évoluent. Les personnages souffrent. Bien sûr, l'action se situe dans un monde imaginaire de terreur et de fantastique, mais les scénarios ne ressemblent pas à des histoires à dormir debout: seulement à la vie de ceux qui y sont impliqués.

Tout le monde se rappelle les tourments de l'adolescence. Au cours de certaines crises d'« hyperbolisme », Joss Whedon est parfois traité de génie. Bien qu'il n'en ait pas forcément fallu pour imaginer la trame de la série (une lycéenne choisie pour défendre le monde contre les vampires), le génie a sûrement été nécessaire pour réaliser à partir de cette idée une série universelle qui plaît aux spectateurs de tous âges.

Personne ne sait ce que ça fait d'être une Tueuse, parce que les Tueuses n'existent pas (les vampires non plus, a priori). Mais nous pouvons tous nous identifier à Buffy et à ses amis.

A mesure que la série progressera, que les personnages finiront leurs études, recevront leur diplôme et affronteront le monde des adultes, nous pouvons être certains d'une chose: il y aura des changements. Et comme toujours, ils apporteront leur lot de joies et de douleurs.

Vous ne manqueriez ça pour rien au monde, c'est sûr. Nous non plus.

Vous tenez entre vos mains un ouvrage très spécial: le guide officiel de la série télévisée *Buffy contre les Vampires.* Il contient près de quarante interviews exclusives des principaux acteurs et *guest-stars*, des producteurs exécutifs, de l'équipe technique et du créateur en personne: Joss Whedon.

Illustré par des photographies de tournage, ou des clichés extraits des archives de professionnels tels que Todd McIntosh (maquilleur) ou Jeff Pruitt (coordinateur des cascades), le *Guide du Téléspectateur* vous propose de jeter un coup d'œil en coulisses, de découvrir ce qui est nécessaire pour transformer la vision de Joss Whedon en une série qui continue à intriguer et à ravir les anciens fans… et à en gagner de nouveaux chaque semaine.

Tout ce que vous avez toujours voulu savoir sur la série et sa mythologie, sur le tournage et les gens qui y participent, est à l'intérieur de ce livre. Vous y découvrirez une foule d'informations inédites !

Ce fut un vrai plaisir que de les rassembler pour vous. Nous espérons que vous apprécierez autant que nous.

Christopher Golden et Nancy Holder
aidés par Keith DeCandido

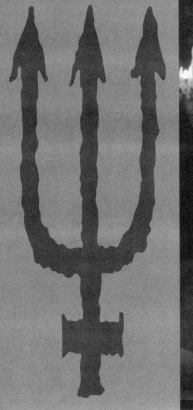

LA MYTHOLOGIE DE BUFFY

Qui est la Tueuse et que fait-elle ?

N'avez-vous pas l'impression que l'Observateur Rupert Giles en sait beaucoup plus qu'il n'en dit ? Au début de la seconde partie de « Bienvenue à Sunnydale », l'épisode pilote d'une durée de deux heures, il révèle à Alex Harris et Willow Rosenberg où ils ont mis les pieds en découvrant l'identité secrète de Buffy Summers, la Tueuse :

« Le monde fut créé bien au-delà de ce que nous imaginons. Et contrairement à la croyance populaire, ce n'était pas un paradis. Pendant fort longtemps, les démons occupèrent la Terre. Ils en firent leur royaume, leur enfer. Mais au fil du temps, ils perdirent leurs prérogatives. L'univers fut remodelé pour les mortels, et ils furent chassés par l'homme. De leur monde, il ne subsiste que des vestiges : certains rituels magiques, certaines créatures... »

« D'après ce bouquin, le dernier démon qui a fui la Terre aurait mordu un humain, empoisonnant son sang. Ce faisant, l'homme devint comme possédé, infecté par l'âme démoniaque. Il mordit nombre de ses congénères, qui parcoururent le monde pour assouvir leur faim ou encore pour mêler leur sang afin de propager leur race, procédant à l'extermination de la nôtre pour que la leur règne sur Terre. »

Pas très encourageant, n'est-ce pas ? Par chance, les forces du Bien réagirent presque instantanément. Comme Giles le dit plus tard dans le même épisode : « Depuis aussi longtemps qu'existent les vampires, la Tueuse les pourchasse. » Ou plus exactement *une* Tueuse, car chaque fois qu'une Elue meurt, une autre est prête à prendre sa place, au côté d'un Observateur qui fera son éducation et la guidera tout au long de sa mission.

On ignore exactement comment cela se fait. Les Tueuses étant plus fortes, plus rapides et plus résistantes que la majorité des humains, on peut supposer ceci : au moment où les forces du Mal créaient les vampires, les forces du Bien inventaient les Tueuses pour rééquilibrer la donne.

Giles : Chaque génération voit naître une Tueuse. Dans tout l'univers, une fille est Elue, une fille avec la force et l'adresse qu'il faut pour chasser les vampires... »
Buffy : ... Et pour empêcher que le mal ne s'étende, bla bla bla ! J'ai déjà entendu ça !
— « Bienvenue à Sunnydale »

De fait, beaucoup de questions demeurent sans réponse. Qui était le premier Observateur ? Comment un Observateur sait-il que son heure et celle de sa Tueuse sont venues ? Existe-t-il un Conseil des Observateurs ? C'est un problème fertile et fascinant, dont l'explication réside pour l'instant dans le crâne de Joss Whedon. Concentrons-nous plutôt sur ce que nous savons.

La Tueuse

La Tueuse actuelle est Buffy Summers, une jeune fille de dix-sept ans, élève de première au lycée de Sunnydale. Après le divorce de ses parents, elle a cru que sa mère avait choisi d'emménager à Sunnydale, mais elle a constaté ensuite que des forces beaucoup plus obscures étaient en jeu. Peu de temps après leur arrivée, n'a-t-elle pas découvert que la petite ville était surnommée *Boca del Infierno*: la Bouche de l'Enfer?

Giles: Fouillez un peu dans l'histoire de cette ville. Vous allez y trouver un flot constant d'événements étranges. Pour moi, toute cette région est un centre d'énergie mystique où l'on voit des choses curieuses que l'on ne voit nulle part ailleurs.

Buffy: Comme les vampires?

Giles: Ou les zombies, les loups-garous, les démons, les fantômes. Tous ceux que l'on redoute la nuit sous son lit et à qui on ne pense plus le jour venu. Ils sont tous réels.

Buffy: Quoi? Vous avez envie d'écrire des feuilletons pour la télé?

Giles: Oui.

Buffy: Vous savez à qui les envoyer?

Giles: J'ai des adresses.

— *« Bienvenue à Sunnydale », première partie.*

« La Tueuse est quelqu'un qui a été désigné par une espèce de puissance occulte. Une sorte d'élue, et toujours une fille. Son rôle est de chasser les vampires, et bien entendu de les exterminer. Voilà, c'est tout ce que vous avez besoin de savoir pour l'instant. »

Giles, dans
« Bienvenue à Sunnydale »

Quelques informations concernant les Observateurs et les Tueuses précédents ont été révélées avec parcimonie au cours des deux premières saisons. La séquence d'ouverture de l'épisode-pilote évoquait brièvement certains d'entre eux, dont Lucy Hanover, qui vivait en Virginie à la fin du XIXᵉ siècle. D'autres références sont restées plus vagues, mais nous savons que le vampire Spike a tué deux Elues et sa bien-aimée Drusilla au moins une: Kendra.

« Virginie, 1866: la disparition de veuves de la guerre de Sécession choque une communauté déjà dévastée par le chagrin. Ces événements prennent fin quand Lucy Hanover arrive en ville. »

« Chicago, mai 1927: quarante et un cadavres

sont découverts près d'Union Station. Les meurtres cessent peu de temps après la venue d'une mystérieuse jeune femme. Aujourd'hui, en 1997, tout est sur le point de recommencer. »

Voix off au début de
« Bienvenue à Sunnydale »

« C'est toi, la fameuse Elue? Eh ben! J'en ai connu une dans les années trente, une Coréenne. Un beau brin de fille. J'en garde un souvenir ému. On a vécu de bons moments... »

Sid, la marionnette chasseuse de démons, dans « La Marionnette ».

« Alors, c'est toi la Tueuse. Tu es plus jolie que la dernière. »
Le Maître à Buffy, dans « Billy ».

« J'en ai déjà tué deux dans ma vie, mais j'aime pas me vanter. Oh, voyons, qui va croire que je n'aime pas me vanter? La première, c'était quand l'esclavage existait encore... »
— *Spike à propos des Tueuses, dans « Attaque à Sunnydale ».*

Oui, le temps qui passe ne se montre guère clément envers les Tueuses. Les pauvrettes ne font généralement pas de vieux os.

Prenez Kendra. Quand Buffy s'est noyée, avant qu'Alex ne la ressuscite, elle était techniquement morte, ne fût-ce qu'un court laps de temps. Kendra a donc été « activée », et son Observateur, M. Zabuto, (très respecté parmi les autres Observateurs, selon Giles) l'a envoyée à Sunnydale pour y lutter contre l'invasion grandissante des forces du Mal.

Willow: C'est possible, deux Tueuses en même temps ?
Giles: Pas à ma connaissance. La nouvelle n'est activée qu'après la mort de la précédente... Mais oui ! Tu es morte, Buffy.
Buffy: Juste une petite minute...
Giles: Peu importe combien de temps. Tu étais physiquement morte, et ça a suffi pour activer une autre Tueuse.
Kendra: Elle est... morte ?
Buffy: Un peu seulement.
— *« Kendra », deuxième partie.*

En fin de compte, Kendra ne tiendra pas longtemps...
Mais qu'est-ce qui pousse Buffy à continuer ? Qu'est-ce qui la maintient en vie ? Son entraînement, sans aucun doute. Sa détermination. Même confrontée à des prophéties qui annoncent sa mort, elle demeure imprévisible, et c'est ce qui la sauve. Le trait de caractère qui frustre le plus son Observateur — à savoir, son manque de respect des traditions — est sans doute ce qui la rend si difficile à tuer.
Pour commencer, Buffy fait appel à son intuition et à son intelligence autant qu'à ses perceptions de Tueuse.

Giles: Sauriez-vous me dire s'il y a un vampire ici ?
Buffy: Possible.
Giles: Vous pouvez le savoir même au milieu de cette salle bourrée à craquer, de ce chahut. Vous devriez les percevoir. Essayez ! Concentrez-vous. Mettez tous vos sens en éveil. Utilisez toute votre énergie jusqu'à ce que vous ressentiez chaque cellule de...
Buffy: En voilà un.
Giles: Où... Où ça ?
Buffy: En bas, là ! Il parle avec une fille.
Giles: Qu'en savez-vous, allons ?
Buffy: Oh mais enfin, regardez sa veste ! Il a

retroussé ses manches, et sa chemise... ! Regardez sa tenue, regardez bien !
Giles: Démodée ?
Buffy: C'est de la préhistoire ! Croyez-moi, il faut avoir vécu au moins dix ans sous terre pour oser encore porter ces trucs !
— *« Bienvenue à Sunnydale »,*
première partie.

Kendra: Mes parents m'ont envoyée à mon Observateur quand j'étais encore très jeune.
Buffy: Quel âge ?
Kendra: Je ne me souviens même pas d'eux. J'ai vu des photos, c'est tout. C'est te dire à quel point mon peuple prend ma mission au sérieux. Mes parents ont renoncé à leur fille parce qu'ils savaient qu'ils faisaient le bon choix pour moi... et pour le reste du monde. Oh, pas la peine d'être désolée. Je ne vois pas de raison.
Buffy: Tu as dû te sentir très seule.
Kendra: Les émotions sont une faiblesse. Il ne faut pas les entretenir.
Buffy: Kendra, ce sont elles qui me donnent le pouvoir. Ce sont mes atouts les plus précieux.
« Kendra », deuxième partie.

Même dans les pires situations, Buffy arrive toujours à improviser pour se tirer d'affaire.
« Je m'étais retrouvée complètement coincée dans une cave avec un boucher polonais. Enfin, c'en était un avant qu'il devienne vampire. Et ce boucher avait un cou vraiment très large, et tout ce que j'avais, c'était un minuscule canif... »
— *Buffy, dans « Bienvenue à Sunnydale »,*
deuxième partie.

Buffy: Une arbalète, super ! Ouh, voilà ses petites copines. Hum, adieu pieux antiques, salut flèches du destin. Qu'est-ce qu'on vise ?
Giles: Euh, rien. L'arbalète, c'est pour plus tard. Tu dois d'abord maîtriser toutes les techniques de base du combat. Nous allons commencer avec cette arme : le bâton qui, entre parenthèses, requiert un entraînement acharné... J'en parle d'expérience.
Buffy: Ça date du Moyen-Âge ce truc-là ; je ne vais pas combattre le Frère Tuck !
Giles: Qui sait contre quel monstre tu devras te battre ? Ces traditions se sont transmises à

travers les âges. A toi de prouver que tu es habile au bâton ; dès lors, et en temps utile, nous envisagerons l'arbalète.
(Buffy le démolit à coups de bâton.)
Giles (haletant, à terre): Bien ; si nous passions à l'arbalète ?

— *« Alias Angélus »*

Evidemment, vu la tendance de Buffy à faire les choses à sa façon, elle se dispute très souvent avec son Observateur et avec Kendra, qui a reçu un entraînement bien plus traditionnel… et si rigoureux que Buffy ne l'aurait jamais supporté.

Buffy: Dans ce cas, pourquoi m'avoir attaquée ?
Kendra: Je croyais que tu étais un vampire.
Buffy: Erreur de débutante.

« Kendra », deuxième partie.

Kendra: Prends ça. Au cas où nous, on n'arriverait à rien. C'est un pieu auquel je tiens. Il m'a permis de tuer de nombreux vampires. Je l'ai appelé M. Pointu.
Buffy: Tu lui as donné un nom ?
Kendra: Oui.
Buffy: Je t'offrirai une peluche à l'occasion.

— *« Acathla », première partie.*

Giles: Kendra. Il existe quelques personnes — des civils, si tu préfères — qui connaissent l'identité de Buffy. Willow en fait partie. Et elle passe du temps avec eux… socialement.
Kendra: Et vous la laissez faire ?
Giles: Eh bien…
Kendra: La Tueuse doit opérer en secret. Pour des raisons de sécurité…
Giles: Je comprends. Mais avec Buffy, il faut savoir faire preuve de flexibilité.

— *« Kendra », deuxième partie.*

Kendra: On va retourner voir ton Observateur pour prendre nos ordres.
Buffy: Je ne reçois d'ordres de personne. Je fais les choses à ma façon.
Kendra: Pas étonnant que tu te sois fait tuer.

— *« Kendra », deuxième partie.*

Giles: Spike a fait appel à l'Ordre de Taraka pour se débarrasser de Buffy.

Kendra: Les assassins ? J'ai lu quelque chose sur eux dans les écrits de Dramius.
Giles: Vraiment ? Quel volume ?
Kendra: Le sixième, je crois.
Buffy: Comment sais-tu tout ça ?
Kendra: Je l'ai étudié.
Buffy: Je vois. Tu as beaucoup de temps libre.
Kendra: J'étudie parce qu'il le faut. Le Manuel de la Tueuse insiste sur ce point.
Willow: Il y a un Manuel de la Tueuse ?
Buffy: Manuel ? Quel manuel ? Comment ça se fait que je n'en ai pas ?
Willow: Y a un T-shirt, aussi ? Parce que ça, ce serait cool.
Giles: Après t'avoir rencontrée, Buffy, je me suis dit que le manuel ne servirait à rien dans ton cas.

— *« Kendra », deuxième partie.*

Kendra: Buffy est élève ici ?
Giles: Oui.
Kendra: Evidemment. Et je parie qu'elle fait partie de l'équipe des pom-pom girls.
Giles: En fait, elle a dû y renoncer. C'est une histoire assez amusante…

— *« Kendra », deuxième partie.*

Mais le plus gros problème de Buffy n'a rien à voir avec les vampires ou les démons: c'est sa lutte permanente pour avoir une vie d'adolescente normale tout en remplissant sa mission de Tueuse.

Elle n'est sans doute pas la première Elue confrontée à ce dilemme. Mais avant de rencontrer feu l'Observateur Merrick, quand elle était encore élève de troisième au Collège Hemery de Los Angeles, elle menait l'existence insouciante d'une fille de quinze ans dont la conversation tournait autour des garçons, des fringues et des matchs de foot. Tout ça a bien changé…

Kendra: Quelqu'un t'a expliqué l'expression « identité secrète » ?
Buffy: Non. Ça devait être dans le manuel. Juste après le chapitre sur l'ablation de personnalité.
— *« Kendra », deuxième partie.*

Buffy: Je suppose que ton Observateur ne t'autorise pas à sortir avec des garçons ?
Kendra: Je n'ai même pas le droit de leur parler.
Buffy: Sauf si tu es en train de leur taper dessus.
— *« Kendra », deuxième partie.*

Giles: Ne sois pas en retard.
Buffy: Est-ce que ça m'est déjà arrivé ?
Giles: Mieux vaut prévenir que guérir.
— *« La Face Cachée »*

Buffy: J'ai bu un verre d'alcool et j'ai menti une fois.
Giles: Oui, en effet, et tu as failli être dévorée par une créature démoniaque. Il me paraît superflu de souhaiter que ça te serve de leçon dans ces circonstances.
— *« Dévotion »*

EXTRAIT DU SCÉNARIO ORIGINAL

Kendra: Je ne suis pas autorisée à regarder la télévision. D'après mon Observateur, ça encourage la paresse mentale.
Buffy: Et il trouve ça répréhensible ?
— *« Kendra », deuxième partie.*

« J'ai plusieurs vies à gérer mais aucune ne se mélange, un peu comme si l'une… Si l'une était de l'eau, la seconde de la graisse et la troisième un autre truc. »
— *« Attaque à Sunnydale »*

Dans la deuxième partie de « Bienvenue à Sunnydale », nous voyons que Buffy stocke ses accessoires de Tueuse dans le double fond d'une malle. Plus tard, dans « Attaque à Sunnydale », elle en garde également dans un tiroir de sa commode : quelques pieux, des croix, une bouteille d'eau bénite et un coup-de-poing américain garni de pointes.

Angel: Je croyais qu'on avait…
Buffy: Rendez-vous ? Moi aussi. Mais je me mentais. Les rendez-vous, c'est pour les autres filles. Les filles qui ont le temps de penser à leur maquillage, à leur vernis à ongles. Moi, ça serait plutôt embuscades/pièges. C'est pas exactement ce qu'il faut pour plaire.
— *« Halloween »*

Giles: Préserver une vie normale pour une Tueuse, vraiment, c'est… C'est problématique à plus d'un titre.
Buffy: Mais les temps ont changé et ils ont aussi changé pour les femmes ; je sais que je peux faire les deux. Clark Kent a un job, lui. C'est juste pour me changer les idées.
— *« Un Premier Rendez-Vous Manqué »*

Giles: Mon enfant, je sais ce que c'est que d'avoir seize ans !

Buffy: Non. Je regrette, vous ignorez ce que c'est d'avoir seize ans, d'être une fille et d'être la Tueuse !

Giles: De ce point de vue, tu as raison.

Buffy: Ni ce que c'est d'avoir à tuer des vampires quand on a des sentiments très forts envers l'un d'eux.

Giles: Ah. Très forts, oui…

Buffy: Fréquenter des morts-vivants, je trouve que ça manque assez de vie.

— « *Dévotion* »

Etant donné la vie qu'elle mène, Buffy se montre fréquemment amère vis-à-vis de ses devoirs de Tueuse. Elle parle souvent de ce qu'aurait pu être son existence sans cette écrasante responsabilité.

Willow: Tu n'es même pas un peu curieuse de savoir quel genre de carrière tu aurais pu avoir ? Je veux dire, si tu n'étais pas déjà la Tueuse.

Buffy: Les mots « destinée » et « implacable » signifient-ils quelque chose pour toi ?

— « *Kendra* », *première partie.*

Buffy: Ça serait pas si mal de me faire remplacer.

Willow: Tu veux dire, de laisser Kendra s'occuper de tout ?

Buffy: Peut-être. Quand cette histoire d'assassins sera réglée, je pourrais lui dire : « Tu te charges des vampires ; moi, je vais à Disneyland. »

Willow: Mais pas pour toujours ?

Buffy: Non ; Disneyland doit devenir lassant au bout de quelques mois. Mais je pourrais faire autre chose. Me trouver un boulot. Mener une vie normale.

— « *Kendra* », *deuxième partie.*

Giles: Je vais rechercher toutes les possibilités, y compris les fantômes. Alex, si tu n'as rien à faire, tu es le bienvenu.

Alex: Ah bon, il y a des devoirs maintenant ! Ça vient de tomber…

Buffy: C'est le boulot, figure-toi : la chasse aux vampires, c'est l'esclavage.

— « *Portée Disparue* »

Joyce: Tout ce que je te demande, c'est d'être un peu responsable. Ça t'arrive de penser à autre chose qu'aux garçons et aux fringues ?

Buffy: Oui : à sauver le monde des vampires.

Joyce: Parfois, je ne comprends vraiment pas ce qui te passe par la tête.

— « *Œufs-Surprise* »

EXTRAIT DU SCÉNARIO ORIGINAL

Buffy: Cette histoire de Journées d'Orientation me fait réaliser quelle vie bizarre je mène. Au lieu d'avoir un boulot, j'ai une mission. Pas de club d'échecs ou de matchs de foot pour moi ; je passe tout mon temps libre dans les cimetières et les ruelles obscures.

Angel: C'est ce que tu voudrais, assister à des matchs de foot ?

Buffy: Peut-être pas. Mais j'aimerais avoir le choix.

— « *Kendra* », *première partie.*

Bien qu'elle ne cesse de se plaindre, Buffy assume ses responsabilités de Tueuse. Avant elle, jamais une Elue n'avait dû affronter tant d'horreurs. Peut-être parce qu'elle refuse de fermer son cœur à sa famille, à ses amis et à Angel, le vampire qu'elle aime. Mais quand son heure sonne, elle est toujours prête.

« Ecoutez, je n'irai pas loin ; comme ça, si c'est l'apocalypse ce soir… Bip bip. »
— « *Un Premier Rendez-Vous Manqué* »

« Elle a une telle pression sur le dos, ça la tue ! Elle a seize ans, vous lui volez sa jeunesse ! »
— *Willow à Giles, dans* « *Dévotion* ».

« C'est déjà une grande chance d'avoir son petit enfer privé ! »
— *Buffy, dans* « *Dévotion* ».

Kendra: Tu parles de ta mission comme si c'était un boulot. Mais c'est ton identité.

Buffy: Tu as appris ça dans le manuel ?

Kendra: En te regardant.

Buffy: Je suppose que je n'y peux rien. Je suis un monstre.

Kendra: Tu n'es pas la seule.

Buffy: Plus maintenant.

— « *Kendra* », *deuxième partie.*

Buffy: Moi, je suis l'Elue ; c'est ma mission de combattre ces monstres. Et toi, c'est quoi ton prétexte ?

Angel: J'aime les grandes causes.

— « Alias Angélus »

« Les adultes ne vous croient pas, moi si. Comme toi, je sais qu'il y a des monstres, mais il y a aussi des héros qui vous défendent contre ces monstres. Moi. »

— Buffy, dans « Réminiscence ».

Angel: Tu te sens seule, hein ? Plus d'armes, plus d'amis, plus d'espoir. Qu'est-ce qu'il te reste ?

Buffy: Moi.

— « Acathla », deuxième partie.

Giles: Il a l'air gentil ce garçon.

Buffy: Oui, mais il veut jouer les Superman. Vous, Alex, Willow, c'est différent. Vous connaissez le topo. Vous êtes prudents. Deux jours dans mon univers et Owen, lui, se ferait tuer à cause de moi. Et il ne serait pas le seul.

— « Un Premier Rendez-Vous Manqué »

Willow: Arrête. Tu peux bien te reposer un soir, ça va pas te tuer.

Buffy: Non, mais ça pourrait tuer quelqu'un d'autre.

— « Réminiscence »

Buffy: Mais ouvre les yeux, maman ! Qu'est-ce que tu crois qu'il s'est passé pendant ces deux dernières années ? Tous ces faits étranges, toutes ces bagarres... Combien de fois as-tu nettoyé mes vêtements pleins de sang, et tu n'as rien deviné ?

Joyce: Tout ça est terminé aujourd'hui.

Buffy: Ça ne sera jamais terminé, tu entends, jamais. Tu crois que j'ai choisi d'être comme ça ? Tu as la moindre idée de la solitude que c'est, du danger et des risques ? J'adorerais rester là et regarder la télé ou bien parler des garçons comme les filles de mon âge. Ou bien même étudier. Mais je dois sauver le monde. J'ai été élue.

— « Acathla », deuxième partie.

Même si elle lutte contre sa destinée, Buffy finit toujours par l'accepter. Y compris si ça doit entraîner sa mort un jour. Ce genre de courage, cette volonté de se sacrifier, est rare chez les humains, et d'autant plus remarquable venant d'une aussi jeune fille.

Parmi les livres de Giles, on trouve *The Black Chronicles* (Les Chroniques Noires), *The Tiberius Manifesto* (Le Manifeste de Tibérius), *The Writings of Dramius* (Les Ecrits de Dramius), *Legends of Vishnu* (Les Légendes de Vishnou) et *The Pergamum Codex* (Le Codex Pergamum).

Merrick: Nous n'avons pas beaucoup de temps. Vous devez venir avec moi, votre destinée vous attend.

Buffy: Je n'ai pas de destinée. Je suis sans destinée, désolée.

Merrick: Oh si, vous en avez une. C'est vous qui êtes l'Elue. Vous seule pouvez les arrêter.

Buffy: Quoi ?

Merrick: Les vampires.

— « Acathla », première partie.

Giles: C'est vrai que les prophéties ne sont pas toutes immuables. Buffy en a elle-même contrarié à maintes reprises. Mais il s'agit du Codex, et tout ce qui y est décrit se réalise forcément !

Angel: C'est votre lecture.

Giles: Croyez-moi, j'aimerais me tromper, mais c'est bien clair ! Demain soir, Buffy affrontera le Maître, et elle mourra !

Angel: Vous avez vérifié tous les textes ?

Buffy: Alors c'est fini, hein ? Je me souviens de la manœuvre : une Tueuse s'en va, une autre arrive. Qui va me succéder ? Vous l'entraînerez, vous la formerez...

Giles: Buffy, j'ai...

Buffy: Le texte dit comment je vais mourir ? C'est douloureux ? (A Angel :) Non, laisse-moi. Est-ce que vous comptiez me le dire ?

Giles: J'avais espéré que je trouverais un moyen d'empêcher, d'éviter...

Buffy: J'ai le moyen de l'éviter : c'est la fuite !

Angel: Ce n'est pas aussi simple.

Buffy: Pour moi, c'est très simple ! Je laisse tomber, je raccroche, je démissionne ! Trouvez un remplaçant pour empêcher que le Maître triomphe !

Giles: L'opposition ne peut venir que de toi seule ; les signes indiquent...

Buffy: Les signes ! Déchiffrez-moi les signes ! Dites-moi la bonne aventure ! Vous êtes très utile, toujours assis le nez dans vos bouquins ! Oui, vous êtes vraiment d'un grand secours !

Angel : C'est dur. Je comprends ce que tu ressens.

Buffy : Qu'est-ce que tu peux savoir ? Toi, tu es éternel !

Angel : Tu crois que je supporterais qu'il touche un cheveu de ta tête ? Il faut réfléchir au moyen.

Buffy : J'ai déjà réfléchi : je lâche tout, j'abandonne, je me paye ce luxe !

Giles : Buffy, si le Maître réussit à sortir...

Buffy : Qu'est-ce que ça change ? Non, non, ça m'est égal ! J'ai à peine seize ans, c'est trop jeune. Je tiens à vivre encore.

— *« Le Manuscrit »*

« Le fond du problème, c'est que même si tu les vois arriver, tu n'es pas prêt à affronter des événements de cette importance. Personne ne demande à ce que sa vie change, pas vraiment. Mais elle change. Qui sommes-nous ? Des désespérés, des marionnettes ? Non. Des événements essentiels vont se produire, tu n'y pourras rien. C'est ce que tu feras après qui est important. Quand tu sauras enfin qui tu es. »

— *Whistler*, en voix off, quand Buffy découvre le cadavre de Kendra dans *« Acathla »*, première partie.

« Ça va être difficile pour elle maintenant. Ce n'est qu'une enfant. Et elle vit dans un monde rempli d'embûches. »
— *Whistler*, dans *« Acathla »*, première partie.

L'Observateur

Comme nous l'avons fait remarquer précédemment, un des atouts de Buffy est qu'elle ne travaille pas seule. Toutes les Tueuses ont un Observateur, mais peu sont aussi dévoués et loyaux que Rupert Giles. Sa persévérance face aux luttes intérieures de Buffy et sa présence aux côtés de la jeune fille lors de nombreux combats révèlent un courage étonnant.

Giles : J'avais dix ans quand mon père m'a dit : « Fiston, ton destin est d'être Observateur. » Lui l'avait été, et sa mère avant lui, et je devais être le suivant.

Buffy : Ça vous a emballé, comme boulot ?

Giles : Non. J'avais déjà des projets pour mon avenir. Je voulais devenir pilote ou plombier en cas d'échec. Mais mon père m'a fait un beau discours terriblement assommant sur la responsabilité et le sacrifice.

— *« Un Premier Rendez-Vous Manqué »*

« J'ai beaucoup de livres sur les coutumes, sur les prophéties ou les prédictions, mais je n'ai pas de manuel de conseils pratiques. Nous progressons en suivant notre route. Et je dois dire que comme Tueuse, tu... Oui, tu... Tu progresses plutôt vite. »

— *Giles*, dans *« Un Premier Rendez-Vous Manqué »*.

« Tu ne joues pas. Qu'es-tu devenu ? Bibliothécaire rangé, ange gardien et garant de la morale ? Je ne le crois pas. »
— *Ethan Rayne* à Giles, dans *« Halloween »*.

Buffy : Hé, tu pourrais peut-être devenir Gardienne !

Buffy: Ouvrez vos bouquins, je vous en prie, aidez-moi.
Willow: Qu'est-ce que vous allez faire ?
Giles: Ouvrir mes bouquins.

— *« Les Hyènes »*

Giles: J'ai étudié l'œuvre d'Exton en trois volumes, oui. Mais les publications les plus frappantes sur la matière ont disparu. Le fameux manifeste, le précieux Codex.
Angel: Le Codex.
Giles: Il est réputé pour donner les renseignements les plus précis à propos du rôle des Elues chez les Anciens. On pense que le grimoire a été égaré au xvᵉ siècle.
Angel: Dérobé, pas égaré. Je peux l'avoir.
Giles: Cela pourrait être d'un grand secours. Euh… Mes propres documents sont plutôt inutiles.
Angel: Effectivement.
Giles: Mon problème, c'est qu'il y a une fille invisible qui terrorise le lycée.
Angel: Ça n'est pas vraiment mon domaine.

— *« Portée Disparue »*

Willow: Oh non, je ne supporterais pas le stress.
Alex: Et puis t'as pas du tout les dents pour.
Willow: Je me demande comment Giles tient le coup.
Buffy: Je crains qu'il n'ait pas le choix.

— *« La Face Cachée »*

Willow: Comment faites-vous pour toujours tout savoir ? Vous êtes au courant de tout ; je ne suis jamais au courant de rien !
Giles: Est-ce que tu es là depuis minuit à faire des recherches ?

— *« Alias Angélus »*

A celles d'entre vous qui pensent avoir le courage, l'endurance — et la totale absence de vie sociale — nécessaires pour devenir une Tueuse, nous fournissons une liste des grands principes à respecter.

Les règles du Jeu

ou les Douze Commandements de la Tueuse selon Buffy Summers

Premier Commandement :

Marche comme une dure à cuire. Parle comme une dure à cuire. Sois une dure à cuire.

« On n'a pas été convenablement présentés. Moi c'est Buffy, et toi, tu dois être mal en point maintenant. »
— *Buffy dans « Un Premier Rendez-Vous Manqué ».*

« J'ai vraiment eu une très mauvaise journée, d'accord ? Si vous avez la moindre information à me donner, je vous serai reconnaissante. Mais si vous continuez vos blagues débiles, je vous arrache les tripes et je m'en fais un chapeau. »
— *Buffy à Whistler, dans « Acathla », deuxième partie.*

Deuxième Commandement :

Sois toujours prête à aider les autres, mais connais tes forces et tes faiblesses.

Buffy : Je pense que je ne serai pas très utile ; je ne peux apporter qu'un soutien moral.
Alex : Très, très utile : c'est toi qui apportes les sandwichs. Si tu pars, qui le fera ?
— *« Kendra », première partie.*

Alex : Vas-y, Buffy. Dissèque-le.
Buffy : Le disséquer ? Pourquoi moi ?
Alex : Parce que tu es la Tueuse.
Buffy : Et j'ai déjà fait mon boulot !
— *« Œufs-Surprise »*

Troisième Commandement :

Sois respectueuse de ta mission et des traditions qui s'y rattachent.

« Devoir sacré, bla bla bla… »
— *Buffy, dans « Innocence », deuxième partie.*

Quatrième Commandement :

Garde ton calme. Ne te laisse pas distraire par des problèmes mineurs comme un petit ami d'humeur meurtrière.

« Je conçois que ce soit très dur pour toi ; je peux l'imaginer. Mais en tant que Tueuse, tu as le devoir de ne jamais être esclave de tes passions. Tu ne dois pas laisser Angel t'atteindre, si provocateur que soit son comportement. »
— *Giles, dans « La Boule de Thésulah ».*

« Il faut plus de rapidité pour réaliser ton mouvement. Porte le coup tout de suite, porte le coup… »
— *Giles, dans « Un Premier Rendez-Vous Manqué ».*

Cinquième Commandement :

Ne te laisse pas distraire par une accalmie temporaire. Tu peux tuer autant de vampires que tu veux, il en viendra toujours davantage.

« Quand on se trouve au sommet d'une convergence mystique, on ne tarde jamais à voir les forces du Mal se manifester. Il est temps que tu reprennes un entraînement intensif ; tu devrais chasser et faire des rondes systématiques, affûter tes talents sans arrêt. »
— *Giles, dans « Dévotion ».*

« Sous prétexte que le paranormal est plus normal que para ces temps-ci, on justifie ses retards et on relâche sa vigilance. »
— *Giles à Buffy, dans « Dévotion ».*

Sixième Commandement :

Efforce-toi de mener une vie équilibrée.

« Quand je t'ai dit que tu pouvais tuer des vampires et avoir une vie normale, ce n'était pas en même temps. »
— *Giles, dans « Un Premier Rendez-Vous Manqué ».*

Septième Commandement :

Chouchoute ton moral.

« Une Tueuse fatiguée est inefficace. »
— *Buffy*, dans « *Un Premier Rendez-Vous Manqué* ».

Huitième Commandement :

Soigne ton apparence pour faire bonne impression.

Alex : Elle va se remettre ?
Giles : Elle a été un peu choquée sur le moment… Cela dit, si tu n'avais pas été la Tueuse…
Buffy : Dites-moi la vérité. Comment sont mes cheveux ?
Alex : C'est génial, ils sont beaucoup mieux qu'avant.
Giles : Oh oui.

— « *Moloch* »

Neuvième Commandement :

Confrontée à un phénomène inconnu, fie-toi à ton instinct.

Alex : Tu sais comment le combattre ?
Buffy : Il se pourrait que je sois violente.
Alex : Sans blague.

— « *Réminiscence* »

Dixième Commandement :

Chaque fois que tu le peux, suscite la dévotion chez tes alliés et la haine chez tes ennemis.

« Ça m'ennuie de vous le dire mais ça, c'est le travail de Buffy. »
— *Alex*, dans « *Un Premier Rendez-Vous Manqué* ».

« Zachary avait du courage ; il était prudent et fort. Malgré cela, elle a réussi à le vaincre. Elle a tant exterminé de membres de la famille… Ça devient lassant. »
— *Le Maître*, dans « *Alias Angélus* ».

Onzième Commandement :

Sois patiente.

« Tu sais ce qu'on dit, hein ? Au jeu de la chasse au vampire, on passe beaucoup de temps à attendre. »
— *Giles*, dans « *Un Premier Rendez-Vous Manqué* ».

Douzième Commandement :

En toutes circonstances, protège ton identité de Tueuse.

« Si l'on découvrait que tu es la Tueuse, il est clair que vous pourriez courir, toi et ceux qui t'entourent, un grave danger. »
— *Giles*, dans « *Un Premier Rendez-Vous Manqué* ».

Spike : Quoi, ta mère n'est pas au courant ?
Joyce : Au courant de quoi ?
Buffy : Que, euh, pour le groupe avec Spike. Un groupe de rock.
Spike : Oui, on a besoin d'elle pour le triangle.
Buffy : Et le tambour.
Spike : Et le tambour, oui. Elle est d'enfer quand elle joue.
Joyce : Ah oui ? Et vous, vous jouez de quoi ?
Spike : Moi, je chante.

— « *Acathla* », deuxième partie.

« Buffy, ne me dis pas que tu révèles ton identité secrète juste pour impressionner les garçons ? »
— *Giles*, dans « *Mensonge* ».

Ecoute ces sages paroles et un jour, peut-être, ton Observateur viendra te demander de défendre le monde contre les forces des ténèbres.

WELCOME to SUNNYDALE
Enjoy Your Stay!
POPULATION 38,500   ESTABLISHED 1909

GUIDE DE SUNNYDALE

Buffy
CONTRE LES VAMPIRES

EXTRAIT DE
Le Syndicat
d'Initiative de
Sunnydale
LA BROCHURE
ÉMISE PAR

Bienvenue dans notre riante Sunnydale !

Le Syndicat d'Initiative de Sunnydale vous souhaite la bienvenue dans sa riante petite bourgade aux nombreuses attractions: une plage immaculée dans le plus pur style californien, un musée de renommée mondiale et la célèbre Faculté de Crestwood, qui attire les étudiants d'art moderne des quatre coins du globe. Traquez les futurs Picasso dans notre galerie du centre-ville, allez boire un cappuccino dans le repaire favori des jeunes: le Bronze… et sympathisez avec les habitants si amicaux, toujours prêts à vous guider dans votre visite.

Colonisée par les Espagnols voici plusieurs siècles, et affublée du surnom évocateur de *Boca del Infierno*, Sunnydale est une communauté bien ancrée dans l'histoire. Aujourd'hui, elle abrite toute sorte de gens inhabituels et intéressants… Quand vous y aurez séjourné quelque temps, vous comprendrez ce que nous voulons dire !

Sunnydale… Arrêtez-vous pour une heure, passez-y le reste de votre vie !

La Société des Historiens a concocté pour vous cette visite guidée de Sunnydale. La plupart des sites se trouvent au centre-ville; la plage, le port, la patinoire et autres lieux d'intérêt touristique peuvent faire l'objet d'une excursion en bus (vous trouverez au dos de cette brochure une carte indiquant le chemin jusqu'à notre **aéroport** et à notre **gare routière**).

Sunnydale est une ville en pleine expansion, dont les jeunes gens représentent le sang neuf. Sur le charmant campus de style espagnol du **Lycée de Sunnydale**, vous trouverez un **gymnase** où on annonce le résultat des élections de la Belle de Mai, ainsi qu'une **piscine** olympique et sa **grotte souterraine**.

L'équipe de football locale se nomme les *Razorbacks*. En 1977, notre groupe de pom-pom girls a gagné le championnat du comté, et cette année, l'équipe de natation masculine a atteint les demi-finales. Notre gala scientifique annuel est très populaire; les gens viennent de loin pour admirer les inventions exposées. Quant au concours de jeunes talents, il se déroule toujours dans un **auditorium** bondé.

Venez manger un morceau et discuter avec la promotion 99 dans notre **cafétéria**, qui a gagné le prix des Meilleurs Burritos pour la troisième année consécutive. Nous sommes fiers de notre

bibliothèque entièrement informatisée, et d'être membres d'un programme d'échange d'étudiants étrangers.

Il existe officiellement quarante-trois églises à Sunnydale, même si certains affirment en compter quarante-quatre. Des rumeurs circulent au sujet d'une **chapelle** enfouie sous terre, bien qu'aucune preuve de son existence n'ait jamais été apportée. Des archéologues ont exploré le vaste réseau de souterrains qui sillonnent la ville. Sans succès. Pourtant, la légende de l'Antre du Maître perdure… Serez-vous celui qui découvrira son secret ?

A quelques centaines de mètres du campus, vous pourrez admirer un autre exemple remarquable d'architecture espagnole : de petits immeubles rénovés où vit notamment **Rupert Giles**, notre bibliothécaire.

En lisière de la ville, le **Bronze** est le lieu de rencontre favori des étudiants, une boîte de nuit pas snob pour deux sous où aucun videur ne vous obligera à défiler devant lui pour juger si vous êtes suffisamment bien habillé ou pas ! Il vous suffira de payer votre entrée pour avoir droit à un tampon sur la main, à condition d'être assez âgé pour boire de l'alcool.

> **LE BRONZE**
> « **Le parfait laboratoire de développement pour des activités vampiriques.** »

Le *Bronze* est un endroit sombre, bondé, bruyant et très vivant. Des groupes s'y produisent presque chaque soir, et le club organise également le bal de la Reine de Mai, la soirée d'Halloween, un festival de World Music et d'autres rassemblements excitants. Vous pourrez acheter au bar un assortiment de délicieux gâteaux.

Au nord-est du *Bronze*, de nombreux entrepôts abandonnés entourent le site où se dressait autrefois une très belle **usine** de briques. Les autorités pensaient la transformer en restaurant italien ou en musée de cire ; malheureusement, un incendie l'a ravagée avant la fin des négociations.

> « **Un établissement typique du sud de la Californie.** » DESCRIPTION DU LYCÉE PAR JOSS WHEDON DANS LE SCÉNARIO DE « BIENVENUE À SUNNYDALE ».

Dans cette partie de la ville se trouvent également deux pubs à l'ambiance un peu plus « agitée » : l'*Aquarium* et l'*Alibi de Willi*. (Réservés aux plus de vingt et un ans.)

Il vous faudra connaître le mot de passe pour entrer au très privé *Soleil Couchant*, le club gothique qui, dit-on, abrita autrefois de vrais vampires. La plupart des clients portent exclusivement de la dentelle noire ou du velours écarlate. Les heures d'ouverture varient, et on n'entre que sur invitation.

A l'est se dresse la caserne de Sunnydale. Actuellement dirigée par le colonel Newsome, elle abrite le légendaire Trente-Troisième régiment qui a choisi pour emblème l'ancien pavillon pirate. Vous pourrez y visiter le Musée des Armements, le samedi entre 13 et 15 heures. De nombreuses et fascinantes pièces antiques ont été découvertes aux alentours de Sunnydale ;

> **OZ :** Hé, vous avez vu ce gars tomber en poussière ?
> **WILLOW :** En quelque sorte.
> **ALEX :** Ouais, les vampires existent, et ils vivent presque tous à Sunnydale. Willow t'expliquera.
> **WILLOW :** Je sais que c'est difficile à accepter, mais…
> **OZ :** Non, en fait, ça explique beaucoup de choses.
>
> — « INNOCENCE », PREMIÈRE PARTIE.
>
> **BUFFY :** Je connais un endroit où vous pourriez aller. Alors vous vous asseyez dans le noir et là, y a des images qui bougent… et en plus, ces images vous racontent une histoire.
> **GILES :** Ah oui, comme au Guignol ? Non, je blague. Je sais parfaitement me détendre, m'amuser.
> **BUFFY :** Comment ?
> **GILES :** Eh bien, j'aime beaucoup le repassage.
>
> — « HALLOWEEN »

elles sont exposées sous vitrines à côté des dernières innovations technologiques. (Les civils sont priés de se présenter à l'entrée des visiteurs.)

Si vous contournez la caserne et repartez vers l'ouest, vous arriverez à l'hôpital de Sunnydale. Nos urgences bourdonnent toujours d'activité, et nos docteurs sont prêts à soulager vos maux, qu'ils soient consécutifs à une attaque de voyous ou à une banale chute dans l'escalier. Notre unité de culture virale suscite l'envie des cliniques du monde entier ; tous nos produits sanguins sont chauffés, et notre pharmacie reste ouverte vingt-quatre heures sur vingt-quatre.

En dépassant le commissariat et la mairie, vous arriverez à notre centre commercial. Grâce à de récents travaux, il compte désormais un multiplex où vous pourrez voir les derniers films dès le jour de leur sortie nationale, ainsi que de nombreuses boutiques et plusieurs restaurants. N'oubliez pas de faire un tour à la salle d'arcade du premier étage, pour tester les jeux vidéo à la mode.

Un peu plus loin, de l'autre côté du parking, le quartier des affaires vous propose des commerces fascinants. Ceux qui ont le cœur bien accroché trouveront dans l'*Antre du Dragon* toute une gamme de poupées vaudou,

> ALEX : **On ne vous a jamais appris à frapper avant d'entrer ?**
> ETUDIANT : **On vient chercher de la documentation sur Staline.**
> ALEX : **Vous vous croyez dans une baraque de foire ?**
> GILES : **Non, c'est une bibliothèque, Alex.**
> — « LA BOULE DE THÉSULAH »

de philtres d'amour et de planches oui-ja, ainsi que des presse-papiers en cristal appelés « Boules de Thésulah ». Achetez-en quelques-unes pour les offrir à vos amis branchés New Age ! D'autres boutiques se sont spécialisées dans la location de costumes et d'accessoires de théâtre tels que les dents de vampires. *Chez Ethan* marchait très bien l'an dernier, jusqu'à sa fermeture.

> WILLOW : **Je suis bonne en médecine ; Alex et moi, on aimait bien jouer au docteur.**
> ALEX : **Non, c'est pas tout à fait ça. Elle avait des bouquins de médecine et, euh, elle jouait à me diagnostiquer. Je n'ai jamais osé lui dire que c'était pas la bonne règle du jeu.**
> — « RÉMINISCENCE »

> GILES : **Comme chaque mois, c'est la livraison des poches de sang pour les soins médicaux.**
> BUFFY : **Ah oui : plateau-repas des vampires.**
> GILES : **J'espère que non. Bon, on se retrouve derrière l'hôpital à huit heures et demie pile. J'apporte des armes.**
> BUFFY : **Je m'occupe de la musique.**
> — « LA FACE CACHÉE »

Vos courses terminées, allez donc au parc de Weatherly où se retrouvent petits et grands. On peut y faire du vélo, du jogging, ou pique-niquer sur les pelouses. En revanche, les skate-boards y sont interdits. (Avertissement: Ne vous écartez pas trop des pistes et des allées pavées. Des chiens sauvages rôdent parfois dans les coins les plus reculés du parc.) Fermeture des portes à 22 heures.

Un peu plus au nord, on trouve une aire de jeux avec balançoires et portiques, où les enfants peuvent se défouler en toute tranquillité.

A deux kilomètres de là se dresse un des plus beaux et plus imposants bâtiments de Sunnydale : le Musée d'Histoire Naturelle.

Il abrite quelques collections d'artefacts très impressionnants, ainsi que des spécimens scientifiques et des expositions itinérantes plusieurs fois par an. Récemment, celle de la Princesse Inca a battu des records d'affluence.

N'oubliez pas de visiter le Mémorial de Douglas Perren, où sont exposées maintes curiosités découvertes dans les environs de Sunnydale.

Le quartier qui entoure le musée est très résidentiel. C'est là, dit-on, que vivent les membres d'un groupe local très populaire, les Dingoes Ate My Baby. Attention aux groupies !

Votre prochain arrêt sera certainement pour le zoo de Sunnydale, où on peut admirer de nombreuses espèces rares et exotiques. Destination privilégiée des sorties scolaires, il est ouvert toute l'année. (La Maison des Hyènes est actuellement en travaux et fermée jusqu'à nouvel ordre.)

> « Arnaque typique : on te promet du sacrifice humain et tu bâilles deux heures devant de vieux pots cassés. »
> — **ALEX**, DANS « LA MOMIE INCA ».

Les jeunes du coin aiment admirer la vue qu'on a depuis le Rendez-Vous des Amoureux. Si vous vous y arrêtez, assurez-vous que votre frein à main est bien serré !

Prenez la nationale 17 en direction de l'ouest pour vous rendre sur notre magnifique plage (ligne de bus n° 13, arrêt « Plage »). Le parking y est gratuit. Les feux de camp sont autorisés le soir, mais pas les bouteilles en verre ni les boissons alcoolisées. (Remarque : certaines personnes affirment avoir aperçu des requins au large, mais notre Commission de Sûreté dément les rumeurs et vous assure que nos eaux sont sans danger.)

En parlant de requins, si vous aimez la pêche, n'oubliez pas de visiter le port de Sunnydale ! Il abrite une industrie de transports maritimes florissante, et vous pourrez y louer des bateaux pour une demi-journée ou un week-end entier afin de paresser au soleil en attendant que ça morde. Appelez le 555-3474 pour plus de détails.

Reprenez la nationale 17 dans le sens inverse et sortez à Kallas pour aller pirouetter au frais à la patinoire de Sunnydale (ligne de bus n° 66, arrêt « Patinoire »). Entraînez-vous pour les prochains jeux Olympiques et n'oubliez pas de vous réchauffer en dégustant un chocolat chaud et des churros sucrés. Fermé le mardi.

De retour vers le centre-ville, vous pourrez passer quelques instants de tranquillité au cimetière de Sunnydale et y admirer les tombes de plusieurs personnalités locales : l'ancien proviseur Flutie, la star du football Daryl Epps et bien d'autres encore. La morgue de Sunnydale se dresse non loin de là et possède un crématorium dernier cri. Depuis quatre générations, sa devise est : « Reposez en paix, nous nous occupons de tout. »

Le long du mur sud du cimetière s'étend le bois de Sunnydale, un bucolique ravissement composé de plantes à feuillage persistant. A sa lisière débute le campus de la Faculté de Crestwood ; vous y trouverez notamment l'ancien QG de la fraternité des Delta Zêta Kappa, qui fut démantelée l'an dernier suite à une affaire de rites initiatiques douteux. La faculté elle-même est très bien cotée. L'an dernier, son département d'art dramatique a donné d'excellentes représentations de *The Sound of Music*.

Trois kilomètres plus au nord, le Parc

ALEX : On a vu les zèbres en train de s'accoupler, ça nous a beaucoup plu.
WILLOW : C'était comme les chevaux, les rayures en plus.

— « LES HYÈNES »

CORDÉLIA : Le Bronze. C'est la seule boîte qui vaut le coup ici. Ils laissent tout le monde entrer, mais c'est là qu'il faut aller. Elle est dans le quartier mal famé.
BUFFY : C'est où, ça ?
CORDÉLIA : Environ à un pâté de maisons des beaux quartiers. La ville n'en a pas beaucoup, tu sais.

— « BIENVENUE À SUNNYDALE », PREMIÈRE PARTIE.

GILES : Nous combattrons le tabagisme quand on sera sûr qu'il n'y a plus rien de surnaturel.
BUFFY : Un jour, je voudrais vivre dans une ville où l'on ne considère pas naturel le surnaturel.

— « LA MOMIE INCA »

Technologique de Sunnydale abrite de petites entreprises high-tech très prospères, dont la Lorrin Software et l'ancienne CRD (malheureusement en redressement judiciaire suite aux dégâts provoqués par un problème électrique. L'incident a obligé les autorités à condamner les bâtiments).

Un peu plus bas dans l'avenue, vous trouverez le mini-golf, une attraction destinée à toute la famille : l'endroit parfait pour retrouver de vieux amis ou s'en faire de nouveaux.

A la lisière de la ville se dresse un manoir ayant appartenu à une ancienne star du cinéma muet, qui le légua à la ville après sa mort. La Société des Historiens l'a récemment loué à un certain M. A. Selon les déménageurs, il y a amené de splendides statues Art Déco. Peut-être ouvrira-t-il les portes de sa nouvelle demeure pour une grande soirée, comme l'ont laissé entendre certaines personnes qui semblent dans la confidence.

WILLOW : Le tueur ? Qui dit qu'il y a eu assassinat ? Rien n'est...
GILES : Non, mais c'est l'habitude à Sunnydale, alors...

« DÉVOTION »

Nous espérons que cette brochure vous permettra de profiter au maximum de votre séjour dans notre belle ville. Qui sait ? Une fois que vous aurez passé du temps à Sunnydale, vous ne pourrez peut-être plus jamais en repartir !

« Tu sais, il se passe pas grand-chose dans une petite ville comme Sunnydale. Ton arrivée est un événement.

— ALEX, DANS « BIENVENUE À SUNNYDALE », PREMIÈRE PARTIE.

BUFFY : Et sur ta droite, une fois de plus, notre superbe campus. Je pense que tu as vu tout ce qu'il y avait à voir à Sunnydale.
FORD : Eh bien, c'est vraiment...
BUFFY : Ennuyeux, tu peux le dire.
FORD : Ennuyeux, c'est pas si mal. A moins que... Ce ne seraient pas des vampires ?

— « MENSONGE »

GILES : Il y a quarante-trois églises à Sunnydale ? Ça me paraît un peu excessif.
WILLOW : C'est à cause des vibrations maléfiques de la Bouche de l'Enfer. Ça fait prier les gens davantage.

— « KENDRA », DEUXIÈME PARTIE.

GAGE : C'est ça, la chose qui a tué Cameron ?
BUFFY : Non. C'est quelque chose d'autre.
GAGE : Quelque chose d'autre ?
BUFFY : Oui, et c'est pas de veine, il y a beaucoup de « quelque chose d'autre » dans le coin.

— « LES HOMMES POISSONS »

GUIDE DES
PERSONNAGES

Buffy
CONTRE LES VAMPIRES

Buffy Summers

Buffy Anne Summers est née en 1981 (« Billy », « Innocence »), du couple désormais divorcé formé par Hank et Joyce Summers. Enfant, elle se prenait pour l'héroïne de comics Super-Girl: un choix d'alter ego quasi prophétique! Elle était très proche de sa cousine Célia jusqu'à ce que celle-ci meure à l'hôpital, d'où son aversion pour les complexes médicaux (« Réminiscence »).

A l'automne 95, Buffy entra en troisième au collège Hemery de Los Angeles. Elle fut élue Reine de Mai l'année suivante (« Portée disparue »), peu avant que l'Observateur Merrick lui révèle qu'elle était l'Elue, la Tueuse de Vampires (« Bienvenue à Sunnydale », « Acathla »).

Lors de sa première intervention, Merrick fut tué et Buffy dut incendier le gymnase de son école (« Bienvenue à Sunnydale »). Ses parents, qui connaissaient des difficultés conjugales depuis quelque temps (« Acathla »), divorcèrent peu de temps après (« Billy »).

Joyce ayant obtenu la garde de sa fille, toutes deux déménagèrent pour s'installer au 1630 Revello Drive (« Alias Angélus ») à Sunnydale, où Buffy s'inscrivit en seconde au lycée local (« Bienvenue à Sunnydale »). A contrecœur, elle ne tarda pas à reprendre ses activités de Tueuse sous la houlette d'un nouvel Observateur, le bibliothécaire Rupert Giles (« Bienvenue à Sunnydale »).

Outre sa force, son agilité et son endurance exceptionnelles, dues à son statut de Tueuse, Buffy est une patineuse sur glace accomplie. Enfant, elle s'identifia pendant une période à Dorothy Hamill, allant jusqu'à adopter la même coupe de cheveux que son idole (« Kendra »).

Elle fait parfois des rêves prémonitoires (« Bienvenue à Sunnydale », « Le Manuscrit », « Innocence »). Giles pense qu'elle devrait être capable de sentir les vampires (« Bienvenue à Sunnydale »), une capacité qu'elle a développée au cours des deux dernières années.

Côté amoureux, elle n'a connu que des succès limités. En CM2, elle avait le béguin pour Billy « Ford » Fordham, qui ne la considéra jamais autrement que comme une amie (« Mensonge »). Elle est brièvement sortie avec un certain Tyler avant de le larguer (« Acathla »), et s'est intéressée à deux garçons de son lycée, Owen Thurman (« Un Premier Rendez-Vous Manqué ») et Cameron Walker (« Les Hommes Poissons »). Mais le premier était plus intrigué par son style de vie que par elle-même, et le second se révéla ennuyeux comme tout… avant de se changer en monstre.

« Est-ce que je suis un porte-parole fidèle en disant: hein? »
— A Giles, dans **« Portée Disparue ».**

« C'est… c'est une arme défensive. A Los Angeles, tout le monde en a. C'est très démodé le gaz paralysant! »
— A propos de son pieu, dans **« Bienvenue à Sunnydale »,** première partie.

« C'est ma vie que je mets en jeu dans le combat contre les morts-vivants. Je me suis cassé un ongle, vous savez? J'ai été obligée de me soigner! Faites un effort, faites semblant de montrer un intérêt poli. Ou alors, grognez. »
— **« Le Manuscrit »**

Buffy s'est également fait draguer par un étudiant en histoire nommé Tom Warner, qui voulait la sacrifier au démon que vénérait sa fraternité (« Dévotion »). Elle a repoussé d'autres avances (« Halloween », « La Soirée de Sadie Hawkins »), dont celles d'Alex (« Sortilèges », « Le Manuscrit »).

Sa seule relation durable s'est très mal terminée. Angel, le vampire dont elle était amoureuse, avait retrouvé son âme à cause d'une malédiction destinée à lui faire payer les vilenies commises par le passé. Mais quand il fit l'amour avec Buffy, le bonheur qu'il éprouva provoqua la transformation inverse (« Innocence »). Il redevint le démon Angélus, ce qui mit un frein à l'ardeur de Buffy.

Buffy est une Tueuse unique dans les annales. D'abord, parce qu'elle dispose d'un soutien logistique et moral remarquable : Giles, Alex, Willow, Cordélia, Oz, Angel avant sa transformation et Jenny Calendar avant son assassinat. Une particularité qui ne cesse d'étonner Spike (« Attaque à Sunnydale »).

Ensuite, parce qu'elle s'est concentrée sur les aspects physiques de sa mission, Giles prenant en charge la partie intellectuelle (« Kendra » : jusqu'à cet épisode, Buffy ignorait même l'existence d'un Manuel de la Tueuse). Ça ne l'empêche pas de faire du très bon travail, puisqu'elle a éliminé le Maître, un des plus anciens et des plus puissants vampires qui soient (« Le Manuscrit »), et empêché l'Enfer d'envahir la Terre (« Acathla »).

Buffy est jouée par Sarah Michelle Gellar. C'est Mimi Paley qui la représente, âgée de huit ans, dans « Réminiscence », et un rat anonyme dans certaines parties d'« Un Charme Déroutant ».

Cita-tIOns Buffy

« Elle est le moustique dans mon oreille, l'os coincé entre mes dents, l'épine dans mon flanc ensanglanté. »
— Spike à propos de Buffy, dans « Kendra », première partie.

Buffy : J'allais pas être violente ; je suis pas toujours violente. Si ?
Alex : L'important, tu sais, c'est que tu y croies.
— « La Momie Inca »

« Alors on peut utiliser la manière forte ou… Eh bien, en fait, je ne vois que la manière forte ! »
— « Bienvenue à Sunnydale », première partie.

« J'en ai assez. Cette fois, Spike va y passer. Vous pouvez m'attaquer et m'envoyer des assassins, mais personne ne touche à mon petit ami. »
— « Kendra », deuxième partie.

« Quand tout ça sera fini, je me tape une orgie de pizza à l'ananas et l'intégrale de Julia Roberts en vidéo. »
— « Kendra », deuxième partie.

Buffy : Je tue des vampires. C'est mon boulot.
Giles : Mais en général, tu ne les réduis pas à l'état de pulpe sanguinolente avant.
— « Le Fiancé »

Willow : N'oublie pas : tu es censée être une petite fille très gentille comme nous toutes ici.
Buffy : Tu me gâches mon plaisir.
— « Pleine Lune »

Ted : Ta mère et moi avançons pas à pas, mais si les choses se passent comme je l'espère, je lui demanderai bientôt sa main. Qu'est-ce que tu en penserais, Buffy ? C'est normal d'avoir des sentiments et de les exprimer.
Buffy : Je penserais à me suicider.
— « Le Fiancé »

Willow : Je suis sûr que ce n'était pas ta faute. C'est lui qui a commencé !
Buffy : C'est le genre d'excuse qui ne prend que dans la cour de récré.
— « Le Fiancé »

Giles : Oui, n'allons pas vers des conclusions hâtives.
Buffy : Je vais nulle part, ce sont les conclusions qui sont venues à moi.
— « Pleine Lune »

Cain : Tu veux que je te dise ? Si cette chose égorge un pauvre pékin, tu seras responsable. Maintenant, je te souhaite de pouvoir vivre avec ça.
Buffy : Je vis avec ça tous les jours.
— « Pleine Lune »

« Le Maître. J'ai vu sa tombe hier soir : absent pour cause de vacances. »
— « La Métamorphose de Buffy »

« Miss Catastrophe, c'est moi. »
— « Le Chouchou du Prof »

Buffy : Alors, résultat des courses ? Personne à part Larry n'a le profil de notre loup-garou ?
Willow : Il y a un nom qui revient très régulièrement : comportement agressif, conflits avec la direction, disputes et incidents graves de toutes natures.
Buffy : Oh, pour la plupart, ce n'était pas ma faute, c'est pas moi qui commençais. Moi, je ne m'occupais que de mes affaires.
Willow : On dit qu'il faut compter jusqu'à dix quand on est en colère.
— « Pleine Lune »

« J'essaie de vous sauver ! Tu t'attaques à quelque chose de trop coriace, tu comprends ? Vous allez mourir ! Le seul espoir qui vous reste, c'est de vous tirer d'ici tout de suite et… Mon Dieu, quelle tenue ridicule ! »
— **A Diego, dans « Mensonge ».**

« Je suggérerais une boîte d'Oreos trempés dans du jus de pomme… Mais elle a peut-être dépassé cette phase. »
— **La première réplique de Ford dans « Mensonge ».**

« Pendant ce temps-là, moi, je m'efforce chaque jour que Dieu fait de combattre les forces du Mal, et mon prof d'histoire ne sait toujours pas comment je m'appelle. »
— **« Les Hommes Poissons »**

Entraîneur : Vous avez une imagination débordante, ma petite demoiselle.
Buffy : Oui, je vous imagine même derrière les barreaux avec un beau costume orange en train de vous faire tabasser par les gardiens.
— **« Les Hommes Poissons »**

« Dites, ça vous ennuierait d'être plus précis ? »
— **« Bienvenue à Sunnydale »,**
première partie.

« Ecoutez-moi tous ! Ce n'est pas le vaisseau-mère qui vous rappelle à lui ! C'est une mort affreuse qui vous attend ! »
— **« Mensonge »**

Joyce : Est-ce que tu sors ce soir ?
Buffy : Oui, je vais dans une boîte.
Joyce : Oh, et dans cette boîte, il y aura des garçons ?
Buffy : Non maman, c'est un couvent !
— **« Bienvenue à Sunnydale »,**
première partie.

EXTRAIT DU SCÉNARIO ORIGINAL :
« Je n'aime pas beaucoup partager mes secrets. J'aime qu'ils restent secrets. »
— **« La Momie Inca »**

Angel

Gentleman irlandais né au début du XVIIIe siècle, Angélus était un vaurien plus intéressé par l'alcool que par un travail honnête. Un soir de beuverie, il rencontra une jeune femme nommée Darla qui le transforma en vampire (« Alias Angélus », « Acathla »).

Bien qu'il n'ait jamais quitté la ville de Galway de son vivant, il voyagea beaucoup une fois devenu immortel. En Angleterre, en 1860, il massacra toute la famille d'une jeune femme nommée Drusilla, afin de la rendre folle avant de la transformer (« Mensonge », « Acathla »). En Roumanie, en 1898, il tua la fille préférée d'un chef de tribu bohémienne, dont les anciens le maudirent : ils lui rendirent son âme, le forçant à être à jamais torturé par les actes qu'il avait commis (« Alias Angélus », « Acathla »).

A partir de ce jour, Angélus fut rongé par le remords. Il émigra aux Etats-Unis, où il devint SDF au début des

années 90. C'est là que le démon Whistler le découvrit et l'encouragea à faire quelque chose de son existence (« Acathla »). Alors, il se rendit en Californie et décida d'aider la Tueuse.

Au départ, il ne se manifestait que pour lui dispenser de mystérieux conseils (« Bienvenue à Sunnydale », « Le Chouchou du Prof », « Un Premier Rendez-Vous Manqué »). Mais ses sentiments pour Buffy le poussèrent peu à peu à se rapprocher de la jeune fille et de ses amis. Il lui révéla qu'il était un vampire, et lui raconta comment il avait retrouvé son âme (« Alias Angélus »).

Il devint un formidable allié de la Tueuse ; ses capacités et sa force vampirique se révélèrent indispensables, notamment contre le démon Eyghon (« La Face Cachée »), les fidèles de Machido (« Dévotion ») et les différents vampires infestant Sunnydale (« Alias Angélus », « Attaque à Sunnydale », « Mensonge », etc.).

Bien que cela puisse sembler étrange — comme le fait remarquer Giles dans « Portée Disparue » —, Angel et Buffy sont désespérément amoureux l'un de l'autre. Ils finissent par consommer leur relation le jour des dix-sept ans de la jeune fille (« Innocence »).

Malheureusement, la malédiction des bohémiens avait pour base la souffrance d'Angel. Quand il vit un instant de bonheur parfait dans les bras de Buffy, il redevient le démon Angélus, ne retrouvant son âme que grâce à un sortilège lancé par Willow. Mais aussitôt après, Buffy est forcée de lui percer le cœur avec un pieu et de l'envoyer en Enfer pour empêcher la destruction du monde (« Acathla »). Angel est joué par David Boreanaz.

citatIOns Angel

Willow : Je fais ce qui convient, Angel.
Angel : Bien sûr. Et moi, je songe sérieusement à me faire bronzer.
— « Kendra », première partie.

Buffy : C'est Angel, le sire de Drusilla.
Alex : Eh ben dis donc, il ne s'embêtait pas dans le temps !
— « Kendra », deuxième partie.

Angel : T'auras qu'à m'apprendre.
Whistler : C'est d'accord.
Angel : Mais je ne veux pas m'habiller comme toi.
— « Acathla », première partie.

Angel : Les Rominis. Leurs anciens ont imaginé le pire des châtiments pour moi : ils m'ont rendu mon âme.
Buffy : Et moi qui croyais les vampires tourmentés de remords…
Angel : Lorsqu'on devient vampire, le démon ne touche pas l'âme. Il ne prend que le corps ; la conscience s'anéantit, et sans conscience, il n'y a pas de remords. La vie est simple. Si tu savais dans quel enfer je suis depuis que j'ai conscience de mes actes… C'est horrible. Je n'ai pas

touché un être humain depuis la malédiction du clan.
— « Alias Angélus »

Spike : C'est fini, cette histoire d'âme retrouvée ?

Angel : Ne m'en veux pas ; je traversais une mauvaise passe.
— « Innocence », deuxième partie.

« J'ai l'apparence d'un humain, mais je n'en suis pas un. Je voulais te tuer ce soir. »
— A Buffy, dans « Alias Angélus ».

Buffy : Je t'ouvre ma porte, je te fais confiance et tu agresses ma famille !

Angel : Et alors ? J'ai tué la mienne… J'ai tué mes proches, leurs amis et les enfants de leurs amis. Pendant cent ans, j'ai dispensé une mort affreuse à tous ceux que je rencontrais, et je l'ai fait avec une joie immense.
— « Alias Angélus »

Buffy : Je sais ce que tu es.

Angel : Crois-tu ? Je suis une brute, un animal ?

Buffy : Non, pas un animal. Les animaux, je les aime.
— « Alias Angélus »

Angel : Quoi ?

Alex : Tu fixais la veine sur mon cou.

Angel : C'est pas vrai.

Alex : Reste à un mètre devant moi.

Angel : Je n'ai pas regardé tes veines !

Alex : Je t'avais dit de manger avant de partir.
— « Le Manuscrit »

citatIOns Angel

Alex Harris

Alexander LaVelle Harris a toujours vécu à Sunnydale, en Californie. Petit, il jouait au docteur avec son amie d'enfance Willow Rosenberg… au sens littéral du terme, puisque la fillette lui lisait des textes médicaux (« Réminiscence »). Elle était là pour son sixième anniversaire, quand un clown le terrorisa (« Billy »), et tous deux avaient l'habitude d'aller dormir l'un chez l'autre (« Un Charme Déroutant »). A ce jour, ils demeurent très proches.

Alex avait un très bon ami en la personne de Jesse, jusqu'à ce que celui-ci soit transformé en vampire et qu'il l'embroche par inadvertance (« Bienvenue à Sunnydale »). Il a découvert le secret de Buffy en surprenant une conversation entre la jeune fille et Giles, à la bibliothèque (« Bienvenue à Sunnydale »). Soutenu par Willow, il a ensuite insisté pour aider la Tueuse au cours de ses missions (« Sortilèges »).

On ne sait pas grand-chose de la famille Harris. Le père d'Alex a paraît-il envisagé de vendre son fils à un cirque (« La Momie Inca »), et, apparemment, ni sa femme ni lui ne savent cuisiner. Un jour, Alex a invité Willow à dîner en prétextant que sa mère « faisait un Allô Bouffe Chinoise ». Stupéfaite, la jeune fille demanda si les Harris possédaient un four (« Portée Disparue »).

Bien que non dépourvu d'intelligence, Alex ne cesse de se surnommer le « roi des crétins » (« Sortilèges »). Il est vrai qu'il n'est pas très doué pour les matières académiques (« Un Charme Déroutant », « Les Hommes Poissons », etc.), et qu'il s'en remet souvent à Willow pour lui donner des cours particuliers… surtout en maths (« Bienvenue à Sunnydale », « Les Hyènes », « Acathla »).

La vie sentimentale d'Alex n'est pas un succès fracassant. Ignorant l'amour qu'il inspire à Willow (sauf pendant un bref instant, dans « La Métamorphose de Buffy » et « Innocence »), il persiste à draguer des femmes qui ne sont pas faites pour lui : d'un professeur remplaçant qui se révéla être une mante religieuse géante (« Le Chouchou du Prof »), à une étudiante étrangère qui était une momie se nourrissant de la vie des autres (« La Momie Inca »), en passant par Buffy dont il est tombé amoureux au premier regard… ce qui lui valut de tomber aussi de son skate-board (« Bienvenue à Sunnydale »). De son côté, la Tueuse ne s'intéresse pas à lui, sauf brièvement dans « Pleine Lune » et quand elle est sous l'emprise d'un sort dans « Un Charme Déroutant ».

Bien qu'il se soit proclamé trésorier du Club de Ceux Qui Haïssent Cordélia Chase (« Innocence »), Alex finit par embrasser la jeune fille quand ils se retrouvent prisonniers dans la cave de Buffy (« Kendra »). Contre toute attente, il continue ensuite à sortir avec elle.

Quand elle décide de rompre, il demande à Amy Madison de lui lancer un sort qui échoue et pousse toutes les femmes de Sunnydale, Cordélia exceptée, à tomber amoureuse de lui… Ce qui manque déclencher une émeute ! Mais ce geste désespéré incite la jeune fille à lui accorder une seconde chance (« Un Charme Déroutant »).

Malgré tout, Alex continue à soupirer après Buffy, ce qui ne cesse d'irriter Cordélia et Willow et provoque de nombreuses frictions avec Angel jusqu'à ce que celui-ci perde à nouveau son âme (« Innocence »). D'où une remarque pas entièrement injustifiée de la part d'Alex : « Je te l'avais bien dit… » (« La Boule de Thésulah »), et sa forte réticence à voir Willow jeter un sort pour rendre son âme au vampire (« Acathla »).

La principale contribution d'Alex à la mission de la Tueuse n'est pas de nature physique (Buffy et Angel sont beaucoup plus doués pour le combat) ni intellectuelle (Willow et Giles se chargent de toutes les recherches). Pourtant, il est capable de mettre la main à la pâte dans les deux domaines : il lui arrive de tuer des vampires, notamment dans « Pleine Lune », et c'est lui qui trouve un moyen d'arrêter le Juge dans « Innocence » et l'assassin dans « Kendra ».

Ses qualités les plus remarquables : sa loyauté envers Buffy et ses amis, ainsi que sa détermination à faire le nécessaire pour les aider. Il vainc ses démons personnels dans « Billy », se dévoue pour entrer dans l'équipe de natation dans « Les Hommes Poissons », va provoquer les vampires dans leur antre dans « Bienvenue à Sunnydale », « Le Manuscrit », « La Métamorphose de Buffy », « Innocence » et « Acathla », et sauve Cordélia d'un incendie dans « Le Puzzle ». Parfois, son dévouement le fourre dans des situations embarrassantes (la soirée de la fraternité dans « Dévotion »).

Alex est joué par Nicholas Brendon.

cita-tIOns
Alex

« Alors là, je veux pas dire, mais on a un problème, parce que je ne sais pas si vous savez, mais comme tout le monde, j'ai beaucoup de mal à croire que les vampires existent. »
> — « Bienvenue à Sunnydale », deuxième partie.

Alex : C'est Rodney Munson. Et ainsi le huitième jour, Dieu créa l'andouille. On cherche le fond de son insondable bêtise.
Willow : Tu es injuste. C'est pas parce qu'il te tape dessus tous les jours depuis cinq ans qu'il faut le détester.
Alex : Ouais, j'ai la haine irrationnelle.
> — « La Momie Inca »

« J'ai une dernière chose à dire... Au secours ! Au secours ! Pitié... »
> — « Le Chouchou du Prof »

Ampata : Oh, tu es bizarre...
Alex : Toutes les filles me le disent avant de s'enfuir.
> — « La Momie Inca »

Ford : J'adorerais venir, mais ne serait-ce pas vous imposer ma présence ?
Alex : Seulement au sens littéral du terme.
> — « Mensonge »

« Voilà les renforts. Le renfort, il a la trouille et juste un caillou, mais il est là. »
> — « Acathla », deuxième partie.

Buffy : Alex, est-ce que ça t'amuserait de jeter un œil sur les fiches personnelles de Giles et de voir ce qu'on peut trouver ?
Alex : Ça m'amuse beaucoup, ça fait pas de moi un criminel.
> — « La Face Cachée »

« Je crois que je pense à quelque chose. Je crois que j'ai un plan. (Les lumières s'éteignent.) Je crois que j'ai la trouille. »
> — « Innocence », deuxième partie.

« J'ai dix-sept ans ! Même le linoléum me fait penser au sexe ! »
> — « Innocence », deuxième partie.

Giles : Je suppose que ta transgression témoigne d'une sorte d'ingénuité machiavélique...
Alex : Vous dites ça pour me vexer, ou pour me féliciter ?
Giles : Un peu des deux.
> — « Œufs-Surprise »

« La vache, Buffy, toute ma vie vient de défiler en accéléré. C'est fou tout ce que j'ai vécu ! »
> — « Réminiscence »

« Vous êtes prêt, ô grand bringueur devant l'Eternel ? »
> — A Giles, dans « Innocence », première partie.

« Buffy ! Tu veux une fessée pour ton anniversaire ? »
> — « Innocence », première partie.

M. Whitmore : Combien d'entre nous ont perdu d'innombrables heures qui auraient pu être productives à penser au sexe et à tout ce qui s'en suit ? (Alex lève la main.) C'était une question théorique, monsieur Harris, pas un sondage.
> — « Œufs-Surprise »

Giles : On suppose que la sirène mante adopte l'apparence d'une magnifique femme et entraîne ensuite d'innocents puceaux dans son lit.
Buffy : Puceaux ? Bien, Alex... Enfin... Bien, j'imagine qu'il l'est probablement.
Willow : Elle va le tuer !
> — « Le Chouchou du Prof »

« Monsieur Snyder ! Géniales, ces Journées d'Orientation ! Extraordinaires ! D'ailleurs, je suis tellement admiratif de votre talent que je pense devenir directeur de collège. Je veux marcher sur vos traces. Je risque de les recouvrir d'ailleurs, parce que vous n'avez pas la même pointure. Je disais

pointure au sens petits pieds, quoi.
D'accord, je vais m'arrêter là. »
— **« Kendra », première partie.**

« N'ajoutez rien, Harris. Tout ce qui sortirait
de votre bouche ne serait que vastes
foutaises, un charabia toxique et inutile. »
— **Le proviseur Snyder à Alex,
dans « Kendra », première partie.**

Jenny : Avec Cordélia, le compte est bon.
Alex : Oh, je le crois pas ! Un jour de classe
en plus, Cordélia en prime ; il me
manque une rage de dents et c'est le
plus beau jour de ma vie.
— **« La Face Cachée »**

Buffy : Gagner veut dire trophée, qui veut
dire prestige pour le lycée, et ceux qui
gagnent en retirent tous les
traitements de faveur.
Alex : Et comme d'habitude, une fois de plus,
les conseillers ne sont pas les
payeurs.
— **« Les Hommes Poissons »**

« Ça suffit. Il faut que ça s'arrête. Il est
temps que j'agisse comme un homme… et
que j'aille me planquer. »
— **« Un Charme Déroutant »**

Giles : Je n'arrive pas à croire que tu aies

été assez stupide pour faire ça.
Alex : Croyez-moi, je suis deux fois plus
stupide !
— **« Un Charme Déroutant »**

« Traduction des bafouillages d'un jeune
Américain subjugué : il dit que tu es très
belle. »
— **Buffy, traduisant la réaction d'Alex face à
Ampata, dans « La Momie Inca »**

« C'est complètement dément. Regarde, hier
je m'intéressais à la pop-musique et
aujourd'hui, aux pluies de grenouilles ! »
— **« Bienvenue à Sunnydale », deuxième
partie.**

« Ça fout les boules à un point dont j'ignorais
l'existence. »
— **« Le Fiancé »**

Buffy : Willow, grandis un peu, il n'y a pas
que les baisers dans la vie.
Alex : Oui, y a aussi le pelotage.
— **« La Métamorphose de Buffy »**

Willow Rosenberg

Willow Rosenberg est née et a grandi à Sunnydale, au sein de la famille juive pratiquante formée par Ira Rosenberg et son épouse (« Œufs-Surprise », « La Boule de Thésulah »).

Très réservée, elle est la meilleure amie d'Alex et s'est gagné la réputation d'être la personne à aller voir quand on a besoin de cours de rattrapage (« Bienvenue à Sunnydale »). Elle fait souvent preuve d'une naïveté charmante : quand elle était enfant, elle jouait au docteur avec Alex en lui lisant des textes médicaux (« Réminiscence »).

Willow a des talents d'informaticienne aussi prodigieux que légendaires. Pendant les Journées d'Orientation organisées par son lycée, elle fut l'un des deux seuls élèves choisis pour passer un entretien avec une firme de logiciels très réputée (« Kendra »). En outre, après la disparition de Jenny Calendar (« La Boule de Thésulah »), c'est elle qui fut désignée pour assurer les cours jusqu'à la nomination d'un remplaçant (« Les Hommes Poissons »). Plutôt impressionnant, pour une élève de première !

Quand elle met la main sur un nouveau programme, Willow a du mal à s'exprimer correctement pendant quelques jours (« Le Fiancé »). Elle ne cesse d'améliorer les performances de son matériel: au départ, elle possédait un simple PC («Moloch»), à présent, elle se balade partout avec son portable («Mensonge»). Elle a pris part au projet de Jenny Calendar consistant à scanner de nombreux ouvrages anciens pour les introduire dans les banques de données informatiques du lycée.

Willow et Buffy sont devenues amies dès leur première rencontre. Hélas, les encouragements dispensés par la Tueuse — pour qu'elle cesse de se prendre la tête et profite de l'instant présent — ont poussé Willow dans les bras d'un garçon qui se révéla être un vampire («Bienvenue à Sunnydale»). Plus tard, après que Buffy l'aura sauvée, Willow l'aidera à localiser l'antre du Maître en piratant les archives du cadastre. Comme Alex, elle insistera pour assister Buffy durant ses missions suivantes («Sortilèges») et ses talents d'informaticienne seront souvent précieux, considérant la technophobie rampante de Giles. Elle fait d'ailleurs remarquer dans «Le Puzzle» (mais cette réplique a été coupée au montage): «Je dois être la seule fille de cette école pour qui le site web de la morgue arrive en tête des endroits les plus fréquemment visités !»

Depuis toujours, Willow aime Alex en secret. Ils se fiancèrent à l'âge de cinq ans, mais la fillette dut rompre après que son promis lui eut volé une Barbie («Bienvenue à Sunnydale»). A présent qu'ils sont en âge de sortir ensemble, elle attend désespérément qu'il la remarque, ce qui n'arrive qu'une fois, à la fin des grandes vacances («La Métamorphose de Buffy»).

Le reste du temps, Alex préfère courir après des mantes religieuses («Le Chouchou du Prof»), des momies («La Momie Inca») ou Buffy («Bienvenue à Sunnydale») et Cordélia («Kendra»). Pourtant, Willow continue à être pour lui une véritable amie, qui l'encouragera même à inviter Ampata à danser («La Momie Inca»).

Willow a entretenu une correspondance virtuelle avec un garçon nommé Malcolm, qui se révéla être le démon Moloch... Dommage, car ils semblaient avoir beaucoup de choses en commun («Moloch»).

Peu de temps après qu'Oz lui eut sauvé la vie («Kendra»), ils ont participé aux Journées d'Orientation et ont fini par sortir ensemble («Innocence»). Même après avoir découvert que son petit ami était un loup-garou, Willow ne s'est pas découragée, et c'est son nom qu'elle prononce en sortant du coma dans «Acathla».

« Comme toujours, c'est encore moi qui vais me coltiner les trucs dégoûtants... »
— «La Marionnette»

«Chouette, c'est un bon vampire ! Enfin sur une échelle qui va de un à dix... On met dix au plus cruel et barbare de leur clan. Lui, par rapport à eux, je donne un.»
— «Alias Angélus»

Après la mort de Jenny, Willow fréquente assidûment les sites technopaïens et lit des tonnes d'ouvrages traitant de l'occultisme. Quand Buffy et elle découvrent le sort permettant de rendre son âme à Angel, c'est Willow qui se propose pour le lancer malgré les risques («Acathla»). On ignore encore si elle continuera à s'intéresser à la magie.

Willow est jouée par Alyson Hannigan.

cita-tIOns
Willow

Willow : Alors, est-ce que tu as parlé à Giles au sujet des araignées ?...

Alex : Oh... Ces maudites araignées... Willow est, euh... Y a un mot pour ça, euh... Obnubilée par ce qui s'est passé hier.

Willow : Je déteste les araignées, et alors ? Avec leur corps poilu et leur toile gluante et poisseuse... Vous avez une idée de la raison pour laquelle elles ont tant de pattes ? Je vais vous le dire, moi : c'est pour mieux vous ramper sur le visage au beau milieu de la nuit.

— « **Billy** »

« Je ne vais pas bien ! Ce sont des copains de classe ! On se voyait du matin au soir. Quand je suis entrée dans la salle, j'ai vu que... Ils avaient envahi notre monde ; ce monde est devenu le leur et c'est l'enfer ! »

— **A Buffy, à propos des vampires qui massacrent des lycéens, dans « Le Manuscrit ».**

« Si je trouve des choses qui te mettent de mauvaise humeur, tu promets de ne pas me mordre ? »

— **A Angel, dans « Mensonge ».**

Willow : Attends ! On peut aller au *Bronze* avec quelques sachets de thé et commander de l'eau chaude !

Alex : Ah bravo ! C'est avec des idées pareilles qu'on se retrouve en taule, tu sais !

— « **Dévotion** »

« Oh, je veux pas faire ça. Dès que je me libère, je débloque. »

— « **Halloween** »

« Je te jure, parfois, les hommes agissent comme de vrais imbéciles... Qu'ils soient morts ou vivants. »

— « **La Boule de Thésulah** »

« Et toi ? Toi, tu es éternel, et tu n'es pas fichu de trouver cinq minutes pour prendre un café ? »

— **A Angel, dans « Dévotion »**

Alex : Angel est venu dans ta chambre ?

Willow : Nous vivons un amour interdit.

— « **Mensonge** »

Alex : Il faut prendre soin de cet œuf comme d'un bébé, le garder au chaud et lui enseigner les valeurs chrétiennes.

Willow : Mon œuf est juif.

— « **Œufs-Surprise** »

Willow : Moi aussi, vous me gonflez ! Vous pensez un peu à nos copains ? Ils sont en danger et ils ont besoin qu'on les aide tous les trois ; alors si on n'est pas ensemble à deux cents pour cent, vous pouvez vous tirer de cette bibliothèque !

Cordélia : Excuse-nous.

Alex : On sera sages.

— « **La Face Cachée** »

Buffy : Je vais le combattre. Et je le tuerai si je dois le faire. Mais si jamais je n'arrive pas à temps, ou si je perds, alors Willow sera notre seul espoir.

Willow : Je ne veux pas être notre seul espoir. J'angoisse sous la pression. Il faut trouver autre chose.

— « **Acathla** », première partie.

Angel : Je crois que j'ai besoin d'aide, et tu es la première personne à qui j'ai pensé.

Willow : De l'aide ? Tu veux dire, pour tes devoirs ? Mais non, je suis bête : tu es trop vieux pour aller à l'école.

Angel : Je veux que tu cherches quelque chose sur Internet.

Willow : Génial ! Ça, c'est mon domaine.

— « **Mensonge** »

Alex : Sheila, c'est vraiment une folledingue. Tu vois ce mec ? Elle est capable de le présenter à sa mère.

Willow : Elle fumait déjà en cours préparatoire. J'ai fait le guet pour elle une fois.

Alex : Quel courage monstre !

Willow : Je suis comme ça, moi.
— « Attaque à Sunnydale »

Willow : D'accord, je vais appeler Alex. C'est quoi son numéro ? Oh oui : 800-je-tombe-une greluche-ce-soir.

Buffy : Miaou.

Willow : C'est vrai ? Merci, on m'avait jamais dit miaou avant ça.
— « Pleine Lune »

« Oh, Will, tu es censée utiliser tes pouvoirs pour faire le bien ! »
— **Buffy, dans « Le Fiancé ».**

« Non, non, je veux plus de têtards ! »
— **En se réveillant après avoir rêvé, dans « Kendra », première partie.**

« Il a même réussi à m'ennuyer, moi, la mordue de science ! »
— **A propos d'un cours de biologie particulièrement barbant, dans « Le Manuscrit ».**

Citations Willow

Rupert Giles

Rupert Giles vient d'une famille d'Observateurs ; son père et sa grand-mère ont rempli cette fonction avant lui. Quand il apprit, à l'âge de dix ans, quelle était sa destinée, il vit s'envoler en fumée ses rêves de devenir pilote de chasse ou pompier (« Un Premier Rendez-Vous Manqué »).

Il fréquenta l'Université d'Oxford où un de ses amis, Carlyle Ferris, sombra dans la folie après avoir combattu une mante religieuse géante (« Le Chouchou du Prof »). Rejetant sa destinée, il abandonna ses études pour tremper dans l'occultisme. Cinq de ses amis et lui tentèrent d'invoquer un démon nommé Eyghon, qui les tua tous à l'exception de Giles et d'Ethan Rayne (« La Face Cachée »). Bien qu'il ne pratique plus comme autrefois, ses talents magiques se sont révélés utiles à maintes reprises (« Sortilèges », « Moloch », « Un Charme Déroutant »).

Avant d'être nommé Observateur de Buffy (« Bienvenue à Sunnydale »), Giles était conservateur de musée en Angleterre. Il sait jouer de la guitare, même s'il n'a pas touché un instrument depuis longtemps (« La Face Cachée »). Il est capable de lire cinq langues « les bons jours » (« Billy ») et d'utiliser un fusil à tranquillisants (« Pleine Lune », « Les Hommes Poissons »). Son passe-temps préféré consiste à repasser (« Halloween »).

Giles est actuellement le bibliothécaire du lycée de Sunnydale (« Bienvenue à Sunnydale »). On présume qu'il a obtenu un diplôme avant de quitter Oxford et que le proviseur Flutie lui avait laissé carte blanche pour le choix de ses ouvrages, car on trouve sur les rayonnages de nombreux livres qui n'auraient pas leur place dans un établissement ordinaire (« Moloch »). Heureusement, car ils sont indispensables pour aider Buffy à combattre les démons ou déjouer les manigances du Maître, de Spike, de Drusilla et d'Angel. Mlle Calendar (« Moloch », etc.) et le docteur Gregory (« Le Chouchou du Prof » : après sa mort, Giles révèle qu'il l'aimait bien) mis à part, l'Observateur ne semble pas entretenir de relations très poussées avec ses pairs.

Il est sorti quelque temps avec Jenny, mais leur liaison a connu des hauts et des bas… notamment quand la jeune femme a été possédée par le démon Eyghon (« La Face Cachée »), puis quand Giles a appris qu'elle avait été envoyée par les bohémiens pour garder un œil sur Angel (« Innocence »). Ils étaient en train de se réconcilier quand Angel a assassiné Jenny.

Bien qu'il soit loin d'égaler la Tueuse, Giles a d'étonnantes capacités physiques. Il a survécu à de nombreuses attaques (« Un Premier Rendez-Vous Manqué », « Les Hyènes », « Le Manuscrit », « La Face Cachée », « Œufs-Surprise », « La Boule de Thésulah » et « Acathla »). Un jour, Jenny lui a tiré dessus avec une arbalète, presque à bout portant (« Le Fiancé »), et il a résisté aux tortures d'Angel dans « Acathla », avant de céder face aux manipulations hypnotiques de Drusilla.

Giles est l'archétype même de l'Anglais coincé, toujours vêtu de tweed, décontenancé par les réactions de la jeunesse et doté d'un sens de l'humour atrophié. Bien qu'il soit plutôt réservé, ses émotions peuvent faire surface brutalement, soit de manière négative — voir la façon dont il traite Ethan dans « Halloween » et « La Face Cachée », ou dont il attaque Angel dans « La Boule de Thésulah » —, soit de manière positive quand il doit défendre Buffy (« Sortilèges », « Billy » ou « Un Charme Déroutant », par exemple).

A force de passer du temps avec Buffy, ses amis et la très peu conventionnelle Jenny Calendar, Giles a fini par se décoincer un peu, développant un sens de l'humour assez mordant. Mais l'assassinat de Jenny l'a traumatisé à un point qui reste encore à déterminer (« La Soirée de Sadie Hawkins »).

Giles est joué par Anthony Stewart Head.

Giles : J'ai indexé les Journaux d'Observateur des deux derniers siècles. Tu serais étonnée de voir à quel point ces types étaient pompeux et emphatiques.

Buffy : Je n'en doute pas.

— « **Kendra** », première partie.

Cordélia : Quoi ?

Giles : Oh, excusez-moi, je, euh… Vos cheveux, euh…

Cordélia : Je suis mal coiffée ? Oh mon Dieu !

Giles : Bien joué ; ça a marché au-delà de toute espérance !

— « **La Marionnette** »

Willow : Ça a bien marché jusqu'au moment où Angel est arrivé et a dit à la maman de Buffy que lui et elle avaient… enfin, vous savez… que lui et elle… vous devez être au courant.

Giles : Oh, oui. Désolé.

Willow : Oh ! Bien, comme vous êtes un vrai intellectuel, vous auriez pu ne pas savoir.

— **A propos du sexe**, dans « **La Boule de Thésulah** ».

Giles : Deux Frères sont entrés dans la morgue. Ils m'ont couru après, mais j'ai été plus malin qu'eux.

Buffy : Plus malin ?

Giles : Je me suis caché.

— « **Un Premier Rendez-Vous Manqué** »

Ethan : Comment fait Rupert pour inspirer tant de bonté ?

Buffy : Il est Giles.

— « **La Face Cachée** »

Alex : Et voilà, on peut pas être tout d'une pièce ; les personnes qui se montrent aussi strictes et droites que Giles cachent toujours une face sombre. Mon oncle Rory, qui avait vraiment l'air de l'empaillé de service pendant toute la journée, eh ben le soir, c'était biture, gonzesses et baston. Y avait des gonzesses ?

Buffy : Il était seul.

Alex : Question de temps.

— « **La Face Cachée** »

Giles : C'est obligatoire ce bruit pendant que tu t'entraînes ?

Buffy : C'est pas du bruit, c'est de la musique.

Giles : C'est pas de la musique ; la musique s'écrit avec des notes. Ça, c'est du bruit.

Buffy : C'est pour l'aérobic : sans ça, j'ai pas le bon rythme.

Giles : Merveilleux, ce qui est bon pour les jambes ne va sûrement pas me muscler les oreilles.

— « **La Face Cachée** »

« Un jour, faudra penser à vous acheter une voiture digne de ce nom. »

— **Buffy critiquant le mode de transport de Giles, dans « La Momie Inca ».**

Alex : Giles n'a jamais voulu être ailleurs. Il n'a toujours pas compris qu'il avait fini ses études.

Buffy : Je l'imagine bien en cours de math, en train de rêver à plus de math et surtout pas à « ailleurs ».

Willow : C'est pas vrai, il a quand même dû jouer quand il était petit.

Buffy : Tu rigoles ? Ses couches étaient en tweed.

— « **La Face Cachée** »

Buffy : Cette dernière passe était un peu molle ; vous ne voulez pas la refaire ?

Giles : Non, non, non, ça suffira. Maintenant, tu retournes en cours. Au moins le temps que je retrouve mon esprit combatif.

— « **Les Hyènes** »

« Les Bay City Rollers : ça, c'est de la musique. »

— **Giles, dans « La Face Cachée ».**

Giles
HÉROS
BiBlioThécAire

Rien d'étonnant à ce que la série *Buffy contre les Vampires,* et en particulier le personnage de Rupert Giles, ait été accueillie à bras ouverts par la communauté littéraire: un des trois rôles masculins principaux est celui d'un bibliothécaire de lycée, et la bibliothèque elle-même le lieu de rendez-vous principal de la bande à Buffy.

La série est devenue l'un des sujets de discussion les plus animés sur *Stumpers Talk,* une liste e-mail créée et utilisée principalement par des bibliothécaires pour comparer leurs références. Les internautes qui y souscrivent sont enthousiasmés par le personnage de Giles.

«C'est la première fois depuis des années qu'un bibliothécaire tient l'un des rôles principaux dans une série télévisée», s'enthousiasme Pam McLaughlin, de la bibliothèque municipale de Warren-Newport. «Et quel bibliothécaire!» (*Party Girl,* une série produite par la Fox, avait aussi un bibliothécaire pour héros, mais elle a été déprogrammée après la diffusion de quelques épisodes.)

La consultante GraceAnne Andreassi DeCandido a même utilisé Giles comme exemple de la culture pop dans un discours prononcé à l'Université d'Oxford (l'*alma mater* de Giles) et devant l'Association des Bibliothécaires Californiens (à laquelle appartient Giles).

> **Buffy:** Giles, ici, c'est une bibliothèque, et il y vient des étudiants qui cherchent des livres pour pouvoir apprendre des choses.
> **Giles:** Ils apprennent encore? Pourtant, on ne le croirait pas.
>
> — «**Un Premier Rendez-Vous Manqué**»

Profitant de cet engouement, l'Association des Bibliothèques Américaines a mis en scène les personnages de la série pour sa dernière campagne promotionnelle en faveur de la lecture. Les affiches sur lesquelles figure la bande à Buffy portent le slogan «Tuez l'ignorance à la bibliothèque». Vous pouvez vous en procurer une auprès d'ALA Graphics au 1-800-545-2433 (pressez la touche 7 pour passer commande), ou sur le site web dont voici l'adresse:

http://www. ala. org/market/graphics/index. html.

Dans un monde où la plupart des gens ignorent qu'il faut un diplôme universitaire pour devenir bibliothécaire, il est réjouissant qu'une série comme *Buffy contre les Vampires* présente un bibliothécaire et une bibliothèque comme les pivots de la lutte contre les forces des ténèbres. Il est plus significatif encore que le bibliothécaire en question ne soit pas une dame âgée, le nez chaussé de petites lunettes et passant son temps à ordonner de se taire aux étudiants. La plupart des épisodes mettent en valeur les heures de recherches de Giles, aidé par Willow, Alex et Cordélia, et n'en sous-estiment en aucun cas la difficulté.

Mais tous les bibliothécaires ne considèrent pas Giles comme une figure emblématique. Par exemple, on le voit rarement dans l'exercice de ses fonctions de salarié de l'Education nationale. Comme le fait remarquer Priscilla E. Emrich, de la bibliothèque mémoriale de Murphy: «La seule fois que quelqu'un d'autre que Buffy et ses amis pénètre dans la bibliothèque, Rupert l'envoie promener.»

> **Alex:** On ne vous a jamais appris à frapper avant d'entrer?
> **Etudiant:** On vient chercher de la documentation sur Staline.
> **Alex:** Vous vous croyez dans une baraque de foire?
> **Giles:** Non, c'est une bibliothèque, Alex.
> **Alex:** Depuis quand?
>
> — «**La Boule de Thésulah**»

En outre, Giles est un technophobe, ce qui semble très étrange dans sa profession. Selon Carolyn Oldham, directrice des ressources littéraires à l'Université Américaine InterContinentale : « De nos jours, la plupart des bibliothécaires sont censés savoir se servir d'un ordinateur. »

Will Caine, de l'OCLC, ajoute : « Giles n'est pas un imbécile, et il travaille dans un lycée qui a visiblement les moyens de s'équiper en informatique. Partant de là, c'est un anachronisme qu'il n'utilise pas d'ordinateur, comme le font les vrais bibliothécaires depuis près de dix ans pour exploiter toutes les ressources à leur disposition. Dans de nombreux établissements scolaires, ils sont souvent les premiers utilisateurs d'informatique. Et de façon générale, ajouterons-nous, ils comptent parmi les professionnels qui consultent le plus souvent Internet. »

Giles : Mademoiselle Calendar, vos cours d'informatique sont sûrement passionnants, mais je veux croire qu'il est encore possible de vivre à notre époque sans être esclave de ces grosses boîtes.

Jenny : C'est un écran cette grosse boîte, c'est un écran, d'accord ? C'est une bonne chose.

Giles : Moi, je préfère un bon bouquin.

— « Moloch »

Néanmoins, le rôle essentiel joué par Giles dans la série lui confère une grande importance aux yeux de tous les littéraires. Edward DeVere, dessinateur de cartoons et fervent militant de l'alphabétisation (il a participé à la création du poster de l'ALA), la résume par les phrases suivantes : « En présentant un bibliothécaire comme héros, *Buffy contre les Vampires* crée un précédent : elle défend l'idée que les livres, les bibliothèques et les recherches qu'on peut y mener sont l'outil principal de la lutte contre les forces des ténèbres — la plus belle allégorie contre l'ignorance que j'aie jamais vue. »

Cordélia Chase

Séduisante, snob, égocentrique, victime de la mode (au point de s'assurer que personne ne copie ses tenues : « Alias Angélus », « Un Charme Déroutant »), capitaine des pom-pom girls (depuis « Le Puzzle », après qu'elle eut intégré l'équipe dans « Sortilèges »), Cordélia Chase est l'archétype de la fille la plus populaire du campus, l'objet du désir de tous les lycéens mâles. En seconde, elle fut élue Reine de Mai (« Portée Disparue »), et on la voit souvent entourée d'un groupe d'admirateurs suspendus à ses lèvres.

Cordélia est née et a grandi à Sunnydale. Sa mère souffre de neurasthénie (« Bienvenue à Sunnydale »). Dès qu'elle a obtenu son permis (un peu après « Sortilèges »), ses parents lui ont offert une voiture (« Le Manuscrit »). Son carnet de rendez-vous déborde littéralement. Elle avait le béguin pour Daryl Epps avant sa mort tragique (« Le Puzzle »), est allée au Bal de la Reine de Mai avec Mitch Fargo (« Portée Disparue ») et a fréquenté Devon, le chanteur des Dingoes Ate My Baby (« La Momie Inca »), avant de le larguer parce qu'il ne faisait pas suffisamment attention à elle (« Halloween »).

Elle a également tenté de séduire Owen Thurman (« Un Premier Rendez-Vous Manqué ») et Angel (« Le Puzzle », « Dévotion », « Halloween »), qui lui ont tous les deux préféré Buffy… à son grand dégoût. Elle a failli sortir avec Richard Anderson, un étudiant de la Faculté de Crestwood, mais celui-ci s'intéressait à elle pour la sacrifier au démon qu'il vénérait (« Dévotion »).

Après avoir été enfermés dans la cave de Buffy par un assassin tarakan (« Kendra »), Cordélia et Alex sont tombés dans les bras l'un de l'autre et, contre toute attente, sont parvenus à entretenir une relation, bien qu'ils aient passé le plus clair de leur temps à se mépriser mutuellement (depuis leur petite enfance, selon Willow, dans « Portée Disparue »).

> « Ça me rend dingue les gens qui croient être les seuls à avoir des problèmes. Par exemple, un jour, j'ai bousculé une fille sur une bicyclette. C'était peut-être l'événement le plus traumatisant de ma vie. Elle ne s'est préoccupée que de sa jambe, et de ma peine, elle s'en fichait. »
> — « Portée Disparue »

Au début, Cordélia a tenté de se lier d'amitié avec Buffy, pensant que celle-ci, puisqu'elle venait de Los Angeles, devait être cool. Mais après que la nouvelle venue : a/l'eut attaquée par erreur avec un pieu, pendant qu'elle cherchait un vampire aux alentours du *Bronze*, et : b/se fut mise à fréquenter des nuls tels qu'Alex et Willow, Cordélia l'a traitée comme quantité négligeable… jusqu'à ce qu'elle soit menacée par un agresseur invisible et qu'elle aille lui demander son aide (« Portée Disparue »). Au vu de la violence qui se dressait sans cesse sur le chemin de Buffy, Cordélia pensait qu'elle faisait partie d'un gang.

Elle a dû réviser ses idées préconçues quand le Maître s'est échappé de sa prison, et que Buffy l'a tué sous ses yeux (« Le Manuscrit »). Depuis, elle est de plus en plus souvent avec la bande, dont elle est devenue un membre « officiel » quand Alex l'a réveillée de bonne heure pour la conduire chez Buffy, après que celle-ci eut mystérieusement disparu (« Kendra »).

Quand la relation d'Alex et de Cordélia a été rendue publique, les admirateurs de la jeune fille lui ont tourné le dos. Elle a rompu pour regagner leurs faveurs. Puis elle a réalisé que ses prétendus « amis » n'étaient que des moutons qui la fréquentaient avec l'espoir qu'un peu de sa gloire rejaillisse sur eux. Elle a donc décidé de sortir avec qui elle voulait, « aussi nul qu'il puisse être » (« Un Charme Déroutant »).

> « Est-ce que personne ne peut me consoler ? »
> — Au reste de la bande, dans « Le Puzzle ».

> « Cette invasion d'étudiants étrangers, c'est un vrai cauchemar. En plus, il ne comprend rien à ce que je raconte. »
> — « La Momie Inca »

En deux phrases, Cordélia résume sa personnalité à la perfection : « Le tact, ça permet de ne pas dire la vérité. Je me tais. » (« Réminiscence »). Giles la décrit comme « homériquement insensible ». Elle donne son avis même quand on ne le lui demande pas, et se moque bien de blesser ses interlocuteurs. C'est sans doute pour ça qu'elle fréquente les autres membres de la bande à Buffy, qui ne se gênent pas pour lui dire ce qu'ils pensent d'elle…

En général, ça revient à l'insulter.

Cordélia est jouée par Charisma Carpenter.

cita-tIOns
Cordélia

« L'amour que vous me témoignez ne me donne aucun droit, mais une responsabilité, et je compte la prendre très au sérieux. Mon premier projet est que le bal de ce soir soit très réussi et que tout le monde s'amuse énormément. »
— **Extrait de son discours de Reine de Mai, dans « Portée Disparue ».**

« Mais vous savez ce qui est le plus dur ? C'est que ça vous suit toujours. Et peu importe ce qu'on vous dit. On ne se débarrasse jamais de la rouille, ni de la poussière, ni du sang. Ça ne part jamais. Vous pouvez essayer de nettoyer jusqu'au Jugement Dernier, vous devez vivre avec tout ça. »
— **Après que Buffy l'eut empêchée d'être sacrifiée, dans « La Métamorphose de Buffy ».**

Eric : Cordélia est d'enfer ! C'est exactement la meuf qu'il nous faut !
Chris : Fais pas l'andouille. Elle est vivante.
— **« Le Puzzle »**

Alex : Wendell, voyons, tu t'oublies, mon gars ! Ne sais-tu pas que notre Cordélia est le centre de l'univers et que nous, pauvres satellites, nous tournons autour d'elle ?
Cordélia : Est-ce que ça vous ennuierait d'aller satelliser ailleurs ?
Alex : Wendell était dans la lumière de Cordélia.
Wendell : J'en suis tout ébloui.
Willow : Je trouve qu'elle a un faux air d'Evita.
Buffy : Oui, je crois que c'est les cheveux.

Willow : En quantité inversement proportionnelle à ses neurones.
— **« Billy »**

Giles : C'est drôle, je ne me souviens pas de vous avoir vue ici auparavant.
Cordélia : Oh, non : je suis trop occupée.
— **« Portée Disparue »**

Cordélia : T'as pas peur de passer pour la pouffe de l'année ?
Buffy : Tu défends ton titre de championne, c'est ça ?
— **« La Métamorphose de Buffy »**

« Si je n'y vais pas ce soir, et c'est ce que Marcie souhaite… Donc, c'est comme si elle avait gagné. Et elle est malveillante, encore plus que moi. »
— **« Portée Disparue »**

« T'es dingue ! Tu as eu une enfance malheureuse ou quoi ? »
— **A Buffy, dans « Bienvenue à Sunnydale », première partie.**

« Je souhaite aider mes semblables… Ouais, tant qu'ils ne sont pas sales ou autre chose dans le genre. »
— **Lisant un questionnaire d'orientation, dans « Kendra », première partie.**

Cordélia : Buffy est comme Superman. Les règles devraient être différentes pour elle.
Willow : Comme dans une société fasciste ?
Cordélia : Exactement. C'est ce qu'il nous faudrait.
— **« Le Fiancé »**

« J'ai mon entraînement, c'est dommage. Si j'avais su plus tôt que vous alliez déterrer plein de morts ce soir, j'aurais annulé. »
— **« Le Puzzle »**

Giles : Buffy a pris une vie humaine. Sa culpabilité est très lourde à porter. Elle ne disparaîtra pas de sitôt.

Cordélia : Et vous savez de quoi vous parlez : c'est vous qui avez invoqué le démon qui a tué votre ami.

Giles : C'est ça, rappelez-moi cette histoire le plus souvent possible.

— « **Le Fiancé** »

« C'est une petite maison douillette… Pour un serial killer des années 50. »

— « **Le Fiancé** »

« Le meurtre est-il toujours un crime ? »

— **Alex, exaspéré par Cordélia, dans « Kendra », première partie.**

« Ils acceptent n'importe quel débile dans ce collège. Je vous ai déjà raconté le jour où elle m'a agressé au *Bronze* ? »

— « **Portée Disparue** »

« Décidément cette Cordélia est une vraie purge. »

— **Alex, dans « Alias Angélus ».**

« Cordélia, je ne veux pas te faire de mal… la plupart du temps. »

— **Alex, dans « Œufs-Surprise ».**

« Et remarquez que soixante-cinq pour cent de ce qu'elle a dit est un compliment. C'est un record personnel. »

— **Alex, dans « Acathla », première partie.**

Cordélia : Vous n'allez pas à la soirée Sadie Hawkins, ce soir, j'espère ? Je projette de la boycotter. Vous vous rendez compte ? Les filles doivent inviter les garçons ! Et payer, et tout le reste ! Qui a pu avoir cette idée géniale ?

Alex : A mon avis, une féministe aux jambes poilues.

Cordélia : Tu crois ? Il faut écraser le mal à la base. Ça va être l'horreur, si on laisse les choses évoluer dans ce sens.

— « **La Soirée de Sadie Hawkins** »

Cordélia : Pour faire quoi, à part mourir de trouille ou mourir tout court ?

Alex : Personne ne te demande de venir. Si les vampires ont besoin de conseils pour leur maquillage, on t'appellera.

— « **Innocence** », deuxième partie.

Giles : Plus j'étudie ce Juge, moins il me plaît. Son contact brûle toute humanité en vous. Seule une créature totalement maléfique peut y survivre. Aucun humain n'y a jamais réussi.

Alex : Et alors ? On n'a qu'à envoyer Cordy le combattre pendant qu'on mangera une pizza.

— « **Innocence** », première partie.

« Je suis sidérée par la façon dont Louis XVI maltraitait Marie-Antoinette. Elle jouait son rôle de reine ! Je suis sûre qu'elle travaillait son image très dur ! Je me demande pourquoi personne ne reconnaissait ses efforts ? »

— **Participation de Cordélia à un cours d'histoire, dans « Mensonge ».**

Citations Cordélia

Cordélia : Il était parfaitement normal hier quand il répondait à la police.

Buffy : Et tu mets tout ce temps à le dire parce que… ?

Cordélia : Ça n'avait aucune importance.

Alex : Tu veux dire par là qu'il s'agissait pas de toi ?
— « **La Face Cachée** »

Alex : Le plus urgent, c'est de trouver qui c'est. Cordélia, va aider Giles.

Giles : Pourquoi est-ce que je devrais… ? Euh, c'est bien vu. J'ai… j'ai bien besoin d'une assistance.

Cordélia : Et moi d'une leçon de tact.
— « **Réminiscence** »

Cordélia : Je ne savais pas qu'on était censé apporter un cadeau. Je ne connais pas les habitudes pour tout ça.

Giles : C'est une tradition parmi les humains.
— « **Réminiscence** »

« Quand tu en auras marre de jouer à la poupée, fais-moi signe. »
— **A Owen, à propos de Buffy, dans « Un Premier Rendez-Vous Manqué ».**

« Buffy, j'adore ta coiffure. Genre épouvantail crasseux. »
— « **Halloween** »

Willow : Buffy n'est pas là pour de la chirurgie esthétique.

Cordélia : Non, mais tant qu'elle est là, elle pourrait en profiter pour se faire enlever ce truc qu'elle a sur la figure. Vous savez, ce truc.
— « **Réminiscence** »

« Excusez-moi, je dois essayer de joindre tous les gens que je connais de toute urgence. »
— **Face au comportement étrange de Buffy, dans « Bienvenue à Sunnydale », première partie.**

Oz

« Je suis touché. C'est bizarre. Et ça fait mal. »
— « **Kendra** », deuxième partie.

« Pendant toute la nuit, j'ai écouté Willow pleurer au téléphone à cause de toi. Je ne sais pas ce qui s'est passé, mais j'ai pas mal envie de te casser la gueule. »
— **A Alex, dans « Un Charme Déroutant ».**

Beaucoup de détails demeurent obscurs au sujet d'Oz. Il est en terminale au lycée de Sunnydale (« Innocence ») et joue de la guitare au sein du groupe rock Dingoes Ate My Baby qui se produit souvent dans les parages, notamment au *Bronze* lors de la soirée d'accueil des étudiants étrangers (« La Momie Inca ») et pour le Bal de la Saint-Valentin (« Un Charme Déroutant »).

Oz est un étudiant brillant, un des deux seuls élèves (avec Willow) recrutés par une firme de logiciels au cours des Journées d'Orientation (« Kendra »). Pourtant, il ne fait preuve d'aucune autre ambition que de maîtriser la clé bémol neuvième diminuée, qu'il définit comme « un accord de mec : on risque d'y laisser un doigt ! » Il ne fait pas beaucoup attention pendant les cours (« Innocence »), ce qui ne l'empêche pas d'obtenir de bonnes notes.

Au milieu de son année de terminale, Oz fut mordu par son cousin Jordy, qui était un loup-garou. Contaminé par le virus de la lycanthropie, il se transforme désormais trois nuits par mois, à la pleine lune. La première fois, il provoqua une vague de panique et faillit se faire tuer par un chasseur qui en voulait à sa fourrure (« Pleine Lune »). Désormais, il s'enferme à double tour ces soirs-là.

Oz ne se casse jamais la tête. Il a accepté très facilement sa nouvelle condition de loup-garou, et n'a guère manifesté de surprise en apprenant que Sunnydale était infestée de vampires (« Innocence »). Il a rejoint la bande à Buffy, offrant son van comme moyen de transport (« Innocence ») et pistant Buffy quand elle était transformée en rat (« Un Charme Déroutant »).

Oz a été attiré par Willow dès le jour où il l'a vue en costume d'Esquimau (« La Momie Inca »), et encore plus quand elle lui est apparue dans son très sexy costume d'Halloween (« Halloween »). Les deux jeunes gens se sont parlé pour la première fois lors des Journées d'Orientation (« Kendra »), quand la société de logiciels leur a fait passer un entretien.

Oz a sauvé la vie de Willow quand elle était menacée par des assassins tarakan (« Kendra »), et ils ont commencé à sortir ensemble peu de temps après (« Innocence »). Sa lycanthropie n'a pas eu d'influence notable sur leur relation, bien qu'il ait été prêt à rompre si cela gênait Willow (« Pleine Lune »).

Oz est joué par Seth Green.

cita-tIOns OZ

Willow : Vous donnez un concert ce soir ?
Oz : Non, on répète. Le groupe est en train de découvrir un nouveau son qui craint vraiment. Il faut qu'on bosse.
> — « Innocence », première partie.

Alex : Ouais, les vampires existent, et ils vivent presque tous à Sunnydale. Willow t'expliquera.

Willow : Je sais que c'est difficile à accepter, mais...
Oz : Non, en fait, ça explique beaucoup de choses.
> — « Innocence », première partie.

Devon : Laisse-moi deviner : c'est pas ton type. Qu'est-ce qu'il faut pour qu'une fille te plaise ?
Oz : Eh bien, il faudrait qu'elle porte un boa en plumes et qu'elle me chante le thème de *Love Story*. Tu peux pas comprendre.
Devon : T'es trop difficile, mec. Tu sais combien de filles tu pourrais avoir ? Tu es guitariste ; t'imagines pas l'effet que ça leur fait.
Oz : Je suis pas difficile. Toi, tu te laisses impressionner par n'importe quelle grenouille sachant marcher et parler.
Devon : Tu leur parles, toi ?
> — « La Momie Inca »

Jenny Calendar

Née Janna au sein d'une tribu bohémienne en Roumanie, elle a pris le nom de Jenny Calendar quand les anciens l'ont envoyée à Sunnydale pour surveiller le vampire Angélus, qu'ils avaient maudit quatre-vingts ans plus tôt (« Alias Angélus », « Innocence »). Son arrivée aux Etats-Unis correspond sans doute au moment où le démon Whistler a rencontré Angel à New York et l'a incité à se rendre en Californie (« Acathla »).

Jenny se fit engager comme professeur d'informatique au lycée de Sunnydale. C'est là qu'elle rencontra Giles et collabora avec lui au projet de scanner les nombreux ouvrages de sa bibliothèque pour constituer une base de données.

Quand le démon Moloch se retrouva ainsi sur Internet, Jenny aida Giles à l'exorciser (« Moloch »). Elle détecta les signes de la libération imminente du Maître et proposa à Giles et à Buffy de leur donner un coup de main pour l'arrêter (« Le Manuscrit »). Femme en phase avec son époque, elle s'habillait comme ses élèves, utilisait l'argot et avait d'excellents rapports avec les jeunes.

Malgré leurs philosophies radicalement opposées (Giles est un vrai technophobe), Jenny et l'Observateur se sentirent bientôt attirés l'un par l'autre et finirent par sortir ensemble à la rentrée 1997 (« Le Puzzle »). Leur relation connut un passage à vide quand Jenny fut possédée par Eyghon, un démon que Giles avait aidé à bannir vingt ans plus tôt (« La Face Cachée »), mais la jeune femme finit par pardonner à l'Observateur. Aussi fut-il choqué de découvrir qu'elle était une espionne pour le compte des bohémiens (« Innocence »).

C'est Jenny qui expliqua à Buffy et à Giles les détails de la malédiction pesant sur Angel : à savoir, qu'elle prendrait fin si le vampire connaissait un seul instant de vrai bonheur (« Innocence »). Désireuse de se faire pardonner par ses amis, et ne voulant pas qu'Angel reste un monstre (entre autres choses, il a tué son oncle Enyos — « Innocence »), Jenny tenta de reconstituer le sort qui avait permis sa métamorphose (« Acathla »).

> « C'est faux, archi-faux, grand snob. Vous, vous croyez que le domaine du mysticisme est réservé aux seuls initiés des textes anciens ? Et que la science d'aujourd'hui a fait disparaître la magie ? La magie existe dans le monde virtuel comme ailleurs. »
>
> **— A Giles, dans « Moloch ».**

Elle le traduisit grâce à un programme informatique, mais fut assassinée par Angel avant de pouvoir le lancer (« La Boule de Thésulah »). Le vampire détruisit son disque dur ; par chance, Jenny en avait fait une copie sur disquette qui fut découverte par Willow et Buffy (« Acathla »). Avec l'aide d'Oz et de Cordélia, Willow réussit à jeter le sort, réalisant ainsi la dernière volonté de Jenny.

Jenny était jouée par Robia LaMorte.

Joyce Summers

Joyce rencontra Hank Summers, son futur mari, le soir du bal de son lycée. Comme elle n'avait pas de cavalier, elle s'y était rendue seule. Hank était accompagné, mais les deux jeunes gens se plurent tant que ça n'eut pas d'importance. Plus tard, ils se marièrent (« Le Manuscrit »).

Mais quand leur fille Buffy entra en troisième, leurs disputes étaient devenues de plus en plus fréquentes (« Acathla »), et ils finirent par divorcer (« Billy »). Toutefois, ils ont conservé des rapports cordiaux (« La Métamorphose de Buffy »).

Joyce travaille dans une galerie d'art; elle n'hésite pas à faire des heures supplémentaires et rentre souvent très tard (« Kendra »). Elle adore sa fille et s'efforce de se rapprocher d'elle, mais à part quelques soirées vidéo et crèmes glacées (« Le Fiancé », « Un Charme Déroutant »), elle a du mal à communiquer avec Buffy.

Elle est ravie que sa fille sache se débrouiller seule (« Attaque à Sunnydale »), mais la tendance de Buffy à disparaître sans explication valable la frustre de plus en plus (« Œufs-Surprise »), et elle lui en veut de ne jamais rien lui confier… notamment à propos de sa liaison avec Angel (« La Boule de Thésulah »).

Bien qu'elle ait eu à plusieurs reprises des preuves de l'activité surnaturelle si commune à Sunnydale, Joyce découvre le secret de Buffy seulement quand celle-ci est forcée de le lui expliquer (« Acathla »). On ne sait pas encore quelles seront les conséquences à long terme de cette révélation.

Joyce est jouée par Kristine Sutherland.

> « Si moi, je passais un temps pareil avec ma mère, il se pourrait bien que ça finisse par un assassinat. »
> — **Buffy à Amy, dans « Sortilèges ».**

> « Voir ma mère rouler un patin à ce type m'enverra tout droit sur le divan d'un psy. »
> — **Buffy, dans « Le Fiancé ».**

Buffy : Tu ne comprends pas ? C'est très important !

Joyce : C'est juste des vêtements. Que je ne te laisserai jamais acheter.

Buffy : Mais ils m'allaient si bien !

Joyce : Ils te donnaient l'air d'une prostituée.

Buffy : Mais une prostituée mince ! Ce n'est pas le bon argument pour te faire changer d'avis, hein ?

Joyce : Tu es trop jeune pour porter ça.

Buffy : Je vais être trop jeune pour porter ça jusqu'à ce que je sois trop vieille pour le porter.

Joyce : C'est l'idée.

— « Œufs-Surprise »

Willow : Je n'aime pas te savoir seule le jour de la Saint-Valentin.

Buffy : Ça ira. Maman et moi, on va se faire une orgie de pizzas et de vidéos. C'est une tradition ancestrale chez les mal-aimés.

— « Un Charme Déroutant »

Citations
Mme Summers

cita-tlOns
Mme Summers

Buffy : J'en peux plus ; j'ai l'impression d'être un zombie.

Joyce : Ton œuf t'a empêchée de dormir toute la nuit ?

Buffy : Il me tuera.

Joyce : Attends qu'il commence à sécher les cours…

> — « Œufs-Surprise »

Buffy : J'ai fait une erreur.

Joyce : C'est pas en disant ça que tu vas me clouer le bec ; je le sais, que tu as fait une erreur.

Buffy : Maman, arrête, je… Enfin, je ne peux pas tout te dire.

Joyce : Entre tout et rien… Buffy, tu essaies de m'écarter de ta vie, c'est pas grave, je m'habituerai, mais n'attends pas de moi que j'arrête de me faire du souci pour toi, parce que j'en suis totalement incapable. Je t'aime plus que tout au monde.

> — « La Boule de Thésulah »

Joyce : Alors, qu'as-tu fait pour ton anniversaire ? Tu t'es amusée ?

Buffy : J'ai vieilli.

> — « Innocence », deuxième partie.

Joyce : Il a été le premier ? Non, ne dis rien, je ne veux pas savoir.

Buffy : Oui, il a été le premier. Je veux dire, le seul.

Joyce : Il est plus âgé que toi.

Buffy : Je sais.

Joyce : Trop âgé, Buffy, et apparemment il n'est pas très stable. J'aurais vraiment voulu, enfin, j'aurais aimé que tu fasses preuve d'un peu plus de discernement.

Buffy : Depuis que je le connais, il a beaucoup changé.

Joyce : Tu es amoureuse de lui ?

Buffy : Je l'étais.

Joyce : Vous avez été prudents ?

Buffy : Maman, c'est pas le…

Joyce : Alors là, je t'en prie, Buffy, il est hors de question que tu ne répondes pas ! Tu as fait l'amour avec un garçon et tu es incapable de me dire depuis combien de temps tu le connais.

> — « La Boule de Thésulah »

Joyce : Alors, est-ce qu'on se sent différente à dix-sept ans ?

Buffy : C'est marrant que tu en parles : quand je me suis réveillée, j'avais l'impression d'être plus mature et plus responsable qu'à seize.

Joyce : Vraiment ? C'est étonnant.

Buffy : J'ai maintenant toutes les qualités nécessaires pour conduire une voiture.

> — « Innocence », première partie.

« Sois positive et… Trésor, ne te fais pas renvoyer. »

> — A Buffy, dans « Bienvenue à Sunnydale », première partie.

Proviseur Bob Flutie
Proviseur Snyder

Le lycée de Sunnydale a connu deux proviseurs depuis 1997. Le premier était Bob Flutie, un fonctionnaire aimable qui s'intéressait à ses étudiants.

Lors de leur première rencontre, il promit à Buffy qu'elle pourrait repartir de zéro dans son établissement… bien qu'il ait noté dans le dossier de la jeune fille l'incendie du gymnase d'Hemery (« Bienvenue à Sunnydale »). Quand le cadavre du docteur Gregory fut retrouvé dans la cafétéria, M. Flutie insista pour que tous ceux qui l'avaient vu soient pris en charge par un psychologue (« Le Chouchou du Prof »).

En une louable tentative visant à développer un esprit de groupe, il acheta même un cochon pour servir de mascotte à l'équipe de football du lycée, les Razorbacks. Mais la pauvre bête fut dévorée par cinq étudiants possédés par les esprits de hyènes (« Les Hyènes »). Flutie convoqua quatre d'entre eux dans son bureau pour les sermonner... et se fit dévorer à son tour (officiellement, par des chiens sauvages).

M. Flutie était sans doute marié, car il portait une alliance (« Les Hyènes »). Il tentait de se montrer amical avec les élèves, qu'il encourageait à l'appeler Bob... même si aucun ne le faisait (« Bienvenue à Sunnydale »).

Son remplaçant, le proviseur Snyder, est beaucoup plus autoritaire et moins intéressé par les besoins de ses étudiants. Il méprise les méthodes de son prédécesseur, affirmant qu'elles sont juste bonnes à se faire dévorer (« La Marionnette »). Il déteste les jeunes, ce qui pousse Giles à s'interroger sur son choix de carrière (« La Métamorphose de Buffy »).

Apparemment, c'est le conseil municipal qui l'a placé là parce qu'il était capable de maîtriser les fauteurs de troubles (« La Soirée de Sadie Hawkins »). Il est conscient que Sunnydale est située sur la Bouche de l'Enfer et il a à deux reprises étouffé des affaires étranges (« Attaque à Sunnydale », « La Soirée de Sadie Hawkins ») en leur fournissant une explication rationnelle mais fausse.

Son seul point commun avec M. Flutie est de vouloir encourager l'esprit de groupe. A cette fin, il organise un radio-crochet (« La Marionnette ») et fait tout son possible pour faciliter la scolarité des sportifs qui remportent des compétitions (« Les Hommes Poissons »).

M. Snyder a Buffy dans le nez. Il ne cesse de s'en prendre à elle pour faire un exemple (« Attaque à Sunnydale », « Halloween », « Kendra », « La Soirée de Sadie Hawkins »).

Quand il finit par la renvoyer après l'avoir accusée à tort du meurtre de Kendra (« Acathla »), on réalise qu'il connaît l'identité secrète de la jeune fille. Soit il s'en fiche, soit il souhaite la voir échouer. Les conséquences de ses actions, et la nature exacte de ce qu'il mijote avec le conseil municipal, demeurent un mystère.

Bob Flutie était joué par Ken Lerner ; Snyder est joué par Armin Shimerman.

Amy Madison

Fille unique de Catherine Madison, la plus titrée des pom-pom girls du lycée de Sunnydale, Amy fut élevée par sa mère après que son père les eut quittées quand elle avait douze ans. Catherine insista pour qu'Amy suive ses traces et l'entraîna pour devenir pom-pom girl, même si sa fille ne manifestait aucun intérêt pour cette activité. Frustrée par le laisser-aller d'Amy, Catherine se tourna bientôt vers la sorcellerie.

Quand vint le temps des auditions pour l'équipe, elle fit un « transfert d'esprit » avec sa fille. Malheureusement, son nouveau corps ne réagit pas comme elle l'espérait, et elle fut seulement nommée troisième remplaçante. Furieuse, elle lança des sorts aux autres membres de l'équipe pour se débarrasser d'elles et devenir titulaire. Pendant ce temps, Amy devait rester à la maison et faire les devoirs de sa mère.

Buffy et Giles découvrirent la vérité et annulèrent tous les sorts jetés par Catherine, rendant son corps à Amy. Catherine tenta d'exiler Buffy dans une autre dimension, mais son sort se retourna contre elle… grâce à un banal miroir. Restée seule, Amy partit vivre avec son père et sa belle-mère (« Sortilèges »).

Amy ne partageait pas l'intérêt de sa mère pour les pom-pom girls, mais elle était très intriguée par l'occultisme. Dès la rentrée suivante, elle maîtrisait plusieurs sorts, ce qui lui permit de faire croire à un professeur qu'elle avait rendu ses devoirs quand ce n'était pas le cas, et de transformer Buffy en rat.

En revanche, le philtre d'amour que lui avait réclamé Alex ne fonctionna pas du tout, puisque toutes les femmes de la ville tombèrent amoureuses du jeune homme, à l'exception de Cordélia qui était pourtant sa cible. Avec l'aide de Giles, Amy put annuler l'enchantement (« Un Charme Déroutant »). On ignore si elle continuera à s'intéresser à l'occultisme.

Amy est jouée par Elizabeth Anne Allen.

Kendra

On ne sait pas grand-chose de Kendra. Son accent suggère des origines britanniques (Angleterre ou Caraïbes), mais on ne nous révèle jamais de quel pays elle vient. Sa famille, qui connaissait l'existence des vampires, l'a informée très tôt qu'elle était destinée à devenir une Tueuse, avant de l'envoyer dès son plus jeune âge s'entraîner avec l'Observateur Sam Zabuto (« Kendra »).

Kendra a reçu une formation beaucoup plus traditionnelle que celle de Buffy. Par exemple, elle a lu le *Manuel de la Tueuse*, dont Buffy n'a jamais entendu parler (« Kendra »), et elle opère de façon bien plus discrète: plutôt que de prendre un siège dans l'avion qui l'emmenait à Sunnydale, elle a préféré voyager dans la soute (« Kendra »).

Elle a mené une existence de recluse, sans amis ni contacts avec sa famille. Son style de vie est très spartiate, puisqu'elle semble ne posséder qu'une chemise (« Kendra »). Sa seule concession au sentimentalisme: avoir baptisé son pieu favori M. Pointu (« Acathla »).

Kendra a été activée après que Buffy fut morte en combattant le Maître (« Le Manus-

> « C'est l'équivalent féminin de Giles. »
> — Buffy à Willow, dans « Kendra », deuxième partie.
>
> « Une Tueuse? Je savais bien que cette histoire d'"il n'y en a qu'une" était juste un moyen d'attirer l'attention. »
> — Alex, dans « Kendra », deuxième partie.
>
> « Tout va bien. Kendra a tué la méchante lampe. »
> — Buffy, dans « Kendra », deuxième partie.

crit »). Quand Spike découvrit le Manuscrit du Lac et la clé pour le déchiffrer, et qu'il tenta de ressusciter Drusilla, Zabuto envoya Kendra à Sunnydale (« Kendra »).

La jeune fille a les mêmes capacités que Buffy, et un style de combat similaire. Comme Buffy, elle a du mal à repérer les vampires : elle a d'abord cru que sa collègue en était une en la voyant embrasser Angel (« Kendra »).

Après avoir aidé Buffy à arrêter Spike et Drusilla, Kendra est rentrée chez elle, revenant quand Angel vola le sarcophage d'Acathla pour fournir à Buffy une épée qui l'aiderait à combattre le démon. Elle fut tuée par Drusilla en s'efforçant de protéger les amis de Buffy dans la bibliothèque (« Acathla »).

Kendra était jouée par Bianca Lawson.

Cita-tIOns
Les Méchants

Spike

« Si tu élimines le bibliothécaire, tu ne détruiras jamais le monde et je n'ai pas envie de passer tout le mois à nettoyer ses restes incrustés dans le tapis. »
— **A Angel à propos de Giles, dans « Acathla », deuxième partie.**

Willy : Qu'est-ce que tu veux faire avec lui, de toute façon ?
Spike : Un resto et un ciné pour commencer. Je ne veux pas précipiter les choses entre nous.
— **« Kendra », deuxième partie.**

« Où est la sécurité ? Par l'Enfer, mais est-ce qu'ils dorment ? Ou est-ce qu'on a enfin trouvé un restaurant qui livre à domicile ? »
— **A propos de l'arrivée de Ford dans le repaire des vampires, dans « Mensonge ».**

« C'est le paradis ! De grandes fenêtres où la lumière entre à flots. C'est parfait si on a envie que le soleil nous détruise ! »
— **A propos de leur nouveau repaire, dans « La Soirée de Sadie Hawkins ».**

Spike : Une Tueuse avec une famille et des amis, c'était pas vraiment prévu dans mon programme.
Drusilla : Tu la tueras et ensuite, nous organiserons des festivités.
— **« Attaque à Sunnydale »**

« Je ne te tuerai qu'une fois. »
— **A Willy, dans « Kendra », deuxième partie.**

« Que chantera ta mère quand ils découvriront ton corps ? »

Drusilla

— **A un petit garçon, dans « Mensonge ».**

Spike : Tu te sens mieux ?
Drusilla : Je donne des noms aux étoiles.
Spike : Tu ne peux pas les voir. C'est le plafond, et il fait jour.
Drusilla : Je les vois quand même. Mais je les ai toutes baptisées pareil, et ça les gêne. Je redoute un duel.
— **« Innocence », deuxième partie.**

Le Maître

« J'ai rencontré un vieil homme. Je ne l'ai pas aimé. Il est coincé dans mes dents. »
— « **Acathla** », première partie.

« Mon avènement ne va plus tarder, alors prie pour qu'en ce jour béni je sois de bonne humeur. »
— « **Bienvenue à Sunnydale** », deuxième partie.

Citations
Divers

« Oh, attends… Je crois qu'il te manque un œil. »
— **A un serviteur vampire qu'il vient d'aveugler avec ses griffes, dans « Bienvenue à Sunnydale », deuxième partie.**

« J'ai défini quelque chose, moi ? Avec pertinence ? Alors, j'ai plus besoin d'étudier. »
— **Alex, dans « La Soirée de Sadie Hawkins ».**

Alex (à Giles) : Après les cours, je viendrai vous aider dans vos recherches.
Cordélia : Tu trouveras peut-être quelque chose d'utile… Si c'est dans un manuel de lecture du cours préparatoire.
— **« Innocence », deuxième partie.**

« Je résume : tu te fais coller en maths, tu te fais virer du lycée et là tu n'as plus qu'à trouver du boulot à la pizzeria où tu passes la serpillière en disant : "Hé, les mômes, vous savez où on peut s'éclater pendant le week-end ?"
— **Willow à Alex, dans « Les Hyènes ».**

Cordélia : Venir ici le samedi, ça perturbe gravement mon rythme biologique.
Alex : A quoi ça peut servir les ordinateurs dans la vie ?

Jenny : Euh, laisse-moi réfléchir… A la maison, au lycée, dans le travail… Ah, j'oubliais les jeux.
Alex : Moi je pense que l'informatique c'est dépassé. Le papier : voilà l'avenir, le progrès.
Willow : Avec les bouliers.
Alex : Ouais, on se sert pas assez des bouliers.
— **« La Face Cachée »**

« Non seulement il faut que j'aille en cours de rattrapage d'informatique samedi, mais en plus, il faut que je lise des bouquins d'informatique. Ça existe, les bouquins d'informatique ? L'informatique, c'est pour remplacer les bouquins. »
— **Cordélia, dans « La Face Cachée ».**

Jenny : Petite révision des bases informatiques pour deux élèves un peu dépassés. Willow est embauchée pour m'aider.
Alex : Ah, les pauvres nouilles qui vont aller bosser le samedi !
Jenny : Neuf heures du matin, ça te va, Alex ?
— **« La Face Cachée »**

« On n'est pas enfermés en classe, c'est la seule chose qui compte ! »
— **Alex, pendant une visite scolaire au zoo, dans « Les Hyènes ».**

cita-tIOns
Divers

Joyce : Elle parle de vous très souvent. Vous lui avez fait forte impression.

Giles : Elle est elle-même très impressionnante, je dois l'avouer.

Joyce : Elle a de gros soucis pour apprendre l'histoire. Est-ce que c'est trop difficile pour elle, ou ça ne l'intéresse pas suffisamment ?

Giles : Elle vit beaucoup dans l'instant et c'est vrai que l'histoire est une matière passéiste éminemment dans son essence...

— **« Alias Angélus »**

Buffy : Maman, lui, c'est M. Giles.

Joyce : Qui s'occupe de la fameuse bibliothèque ? Qu'est-ce qu'il fait là ?

Giles : J'étais venu vous présenter mes hommages, vous souhaiter de bien vous rétablir.

Joyce : Les professeurs sont très attentionnés dans cette ville !

— **Dans la chambre d'hôpital de Joyce, dans « Alias Angélus ».**

Willow : Ça veut dire que je ne pourrai pas t'aider pour les contrôles de demain.

Buffy : C'est pas grave. De toute façon, en enfer, on n'a plus d'examens. Ou peut-être qu'on nous en met tous les jours.

— **« Acathla », première partie.**

« De toute façon, j'en ai plus qu'assez. Peux-tu me dire quand, dans la vie, on va se servir de la chimie, ou de l'histoire, ou des maths, ou de tout ce qu'on apprend ici ? »

— **Buffy, dans « Acathla », première partie.**

Willow : Ne dis pas ça. Je vais te faire suer sang et eau, mais tu verras que tu les réussiras, tes contrôles. Parole de prof.

Alex : T'es au premier degré, là ? Parce que moi, je me tirerais.

Willow : Sang et eau, c'est une façon de parler.

Oz : Je suis sûr que tu seras un bon prof.

— **« Acathla », première partie.**

Buffy : Quand je pense que je n'ai pas commencé les révisions...

Alex : Oh, c'est vrai, les révisions. Pourquoi t'es venue à mon secours ?

— **Après que Buffy lui eut sauvé la vie, « Acathla », première partie.**

« Je fais un blocage sur tout ce qui a trait aux maths.

— **Buffy, dans « La Soirée de Sadie Hawkins ».**

Cordélia : Le lycée peut rouvrir ses portes.

Alex : Explique-moi ce qu'on a gagné dans l'histoire ?

— **« La Soirée de Sadie Hawkins »**

« Cette fois, je suis prêt. Pas de F pour moi aujourd'hui. Je vais au minimum récolter un D moins. »

— **Alex, à propos de ses devoirs, dans « Un Charme Déroutant ».**

Jenny : Hein ? Vous êtes encore là ? J'ignorais que vous étiez aussi accros à la bibliothèque.

Buffy : On est des littéraires.

Alex : La lecture va faire de nous de brillants étudiants.

— **« Moloch »**

Giles : Est-ce que ceci vous dit quelque chose ?

Buffy : Oui, oui. C'est un livre, on dirait.

Alex : Je le reconnais.

— **« Moloch »**

Jenny : Qu'est-ce qui manque à ces technologies pour vous plaire ?

Giles : Une odeur.

Jenny : Les ordinateurs n'en ont pas, Rupert.

Giles : Je sais. Mais les parfums peuvent raviver des souvenirs de façon très forte. Une odeur de fleur ou une bouffée de fumée peuvent faire réapparaître des choses occultées ; le parfum des livres est puissant et riche. Le savoir divulgué par un ordinateur semble être désincarné, sans aucune vie. Il est, il arrive et il s'en va. L'acquisition des connaissances doit s'appuyer sur du tangible, doit avoir une odeur.

— **« Moloch »**

« C'est comme dans tous les lycées. Au début de l'année tu trouves un bureau, un tableau et puis des salauds. »

— **Alex, dans « Les Hyènes ».**

Giles : Si je comprends bien, Angel a décidé de ne pas te lâcher et de passer à la vitesse supérieure.

Cordélia : Parce qu'il est allé déposer un dessin sur son oreiller ? A mon avis si c'était ça, il l'aurait étranglée ou étouffée pendant son sommeil, ou il lui aurait tranché une oreille. Ben quoi, j'essaie de vous aider.

Giles : Oui, bon… C'est une stratégie tout à fait classique pour essayer de se débarrasser de ses adversaires, vous savez. Il essaie de vous provoquer, de vous tourner en dérision, de vous harceler pour vous pousser à la faute.

Alex : Oui, c'est le bisque-bisque-rage avant la bataille.

Giles : Oui. Alex, une fois de plus, vous avez réussi à réduire un concept compliqué à sa forme la plus élémentaire.

— **« La Boule de Thésulah »**

Willow : Buffy, pourquoi tu n'es pas venue en cours ?

Buffy : Des problèmes de vampires. M. Whitmore a remarqué mon…

Alex : Le mot que tu cherches est : absence.

Buffy : C'est ça.

Willow : Oui. Il m'a donné ça pour toi. (Elle tend un œuf à Buffy.)

Buffy : Je trouve ça plutôt abstrait comme punition.

— **« Œufs-Surprise »**

Buffy : Les devoirs ?

Willow : C'est ma façon de te dire : bon rétablissement.

Buffy : Avec des chocolats, ça aurait été plus clair.

Willow : Tous tes devoirs sont terminés, t'as plus qu'à mettre ton nom sur les copies.

Buffy : Le chocolat, c'est du poison pour moi.

— **« Réminiscence »**

« Encore deux jours et nous ferons ce dont tous les jeunes Américains devraient avoir l'occasion… Mourir jeunes et rester beaux. »

— **Ford à ses fidèles, dans « Mensonge ».**

Alex : La grippe n'est pas un événement incompréhensible.

— **« Réminiscence »**

Citations Divers

GUIDE DES
ÉPISODES

Buffy
CONTRE LES VAMPIRES

Angel : Ce sont des enfants qui se racontent des histoires
de gentils vampires pour se réconforter dans les
ténèbres.

Willow : Et c'est mal ? Des fois, les ténèbres sont vraiment
ténébreuses. Une petite histoire, ça fait du bien.

— « MENSONGE »

**Rien que pour vous, bande de petits veinards, voici le guide des
épisodes des deux premières saisons de *Buffy contre les Vampires*.
Vous y trouverez le titre original, le nom du scénariste et du
réalisateur, la liste des acteurs et un résumé du scénario, plus
les rubriques suivantes :**

Citation de la semaine :

« Dites, ça vous ennuierait d'être plus précis ? »
— Buffy dans « Bienvenue à Sunnydale ».

L'Amour Selon la Tueuse :

Les relations amoureuses entre les personnages sont à la fois complexes
et essentielles à la cohésion de la série : Angel & Buffy, Giles & Jenny,
Alex & Cordélia… Cette section explique leur développement.

LE SAC A MALICE DE BUFFY :

Un catalogue des armes utilisées par la Tueuse dans chaque épisode.

QUIZZ DE CULTURE POP :

Une explication destinée aux non-initiés de toutes les références
plus ou moins obscures employées par les personnages.

CONTINUITÉ :

L'un des points forts de la série est la cohérence de la chronologie et de
l'histoire individuelle des personnages. Cette section détaille les tournants
de la vie des protagonistes, les références à des épisodes précédents ou
l'annonce d'événements futurs.

Extrait du Scenario original :

Des dialogues qui ont été coupés au montage pour permettre
à chaque épisode de ne pas dépasser la durée imposée.

PREMIÈRE SAISON

EPISODE N°	TITRE	DATE DE PREMIÈRE DIFFUSION AUX USA
1	Bienvenue à Sunnydale	(1) 10 mars 1997
2	Bienvenue à Sunnydale	(2) 10 mars 1997
3	Sortilèges	17 mars 1997
4	Le Chouchou du Prof	25 mars 1997
5	Un Premier Rendez-Vous Manqué	31 mars 1997
6	Les Hyènes	7 avril 1997
7	Alias Angélus	14 avril 997
8	Moloch	28 avril 1997
9	La Marionnette	5 mai 1997
10	Billy	12 mai 1997
11	Portée Disparue	19 mai 1997
12	Le Manuscrit	2 juin 1997

★ AVEC ★

Sarah Michelle Gellar. . . . . .Buffy Summers

Nicholas Brendon . . . . .Alex Harris

Alyson Hannigan . . . . .Willow Rosenberg

Charisma Carpenter. . . . . .Cordélia Chase

Anthony Stewart Head . . . . .Rupert Giles

Bienvenue à Sunnydale 1 & 2

TITRE ORIGINAL : *Welcome to the Hellmouth/The Harvest.*
SCÉNARISTE : Joss Whedon; **RÉALISATEURS :** Charles Martin Smith (1) et John T. Kertchmer (2). **AVEC :** Mark Metcalf (Le Maître), Brian Thompson (Luke), David Boreanaz (Angel), Ken Lerner (Proviseur Flutie), Kristine Sutherland (Joyce Summers), Julie Benz (Darla) et Mercedes McNab (Harmony).

Buffy Summers et sa mère Joyce viennent d'emménager à Sunnydale, en Californie. Lors de sa première journée dans son nouveau lycée, Buffy rencontre des gens qui, à dater de cet instant, vont occuper une place prépondérante dans sa vie.

Le principal Flutie croit à la notion de seconde chance, et affirme qu'il ne lui tiendra pas rigueur d'avoir incendié le gymnase de son lycée précédent. Cordélia, la fille la plus populaire du campus, fait passer un test à Buffy pour déterminer si elle est suffisamment cool et lui tend la main de l'amitié… du moins, jusqu'à ce que Buffy commence à fréquenter Willow, une folle d'informatique affreusement timide, et ses amis Alex et Jesse. Giles, le bibliothécaire, connaît l'identité secrète de Buffy. Et pour cause : on l'a choisi pour être son Observateur.

Plus tard, Buffy rencontre le mystérieux Angel, qui l'informe que Sunnydale est située sur la Bouche de l'Enfer : un point focal d'activités démoniaques qui attire les vampires comme une flamme attire les papillons de nuit. Il lui conseille de se préparer pour la Moisson. Traumatisée par son expérience à Los Angeles, Buffy veut retrouver une vie normale. Aussi choisit-elle d'ignorer cette mise en garde.

Dans les catacombes, sous la ville, Luke éveille le Maître pour la Moisson. Le Maître est un très vieux vampire prisonnier sous terre depuis soixante ans, quand un séisme fit échouer sa tentative d'ouvrir la Bouche de l'Enfer. A présent, le moment de la Moisson est venu; il va regagner ses forces et pouvoir se libérer.

Luke envoie des vampires chercher des victimes. Jesse se fait capturer. En sauvant Willow et Alex, Buffy réalise qu'elle doit accomplir ses devoirs de Tueuse, sinon de nombreuses personnes mourront. Elle part à la recherche de Jesse, mais le jeune homme a été transformé en vampire.

Luke, le Calice du Maître, attaque le *Bronze* avec une horde de vampires. Aidée par Giles, Willow et Alex (qui tue accidentellement Jesse), Buffy élimine une bonne partie des créatures. Quelques-unes, dont Darla, réussissent à s'enfuir.

Citation de la semaine:

Cordélia: Elle est dans le quartier malfamé.
Buffy: C'est où, ça?
Cordélia: Environ à un pâté de maisons des beaux quartiers. La ville n'en a pas beaucoup, tu sais. »

L'Amour Selon la Tueuse:

La première fois qu'Alex voit Buffy, le choc est tel qu'il percute une rambarde alors qu'il est sur son skate-board. Il tente immédiatement de la draguer.

Angel et Buffy se rencontrent; la jeune fille est à la fois agacée et intriguée par son mystérieux bienfaiteur.

LE SAC A MALICE DE BUFFY:

Buffy porte un pieu sur elle et utilise d'autres armes improvisées: branches mortes, queue de billard… Elle décapite un vampire avec une cymbale. Elle conserve plusieurs pieux, des fioles d'eau bénite, de l'ail et des croix dans un coffre muni d'un double fond.

CONTINUITÉ:

Ceux qui ont vu le film *Buffy contre les Vampires* s'étonneront qu'on fasse si souvent référence à l'incendie du gymnase, car il n'a jamais eu lieu à l'écran. En réalité, Joss Whedon l'avait prévu dans son scénario original, et c'est sur celui-ci qu'il s'est basé pour créer la série.

Deux autres Tueuses, Lucy Hanover en 1866, et une jeune fille non identifiée en 1927, sont mentionnées dans la séquence d'ouverture, mais plus jamais par la suite.

Buffy a le premier d'une longue série de rêves prémonitoires (« Le Manuscrit », « Innocence »). En la conduisant au lycée le premier jour, Joyce fait promettre à sa fille de ne pas être renvoyée: une promesse que Buffy trahira un an et demi plus tard (« Acathla »).

Angel se conduit comme s'il n'avait jamais vu Buffy, ce que dément le retour en arrière d'« Acathla ». La première tentative du Maître pour ouvrir la Bouche de l'Enfer a eu lieu en 1937; la prochaine prendra place dans « Le Manuscrit ».

M. Flutie : Buffy ! Que faites-vous là ?

Buffy : Euh… Je voulais juste savoir s'il y avait vraiment un type mort à l'intérieur.

M. Flutie : Qui vous a raconté ça ? Bon, c'est vrai. Mais il ne faisait pas… plus partie de nos étudiants.

Buffy : Savez-vous de quoi il est mort ?

M. Flutie : Pardon ?

Buffy : Je veux dire, comment une chose pareille a-t-elle pu se produire ?

M. Flutie : Ça, ce sera à la police de le déterminer quand elle arrivera. Mais cet établissement est sûr ; nous avons satisfait à toutes les inspections judiciaires, et je ne pense pas qu'on puisse nous poursuivre en justice.

Buffy : Y avait-il beaucoup de sang ? Ou même un peu ?

M. Flutie : Jeune fille, je ne pense pas qu'il soit très sage de vous impliquer dans ce genre d'affaire.

Buffy : Je n'en ai pas l'intention. Je voudrais juste jeter un coup d'œil.

M. Flutie : … A moins que vous ne le soyez déjà.

Buffy : Oubliez ça.

M. Flutie : Buffy, je comprends que vous vous sentiez désorientée. Vous devez éprouver en ce moment beaucoup d'émotions contradictoires. Je pense que vous devriez en parler à quelqu'un. Enfin, à quelqu'un d'autre.

SORTILÈGES

TITRE ORIGINAL : *Witch* ; **SCÉNARISTE :** Dana Reston ; **RÉALISATEUR :** Stephen Cragg. **AVEC :** Kristine Sutherland (Joyce Summers), Elizabeth Anne Allen (Amy Madison), Robin Riker (Catherine Madison), et aussi Amanda Wilmshurst, Nicole Prescott, Jim Doughan et William Monaghan.

Les sélections de l'équipe des pom-pom girls du lycée de Sunnydale se révèlent plus mouvementées que prévu quand Amber Grove, une talentueuse concurrente, prend spontanément feu.

Pendant ce temps, Catherine Madison, une ancienne star de l'équipe, fait pression sur sa fille Amy pour qu'elle prenne sa relève. Hélas, Amy n'obtient qu'une place de troisième remplaçante : elle dansera si quelque chose arrive à trois titulaires. Bien entendu, c'est ce qui se produit : Cordélia devient aveugle, la bouche de Lishanne est scellée, et Buffy se transforme en idiote, tout ça à cause d'un sortilège.

Giles et Buffy se rendent chez les Madison, où ils découvrent que ce n'est pas Amy la responsable, mais Catherine : elle a volé le corps de sa fille pour revivre ses jours de gloire. Giles réussit à annuler les enchantements pendant que Buffy se bat contre Catherine, qui tente de la bannir dans un autre plan. Mais son sort se retourne contre elle et l'emprisonne dans le trophée de pom-pom girl gagné au temps de sa jeunesse.

Citation de la semaine:

« **Je rigole en face du danger. Ensuite, je cherche un trou pour me cacher.** »

— Alex, résumant son approche de la vie.

L'Amour Selon la Tueuse:

Alex donne à Buffy un bracelet sur lequel est gravée l'inscription *Yours, always (A toi pour toujours),* puis demande à Willow si ce serait une bonne idée d'inviter la Tueuse à sortir avec lui… Au plus grand chagrin de la pauvre Willow, dont il est le seul à ne pas s'apercevoir.

QUIZZ DE CULTURE POP:

« **Coucou, la sorcière bien-aimée.** »

— Alex, faisant allusion à une série populaire des années 60, avec Elizabeth Montgomery dans le rôle principal.

CONTINUITÉ :

Joyce évoque pour la première fois son activité professionnelle : directrice d'une galerie d'art.

Cordélia passe son permis pour la troisième fois. Elle finit par réussir entre cet épisode et « Le Manuscrit ».

On découvre l'intérêt de Giles pour l'occultisme (le sujet reviendra dans « Moloch », « La Face Cachée » et « Un Charme Déroutant »). L'Observateur affirme que c'est la première fois qu'il lance un sort, mais « Halloween » et « La Face Cachée » révéleront qu'il mentait.

Beaucoup de répliques ont été coupées au montage. Par exemple,

Alex : Hé, on s'est battus contre des vampires. A côté
de ça, tout le reste n'est qu'une simple promenade.

Ou encore :

Giles : Si je m'adonnais à la magie noire, je me fixerais des objectifs
un peu plus ambitieux que faire partie d'une équipe de pom-
pom girls.

Sans compter ce dialogue :

Alex : Ouah, je ne t'avais jamais vue d'aussi méchante humeur. Une vraie psychopathe !
Je ferais mieux de ne pas te contrarier.

Willow : Oui ; sinon, je serais obligée de te tailler en pièces.

Enfin, pendant que Giles cherche à déterminer si Amy est une sorcière, il trouve quelque chose dans un de ses bouquins : il faut la jeter ligotée dans une mare. Si elle flotte, c'est une sorcière ; si elle se noie, elle était innocente… (Face au regard interloqué des autres :) « Je crains que certaines de mes références ne datent un peu. »

> Quand Buffy se réveille au début de l'épisode, elle porte un T-shirt à l'effigie d'un chat noir, animal souvent associé à la sorcellerie.

Le Chouchou du prof

TITRE ORIGINAL : *The Teacher's Pet* ; **SCÉNARISTE :** David Greenwalt ; **RÉALISATEUR :** Bruce Seth Green. **AVEC :** David Boreanaz (Angel), Ken Lerner (Proviseur Flutie), Musetta Vander (Nathalie French), Jackson Price (Blayne Mall), Jean Speegle Howard (Main Fourchue), William Monaghan (Docteur Gregory), et aussi Jack Knight, Michael Ross et Karim Oliver.

Buffy est encouragée à ne pas relâcher ses efforts par son professeur de biologie, le docteur Gregory, que l'on retrouve décapité le lendemain.

Sa remplaçante est une jeune femme très séduisante nommée Nathalie French. Passionnée par les mœurs des mantes religieuses, elle met en ébullition tous les mâles du lycée. Buffy soupçonne d'abord le vampire Main Fourchue du meurtre du docteur Gregory, mais elle est tout étonnée de le voir s'enfuir en gémissant à la vue de Mlle French.

Giles demande conseil à son ami le docteur Carlyle Ferris, expert en entomologie et mythologie, devenu fou depuis son combat contre une sirène-mante à l'Université d'Oxford. Pendant ce temps, Mlle French, le même genre de créature monstrueuse, retient Alex et Blayne prisonniers. Elle veut s'accoupler avec eux et les tuer ensuite. Mais Buffy réussit à sauver ses amis avant qu'ils ne soient décapités.

Citation de la semaine:

« **Vous étiez dans le vrai. Oui, à propos de toutes ces choses. Oui. Non. Vous aviez tort quant à votre mère : elle n'est pas réincarnée en pékinois, mais...** »

— Giles pendant sa conversation avec Carlyle.

LE SAC À MALICE DE BUFFY:

Elle utilise une machette contre la mante religieuse, après l'avoir rendue folle grâce à un enregistrement de sonar de chauve-souris.

QUIZZ DE CULTURE POP:

« **Non, je te dis pas que son cou s'est allongé, je te dis que sa tête a tourné à 180 degrés, comme dans *L'Exorciste* !** »

— Buffy décrivant Mlle French, en référence à la fameuse scène du film *L'Exorciste*.

L'Amour Selon la Tueuse:

Alex continue à rêver de Buffy ; il n'est pas content du tout quand Angel donne son blouson à la jeune fille. Mais à la seconde où ses yeux se posent sur Mlle French, il n'en a plus que pour elle... comme tous les autres mâles du lycée. Il refuse d'écouter les avertissements de Buffy, préférant croire que la jeune fille est jalouse de leur professeur.

CONTINUITÉ :

Le coup de cœur d'Alex pour une mante religieuse devient l'une des blagues récurrentes de la série (« La Momie Inca », « Kendra », etc.).

Extrait du Scénario original:

Alex rêve qu'il est un dieu de la guitare, et que ça lui permet d'impressionner Buffy. Plus tard, nous apprenons que Giles jouait du même instrument dans un groupe, quand il était jeune. Comme Oz est aussi le guitariste des Dingoes Ate My Baby, on peut en déduire que la guitare est le piège à filles du moment.

Buffy : Le docteur Gregory ne m'a pas passé de savon. Il a été très cool, en fait. Mais M. Flutie lui a montré mon dossier. Pour lui, je suis à peine moins dangereuse que Charles Manson.

Willow : Et tu ne peux pas lui raconter ce qui s'est réellement passé dans ton ancien lycée ?

Buffy : Quoi, que je me battais contre des vampires ? Il pourrait ne pas me croire...

Willow : Oui, on doit lui servir ce genre d'excuse tout le temps.

Cordélia (en arrivant) : Oh-oh. Problème. Ma table est occupée par de pitoyables losers. Il va falloir la brûler...

Buffy : C'est triste ; tu y as tant de souvenirs. Toi et Lawrence, toi et Mark, toi et John... C'est ici que tu as dragué dans ta période entre J et M.

FRIANDISES À GOGO

Alex Harris, le chevalier servant de Buffy, a un talon d'Achille comme tous les grands héros. Il suffirait qu'un adversaire agite un Twix sous son nez pendant une bataille pour que cela lui vaille une distraction fatale. Plusieurs fois, sa faiblesse pour le chocolat a failli causer sa perte :

« Le chocolat est un ingrédient essentiel à mon processus cognitif. »
— *« Kendra », première partie.*

**« Génial. Ce serait dommage de laisser traîner
de si délicieux chocolats. C'est mon jour de chance... »**
— *En suivant la piste qui va le mener dans les griffes de l'Ogre, dans « Billy ».*

**« C'est une délicieuse et moelleuse génoise dorée, fourrée avec une
somptueuse crème blanche. C'est un vrai délice, et voilà comment
on l'avale. [...] C'est bon et le plus excitant là-dedans, c'est qu'il
n'y a aucun ingrédient qu'un être humain puisse reconnaître.
Et je te garantis que ça ne laisse aucune crampe à l'estomac. »**
— A propos des Twinkies, dans « La Momie Inca ».

**« Okay, pour avoir un maximum de bonbons, les larmes,
c'est le truc. Bien négocié, ça peut vous rapporter le double.
Il y a aussi le coup classique du « Vous m'avez manqué »,
mais c'est risqué. Sauf pour le chocolat. »**
— Conseils pour extorquer des bonbons, dans « Halloween ».

Un Premier Rendez-Vous Manqué

TITRE ORIGINAL : *Never Kill a Boy on the First Date ;*
SCÉNARISTES : Rob Des Hotel et Dean Batali ;
RÉALISATEUR : David Semel. **AVEC :** Mark Metcalf (Le Maître), David Boreanaz (Angel), Christopher Wiehl (Owen Thurman), Andrew J. Ferchland (Le Juste des Justes), Geoff Meed (Andrew Vorba), et aussi Paul Felix Montez et Robert Mont.

Le Maître veut élever le Juste des Justes pour en faire son arme ultime contre la Tueuse. Buffy tue un membre du Grand Ordre d'Aurélius, dont la présence met la puce à l'oreille de Giles. Celui-ci tente de déchiffrer les prophéties relatives à l'avènement du Juste des Justes, pendant que Buffy

> Les séquences qui se déroulent dans le cimetière ont été tournées à Los Angeles, au cimetière Rosedale.

essaie de développer sa vie sociale en sortant avec Owen Thurman, un étudiant timide amateur d'Emily Dickinson.

Mais leur rendez-vous est interrompu, car Buffy doit se rendre à la morgue afin de sauver Giles (qui y a été en son absence pour voir si le Juste des Justes se relèverait). Non seulement elle doit se débarrasser des vampires qui attaquent son Observateur, mais Owen insiste pour ne pas la lâcher d'une semelle.

Giles pense que la créature tuée par Buffy était destinée à devenir le Juste des Justes. Owen se révèle être plus accro au danger qu'à Buffy elle-même, et pour sa propre sécurité, Buffy refuse de sortir de nouveau avec lui.

Citation de la semaine:

Giles : Parfait, je vais sauter dans ma machine à remonter le temps, retourner au XIIe siècle et demander aux vampires de modifier leur prophétie pour que tu puisses aller à ce rendez-vous.

Buffy : Voilà une blague qui me fait rire à gorge déployée…

— A propos du rendez-vous de Buffy, qui tombe la nuit de l'accomplissement d'une prophétie.

L'Amour Selon la Tueuse:

Buffy a le béguin pour Owen, ce qui mécontente à la fois Cordélia (elle a des vues sur le jeune homme), Angel et Alex. Ce dernier fait tout ce qu'il peut pour saboter son rendez-vous, tout en continuant à poursuivre la jeune fille de ses assiduités. Il réussit même à la reluquer pendant qu'elle se change. Buffy finit par renoncer à Owen d'elle-même.

QUIZZ DE CULTURE POP :

« Ce sermon s'arrête ici. »

— Le Maître, parodiant une réplique de Sean Connery et de Kevin Costner dans *Les Incorruptibles*.

« Clark Kent avait un job, lui. »

— Buffy, en référence à l'identité de «couverture» de Superman, pour illustrer son désir d'avoir une vie sociale.

CONTINUITÉ :

Le Maître crée le Juste des Justes, un petit garçon qui fait des apparitions récurrentes dans la série jusqu'aux événements d'«Attaque à Sunnydale».

Buffy et les autres pensent avoir éliminé le Juste des Justes; ils se rendront compte de leur erreur dans «Le Manuscrit».

Giles prétend n'avoir pas de manuel d'instructions, ce qui contredit les informations ultérieurement révélées dans «Kendra».

LA THÉORIE DE LA CONSPIRATION

Pendant la deuxième saison, les scénaristes de *Buffy* ont développé une intrigue secondaire par touches presque imperceptibles. C'est une conspiration digne d'Oliver Stone, et ça se passe dans notre bonne vieille Sunnydale !

Le maire. Le chef de la police. Le proviseur Snyder. Ils connaissent le secret de Buffy, et ils ne l'aiment pas — surtout Snyder. Quels que soient leurs objectifs, on peut parier qu'ils ne plairont pas à la Tueuse, et qu'ils feront tout pour ne pas qu'elle les découvre !

Voilà certains dialogues qui nous ont conduits à formuler cette théorie de la conspiration.

Chef de la police : Je dois faire une déclaration devant les média.
Snyder : Et alors ?
Chef de la police : Et alors ? Je donne la version habituelle des masques des braqueurs ?
Snyder : Tu crois qu'il faut dire la vérité ?
Chef de la police : Je crois. C'étaient les braqueurs masqués.

— « ATTAQUE À SUNNYDALE »

Chef de la police : C'est une mauvaise blague ?
Snyder : Va savoir !
Chef de la police : Les égouts ont débordé.
Snyder : Peut-être que je peux m'en sortir avec ça, mais ça devient dur. Les gens vont poser des questions.
Chef de la police : A toi de faire en sorte de l'éviter.
Snyder : J'ai beau me décarcasser, à l'impossible nul n'est tenu. Je n'ai…
Un homme : Qu'est-ce qui se passe ?
Snyder : Un problème dans les égouts. Il s'est produit la même chose à San Diego, il y a une quinzaine. Les vraies causes sont démoniaques. Tôt ou tard, les gens vont finir par s'en rendre compte.
Un homme : J'ai toujours cru que vous étiez l'homme de la situation, mais si vous pensez le contraire, il vaut mieux en discuter directement avec le maire.
Snyder : Je réussirai. Je peux !

— « LA SOIRÉE DE SADIE HAWKINS »

« Donnez-moi une raison de vous mettre à la porte. Une seule raison. »

— Le proviseur Snyder, dans *« Acathla »*, première partie.

Snyder : Vous l'avez sans doute remarqué, la police de Sunnydale est particulièrement stupide. Et puis, de toute façon, peu importe ce que les enquêteurs trouveront. Votre passif dans mon établissement est trop lourd. Des moments comme celui-ci se savourent. On voudrait même que le temps s'arrête pour en profiter encore et toujours. Vous êtes expulsée.
Buffy : Vous aurez au moins connu un instant de bonheur dans votre vie.
Snyder : Qu'est-ce que ça veut dire ? Ici Snyder, dites au maire que ça suit son cours.

— « ACATHLA », DEUXIÈME PARTIE.

Les Hyènes

TITRE ORIGINAL : *The Pack ;* **SCÉNARISTES :** Matt Kiene et Joe Reinkemeyer ; **RÉALISATEUR :** Bruce Seth Green.
AVEC : Ken Lerner (Proviseur Flutie), Eion Bailey (Rhonda), Michael McRaine (Kyle), Brian Gross (Tor), Jennifer Sky (Heidi), Jeff Maynard (Lance), James Stephens (Gardien du zoo), et aussi Gregory White, Jeffrey Steve Smith, David Brisbin, Barbara Whinnery, Justin Jon Ross et Patrese Borem.

Les scènes du zoo ont été tournées au zoo de Santa Ana.

Buffy et sa bande participent à une visite scolaire du zoo, en compagnie des quatre plus grands fauteurs de trouble du lycée: Kyle, Rhonda, Tor et Heidi, ainsi que de Lance, l'objet constant de leur mépris.

Le quartette entraîne Lance dans la maison des hyènes, pourtant fermée au public. Alex les suit pour les empêcher de faire une bêtise… et se retrouve comme eux possédé par l'esprit prédateur d'une hyène. Il commence à rôder avec le quartette et à agir d'une manière étonnante, rudoyant Willow à la première occasion.

Les possédés dévorent Herbert, la nouvelle mascotte du lycée. Plus tard, quand le proviseur Flutie convoque Kyle, Rhonda, Tor et Heidi dans son bureau pour les accuser d'avoir attaqué son cochon, il se fait manger tout cru.

Giles découvre des références à une secte de primitifs, capables d'absorber l'essence d'un animal. Le gardien du zoo, vers lequel Buffy se tourne pour lui demander de l'aide, fait partie du groupe. Il tente de s'approprier le pouvoir des cinq étudiants et réussit, juste avant que Buffy ne le jette en pâture aux hyènes.

Citation de la semaine:

« C'est affligeant: il s'est transformé en jeune homme.
Tu n'as pas le choix; il faut l'éliminer. »

— Giles, sceptique, quand Buffy lui décrit l'étrange comportement d'Alex.

Une ligne de dialogue coupée au montage : « Bienvenue dans la jungle », dit Alex.

L'Amour Selon la Tueuse:

Au *Bronze*, Buffy et Willow discutent de leur attirance respective pour Angel et Alex. Willow souffre d'autant plus quand l'objet de son affection l'humilie publiquement devant le reste de la meute. Possédé, Alex se montre encore plus entreprenant vis-à-vis de Buffy (qui lui tape dessus avec un bureau pour lui apprendre les bonnes manières).

CONTINUITÉ :

L'expérience d'Alex, possédé par une hyène, lui sera utile quand Buffy et ses amis tenteront de trouver un loup-garou dans « Pleine Lune ».
Buffy porte toujours le blouson qu'Angel lui a donné dans « Le Chouchou du Prof ».

73

Alias Angélus

TITRE ORIGINAL : *Angel* ; **SCÉNARISTE :** David Greenwalt ;
RÉALISATEUR : Scott Brazil. **AVEC :** Mark Metcalf (Le Maître),
David Boreanaz (Angel), Kristine Sutherland (Joyce Summers),
Julie Benz (Darla), Andrew
J. Ferchland (Le Juste des
Justes), et aussi Charles Wesley.

Le secret d'Angel est finalement révélé : c'est un vampire ! Buffy ne s'en aperçoit pas avant qu'ils aient évoqué leurs sentiments respectifs et échangé un baiser. Au début, la jeune fille pense qu'Angel a fait semblant d'être attiré par elle pour lui tendre un piège. Cette opinion est confortée quand elle le découvre près de sa mère évanouie, des marques de dents dans le cou.

Bientôt, Buffy apprend toute la vérité. Angel a été transformé par Darla deux siècles et demi auparavant. Quatre-vingts ans plus tôt, il a torturé et tué une jeune bohémienne, dont le clan l'a maudit en lui rendant son âme ! Il est devenu une créature unique parmi les morts-vivants : un vampire doté d'une conscience.

Toutes les tentatives de Darla pour le ramener au bercail échouent, et la vampire finit du mauvais côté d'un carreau d'arbalète manié par Angel.

Citation de la semaine :

« On essaye d'être calmes et objectifs.
Angel est un vampire. Tu es la Tueuse ;
je crois que la solution s'impose. »
— Alex après que Buffy lui eut révélé la nature d'Angel.

L'Amour Selon la Tueuse :

La relation entre Angel et Buffy se développe. Angel commence par passer une nuit dans la chambre de la jeune fille, bien qu'il se conduise « en parfait gentleman », comme elle le souligne ensuite. Plus tard,

> Il faut une heure et demie pour appliquer le maquillage vampirique d'Angel. Les lentilles jaunes sont l'accessoire favori de David Boreanaz.

ils échangent un premier baiser qui, à cause de la croix que porte Buffy, imprime un sceau de feu dans la gorge d'Angel.

Ils ne cessent de se répéter que leur relation ne peut rien donner de bon, mais avec un manque de conviction pitoyable (d'autant plus quand on sait ce qui se passe à la fin de la deuxième saison).

Un indice sur le tour que prendront les relations d'Alex et Cordélia : après avoir essuyé les sarcasmes de la jeune fille sur la piste de danse, Alex la traite de « purge » à la mauvaise haleine.

Pendant ce temps, Buffy suggère à Willow d'avouer ses sentiments pour Alex, mais son amie refuse énergiquement: « Ça me rendrait trop malade ; j'aurais les mains moites ».

LE SAC A MALICE DE BUFFY :

Giles entraîne la jeune fille à manier le bâton et l'arbalète. Buffy utilise cette arme contre Angel (qu'elle manque volontairement) et contre Darla (qu'elle atteint à l'estomac au lieu du cœur).

CONTINUITÉ :

> e cache-poussière Angel vient de chez ugo Boss et coûte 1 000 dollars environ 6 000 F).

Le Maître commence à éduquer le Juste des Justes (« Un Premier Rendez-Vous Manqué »). Buffy invite Angel chez elle pour la première fois (« La Boule de Thésulah »).

Angel décrit sa transformation, due à Darla, et sa malédiction par les bohémiens, qui seront montrées dans « Acathla ».

Moloch

TITRE ORIGINAL : *I Robot, You Jane*; **SCÉNARISTES :** Ashley Gable et Tom Swyden; **RÉALISATEUR :** Stephen Posey. **AVEC :** Robia LaMorte (Jenny Calendar), et aussi Chad Lindberg et Jamison Ryan.

> Le moine qui dirige la cérémonie dans la séquence d'ouverture s'appelle Thelonius, sans doute en référence au musicien de jazz Thelonius Monk.

En Italie, au XVe siècle, un moine réussit à emprisonner le démon Moloch le Corrupteur dans un livre. Comme il faudrait, pour le libérer, que les mots soient lus à voix haute, le moine enferme ensuite l'ouvrage dans un coffre, où il passe cinq siècles… Jusqu'à ce que Giles en fasse l'acquisition et que Willow le scanne dans le cadre d'un projet mis au point par Jenny Calendar, le professeur d'informatique du lycée.

Jenny est une jeune femme libérée qui s'habille à la dernière mode et pratique l'argot, le parfait opposé de Giles.

En scannant le livre, Willow relâche Moloch dans le cyberespace, où il ne tarde pas à se mettre au travail. Sous le pseudonyme de Malcolm, il entretient une relation amoureuse virtuelle avec la jeune fille, subvertit Fritz et Dave, deux étudiants férus d'informatique, et utilise une usine d'électronique abandonnée pour se fabriquer un corps artificiel.

Avec l'aide inattendue de Jenny — technopaïenne confirmée, familière de Moloch et de beaucoup d'autres démons —, Giles réussit à emprisonner le Corrupteur dans son corps de robot, donnant ainsi à Buffy l'occasion de l'éliminer en provoquant un court-circuit.

> Alyson Hannigan est connectée à Internet, mais elle affirme ne pas être aussi accro que Willow.

Citation de la semaine :

« Tout ça est encore loin de vous, mais j'ai bon espoir de vous voir atterrir au xxe siècle... Si vous travaillez d'arrache-pied ! »
— Jenny au cours d'une de ses nombreuses disputes « livres contre ordinateurs » avec Giles.

L'Amour Selon la Tueuse :

Au fil de l'épisode, Jenny et Giles passent de l'hostilité ouverte au respect, commençant une relation prometteuse, mais hélas condamnée. Alex fait montre d'une jalousie féroce envers Malcolm, le petit ami virtuel de Willow.

CONTINUITÉ :

Buffy et Alex tentent de remonter le moral de Willow en lui rappelant que si Malcolm était un démon, Buffy est amoureuse d'un vampire (« Alias Angélus ») et Alex draguait une mante religieuse (« Le Chouchou du Prof »).

Jenny aide pour la première fois la bande à Buffy, ce qui lui vaudra ultérieurement d'en devenir un membre officiel (« Le Manuscrit »).

> Cet épisode marque la première apparition de Mlle Calendar. Son prénom n'est jamais prononcé ici ; à l'origine, ce devait être Nicky, mais les scénaristes optèrent finalement pour Jenny afin d'éviter toute confusion avec Nicholas Brendon, car ses amis le surnomment ainsi.

LA RÉHABILITATION DE CORDÉLIA

Au début, Cordélia Chase avait tout de la lycéenne adulée, superficielle et langue de vipère. Il était très facile de l'imaginer dans le rôle de l'éternelle Némésis de Buffy, et plus facile encore de laisser le personnage évoluer dans ce sens.

Mais bien que Cordélia soit toujours aussi adulée, superficielle et langue de vipère, nous découvrons au fil des épisodes qu'elle a aussi un cœur et une âme. Assistez en direct à son étonnante réhabilitation...

Pendant toute la première saison, Cordélia se caractérise par ses piques cruelles et méprisantes. Elle fait montre d'une totale absence de tact et de diplomatie, un grand sujet de plaisanteries récurrentes de la part de Buffy, d'Alex et de Willow. A se demander ce qui la rend si adulée !

Puis elle commence à changer. Dans « Portée Disparue », elle réalise enfin que Buffy n'est pas tout à fait ce qu'elle paraît être, et va jusqu'à réclamer son aide. Pendant que les deux lycéennes parlent de la fille invisible qui tourmente Cordélia, celle-ci laisse pour la première fois deviner qu'elle a un fond d'humanité.

Cordélia : Quel dommage pour elle... C'est affreux, cette solitude.

Buffy : T'as dû lire ça quelque part.

Cordélia : Hé ! Je sais bien ce que c'est que la solitude, même si j'ai plein d'amis. J'ai beau être entourée, par moments je me sens complètement seule. En fait, la plupart des gens ne me connaissent pas. Je ne sais pas s'ils ont un peu d'amitié pour moi. Je fais partie des filles qu'on flatte. Et parfois pendant que je parle, ils ont tellement le souci d'être d'accord avec moi qu'ils se fichent de ce que je dis.

Buffy : Pourquoi tu te donnes tant de mal pour leur plaire si ce ne sont pas des amis ?

Cordélia : Je préfère être accompagnée, même mal.

— « **PORTÉE DISPARUE** »

A la fin de la première saison, dans « Le Manuscrit », Cordélia fait un grand pas vers la réhabilitation en sauvant Willow et Jenny Calendar d'une armée de vampires. Dans le premier épisode de la deuxième saison, « La Métamorphose de Buffy », c'est elle qui se dévoue pour prévenir la Tueuse que son comportement agressif est en train de lui aliéner tous ses amis.

« Même si tu veux avoir l'air d'une héroïne, arrête ton cirque. Accepte l'échec ; t'es pas toujours là pour prouver que t'es la meilleure, tu peux laisser tomber. Parce que sinon, tu vas perdre le peu d'amis que tu t'es fait. »

Elle aurait pu trouver une façon plus agréable de formuler la chose, mais c'est de Cordélia Chase que nous parlons !

Entrée presque malgré elle dans la bande à Buffy, parce qu'elle connaît l'identité secrète de la Tueuse, l'existence des vampires et des démons — et parce qu'elle vit à Sunnydale —, Cordélia commence à penser qu'Alex n'est pas le crétin pour qui elle l'a toujours pris (ce qu'elle ne s'est jamais privée de lui faire savoir !).

A la fin de l'épisode « Le Puzzle », elle le remercie même de lui avoir sauvé la vie. Le jeune homme la rabroue aussitôt, mais les spectateurs intuitifs auront reconnu dans ce dialogue les prémisses de leur relation future.

Malgré sa participation à leurs efforts pour sauver le monde, les autres membres de la bande ont d'abord du mal à accepter la présence de Cordélia. Mais au début de « Kendra », la jeune fille devient officiellement une des leurs.

Cordélia : Tu manques pas de culot ! Tu me sors de mon lit pour que je te serve de taxi. J'suis quoi, moi ? Je me trouve bien bonne…

Alex : C'est ce que disent certains mecs, mais c'est des racontars de vestiaire ; je n'y prête aucune attention.

Cordélia : Oh, génial : non seulement je sers de taxi, mais aussi de punching-ball !

Alex : Je te verrais plutôt une carrière de cible ou de chamboule-tout, mais ça, c'est toi qui vois. Tu viens, Cordélia ? Si tu veux faire partie de l'équipe, va falloir apprendre à remuer tes talons aiguilles.

Cordélia : Bien sûr, je rêve toutes les nuits que des ploucs de votre genre deviennent mes meilleurs copains. Je rêve aussi que mon premier mari sera un SDF chauve et obèse.

— « KENDRA », PREMIÈRE PARTIE.

L'incroyable se produit un peu plus tard au cours du même épisode, quand Alex et Cordélia, enfermés dans la cave de Buffy, s'embrassent pour la première fois. Cordélia Chase. Blessante, matérialiste, sarcastique, méprisante, arrogante… mais elle s'arrange.

TITRE ORIGINAL : *The Puppet Show* ; **SCÉNARISTES :** Rob Des Hotel et Dean Batali ; **RÉALISATEUR :** Ellen Pressman. **AVEC :** Kristine Sutherland (Joyce Summers), Richard Werner (Morgan), Burke Roberts (Marc), Armin Shimerman (Proviseur Snyder), et aussi Chasen Hampton, Natasha Pearce et Krissy Carlson.

La Marionnette

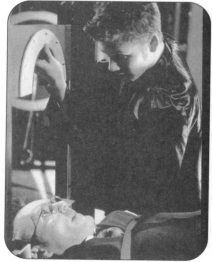

Giles est confronté à une épouvantable épreuve : il doit organiser le radio-crochet annuel sur la demande expresse du proviseur Snyder, le remplaçant de M. Flutie. Celui-ci ordonne également à Buffy, à Willow et à Alex de monter un numéro ; de manière générale, il

prend un malin plaisir à se faire détester de tous.

Pour couronner le tout, une des participantes est retrouvée morte, le cœur arraché. La bande à Buffy pense d'abord que c'est l'œuvre d'un banal tueur en série. Mais Giles découvre bientôt un texte sur la Fraternité des Sept, un clan de démons qui, tous les sept ans, doivent se procurer le cœur et le cerveau d'un jeune humain pour conserver leur apparence d'adolescents.

Les soupçons se portent sur Morgan, le génie de la promotion, qui souffre de fortes migraines et semble dialoguer avec Sid, la marionnette de bois qu'il utilise pour son numéro de ventriloque… Jusqu'à ce que le jeune homme soit retrouvé mort, le cerveau en moins, et que Buffy réalise que Sid est vivant. Pourrait-il être l'un des Sept?

En réalité, Sid pourchasse lui aussi les démons. Quand il se rend compte que Buffy n'est pas maléfique, tous deux s'allient pour démasquer le coupable: celui-ci ne tardera pas à récidiver, car Morgan souffrait d'un cancer du cerveau et sa matière grise ne doit pas être de la première fraîcheur.

Pendant ce temps, un jeune magicien tente de faire une démonstration de ses talents à Giles en utilisant une guillotine…

> Il n'était pas prévu dans le scénario original que Willow s'enfuie à la fin de l'épisode, pendant qu'Alex, Buffy et elle jouent une tragédie grecque. Mais ça semble prophétique à la lumière de l'épisode suivant, « Billy », qui révèle que son pire cauchemar est de se retrouver sur scène.

Citation de la semaine:

**« Mon prédécesseur aurait dit:
"Il faut se montrer compréhensif, ce sont des adolescents."
C'est le genre d'attitude qui mène tout droit à la catastrophe. »**

— Le proviseur Snyder, évoquant le sort funeste de Bob Flutie.

L'Amour Selon la Tueuse:

Encore un clin d'œil concernant la future relation entre Alex et Cordélia, quand la jeune fille se lamente (à propos de la mort d'Emily): « Tu te rends compte que ça aurait pu être moi! » Réponse d'Alex: « Me donne pas de fausse joie. »

CONTINUITÉ:

Les autorités s'en tiennent à la version « chiens sauvages » en ce qui concerne la mort du proviseur Flutie. Sid mentionne que, dans les années 30, la Tueuse était une Coréenne avec laquelle il a « vécu de bons moments ».

Buffy: Je ne crois pas qu'Alex doive nous faire une démonstration de son petit talent…

Alex: Tu es jalouse parce que moi, je sais roter tout l'alphabet.

Buffy: … donc, ça ne nous laisse qu'une alternative : la tragédie grecque. On va expédier ça et se barrer avant que quiconque soit blessé.

Buffy: Pas mal du tout. Je n'avais encore jamais entendu jouer le *Vol du Bourdon* au tuba.

Alex: La plupart des gens ont du mal à supporter.

> Sid fait partie de la longue série de marionnettes terrifiantes et de poupées animées vues au cinéma et à la télévision, comme Chucky ou Tina dans un épisode de la *Quatrième Dimension.*

LA PHILOSOPHIE DE LA TUEUSE

Buffy: Rien n'est simple. Je me demande constamment qui aimer, qui détester… à qui faire confiance. Plus j'en sais, et moins je comprends.

Giles: Je crois que ça s'appelle grandir.

Buffy: Je préférerais arrêter tout de suite.

— « MENSONGE »

Giles: Le pardon est un acte de compassion, Buffy. Ça ne… Ça n'a aucun rapport avec le mérite ; on l'accorde par charité.

— « LA SOIRÉE DE SADIE HAWKINS »

« Il y a des événements dans la vie qui décident du cours de votre existence. Parfois, ce sont des moments de peu d'importance, insignifiants… et parfois, ils ne le sont pas. »

— WHISTLER, DANS « ACATHLA », DEUXIÈME PARTIE.

Buffy: Est-ce que ça devient facile ?

Giles: Tu veux dire, la vie ?

Buffy: Oui. Elle devient facile ?

Giles: Tu veux que je te dise quoi ?

Buffy: Mentez-moi.

Giles: Oui, elle devient très simple. Les bons sont toujours valeureux et loyaux ; les méchants sont facilement reconnaissables à leurs cornes pointues et à leur chapeau noir. Les bons sont toujours victorieux, et les méchants rôtissent en enfer. Personne ne meurt jamais, et tout le monde vit heureux jusqu'à la fin des temps.

Buffy : Menteur.

— « MENSONGE »

Buffy : Et ne me mens pas. J'en ai ras-le-bol.

Angel : Certains mensonges sont nécessaires.

Buffy : Pourquoi ?

Angel : Parfois, la vérité est pire. Si tu vis assez longtemps, tu t'en apercevras.

— « MENSONGE »

Buffy : La vie est courte.

Willow : La vie est courte ?

Buffy : C'est banal, je te l'accorde, mais c'est vrai. Et oui, pourquoi perdre du temps et angoisser pour un garçon qui se fiche de toi ? Vis le moment présent, parce que demain tu seras morte, peut-être.

— « BIENVENUE À SUNNYDALE », PREMIÈRE PARTIE.

Alex : Dites, je sais qu'il y a une fête au *Bronze* ce soir. Ça peut être drôle !

Buffy : D'accord. On a sauvé le monde, on l'a mérité. En plus, j'étais pomponnée.

— « LE MANUSCRIT »

« J'imagine que quelqu'un qui découpe les corps en morceaux est capable de tout. »
— Buffy, dans « Le Puzzle ».

« Quand on est amoureux, on ne sait pas ce qu'on dit. »
— Willow, dans « Le Puzzle ».

« Je souhaite aider mes semblables… Ouais, tant qu'ils ne sont pas sales ou autre chose dans le genre. »
— Cordélia, remplissant un questionnaire dans « Kendra », première partie.

« Je suis désolée mais on m'a élevée comme ça. On m'a toujours appris que les hommes exhumaient les corps et que les femmes faisaient les bébés. »
— Buffy, dans « Le Puzzle ».

Buffy : Les vampires sont affreux.

Giles : Oui, c'est pour ça qu'il faut les tuer.

— « LE FIANCÉ »

« La solitude est la chose la plus terrible au monde. »
— Angel, dans « Le Fiancé ».

Billy

TITRE ORIGINAL : *Nightmares;* **SCÉNARISTE :** David Greenwalt; **RÉALISATEUR :** Bruce Seth Green. **AVEC :** Mark Metcalf (Le Maître), Kristine Sutherland (Joyce Summers), Jeremy Foley (Billy Palmer), Andrew J. Ferchland (Le Juste des Justes), Dean Butler (Hank Summers), et aussi Justin Urich.

Les cauchemars deviennent réalité à Sunnydale, leur seul point commun étant l'apparition récurrente d'un jeune garçon.

Un élève de la classe de Buffy voit des araignées sortir de son livre de cours; Alex pénètre dans une salle bondée vêtu de son seul caleçon; Willow est forcée de chanter sur scène; Giles se perd dans sa bibliothèque et ne sait plus lire; Cordélia est mal coiffée et vêtue à la mode d'il y a trente ans, et Buffy s'entend dire par son père qu'elle est la cause du divorce de ses parents.

Les choses empirent quand le Maître est libéré, qu'il tue Buffy (le cauchemar de Giles) et que celle-ci ressuscite sous forme de vampire (le cauchemar de la jeune fille).

La source du problème, c'est Billy Palmer, un enfant que son entraîneur a battu au point de le faire tomber dans le coma après un match de base-ball où il a raté un point crucial. Le pouvoir de la Bouche de l'Enfer le contraint à revivre constamment la scène et donne réalité aux cauchemars des autres, mais Buffy l'oblige à affronter ses peurs et à sortir du coma pour dénoncer le coupable.

Citation de la semaine:

« **Alors, c'est toi la Tueuse...**
Tu es plus jolie que la dernière. »
— Le premier commentaire du Maître
quand il rencontre enfin sa Némésis.

CONTINUITÉ :

Le Maître continue à instruire le Juste des Justes (« Un Premier Rendez-Vous Manqué », « Alias Angélus »). Le cauchemar de Buffy, au cours duquel le Maître l'attaque et la tue, fait office de prélude à leur confrontation dans « Le Manuscrit ».

Extrait du Scénario original:

Les répliques coupées au montage pour cause de longueur incluent cette perle d'Alex:
« **Malgré le frisson glacé qui me court le long de l'échine,**
je vais dire ceci très calmement: au secoooooooours ! »

Ainsi que le dialogue suivant:
Giles : Tu vas bien ? Tu as l'air un peu fatiguée.
Buffy : La lumière blafarde des hôpitaux ne met guère en valeur mon teint de pêche.
Giles : Tu dors bien ces derniers temps ?
Buffy : Je dormirai encore mieux quand j'aurai retrouvé ce type. Rien de tel que de tabasser quelqu'un pour me remettre en forme.

> C'est l'épisode où Alex grandit enfin et devient un véritable héros : pas en sauvant la vie de quelqu'un, mais en affrontant et en surmontant ses propres terreurs puisqu'il assomme un clown qui hante ses cauchemars depuis dix ans.

LE BON CÔTÉ DES CHOSES

Quand on vit sur la Bouche de l'Enfer, il est parfois difficile d'en trouver un. Mais nos héros font de leur mieux pour rester optimistes.

« On a évité l'Apocalypse. Qu'est-ce qu'on gagne pour ça ? »

— Buffy, dans « Bienvenue à Sunnydale », deuxième partie.

« C'est ça le charme d'affronter le Mal. On se retrouve face à une pléthore de monstres, de démons et de créatures à anéantir. (Voyant le regard incrédule des autres :) Pardonnez-moi pour cet excès d'optimisme. »

— Giles, dans « Sortilèges ».

« Buffy, tu ne peux pas te reprocher la mort de tout le monde à Sunnydale. Si tu n'étais pas là, les cimetières seraient dix fois plus remplis, Willow aurait épousé le premier garçon qu'elle a aimé, moi, je n'aurais déjà plus de tête, et Thérésa serait une vampire. »

— Alex après la résurrection de Thérésa, dans « Pleine Lune ».

« Je donnerais tout pour être invisible. J'utiliserais mon pouvoir pour frapper les abrutis et puis pour, euh, protéger les vestiaires des filles. »

— Alex, dans « Portée Disparue ».

Cordélia : Il était plus que temps qu'on se mette à gagner quelque chose dans ce bahut.
Willow : Tu oublies notre taux de mortalité très élevé.
Alex : Là, on est champions.

— « LES HOMMES POISSONS »

Alex : Ouais, c'est une Bouche de l'Enfer, un centre de convergence mystique, plein de monstres surnaturels. Bon, et alors ?
Buffy : Tu prends les choses très à la légère, je trouve.
Alex : Je suis pas inquiet. S'il y a un monstre en liberté, nous on le trouve, toi tu le flingues et on fait la fête.

— « BILLY »

« On habite la ville préférée des morts-vivants. »

— Alex en parlant de Sunnydale, dans « La Métamorphose de Buffy ».

Giles : Un corps dérobé ? C'est très intéressant…
Buffy : Vous avez voulu dire : c'est dégueulasse et immonde.
Giles : Oui, oui, oui, euh, certainement. On doit mettre un terme à ça, vraiment.

— « LE PUZZLE »

Willow : Je crois qu'on y est. Au fait, vous espérez trouver un mort ou, euh, plus de mort ?
Alex : Je suis peut-être optimiste, mais j'espère trouver une fortune en petites coupures.
Giles : Eh bien, un mort signifierait cannibalisme ; si le mort n'est plus là, ça nous orienterait plutôt vers un monstre amateur de zombies.

— « LE PUZZLE »

« Je dois reconnaître que je suis intrigué. Un loup-garou, c'est un vieux classique, quoi ! Je suis sûr de passer une après-midi géniale avec mes livres. »

— Giles, dans « Pleine Lune ».

Portée Disparue

TITRE ORIGINAL : *Out of Mind, Out of Sight* ; **SCÉNARISTES :** Joss Whedon, Ashley Gable et Tom Swyden ; **RÉALISATEUR :** Reza Badiyi. **AVEC :** David Boreanaz (Angel), Armin Shimerman (Proviseur Snyder), Clea DuVall (Marcie Ross), Mercedes McNab (Harmony), Ryan Bittle (Mitch), Denise Dowse (Mlle Miller), Mark Phelan (Agent Doyle), Skip Stellrecht (Agent Manetti), et aussi Julie Fulton.

Cordélia fait campagne pour être élue Reine de Mai. Mitch, son cavalier potentiel pour le bal, est attaqué dans les vestiaires par une batte de base-ball qui agit apparemment de son propre chef. Plus tard, Harmony semble faire une chute dans l'escalier, mais elle affirme avoir été poussée. Sans doute l'œuvre d'une personne invisible…

Buffy découvre des indices qui laissent penser que quelqu'un vit dans les conduits d'aération du lycée : une fille nommée Marcie Ross, dont personne ne se souvient mais qui a pourtant un *yearbook* signé par toute sa promo… Alex et Willow y compris. Tout le monde a écrit « Passe de bonnes vacances ».

Pour avoir trop longtemps été traitée comme si elle était invisible (surtout par Cordélia et ses admirateurs), Marcie a fini par le devenir réellement, une particularité dont elle profite pour tourmenter ses anciens bourreaux. Buffy parvient à l'arrêter, mais pas avant qu'elle ait tenté de tuer Giles, Alex et Willow et de mutiler Cordélia.

Deux agents fédéraux interviennent et emmènent Marcie dans un établissement spécialisé, avec d'autres étudiants invisibles.

Citation de la semaine :

« Bien sûr que non ; vous êtes des vautours ! Il n'y a pas d'étudiant mort ici, pas cette semaine. »
— Le proviseur Snyder.

L'Amour Selon la Tueuse :

Angel et Giles se rencontrent pour la première fois, et parlent des sentiments d'Angel pour Buffy. « Un vampire amoureux ; c'est très poétique et émouvant, d'une certaine manière », déclare Giles : une réplique souvent utilisée dans les résumés des épisodes précédents, notamment pour « La Métamorphose de Buffy ».

QUIZZ DE CULTURE POP :

« Là, tu nous parles de l'Homme Invisible, pas vrai ? »

— Alex, en référence au célèbre roman d'H.G. Wells.

CONTINUITÉ :

Les graines de l'entrée de Cordélia dans la bande à Buffy sont plantées ici, quand la jeune fille vient réclamer son aide à la Tueuse en pensant — égoïstement mais fort à propos — que les attaques sont dirigées contre elle.

Giles mentionne le *Pergamum Codex* devant Angel : un ouvrage qui contient diverses prophéties sur le Maître et la Tueuse, et qu'Angel lui procurera... dans le plus grand intérêt de Buffy, puisque ces prédictions permettront de la sauver dans « Le Manuscrit ».

Les philosophies respectives des deux proviseurs du lycée de Sunnydale sont radicalement opposées. Pour votre édification, voici les sages paroles de ces titans de l'éducation :

« **Nous avons tous besoin d'aide ; sinon, on garde tout pour nous et avant qu'on ait le temps de réaliser, de puissantes purges sont nécessaires. Je crois vraiment que si nous avons la volonté de nous unir, nous pourrons combattre cette chose. Je serai là si vous avez besoin d'un câlin... mais pas un vrai câlin, parce qu'on ne se touche pas dans cette école. Se toucher serait incorrect.** »

— Le proviseur Flutie à Buffy, dans « Le Chouchou du Prof ».

« **Mon prédécesseur, M. Flutie, pouvait peut-être tolérer que ses élèves fassent la loi au sein de son lycée, mais moi pas. Je ne suis pas du bois dont on fait les flûtes. Je suis un adepte de l'ordre et je veillerai à son respect.** »

— Le proviseur Snyder, dans « La Marionnette ».

« **Ce qu'il leur faut, c'est de la discipline. Je sais que d'aucuns jugent ce mot passablement démodé. Mon prédécesseur aurait dit : « Il faut se montrer compréhensif, ce sont des adolescents. » C'est le genre d'attitude qui vous mène tout droit à la catastrophe.** »

— Le proviseur Snyder, dans « La Marionnette ».

« **A vous de jouer, Buffy, la balle est dans votre camp. Le passé est le passé.** »

— Le proviseur Flutie, dans « Bienvenue à Sunnydale », première partie.

« **Les adolescents, sale engeance ! Désormais, Sunnydale va connaître une ère nouvelle, raisonnable, saine, ordonnée et sereine.** »

— Le proviseur Snyder, dans « La Marionnette ».

Flutie : Les étudiants ont le droit de m'appeler Bob.
Buffy : Bob.
Flutie : Mais ils ne le font pas.

— « **BIENVENUE À SUNNYDALE », PREMIÈRE PARTIE.**

Snyder : C'est assez incroyable. Hier, le campus était complètement vide, calme. Aujourd'hui, il y a des jeunes partout. Des insectes qui grouillent, qui remuent sans penser à autre chose qu'à eux-mêmes, détruisant implacablement ce qui les entoure, parfaitement inconscients de leur futilité.
Giles : Bien. J'adore votre petit laïus. Vous ne vous êtes jamais demandé... euh... étant donné votre amour des jeunes gens, si votre métier correspondait absolument à votre vocation ?

Snyder : Il faut bien que quelqu'un se dévoue et leur apprenne à contrôler leurs hormones. Pour chaque belle fille qui passe, il y a un garçon qui perd la tête.

— « **LA MÉTAMORPHOSE DE BUFFY** »

« **Il y a des choses que je ne peux tolérer. Des élèves dans mon établissement après les cours. D'horribles meurtres que l'on commet dans mon lycée. Ainsi que la drogue, bien sûr.** »

— Le proviseur Snyder, dans « La Marionnette ».

« **Buffy, ce n'est rien. Dans toute autre école, peut-être qu'on vous dirait : « Faites très attention », ou bien : « On garde un œil sur vous ». Mais ici, vous n'entendrez rien de tel. Nous voulons vous offrir tout ce que vous désirez... »**

— Le proviseur Flutie, dans « Bienvenue à Sunnydale », première partie.

Snyder : Il y a un parfum, une odeur que je respire, comme si j'avais un sixième sens.
Giles : Non, là, il s'agit plutôt du cinquième.
Snyder : Cette fille dégage le fumet des problèmes, le bouquet de l'expulsion et le subtil arôme de la pension.
Giles : Très bien, mais avant de l'enfermer, accordez-lui le bénéfice du doute : elle peut surprendre.
Snyder : Vous leur faites très confiance à ces jeunes, dites-moi.
Giles : Oui, c'est vrai.
Snyder : Etrange.

— « **LA MÉTAMORPHOSE DE BUFFY** »

« **Voilà la Buffy Summers qu'il me plaît d'avoir ici. Une élève docile, avec les pieds solidement ancrés sur terre.** »

— Le proviseur Flutie, juste avant que Buffy ne saute par-dessus la clôture dans « La Moisson ».

« **Beaucoup d'éducateurs disent aux étudiants : considérez votre proviseur comme un copain. Eh bien moi je dis : considérez-moi comme votre juge, votre jury et votre bourreau.** »

— Le proviseur Snyder, dans « Attaque à Sunnydale ».

Snyder : Ici, c'est mon école : c'est vous tous qui devez m'obéir, et en fait, je constate que personne ne veut m'obéir.
Joyce : Non, et alors ? C'est peut-être ce qui nous sauvera.
Un père : Je ne vais pas attendre qu'ils ouvrent la porte, moi, je vais m'en aller.
Joyce : Ne soyez pas ridicule.
Snyder : Je commence à trouver une ressemblance entre la fille et la mère.

— « **ATTAQUE À SUNNYDALE** »

Le Manuscrit

TITRE ORIGINAL : *Prophecy Girl* ; **SCÉNARISTE ET RÉALISATEUR :** Joss Whedon. **AVEC :** Mark Metcalf (Le Maître), David Boreanaz (Angel), Kristine Sutherland (Joyce Summers), Robia LaMorte (Jenny Calendar), Andrew J. Ferchland (Le Juste des Justes).

La veille du bal de promotion, Giles traduit une prophétie catastrophique dans le *Pergamum Codex* : « Le Maître se relèvera, et la Tueuse mourra ». Plusieurs signes, remarqués par Giles, Jenny Calendar et Buffy elle-même, indiquent que le vampire est sur le point de se libérer.

Giles tente de cacher la vérité à Buffy, mais celle-ci surprend une conversation entre Angel et le bibliothécaire. D'abord, elle met la prophétie en doute, puis parle de démissionner. Mais après l'assassinat de deux étudiants par des vampires, elle part à la recherche du Maître.

Angel et Alex, qui l'ont suivie, arrivent juste à temps pour découvrir que le Maître s'est libéré et a noyé Buffy. Faisant du bouche-à-bouche à la jeune fille, Alex parvient à la ressusciter.

Tous trois retournent au lycée au moment où la Bouche de l'Enfer commence à s'ouvrir malgré les efforts conjugués de Giles, de Jenny, de Willow et de Cordélia. Une fois de plus, Buffy affronte le Maître, et c'est lui qui perd.

Citation de la semaine :

« **Ta robe est géniale.** »
« **Très jolie, la robe.** »
« **J'aime beaucoup ta robe.** »

— A divers moments de l'épisode, Willow, le Maître et Angel complimentent Buffy sur la tenue que sa mère lui a achetée pour le bal de la promotion.

L'Amour Selon la Tueuse :

Alex finit par dévoiler ses sentiments à Buffy au moment où il la prie d'être sa cavalière pour le bal. Buffy, qui le considère comme un ami, refuse, et s'attire un commentaire sarcastique du jeune homme — selon lui, il faut être un mort-vivant pour retenir son attention. (« Je déteste

Le moment où Willow découvre les cadavres de Kevin et de ses amis dans la salle audio-vidéo marque un tournant dans l'évolution de son personnage. A partir de là, elle grandit et devient véritablement active au sein de la bande à Buffy.

Willow et le Maître complimentent tous les deux Buffy au sujet de sa robe, mais l'allusion finale (Angel : « J'aime beaucoup ta robe ») fut ajoutée pendant le tournage : elle ne figurait pas dans le scénario.

L'énorme démon qui sort de la Bouche de l'Enfer à la fin de l'épisode devait être effrayant, mais le budget ne permettait pas de recourir à des images générées par ordinateur. Les techniciens d'Optic Nerve ont fini par fabriquer un costume à base de tentacules, occupés chacun par un être humain qui les manipule de l'intérieur.

qu'on me rejette. C'est marrant, je devrais être habitué, à force. »
Plus tard, Alex demande à Angel de suivre Buffy quand elle part en quête du Maître. (« Tu l'aimes ? » s'enquit Angel. Et Alex répond franchement : « Toi non ? »).
Alex s'entraîne à draguer Buffy en faisant la cour à Willow, ce qui la réconforte un peu, mais pas assez pour qu'elle accepte son offre tardive de l'accompagner au bal, après que Buffy eut refusé.

CONTINUITÉ :

L'emprisonnement du Maître s'achève enfin. Avec l'aide du Juste des Justes, il effectue sa deuxième tentative pour ouvrir la Bouche de l'Enfer (« Bienvenue à Sunnydale »).

Pour la seconde fois, mais pas la dernière, Buffy fait un rêve prémonitoire (« Bienvenue à Sunnydale », « Inno-cence »). Elle réalise enfin que le vampire qu'elle a tué dans « Un Premier Rendez-Vous Manqué » n'était pas le Juste des Justes.

Jenny rappelle à Giles qu'elle l'a aidé à détruire Moloch (« Moloch »), afin de lui soutirer des informations.

Depuis « Sortilèges », Cordélia a passé son permis de conduire et ses parents lui ont offert une voiture.

Contrairement à ceux des autres vampires, les os du Maître ne disparaissent pas après sa mort : un fait qui prendra son importance dans « La Méta-morphose de Buffy ».

Extrait du Scénario original :

La scène suivante se passe juste après que Buffy eut refusé d'accompagner Alex au bal de promo.
Alex s'éloigne en boudant et franchit l'arche. Buffy reste seule sur le banc, l'air découragé.
C'est alors que commence la pluie de cailloux. Buffy

entend les premiers petits projectiles heurter le sol, et elle se redresse brusquement. La chute de cailloux s'intensifie. Tout le monde se rue à couvert, Buffy y compris : elle va se réfugier sous l'arche.

La voix d'un étudiant : Il pleut des cailloux !

Caméra sur Alex, qui jette un coup d'œil pardessus son épaule.

Alex : Bien fait.

DEUXIÈME SAISON

EPISODE N°	TITRE	DATE DE PREMIERE DIFFUSION AUX USA
1	La Métamorphose de Buffy	15 septembre 1997
2	Le Puzzle	22 septembre 1997
3	Attaque à Sunnydale	29 septembre 1997
4	La Momie Inca	6 octobre 1997
5	Dévotion	13 octobre 1997
6	Halloween	27 octobre 1997
7	Mensonge	3 novembre 1997
8	La Face Cachée	10 novembre 1997
9	Kendra, première partie	17 novembre 1997
10	Kendra, deuxième partie	24 novembre 1997
11	Le Fiancé	8 décembre 1997
12	Œufs-Surprise	12 janvier 1998
13	Innocence, première partie	19 janvier 1998
14	Innocence, deuxième partie	20 janvier 1998
15	Pleine Lune	27 janvier 1998
16	Un Charme Déroutant	10 février 1998
17	La Boule de Thésulah	24 février 1998
18	Réminiscence	3 mars 1998
19	La Soirée de Sadie Hawkins	28 avril 1998
20	Les Hommes Poissons	5 mai 1998
21	Acathla, première partie	12 mai 1998
22	Acathla, deuxième partie	19 mai 1998

★ AVEC ★

Sarah Michelle Gellar . . . . .Buffy Summers

Nicholas Brendon . . . . .Alex Harris

Alyson Hannigan . . . . .Willow Rosenberg

Charisma Carpenter . . . . .Cordélia Chase

David Boreanaz . . . . .Angel

Anthony Stewart Head . . . . .Rupert Giles

La Métamorphose de Buffy

TITRE ORIGINAL : *When She Was Bad;* **SCÉNARISTE** et **RÉALISATEUR :** Joss Whedon. **AVEC :** Kristine Sutherland (Joyce Summers), Robia LaMorte (Jenny Calendar), Andrew J. Ferchland (Le Juste des Justes), Dean Butler (Hank Summers), Brent Jennings (Absalom), Armin Shimerman (Proviseur Snyder), et aussi Tamara Braun.

Buffy rentre de vacances, qu'elle a passées avec son père à Los Angeles. Willow et Alex sont d'abord soulagés de la revoir, car ils se sont ennuyés tout l'été sans voir l'ombre d'un vampire.

Mais leur soulagement se transforme bientôt en inquiétude : Buffy est froide, irritable, un peu trop impatiente de reprendre l'entraînement, et encore plus agressive que Cordélia. Elle fait même un cauchemar où Giles l'attaque sous le regard impassible d'Alex et de Willow.

Quand il s'avère que les os du Maître ont disparu, toute la bande se mobilise. Giles découvre un rite de résurrection nécessitant la présence des personnes les plus proches du vampire au moment de sa mort.

A cause de la traduction du sumérien vers le latin, il comprend trop tard le sens du mot « proches » (physiquement, et non spirituellement) : Willow, Cordélia, Jenny et lui sont enlevés par les séides du Juste des Justes. Buffy, Alex et Angel arrivent juste à temps pour empêcher Absalom d'achever la cérémonie.

Citation de la semaine:

Snyder : Il y a un parfum, une odeur que je respire, comme si j'avais un sixième sens.
Giles : Non, là, il s'agit plutôt du cinquième.

L'Amour Selon la Tueuse:

Alex et Willow sont à deux doigts de s'embrasser dans le pré-générique, après que le jeune homme eut léché de la crème glacée sur le nez de sa compagne. Mais ils sont interrompus par le retour de Buffy. Plus tard, Willow tente de recréer la même atmosphère au *Bronze* et échoue misérablement, car Alex soupire de nouveau après Buffy.

Dès leur retour de vacances, Giles et Jenny recommencent à flirter, pendant que le proviseur Snyder (qui ignore l'attirance qu'ils éprouvent l'un pour l'autre) disserte sur l'effet dévastateur des hormones chez les jeunes gens.

Buffy, toujours traumatisée par son expérience entre les mains du Maître, mais refusant de l'avouer, joue au plus malin avec ses amis. Elle se montre glaciale envers Angel (« Tu ne vois que le bout de ton nez ; oublie-moi une seconde »).

Au *Bronze,* elle allume Alex en dansant un slow langoureux avec lui… Cela stupéfie Willow, Angel et Alex lui-même, et pousse Cordélia à lui faire une leçon de morale (« Même si tu veux avoir l'air d'une héroïne, arrête ton cirque »). Buffy ne redevient elle-même qu'à la fin de l'épisode, après avoir pulvérisé les ossements du Maître.

LE SAC A MALICE DE BUFFY :

Elle fait d'une pierre deux coups en utilisant une torche pour embrocher un vampire et mettre le feu à Absalom.

CONTINUITÉ :

Tout l'épisode traite des conséquences du « Manuscrit », et montre que les choses ne se terminent jamais vraiment à Sunnydale. Le slow que Buffy danse avec Alex aura des répercussions dans « Le Puzzle ».

Extrait du Scénario original :

Hank : J'ai oublié de te dire que je l'avais outrageusement gâtée.

Joyce : Ce que tu oublies, c'est que pendant une année entière, elle va me servir des « papa me l'aurait acheté, lui » à la première occasion.

TITRE ORIGINAL : *Some Assembly Required* .
SCÉNARISTE : Ty King ; **RÉALISATEUR :** Bruce Seth Green.
AVEC : Robia LaMorte (Jenny Calendar), Angela Spizzirri (Chris Epps), Michael Bacall (Eric), Ingo Neuhaus (Daryl Epps), Melanie MacQueen (Mme Epps), et aussi Amanda Wilmhurst.

Le Puzzle

Buffy et Angel découvrent qu'un corps a été déterré dans le cimetière. C'était celui d'une étudiante tuée dans un accident de voiture en compagnie de deux autres pom-pom girls. Buffy ouvre leurs tombes et constate que leurs cadavres ont aussi disparu.

Pendant ce temps, Angel, à la recherche de Buffy, rencontre Cordélia dans le parking. Tous deux découvrent des morceaux de corps ayant appartenu aux trois filles… Mais pas suffisamment pour les reconstituer entièrement.

Chris Epps (un petit génie en biologie) et son ami Eric se prennent pour Victor Frankenstein et tentent de créer la vie à partir de cadavres : ils veulent donner une compagne à Daryl, le frère de Chris, qu'ils ont ramené d'entre les morts. Mais ils ont besoin d'une tête pour achever leur œuvre, et leur choix se porte sur Cordélia…

> Le projet de Cordélia pour la Fête Scientifique : « La tomate, fruit ou légume ? » est expédié en quatre mots par Willow : « C'est un fruit ».

Citation de la semaine :

« Je suis désolée mais on m'a élevée comme ça. On m'a toujours appris que les hommes exhumaient les corps et que les femmes faisaient les bébés. »

— Buffy, expliquant pourquoi Willow et elle bavardent au lieu d'aider Alex et Giles à violer une sépulture.

L'Amour Selon la Tueuse :

Dans le pré-générique, Angel se dispute avec Buffy, qui l'accuse d'être jaloux d'Alex (ce que le vampire admettra à la fin de l'épisode).

Dans la bibliothèque, Alex et Buffy découvrent Giles en train de s'exercer à draguer Jenny Calendar, et les commentaires sarcastiques fusent (Alex : « Vous savez, les cigognes, c'est des mensonges. »). Mais quand vient le moment de mettre la théorie en pratique, Giles bafouille tant que c'est Jenny qui finit par l'inviter à aller avec elle au prochain match de football.

Alex sauve Cordélia d'un incendie pendant que Buffy affronte Daryl. A la fin de l'épisode, le jeune homme s'étonne devant Willow que tout le monde ait un partenaire sauf eux deux. Interrompu par Cordélia, qui veut le remercier de sa bravoure, il la rabroue vertement.

CONTINUITÉ :

Le slow que Buffy a dansé avec Alex dans *« La Métamorphose de Buffy »* provoque la jalousie d'Angel et les plaisanteries de ses autres amis.

> Cet épisode voit la destruction du vieux laboratoire, le seul bâtiment du lycée ayant résisté au tremblement de terre de 1937.

TITRE ORIGINAL : *School Hard;* **SCÉNARISTES :** Joss Whedon
et David Greenwalt; **RÉALISATEUR :** John T. Kretchmer.
AVEC : Kristine Sutherland (Joyce Summers), Robia LaMorte
(Jenny Calendar), Andrew J. Ferchland (Le Juste des Justes),
James Marsters (Spike), Alexandra Johnes (Sheila), Gregory
Scott Cummins (Gros Laid), Andrew Palmer (Freluquet), Juliet
Landau (Drusilla), Armin Shimerman (Proviseur Snyder), et
aussi Brian Reddy et Keith Mackechnie.

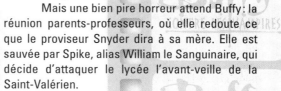

Attaque à Sunnydale

Deux nouveaux vampires sévissent à Sunnydale : Spike
et Drusilla. Le premier est un rebelle qui se fiche de toutes les
traditions vampiriques ; la seconde est l'amour de sa vie, complètement folle et très
affaiblie. Ils arrivent en ville juste pour la Saint-Valérien, où les pouvoirs des morts-
vivants atteignent leur apogée.

Mais une bien pire horreur attend Buffy : la
réunion parents-professeurs, où elle redoute ce
que le proviseur Snyder dira à sa mère. Elle est
sauvée par Spike, alias William le Sanguinaire, qui
décide d'attaquer le lycée l'avant-veille de la
Saint-Valérien.

Avec l'aide d'Angel, d'Alex et même de sa
mère (qui attaque Spike avec une hache anti-
incendie), Buffy parvient à repousser les vampires. Spike s'enfuit. Accablé de reproches par le
Juste des Justes et ses séides, il riposte en enfermant le petit garçon dans une cage et en l'aban-
donnant à la lumière du jour pendant qu'il regarde
la télé avec Drusilla.

Citation de la semaine :

**« Allons, si chaque vampire qui prétend avoir été
présent à la Crucifixion y était effectivement, on
aurait assisté à un premier Woodstock ! »**

— Spike, ricanant des affirmations de ses pairs.

L'Amour Selon la Tueuse :

Spike et Drusilla forment le premier couple vampirique jamais montré dans la série ;
visiblement, Spike est fou de sa compagne et il lui témoigne un dévouement sans
bornes.

CONTINUITÉ :

Angel révèle qu'il connaît Spike, et celui-ci le désigne comme son créateur devant Alex (qui ne comprend pas de quoi ils parlent). Spike évoque Prague ; nous apprenons plus tard que c'est dans cette ville que Drusilla est censée être morte (« Mensonge »). Le règne du Juste des Justes prend brutalement fin (« Un Premier Rendez-Vous Manqué », etc.).

Premier indice laissant à penser que le proviseur Snyder et les autorités municipales savent ce qui se passe à Sunnydale : Snyder et le chef de la police parlent de ce qu'ils doivent raconter aux média, et optent pour la version des braqueurs masqués car la vérité aurait l'air trop invraisemblable (« La Soirée de Sadie Hawkins », « Acathla »).

Extrait du Scénario original :

Spike insultant le Gros Laid : « Ça te tuerait de te faire un bain de bouche une fois tous les deux siècles ? »

Alex parlant de l'organisation d'une soirée réussie : « Le plus important dans un punch, c'est le ratio vodka/schnaps… (Silence.) Visiblement, mes plaisanteries sont trop sophistiquées pour vous. »

Un échange entre Buffy et Giles :

Buffy : Je suppose que ça n'a rien à voir avec de gentils petits écureuils ?
Giles : Ce sont des vampires.
Buffy : C'était ma proposition suivante.

La Momie Inca

TITRE ORIGINAL : *Inca Mummy Girl* ; **SCÉNARISTES :** Matt Kiene et Joe Reinkemeyer ; **RÉALISATEUR :** Ellen Pressman. **AVEC :** Kristine Sutherland (Joyce Summers), Ara Celi (Ampata), Seth Green (Oz), Jason Hall (Devon), Danny Strong (Jonathan), et aussi Samuel Jacobs, Kristen Winnicki, Joey Crawford, Bernard White, Gil Birmingham et Henrik Rosvall.

Dans le cadre d'un programme d'échange scolaire, des étudiants du monde entier débarquent au lycée de Sunnydale. Joyce Summers s'est portée volontaire pour en accueillir un, mais Buffy n'est guère enchantée à l'idée de partager sa maison.

Au cours d'une visite au musée, un lycéen tente de voler le sceau qui protège les restes d'une princesse inca, réveillant celle-ci. La momie commence par s'appro-

prier la vie du violeur de sépulture, puis d'Ampata Guttierez, l'étudiant qui attendait à la gare routière que Buffy vienne le chercher.

Sous l'identité d'Ampata — devenu une fille, évidemment — la momie se familiarise avec le monde moderne. Au grand chagrin de Willow, Alex tombe amoureux d'elle. Pendant qu'ils dansent un slow au *Bronze*, Buffy et Giles réalisent qu'Ampata est un monstre et qu'ils doivent pour la neutraliser reconstituer le sceau.

Citation de la semaine:

« Oh, arrêtez, je connais par cœur. Etre l'Elue implique certains sacrifices, bla-bla et bla-bla. Je manque d'oxygène moi, j'étouffe. »
— Buffy, anticipant les remontrances de Giles.

L'Amour Selon la Tueuse:

Alex trouve enfin une fille qui s'intéresse à lui; malheureusement, elle doit voler la vie d'autres gens pour exister.

Willow passe le plus clair de son temps à bouder (surtout après avoir surpris une conversation entre Buffy et Alex, où ce dernier explique qu'il la considère comme sa meilleure amie mais rien de plus), ce qui ne l'empêche pas de suggérer à Alex d'inviter Ampata pour la soirée au *Bronze*.

Cordélia sort avec Devon, le chanteur des Dingoes Ate My Baby.

QUIZZ DE CULTURE POP:

« Je viens de la région de Léonie, un endroit, en Italie, qui se prend pour le Montana. »
— Alex, expliquant pourquoi il est vêtu comme Clint Eastwood dans un vieux western-spaghetti de Sergio Leone, pour la soirée de World Music.

CONTINUITÉ:

Première apparition d'Oz et de son groupe. Le jeune homme remarque Willow pour la première fois, à cause de son drôle de costume, mais ne réussit pas à engager la conversation avec elle (il n'y arrivera pas non plus dans « Halloween »).

Alex se demande brièvement si Ampata n'est pas une mante religieuse (« Le Chouchou du Prof »).

Un parallèle gênant se dessine entre la vie de la princesse inca et celle de Buffy. A la fin, Buffy tente de réconforter Alex: elle lui révèle ce qu'elle a ressenti en découvrant qu'elle devait mourir (« Le Manuscrit »). Alex fait remarquer qu'elle s'est sacrifiée quand même, et Buffy lui rappelle qu'elle avait un ami capable de la ressusciter.

Le Musée d'Histoire Naturelle, où se rendent les lycéens lors de cet épisode, est en réalité situé au 900 Exposition Boulevard, près de l'Université de Sud-Californie, à Los Angeles.

Extrait du Scénario original :

Ampata : Alex a le don de me faire recracher du lait par le nez tellement je rigole.

Buffy : Et tu trouves ça bien ?

DANS LES MAGASINS AVEC BUFFY

« Et n'oubliez pas ce soir de porter vos plus beaux vêtements. »
— Cordélia dans « Portée Disparue ».

La costumière Cynthia Bergstrom passe autant de temps à choisir la garde-robe de la Tueuse que Buffy pourrait le faire. Elle achète les vêtements contemporains (par opposition aux tenues historiques) dans des boutiques de Los Angeles. Certains fabricants, comme Cynthia Rowley et Vivienne Tam, lui envoient directement des pièces de leur collection.

Voici une liste des marques qui habillent nos héros :

BUFFY

Fred Siegel — Barney's — American Rag à La Brea — Cynthia Rowley

WILLOW

Contempo Casuals — Rampage-Macy's — Pulls chenille de chez Wuiff Design — Fred Siegel — Barney's

CORDÉLIA

Neiman Marcus — Bloomingdale's — Barney's — Tommy Hilfiger sur Rodeo Drive

ANGEL

Cache-poussière en cachemire de chez Hugo Boss — Traffic au Beverly Center — Barney's — Macy's

Dévotion

TITRE ORIGINAL : *Reptile Boy* ; **SCÉNARISTE ET RÉALI-SATEUR :** David Greenwalt. **AVEC :** Greg Vaughn (Richard Anderson), Todd Babcock (Tom Warner), Jordana Spiro (Callie Megan Anderson), Robin Atkin Downes (Machido), Danny Strong (Jonathan), et aussi Coby Bell, Christopher Dahlberg et Jason Posey.

Pendant une période de relative inactivité, Buffy commence à se lasser des exigences de sa mission. De plus, sa relation avec Angel semble n'aller nulle part. Poussée par Cordélia, elle accepte l'invitation de Tom Warner, un charmant étudiant, à une « soirée de fraternité ».

Hélas, les Delta Zêta Kappa vénèrent un démon nommé Machido à qui ils doivent sacrifier trois jeunes filles une fois par an. Cordélia et Buffy sont censées faire partie des victimes avec une lycéenne enlevée dans un autre établissement. Droguées et enchaînées dans une cave, elles doivent laisser à Giles, à Willow, à Alex et à Angel le soin de découvrir la vérité et de voler à leur secours.

Citation de la semaine:

Angel : Je ne suis pas le prince charmant. Quand je t'embrasse, tu ne t'éveilles pas d'un profond sommeil, on ne vit pas heureux à jamais.

Buffy : Non mais dans tes bras, j'oublie tout le reste.

— **DANS LE CIMETIÈRE**

La « soirée de la fraternité » est à ce jour la seule occasion où nous voyons Buffy et Cordélia boire de l'alcool (Alex fut le premier du groupe à en consommer à l'écran, dans « Le Chouchou du Prof »).

L'Amour Selon la Tueuse:

Buffy rêve d'Angel. Dans le cimetière, ils se disputent à propos de leur avenir commun.

Cordélia fait des avances à Angel, tout en poursuivant de ses assiduités le riche héritier Anderson (elle semble avoir rompu avec Devon, bien qu'elle sorte de nouveau avec lui dans « Halloween »).

Pendant ce temps Alex, rongé par la jalousie, décide de s'introduire en douce à la soirée pour surveiller Buffy.

CONTINUITÉ :

A la fin de l'épisode, Angel et Buffy décident d'aller boire un café ensemble : un projet qu'ils tenteront de mettre à exécution dans « Halloween ».

Halloween

TITRE ORIGINAL : *Halloween* ; **SCÉNARISTE :** Carl Ellsworth ; **RÉALISATEUR :** Bruce Seth Green. **AVEC :** Seth Green (Oz), James Marsters (Spike), Robin Sachs (Ethan Rayne), Juliet Landau (Drusilla), Armin Shimerman (Proviseur Snyder), Larry Bagby III (Larry), et aussi Abigail Gershman.

C'est Halloween : une période calme pour les vampires, mais pas pour les mystiques en puissance. La nouvelle boutique de costumes *Chez Ethan* fournit la plupart des étudiants... dont Buffy, qui veut se déguiser en noble du XVIIᵉ siècle pour ressembler à la jeune fille qu'aurait pu connaître Angel de son vivant.

Mais le propriétaire, Ethan Rayne, a d'autres projets en tête. Invoquant le dieu romain Janus, il jette un sort à tous ses clients pour qu'ils deviennent la personne représentée par leur costume. Alex se transforme ainsi en une espèce de Rambo (avec une vraie mitrailleuse !), Willow se change en fantôme (la nature de son déguisement n'altère pas sa personnalité, mais la rend intangible), Buffy adopte le comportement d'une jouvencelle et plusieurs enfants se muent en diablotins. Tirant parti du chaos qui en résulte, et du fait qu'il n'y a techniquement pas de Tueuse pour l'arrêter, Spike en profite pour faire la fête.

Cordélia reste elle-même (elle a acheté son costume de chat dans une autre boutique), ce qui met la puce à l'oreille de Giles. L'Observateur se rend chez Ethan, un de ses anciens amis, et lui arrache littéralement le contre-sort, qu'il lance juste à temps pour empêcher Buffy de finir comme casse-croûte de Spike.

Citation de la semaine :

« C'est bien. Tout ce que j'aime. »
— Spike, à propos du chaos engendré par le sort d'Ethan.

À l'origine, les scènes qui se déroulent chez Buffy et Joyce étaient tournées à l'intérieur d'une véritable maison. Plus tard, la production a recréé le décor sur un plateau.

L'Amour Selon la Tueuse :

Le rendez-vous d'Angel et de Buffy (planifié dans «Dévotion») est saboté par le retard de la jeune fille, occupée à éliminer d'autres vampires. Cordélia en profite pour faire des avances à Angel, et confie à Oz qu'elle n'est plus intéressée par Devon. Mais à la fin de l'épisode, Angel et Buffy s'embrassent dans la chambre de la jeune fille, ce qui marque leurs débuts de couple officiel.

A la fin de l'épisode, Alex et Cordélia se lamentent ensemble : le jeune homme assure à sa compagne que jamais ils n'arriveront à séparer Buffy et Angel. Ce n'est pourtant pas faute d'avoir essayé !

Afin de distraire Giles, et de permettre à Willow d'emprunter un vieux Journal d'Observateur, Buffy lance : «Mlle Calendar dit que vous êtes chou», ce qui ne manque pas d'intriguer Giles. («Chou ? Ça me plaît.»)

Pour sa soirée d'Halloween 1997, Alyson Hannigan s'est fait maquiller en vampire par l'artiste Todd McIntosh.

LE SAC A MALICE DE BUFFY :

Elle utilise une pancarte destinée à marquer l'emplacement d'un carré de citrouilles pour embrocher un vampire, comme le note Spike en regardant la vidéo qu'il a fait prendre par un de ses acolytes.

CONTINUITÉ :

Premières révélations sur le passé de Giles, et cela continuera dans «La Face Cachée». Cordélia apprend qu'Angel est un vampire, mais refuse d'y croire. Son manque de réaction, quand le démon qui habite Angel vaincra Eyghon dans «La Face Cachée», laisse supposer qu'elle finira par accepter la vérité.

Oz et Willow continuent à se croiser, une première fois pendant que la jeune fille porte son costume de fantôme, puis dans la rue.

Selon le décorateur de la série, David Koneff : «Vous auriez découvert beaucoup de choses sur Oz si on vous avait montré l'intérieur de son van. C'est un petit nid d'amour avec lumière noire, boule-miroir, posters fluorescents au plafond, pouf en forme de poire et sol recouvert de moquette.»

Mensonge

TITRE ORIGINAL : *Lie to Me ;* **SCÉNARISTE ET RÉALISATEUR :** Joss Whedon. **AVEC :** Robia LaMorte (Jenny Calendar), James Marsters (Spike), Jason Behr (Billy Fordham), Jarrad Paul (Diego), Juliet Landau (Drusilla), et aussi Julie Lee et Will Rothhaar.

Après avoir surpris Angel en train d'enlacer une séduisante jeune femme, Buffy boude… jusqu'à l'arrivée de Billy «Ford» Fordham, un ami d'enfance après lequel elle a longtemps soupiré à Los Angeles et qui vient juste d'emménager à Sunnydale. Bientôt, Ford lui révèle qu'il connaît son identité secrète.

Soupçonneux, Angel demande à Willow de faire des recherches et découvre que le jeune homme est membre d'une secte qui vénère les vampires et aspire à devenir comme eux.

Le plan de Ford consiste à livrer la Tueuse à Spike en échange de sa transformation en vampire : un sort qui lui semble préférable à la mort affreuse qui l'attend à cause d'une tumeur au cerveau. Mais Buffy intervient à temps pour empêcher Spike et Drusilla de vider de leur sang tous les membres de la secte.

Cet épisode tourne autour du thème du mensonge et s'achève par une conversation poignante entre Giles et Buffy, au cours de laquelle la jeune fille demande à son Observateur de lui mentir en affirmant que tout se terminera bien.

Citation de la semaine :

« Autrefois, les choses étaient simples. J'ai passé un siècle à traîner ma culpabilité. J'étais devenu un maître dans l'art de faire la gueule. Et puis elle est arrivée… »
— Angel, décrivant à Willow la façon dont Buffy a changé sa vie.

L'Amour Selon la Tueuse :

Buffy est furieuse de surprendre Angel en compagnie de Drusilla ; aussi s'accroche-t-elle à Ford dès son arrivée, préférant sa compagnie à celle du vampire lors d'une soirée au *Bronze*. Plus tard, elle finit par admettre qu'elle aime Angel.

Jenny et Giles ont un second rendez-vous ; pour faire une surprise au bibliothécaire, la jeune femme l'emmène à… une exposition de camions.

QUIZZ DE CULTURE POP :

« C'était terrible. Je t'ai soupiré après pendant des mois, assise dans ma chambre à écouter la chanson des Divinyls, *Touch Myself*… Evidemment, je ne comprenais pas de quoi ça parlait. »
— Buffy s'enfonce…

CONTINUITÉ :

Spike fait voler le *Manuscrit du Lac* à la bibliothèque par un de ses acolytes (il l'utilisera plus tard dans « Kendra »).

Buffy apprend l'existence de Drusilla, que Giles croyait morte à Prague (« Attaque à Sunnydale »).

Willow dit à Angel que ce n'est pas la première fois qu'il manifeste de la jalousie (« Le Puzzle »). Depuis « Moloch », Willow a acheté un ordinateur portable (« La Boule de Thésulah »).

Angel explique comment il a torturé Drusilla et l'a rendue folle avant de la transformer (« Acathla »).

Extrait du Scénario original :

Angel : Moi aussi, je mange. Pas pour l'apport nutritionnel, juste histoire de passer le temps.

ET SI ON SE MOQUAIT DES ANGLAIS ?

Les références à la culture britannique abondent dans la série. Normal : Joss Whedon a vécu en Angleterre, où il a fréquenté le pensionnat privé pour garçons de Winchester. La décoratrice Caroline Quinn est anglaise, tout comme le producteur Gareth Davies et Anthony Stewart Head. En revanche, James Marsters et Juliet Landau, qui jouent Spike et Drusilla, ne le sont pas. Voici quelques extraits de scénario destinés à se moquer gentiment des Britanniques :

> **« Vous auriez juste pu dire "Chut". Mais vous, les Anglais, il faut toujours que vous en rajoutiez dans le drame. »**
> — Alex à Giles, dans « Innocence », première partie.

Giles (levant les yeux au ciel, l'air dégoûté) : Les journées se suivent et se ressemblent.

Buffy : Radieuses, ensoleillées, magnifiques ; comment échapperons-nous à ce tourment ?
> **— « LE CHOUCHOU DU PROF »**

Le scénario prévoyait une autre version de ce dialogue, au cas où le ciel ensoleillé de Californie aurait été couvert le jour du tournage :

Giles (levant les yeux au ciel d'un air nostalgique) : Ça me rappelle la maison.

> **Buffy :** Sombre, pluvieux et sinistre. Vous devez être si heureux.
>
> Un autre extrait de scénario original qui taquine les Britanniques :
>
> **Buffy :** Est-ce qu'on a entendu parler du verbe « s'amuser » en Angleterre ?
> **Giles :** Oui, mais il est considéré comme de très mauvais goût d'en faire l'expérience.
> — « MENSONGE »

La Face Cachée

TITRE ORIGINAL : *The Dark Age ;* **SCÉNARISTES :** Dean Batali et Rob Des Hotel ; **RÉALISATEUR :** Bruce Seth Green. **AVEC :** Robia LaMorte (Jenny Calendar), Robin Sachs (Ethan Rayne), Stuart McLean (Philip Henry), et aussi Wendy Way, Michael Earl Reid, Carlease Burke, Tony Sears, Chris O'Hara et John Belucci.

Un gentleman anglais arrive à Sunnydale. Il cherche Giles, mais se fait tuer par une créature momifiée qu'il appelle Dierdre, et qui se transforme en une gelée bleue une fois son forfait accompli.

Giles identifie le cadavre comme étant celui de Philip Henry, mais il prétend ne pas connaître la signification du tatouage qu'il porte sur le bras droit… bien que lui-même en ait un identique sur le bras gauche.

Plus tard, Philip se réveille et quitte la morgue, visiblement possédé par la même entité que Dierdre. Buffy comprend que quelque chose cloche quand Giles rate un de leurs rendez-vous, préférant rester chez lui pour boire plus que de raison. Elle découvre Ethan Rayne tapi dans la bibliothèque ; il lui révèle que la mort de Philip a été provoquée par une chose appelée la Marque d'Eyghon.

> Anthony Stewart Head a visité une bibliothèque américaine pour se préparer à son rôle de Giles.

Giles tente de tenir Buffy à l'écart, mais quand le démon possède Jenny, il comprend qu'il a besoin de l'aide de la jeune fille. Il lui raconte l'histoire suivante : du temps de leur jeunesse, cinq de ses amis et lui avaient invoqué Eyghon, qui tua l'un d'eux. A présent, le démon est de retour.

C'est Willow qui finit par trouver la solution : obliger Eyghon à quitter le corps de Jenny pour posséder celui d'Angel, déjà *occupé* par un démon beaucoup plus vieux et beaucoup plus fort.

Citation de la semaine:

« Mieux vaut prévenir que guérir. »
— Réponse avisée de Giles à Buffy, qui lui demande si elle l'a déjà laissé tomber.

L'Amour Selon la Tueuse :

Giles et Jenny échangent leur premier baiser après avoir planifié une excursion pour le week-end. Leurs projets sont contrariés par le retour d'Eyghon, et la possession de Jenny met un frein aux ardeurs de Giles. A la fin de l'épisode, la jeune femme lui fait comprendre qu'elle a besoin de réfléchir un peu.

QUIZZ DE CULTURE POP :

« Ça va mieux. C'est pas vraiment "Les oiseaux chantent, le ciel est bleu, je cours dans les collines et la musique est douce", mais... Je me débrouille. »
— Jenny en référence au film *The Sound of Music*, après que le démon eut cessé de la posséder.

« Je suis à Florence en Italie ; j'ai loué un scooter que j'ai garé pas très loin et je suis dans un bon petit restaurant, où je mange des spaghetti, et il n'y a plus de tables libres, alors ils disent à ce type de s'asseoir à côté de moi et c'est John Cusack. »
— Willow, jouant à « N'importe où mais ailleurs ».

CONTINUITÉ :

Les allusions au passé trouble de Giles, évoqué dans « Halloween », se précisent ici.

TITRE ORIGINAL : *What's My Line ? Part 1* ; **SCÉNARISTES :** Howard Gordon et Marti Noxon ; **RÉALISATEUR :** David Solomon.

> La soute de l'avion dans lequel arrive Kendra fut construite sur le plateau ; plus tard, on la renversa pour la transformer en section d'égout.

AVEC : Seth Green (Oz), James Marsters (Spike), Eric Saiet (Dalton), Kelly Connell (M. Pfister), Bianca Lawson (Kendra), Saverio Guerra (Willy), Juliet Landau (Drusilla), Armin Shimerman (Proviseur Snyder), et aussi Michael Rothhaar et P.B. Hutton.

Kendra, première partie

Au lycée de Sunnydale, les Journées d'Orientation rappellent à Buffy qu'elle ne pourra jamais mener une vie normale. La jeune fille boude ; pour la consoler, Angel l'invite à la patinoire.

Elle retrouve le moral… jusqu'à ce qu'elle se fasse attaquer par un énorme motard portant une chevalière de l'Ordre de Tarakan, un groupe d'assassins surnaturels. Spike, qui veut se consacrer à la guérison de Drusilla, a envoyé trois de ces monstres aux trousses de la Tueuse grâce à la formule découverte dans le Manuscrit du Lac.

Angel tente de découvrir ce qui se trame; il est fait prisonnier par une jeune fille qui l'enferme dans une cage en attendant le lever du soleil. Puis elle s'en prend à Buffy, qui a trouvé refuge dans l'appartement désert d'Angel, et se présente comme étant « Kendra, la Tueuse de Vampires ».

> La patinoire où se rendent Buffy et Angel se nomme en réalité Iceland ; elle est située au 8041 Jackson Street, dans la ville de Paramount en Californie, à une quarantaine de kilomètres des studios.

Citation de la semaine :

« Il est statistiquement impossible pour un ado de seize ans de débrancher un téléphone. »

— Alex.

L'Amour Selon la Tueuse :

Dans la chambre de Buffy, Angel attend le retour de la Tueuse partie chasser les vampires. « Tu es la seule chose effrayante, dans mon monde effrayant, qui ait encore un sens pour moi », lui dit-elle. Ils s'embrassent à la patinoire… sous le regard vigilant de Kendra, qui prend Buffy pour une créature des ténèbres et l'attaque à la fin de l'épisode.

QUIZZ DE CULTURE POP :

« Si tu veux être membre du Gang de Scoubidou, il va falloir en subir les inconvénients. »

— Alex à Cordélia, faisant allusion au célèbre dessin animé.

CONTINUITÉ :

On découvre la vérité sur le Manuscrit du Lac, volé à Giles dans l'épisode « Mensonge ». Oz et Willow ont enfin l'occasion de se parler (« La Momie Inca », « Halloween ») quand ils sont recrutés par une puissante société de logiciels, basée à Seattle, dont on ne mentionne jamais le nom.

Willow évoque pour la première fois sa peur des grenouilles (« Réminiscence »).

Kendra, deuxième partie

TITRE ORIGINAL : *What's My Line ? Part 2* ; **SCÉNARISTE :** Marti Noxon ; **RÉALISATEUR :** David Semel. **AVEC :** Seth Green (Oz), James Marsters (Spike), Saverio Guerra (Willy), Bianca Lawson (Kendra), Kelly Connell (M. Pfister), Juliet Landau (Drusilla) et aussi Danny Strong.

Kendra et Buffy concluent une trêve et réalisent qu'elles sont toutes deux des Tueuses, la première ayant été activée lors de la (brève) mort de la seconde. Au grand dam de Buffy, Kendra semble plus sérieuse et elle s'entend mieux avec Giles... mais elle n'a ni famille, ni amis et ne semble pas éprouver le moindre sentiment.

Entre-temps, Angel a été tiré de sa cage par le serveur Willy, qui le livre à Spike. Les deux autres assassins tarakans attaquent: le premier s'en prend à Alex et à Cordélia dans la maison de Buffy, le second tire sur la Tueuse au lycée.

La bande comprend très vite que le rituel qui rendra sa santé mentale à Drusilla exige la présence de son créateur: Angel. Au terme d'un interrogatoire musclé, Willy révèle aux deux Tueuses l'emplacement de l'église où doit avoir lieu la cérémonie, et elles s'y précipitent.

Buffy réussit à sauver Angel, puis fait tomber un orgue sur la tête de Spike pendant qu'un incendie ravage le bâtiment. Kendra, dont la mission est terminée, rentre chez elle. Mais Drusilla a survécu et tiré Spike des flammes...

Citation de la semaine:

« J'en ai assez. Cette fois, Spike va y passer. Vous pouvez m'attaquer et m'envoyer des assassins, mais personne ne touche à mon petit ami. »
— Buffy, très énervée.

L'Amour Selon la Tueuse:

Pendant qu'ils sont prisonniers dans la cave de Buffy, où un assassin tarakan les a enfermés, Alex et Cordélia ont une dispute homérique qui s'achève sur un baiser passionné, suivi par ce cri du cœur: «Il faut absolument qu'on sorte de là».

A la fin de l'épisode, ils tentent de reprendre leurs distances mais échouent et, au terme d'une seconde dispute, tombent à nouveau dans les bras l'un de l'autre... Ce qui donne un aperçu assez fidèle de leur future relation.

Oz sauve la vie de Willow, menacée par un assassin tarakan, et flirte avec elle au cours d'une conversation sur les biscuits en forme d'animaux.

Dans la V.O., Buffy recommande à Kendra de regarder le film diffusé dans l'avion pendant son vol de retour, « à moins qu'il n'y ait un chien et une Chevy Chase dedans ». Elle fait référence à *Funny Farm,* un film de 1988 où Sarah Michelle Gellar faisait de la figuration.

QUIZZ DE CULTURE POP:

« Recule, Ranger Rose ! »
— Buffy à Kendra, en référence à la série *Power Rangers.*

« C'est un peu plus compliqué que ça, John Wayne ! »
— Buffy à Kendra, parlant du cow-boy légendaire.

CONTINUITÉ :

L'activation de Kendra est survenue au moment de la mort de Buffy dans « Le Manuscrit ».

Avant la cérémonie, Drusilla torture Angel en lui rappelant ce qu'il lui a fait subir autrefois (« Mensonge », « Acathla »).

Quand Alex révèle que Cordélia et lui ont rencontré un assassin constitué d'asticots, Buffy lui demande : « Qu'est-ce que tu as pour attirer les insectes à ce point ? » (« Le Chouchou du Prof »).

Les rôles de Spike et de Drusilla sont inversés à la fin de l'épisode : le premier est gravement blessé, et c'est la seconde qui, ayant retrouvé ses forces, vient à son secours.

> L'allusion au Ranger Rose est un clin d'œil à Sophia Crawford, la doublure de Sarah Michelle Gellar, qui jouait ce rôle dans la série *Power Rangers*.

Extrait du Scénario original :

Kendra : Tu parles bizarrement.
Buffy : Toujours, quand je me suis fait réveiller à coups de hache.

> Willow porte un sac à dos représentant un petit lion qui passe la tête sous un arc-en-ciel.

Alex, l'homme, le mythe, la machine à danser. Il passe son temps à gesticuler, mais ça ne le mène jamais très loin.

Cordélia : Ouille ! Je te prierai d'ôter ton extrême lourdeur de mes chaussures à cent dollars chacune !
Alex : Désolé, j'allais…
Cordélia : Enlever ta graisse de la piste, avant que le copain d'Annie ne t'écrase comme une grosse blatte ?

— « Alias Angélus »

Dans une scène de « Dévotion », Alex porte une perruque blonde (alors que le scénario en prévoyait une brune), ainsi qu'un soutien-gorge sur la poitrine nue (et un sourire peiné sur les lèvres), pendant que les Delta Zêta Kappa le frappent avec des avirons.

Etudiant : Vas-y, danse ! Vas-y, poulette ! Remue-toi ! C'est ça, en rythme, n'arrête pas ! Quel canon !
Alex : On s'est bien marrés, d'accord ? Au suivant !
Etudiant : Tais-toi, gueule d'amour ! T'arrête pas : ça serait dommage, tu fais ça si bien ! Ah ah, roule des hanches ; ouais, tu m'excites. Ah ah, visez la gonzesse !
Alex : Tu as juste besoin de te détendre un peu. Et je sais ce qu'il te faut. (Mouvements désordonnés.) Une folle soirée au *Bronze* !
Buffy : Je ne crois pas.
Alex : (Mouvements plus lents.) Une soirée calme au *Bronze*. (Immobile.) Une soirée glande au Bronze ?

— « Mensonge »

Alex : Tu te poses des questions ?
Buffy : Pas du tout.
(Alex la désigne du doigt et se met à se tortiller.)
Alex : Tu as un conflit parental ! Tu as un conflit parental !
Willow : Alex…
Alex : Freud aurait dit la même chose. Sauf qu'il n'aurait pas dansé.

— « Le Fiancé »

Le Fiancé

TITRE ORIGINAL : *Ted* ; **SCÉNARISTES :** David Greenwalt et Joss Whedon ; **RÉALISATEUR :** Bruce Seth Green. **AVEC :** John Ritter (Ted Buchanan), Kristine Sutherland (Joyce Summers), Robia LaMorte (Jenny Calendar), et aussi Ken Thorley, James G. MacDonald et Jeff Langton.

En rentrant chez elle, Buffy découvre sa mère dans les bras d'un homme. Il s'appelle Ted, et fréquente Joyce depuis quelque temps. Instinctivement, Buffy se méfie de lui, mais Alex et Willow la désapprouvent: bien sûr, il s'exprime comme un personnage de série télévisée des années 50, mais il fait très bien la cuisine et il semble rendre sa mère heureuse. Buffy ne se laisse pas convaincre, surtout après que Ted l'eut menacée pendant une partie de golf miniature, alors que personne ne pouvait les entendre.

Après avoir passé une soirée à tuer des vampires, elle découvre Ted dans sa chambre, où il vient de lire son journal intime. Elle se met en colère; Ted la frappe et quand elle riposte, il fait une chute fatale dans l'escalier. La police interroge la jeune fille et la laisse partir.

Buffy est consternée d'avoir abusé de ses pouvoirs de Tueuse. Puis Alex, Willow et Cordélia découvrent des choses étranges en fouillant dans le passé de Ted: notamment, plusieurs mariages dont un remonte à 1957. Plus tard, Ted réapparaît chez les Summers. C'est en réalité un robot qui a déjà quatre cadavres de femmes dans son placard...

Citation de la semaine:

> **« Buffy, je pense que les sous-titres sont rapidement en train de devenir des dialogues. »**
>
> — Giles, essayant de découvrir ce qui irrite Buffy.

L'Amour Selon la Tueuse:

Giles fait une tentative pour se réconcilier avec Jenny. La jeune femme commence par le repousser, mais quand Giles fait les rondes de Buffy à sa place, après la mort apparente de Ted, elle prouve que l'amour, c'est de ne jamais avoir à dire: « Je suis désolée de t'avoir tiré dessus avec une arbalète ».

Cordélia et Alex continuent leur relation en secret (le jeune homme fera remarquer plus tard: « Certaines des choses que j'aime ne sont pas bonnes pour moi »); Angel et Buffy s'embrassent tandis qu'elle l'aide à soigner ses blessures.

Pendant le tournage de la scène de combat finale entre Buffy et Ted, les deux acteurs étaient malades : Sarah Michelle Gellar avait la grippe, et John Ritter souffrait d'une intoxication alimentaire contractée la veille.

QUIZZ DE CULTURE POP:

A la fin de l'épisode, Buffy et sa mère veulent louer une vidéo qui ne soit ni un film de terreur ni un film d'amour. Réaction de la jeune fille : « Je suppose qu'on va encore se taper *Thelma et Louise.* »

CONTINUITÉ :

Cordélia mentionne l'invocation d'Eyghon après que Giles eut évoqué la difficulté de se sentir responsable de la mort de quelqu'un. « C'est ça, rappelez-moi cette histoire le plus souvent possible ! », crie le bibliothécaire, furieux.

La possession de Jenny continue à peser sur sa relation avec Giles (« La Face Cachée »). Angel n'est pas encore remis des blessures récoltées au cours de la cérémonie présidée par Spike et Drusilla (« Kendra »).

TITRE ORIGINAL : *Bad Eggs ;* **SCÉNARISTE :** Marti Noxon ; **RÉALISATEUR :** David Greenwalt. **AVEC :** Kristine Sutherland (Joyce Summers), Jeremy Ratchford (Lyle Gorch), James Parks (Tector Gorch), Danny Strong (Jonathan), et aussi Rick Zieff, Eric Whitmore et Brie McCaddin.

Œufs-Surprise

Les frères Gorch — qui semaient la terreur dans l'ouest des Etats-Unis avant d'être transformés en vampires — viennent d'arriver à Sunnydale. Occupée à faire des recherches sur eux, Buffy sèche un cours de biologie où chaque lycéen doit se choisir un partenaire et reçoit la responsabilité d'un œuf sur lequel le duo devra veiller. A cause de son absence, Buffy se retrouve mère célibataire d'un œuf qu'elle surnomme Eggbert.

Or, les œufs ne sont pas des œufs ordinaires, mais les futurs rejetons d'un bezoar qui vit sous le lycée. Ils se lient à des hôtes humains, transformant plusieurs adolescents et des adultes (dont Willow, Cordélia, Giles et Joyce) en drones du bezoar. Seule Buffy, qui a tué le rejeton à temps, et Alex, qui a fait bouillir son œuf, sont épargnés. Bien entendu, les efforts de la jeune fille pour arrêter le bezoar sont contrariés par les frères Gorch, qui ont décidé de passer à l'attaque.

Citation de la semaine:

**« C'est une telle... je ne voudrais pas dire charge, mais...
Si, en fait, je veux dire charge. »**
— Joyce Summers, à propos des enfants et de leur éducation.

L'Amour Selon la Tueuse:

Alex et Cordélia poursuivent leur relation houleuse ; ils ne cessent de se disputer en privé comme en public. (Pendant le cours de biologie : « Ça irait beaucoup mieux pour moi si tu ne parlais pas », dit Alex. « Ça irait beaucoup mieux pour moi si les lumières étaient éteintes », réplique Cordélia.)

Alors que Buffy est censée patrouiller, Angel et elle ne peuvent penser qu'à eux. Ils évoquent le futur, et la jeune fille déclare : « Quand je regarde mon avenir, tout ce que je vois, tout ce que je veux, c'est toi », ce qui semble rétrospectivement assez tragique.

LE SAC A MALICE DE BUFFY:

Elle emprunte une hache aux drones pour tuer le bezoar.

Innocence, première partie

TITRE ORIGINAL : *Surprise* ;
SCÉNARISTE : Marti Noxon ;
RÉALISATEUR : Michael Lange.
AVEC : Seth Green (Oz), Kristine Sutherland (Joyce Summers), Robia LaMorte (Jenny Calendar), Brian Thompson (Le Juge), Eric Saiet (Dalton), Mercedes McNab (Harmony), Vincent Schiavelli (Oncle Enyos), James Marsters (Spike) et Juliet Landau (Drusilla).

La veille de son dix-septième anniversaire, Buffy rêve que Drusilla est toujours en vie et qu'elle va tuer Angel. La jeune fille s'ouvre de son inquiétude au reste de la bande, que ça n'empêche pas d'organiser une fête-surprise pour elle au *Bronze*.

Pendant ce temps, Drusilla (qui a retrouvé ses forces) et Spike (qui est cloué dans une chaise roulante) s'efforcent de reconstituer le Juge, une créature capable de consumer l'humanité des mortels pour ne laisser subsister que le mal en eux.

Bien que le Juge ne puisse être tué « par une arme forgée », il fut autrefois démembré, ses restes étant éparpillés aux quatre coins de la Terre. Mais aujourd'hui, tous convergent

vers Sunnydale. Buffy intercepte la livraison d'un bras; Jenny et Angel s'accordent à dire que le vampire devrait l'emmener très loin de Sunnydale : un voyage qui pourrait durer des mois.

Buffy répugne à se séparer d'Angel. Pendant qu'ils s'embrassent pour se dire au revoir, sur le port, des vampires les attaquent et récupèrent le bras. Buffy et Angel se précipitent dans le repaire de Spike et de Drusilla, mais ils arrivent trop tard : le Juge a déjà été assemblé, et c'est à peine s'ils réussissent à s'en sortir vivants. Ils retournent à l'appartement d'Angel et font l'amour pour la première fois.

Mais après, le vampire se sent bizarre…

Citation de la semaine :

« Mon petit ami a fêté son bicentenaire. »
— Buffy à Willow, en parlant d'Angel.

L'Amour Selon la Tueuse :

Angel déclare enfin son amour à Buffy, même si ses sentiments sont évidents depuis « Le Chouchou du Prof ». Avant son départ, il offre à Buffy un anneau claddagh : le seul type d'alliance qu'il pourra jamais lui donner. Après l'attaque ratée contre le Juge, ils s'abandonnent enfin à leur passion… Un événement qui aura des conséquences dévastatrices, comme nous le verrons dans la deuxième partie de cet épisode.

Buffy convainc Willow de donner une chance à Oz. Au cours d'une scène aussi adorable que hilarante, les deux jeunes gens conviennent d'un rendez-vous.

Alex tente de persuader Cordélia de continuer leur relation sans se cacher, mais la jeune fille refuse catégoriquement.

Spike et Drusilla sont plus proches que jamais. Le Juge sent même la « puanteur de l'humanité » sur eux, à cause de leur affection mutuelle.

> L'immense tente où sont construits tous les décors a été surnommée « El Nino ».

CONTINUITÉ :

On apprend que Jenny Calendar s'appelle en réalité Janna, et qu'elle fait partie de la tribu de bohémiens qui a maudit Angel quatre-vingts ans plus tôt (« Alias Angélus », « Acathla »). Son oncle Enyos la prévient que le vampire est en train de devenir trop heureux.

Une fois de plus, Buffy fait un rêve prémonitoire (« Bienvenue à Sunnydale », « Le Manuscrit »). Oz découvre la vérité au sujet des vampires et rejoint la bande à Buffy, en constante expansion.

Jenny : Ça me paraît logique. Après tout, les perceptions de Buffy sont ultra-développées. Pourquoi pas son intuition ?

Giles : Précisément. Il est d'usage que la Tueuse commence à avoir des visions et à faire des rêves prémonitoires quand elle entre dans l'âge adulte.

Willow : L'âge adulte ? Elle aura dix-sept ans demain, Giles ! Ne la bousculez pas.

Giles : Ce n'est pas ma faute. Navré d'insister là-dessus, mais il est rare qu'une Tueuse survive jusqu'à ses vingt-cinq ans. D'où le fait qu'elle exhibe très tôt des signes de maturité : tout son cycle biologique est accéléré.

Jenny : Tout de même, vous ne devriez pas encore la traiter comme une adulte. Cette histoire avec Angel... Vous en avez parlé avec elle ?

Giles : Je... Je ne voulais pas me montrer indiscret.

Jenny : Il le faudrait peut-être. Visiblement, elle éprouve des sentiments très forts pour lui.

Giles : Evidemment. Ils sont amis.

Jenny : Ils sont bien plus que ça, et vous le savez.

Giles : Je ne suis pas son père !

Jenny : Vous êtes son modèle, sa référence... même si elle ne l'avoue pas. Et à son âge, on a vite fait de se laisser emporter. Elle pourrait faire les mauvais choix... Croyez-moi, je sais de quoi je parle.

Giles : Je garderai un œil sur elle. Pour le moment, mon principal souci, c'est de lui trouver un cadeau d'anniversaire.

> Le cache-poussière de Spike coûte encore plus cher que celui d'Angel :
> 1 600 dollars !
> (Environ 9 600 F.) Les costumiers se sont ingéniés à lui donner un aspect vieilli et usé.

> La séquence sur le port a été filmée à San Pedro. L'eau n'était pas aussi froide que prévu, grâce à un courant tiède de type El Nino.

Innocence, deuxième partie

TITRE ORIGINAL : *Innocence* ;
SCÉNARISTE ET RÉALISATEUR : Joss Whedon.
AVEC : Seth Green (Oz), Kristine Sutherland (Joyce Summers), Robia LaMorte (Jenny Calendar), Brian Thompson (Le Juge), Vincent Schiavelli (Oncle Enyos), James Marsters (Spike) et Juliet Landau (Drusilla), et aussi James Lurie, Carla Madden, Parry Shen et Ryan Francis.

Angel a de nouveau perdu son âme ; il est redevenu le monstre sanguinaire qu'il était avant la malédiction des bohémiens. Ravis par son revirement, Spike et Drusilla l'invitent à se joindre à eux pour préparer la destruction du monde. Pendant ce temps,

Buffy (qui sait seulement qu'Angel a disparu) et ses amis cherchent en vain un moyen d'arrêter le Juge.

Quand la jeune fille retrouve enfin Angel, il est glacial et se moque d'elle. Puis il attaque Willow au lycée, mais Alex et Buffy réussissent à le mettre en fuite.

Questionnée par la Tueuse, Jenny révèle ce qu'elle sait au sujet de la malédiction, et avoue qu'elle a été envoyée à Sunnydale pour surveiller Angel. Elle emmène Buffy voir son oncle, mais Angel est passé avant elles et l'a tué. Alex a l'idée d'utiliser un lance-missiles contre le Juge (c'est une arme *fabriquée,* pas *forgée*). Ça marche, mais Buffy ne réussit pas à tuer Angel lors d'une terrible confrontation.

Citation de la semaine:

« **Ma parole, mais vous êtes tous des... Je suis trop en colère pour trouver un mot assez méchant, mais c'est ce que vous êtes, et on va au repaire des vampires!** »

— Willow insistant pour partir à la recherche d'Angel et de Buffy.

L'Amour Selon la Tueuse:

Angel est dégoûté par la manière dont il s'est comporté envers Buffy jusque-là. Déterminé à la faire souffrir autant que Drusilla avant sa transformation, il recourt à toutes les techniques éprouvées du Parfait Salaud Après l'Amour. « Je t'appelle », promet-il à Buffy. Il tente également de s'interposer entre Spike et Drusilla (« Un Charme Déroutant »).

> Les scénarios contiennent souvent de petites perles d'humour, y compris dans les instructions de jeu, qui ne transparaissent pas à l'écran. Dans celui-ci, par exemple, Joss Whedon a écrit : « Deux soldats passent. Alex leur fait un signe de tête qu'ils lui rendent sans rien dire, car ce sont des figurants muets. »

Willow est consternée de surprendre Alex et Cordélia en plein flirt. (« C'est contre toutes les lois de Dieu et de l'homme ! ») Le jeune homme tente bien de lui expliquer que ça ne signifie rien, mais Willow se lamente : « Tu préfères être avec quelqu'un que tu détestes plutôt qu'avec moi. » Plus tard, elle demande à Oz s'il veut l'embrasser. Le jeune homme refuse poliment, car il sait qu'elle réagit ainsi pour se venger d'Alex. Cette preuve de maturité enchante Willow.

La relation de Giles et de Jenny revient au point mort quand la jeune femme révèle la raison de sa présence à Sunnydale.

CONTINUITÉ :

Buffy continue à faire des rêves prémonitoires (« Bienvenue à Sunnydale », « Le Manuscrit »). Alex a conservé tous ses souvenirs de militaire (« Halloween »), ce qui lui permet de s'introduire dans une armurerie pour voler un lance-missiles, et d'expliquer son fonctionnement à Buffy.

Extrait du Scénario original:

Bohémien: Toi, le maléfique !

Angel: Maléfique ? Vous me vexez.

Bohémien: Que veux-tu ?

Angel: Des tas de choses. J'ai du temps à rattraper, et c'est un peu votre faute, pas vrai ? Vous, les bohémiens, vous maudissez les gens sans vous soucier des dégâts que vous causez. Mais je serai magnanime, parce que vous m'aviez laissé une porte de sortie.

Bohémien: Tu es une abomination. Le jour même où tu cesses de te repentir de tes crimes, tu n'es plus digne d'avoir une âme humaine.

Angel: Effectivement, j'ai surmonté mes remords… On va pouvoir passer aux choses sérieuses. Ne t'inquiète pas, ça ne fera pas mal… Au moins, plus au bout d'une heure.

> Les scènes du centre commercial ont été tournées dans un grand magasin *Robinson/May* sur South Grand Avenue, à Los Angeles. Un fossé avait été creusé autour du plateau pour canaliser l'eau des sprinklers.

> Une autre instruction de jeu donnée par Joss Whedon pour une scène entre Alex et Cordélia : « Et là, ils se roulent un énooorme patin bien mouillé. »

30 MILLIONS D'AMIS

Angel: Je suis une brute, un animal ?

Buffy: Non, pas un animal. Les animaux, je les aime.

— « ALIAS ANGÉLUS »

Les animaux occupent une grande place dans l'univers des habitants de Sunnydale, à l'écran comme dans les coulisses.

David Boreanaz est le maître d'une chienne appelée Bertha Blue, qui a « une oreille dressée et l'autre pendante ». Il l'emmène parfois sur le tournage, mais elle a la mauvaise habitude de s'enfuir. Jusqu'ici, il l'a toujours retrouvée.

Nicholas Brendon a adopté un chien errant après avoir vu un gamin essayer de le nourrir de chewing-gums. Selon David Boreanaz, c'est un fou de la gent canine. Quand ils ont un peu de temps libre, les deux acteurs vont ensemble au parc pour promener leurs toutous.

Alyson Hannigan garde son terrier Jack Russell, Alex, dans sa caravane. Quand elle se balade avec lui sur le plateau, elle dit au producteur Gareth Davies : « C'est un chien mystique », car officiellement, les animaux sont interdits sur le tournage. Sa colocataire et elle possèdent un autre chien, Zippy, ainsi que cinq chats: Docteur Seuss, Jupiter, Tear Drop, Rain et Lucky.

La costumière Cynthia Bergstrom a un magnifique Keeshond nommé Sammy, qu'elle emmène parfois avec elle sur le tournage. Quant à Sarah Michelle Gellar, elle vit avec plusieurs animaux de compagnie, dont un Maltais blanc appelé Thor.

En ce qui concerne les animaux vus à l'écran, ayons une pensée émue pour la croustillante mascotte du lycée de Sunnydale, Herbert le cochon, pour un chien appelé Spritzer qui se fait dévorer par Jenny/Eyghon dans «La Face Cachée» (scène coupée au montage), et pour les poissons rouges de Willow qu'Angel tue dans «La Boule de Thésulah». D'ailleurs, il ne s'en tient pas là :

Giles (lisant à voix haute) : Ah, en voici une autre. Le jour de la Saint-Valentin, Angel clouera un chiot à…
Buffy : Sautez ce passage.
Giles : Mais…
Buffy : Je ne veux pas savoir. De toute façon, je n'ai pas de chiot.

— «**UN CHARME DÉROUTANT** »

Buffy : Je suis désolée pour tes poissons.
Willow : Oh, c'est pas grave, on n'avait pas encore de relations approfondies. C'est la première fois que je trouve que mes parents ont eu raison de ne pas m'offrir un petit chien.

— «**LA BOULE DE THÉSULAH** »

En des temps lointains et plus heureux, Angel aimait faire des câlins à M. Toto, le cochon en peluche de Buffy.

N'oublions pas non plus notre guitariste préféré, star des Dingoes Ate My Baby :

« **De quelle relation tu parles ? Tu penses vraiment que ça peut coller entre lui et elle ? Il dit rarement ce qu'il pense, et il aime être seul, et l'autre jour il apprenait par cœur *Le loup et l'agneau*. Tu sais qu'il peut très vite déjanter.** »

— Alex, dans « Pleine Lune »

TITRE ORIGINAL : *Phases;* **SCÉNARISTES :** Rob Des Hotel et Dean Batali ; **RÉALISATEUR :** Bruce Seth Green. **AVEC :** Seth Green (Oz), Camila Griggs (le prof de gym), Jack Conley (Kane), Larry Bagby III (Larry), Megahn Perry (Thérésa) et Keith Campbell (le loup-garou).

Pleine Lune

Les arbres qui poussent devant la fenêtre de Buffy sont des pins deodara.

Alex et Cordélia sont occupés à s'embrasser dans la voiture de la jeune fille quand ils sont interrompus par l'attaque d'un loup-garou. Giles est intrigué par la présence du métamorphe («un vieux classique»), mais sa curiosité se change en inquiétude quand Buffy et lui rencontrent Kane, un chasseur qui veut tuer l'animal pour lui prendre sa fourrure. Plus tard, une lycéenne nommée Thérésa est retrouvée morte.

Buffy et ses amis tentent de découvrir l'identité du loup-garou. Alex pense qu'il s'agit de leur camarade Larry, mais il s'aperçoit rapidement qu'il se trompe du tout au tout. Pendant ce temps, Willow essaye de comprendre pourquoi Oz se conduit d'une manière aussi bizarre. Quand elle se rend chez lui pour lui parler, elle le surprend en train de se transformer en loup-garou. Aidée par Giles et Buffy, elle parvient à le maîtriser et à empêcher Kane de le tuer.

Citation de la semaine:

Buffy : Aie un peu de patience ; quel garçon pourrait résister à ton charme naturel ?
Willow : J'ai déjà fait le compte : tous, du plus vilain au plus mignon.

L'Amour Selon la Tueuse :

Oz et Willow sortent ensemble (dans le pré-générique, ils parlent du film qu'ils ont vu la veille au cinéma), mais la jeune fille est frustrée que son compagnon n'ait encore rien tenté de plus intime. A la fin, elle accepte de continuer à le voir malgré sa condition de métamorphe, et prend l'initiative de leur premier baiser.

Buffy se remet mal de la transformation d'Angel. Quand elle apprend que Thérésa n'a pas été assassinée par le loup-garou, mais par son ancien petit ami (Thérésa sort de sa tombe et lui transmet le bonjour de la part d'Angel), la Tueuse se réfugie brièvement dans les bras d'Alex. « Mais non, ma vie n'est pas du tout compliquée ! », marmonne celui-ci après son départ.

La relation entre Alex et Cordélia continue, suscitant les commentaires sarcastiques de Willow. Malgré tout, les deux jeunes filles finissent par se retrouver au *Bronze* pour se lamenter ensemble sur les défauts de la gent masculine.

Giles semble avoir des problèmes à encaisser la trahison de Jenny. Tout au long de l'épisode, il n'est pas lui-même, allant jusqu'à rire d'une plaisanterie d'Alex.

LE SAC A MALICE DE BVFFY:

Ne souhaitant pas tuer le loup-garou, Buffy essaye de l'enchaîner quand ils se rencontrent pour la première fois au *Bronze*. Plus tard, Giles utilise un fusil à tranquillisants, que Willow brandira à la fin de l'épisode.

Seth Green et Alyson Hannigan, dont les personnages deviennent officiellement un couple dans cet épisode, sortaient également ensemble dans le film *J'ai épousé une extraterrestre*.

Oz semble vouer une affection particulière à la ville de New York. Lors de sa première apparition à l'écran, il portait un T-shirt des New York Rangers. Dans cet épisode, il a un T-shirt « New York City Yoga ».

CONTINUITÉ :

Oz découvre qu'il est un loup-garou, et remarque également les yeux qui bougent sur le trophée de pom-pom girl (« Sortilèges »).

Alex évoque sa possession par l'esprit d'une hyène pour expliquer qu'il comprend instinctivement les loups-garous. Ce faisant, il révèle qu'il se souvient de toute son expérience, bien qu'il ait affirmé le contraire à la fin de l'épisode « Les Hyènes ».

Extrait du Scénario original:

Pendant un cours d'auto-défense :

Alex (à Cordélia) : Sois douce avec moi.

Cordélia (à Willow) : Vas-y la première. Je ne voudrais pas qu'on m'accuse de t'avoir passé devant.

Willow : Oh, je crois que tu l'as déjà fait depuis longtemps.

Cordélia : Hé, ce n'est pas ma faute si tous les projecteurs sont braqués sur moi parce que certaines personnes s'ingénient à faire tapisserie.

Willow : Peut-être qu'on les verrait mieux si tu ne te précipitais pas toujours sur la scène pour exposer ta marchandise.

Cordélia : Navrée de ne pas me sentir à l'aise dans le rôle de la gentille voisine un peu tarte.

Willow : Tu pourrais être la voisine d'Alex… s'il habitait à côté d'une maison close.

TITRE ORIGINAL : *Bewitched, Bothered and Bewildered ;*
SCÉNARISTE : Marti Noxon ;
RÉALISATEUR : James A. Conter. **AVEC :** Seth Green (Oz), Kristine Sutherland (Joyce Summers), Robia La Morte (Jenny Calendar), Elizabeth Anne Allen (Amy Madison), Mercedes McNab (Harmony), James Marsters (Spike), Juliet Landau (Drusilla), et aussi Jennie Chester, Lorna Scott, Kristen Winnicki et Tamara Braun.

Un Charme Déroutant

Le scénario prévoit que Buffy est changée en rat pendant la majeure partie de l'épisode. La semaine du tournage, Sarah Michelle Gellar avait besoin de temps libre pour enregistrer l'émission *Saturday Night Live*, dont elle était l'invitée principale.

C'est la Saint-Valentin, et tout ne va pas bien au royaume de Sunnydale. Giles s'inquiète pour Buffy, car Angel avait l'habitude de tourmenter ses victimes ce jour-là. D'ailleurs, il envoie à son ancienne petite amie un bouquet de roses et le billet suivant : « Bientôt… »

Cordélia a remarqué une chute vertigineuse de sa popularité depuis qu'elle sort avec Alex. Aussi elle rompt avec le jeune homme juste après qu'il lui eut offert un superbe pendentif en argent. Devenu la risée du lycée, Alex se tourne vers Amy, qui a suivi les traces de sa sorcière de mère. Il demande à la jeune fille de jeter un sort qui fera tomber Cordélia amoureuse de lui. Cela lui permettra de la larguer pour se venger.

Mais le sort fonctionne à l'envers : toutes les femmes de Sunnydale, sauf Cordélia, poursuivent Alex de leurs assiduités... d'où les scènes de jalousie et des émeutes en chaîne. Amy transforme Buffy en rat, pendant que les autres femmes — dont Joyce Summers et Drusilla — tentent de tuer à la fois Alex (qui ne les aime pas) et Cordélia (qui a osé lui briser le cœur). Avec l'aide de Giles, Amy parvient à annuler le sort, et les choses redeviennent normales.

Citation de la semaine:

Buffy : Etre la Tueuse, c'est un peu plus dangereux que de sortir avec quelqu'un.
Alex : On voit bien que tu ne sors pas avec Cordélia.

L'Amour Selon la Tueuse:

Alex achète un cadeau coûteux pour Cordélia, et le lui offre juste avant qu'elle ne rompe avec lui. Il est d'autant plus accablé que c'est la Saint-Valentin (« Tu étais à court d'ironie bon marché ? »).

A la fin de l'épisode, Cordélia mesure le chagrin qu'elle a fait à Alex, et réalise que ça ne valait pas le coup de le larguer pour faire plaisir à des amis superficiels. Elle se réconcilie donc avec lui. (« Je sortirai avec qui je veux, aussi minable qu'il soit. »)

> Les mots « Sweet J. » sont gravés sur la guitare d'Oz.

La relation d'Oz et Willow progresse doucement. « Mon petit ami joue dans le groupe ! », s'enthousiasme la jeune fille. Quand elle a le cœur brisé par Alex à cause du sort d'Amy, elle passe toute la nuit à pleurer dans son téléphone et à se faire consoler par Oz.

Du côté vampirique, le triangle amoureux se resserre. Spike offre un bijou à Drusilla, mais Angel lui donne un cœur arraché à la poitrine d'une vendeuse... Un cadeau que Drusilla semble préférer, au grand dam de Spike.

QUIZZ DE CULTURE POP:

Dans le scénario, pendant qu'Oz cherche Buffy transformée en rat, il sifflote *Ben*, la chanson de Michael Jackson consacrée à ces animaux.

CONTINUITÉ :

Jenny se risque à deux tentatives de rapprochement avec Giles. La première est interrompue, et la seconde échoue à cause du sort d'Amy.

TITRE ORIGINAL : *Passion* ;
SCÉNARISTE : Ty King ;
RÉALISATEUR : Michael E. Gershman.
AVEC : Kristine Sutherland (Joyce Summers), Robia LaMorte (Jenny Calendar), James Marsters (Spike), Juliet Landau (Drusilla), et aussi Richard Assad.

La Boule de Thésulah

En se réveillant, Buffy trouve sur son lit un dessin qui la représente en train de dormir — réalisé par Angel —, et Willow découvre ses poissons rouges morts glissés dans une enveloppe. A leur requête, Giles cherche un protocole qui permettrait d'interdire au vampire l'entrée de leurs maisons, bien qu'elles l'y aient invité. C'est Jenny qui le lui fournira en signe de réconciliation.

Pendant ce temps, Angel joue le rôle du petit ami rejeté et obsédé par son ex. Il révèle à Joyce que Buffy et lui ont couché ensemble, d'où une conversation assez difficile entre la mère et la fille.

Jenny travaille dur pour traduire le sort qui permettrait de rendre son âme à Angel. Une nuit, elle réussit enfin. Elle le sauvegarde sur disquette et l'imprime pour le montrer à Giles. Hélas, grâce à une vision de Drusilla, Angel a appris ce qu'elle mijotait. Il s'introduit chez elle, la tue et détruit son ordinateur, ainsi que la copie imprimante.

Puis il dépose le cadavre dans la chambre de Giles avec une bouteille de champagne et des roses, afin de rendre la scène plus atroce. Fou de douleur, l'Observateur attaque le repaire des vampires et réussit à malmener Angel avant que celui-ci ne prenne le dessus. Buffy arrive et se bat avec Angel, mais elle doit s'interrompre pour sauver Giles de l'incendie qu'il a déclenché.

Citation de la semaine :

« Tu es devenu fou ou quoi ? Tu avais pour mission de tuer cette pétasse, pas de laisser des traces idiotes dans les maisons de ses amis ! »
— Spike, critiquant les méthodes d'Angel.

L'Amour Selon la Tueuse :

Jenny a quelques conversations à cœur ouvert avec Giles (« Je sais que vous vous sentez trahi. » « Oui, rien de plus normal à mon sens, c'est une conséquence de la trahison. »), et finit par admettre qu'elle est amoureuse de lui.

Malgré le ressentiment qu'elle éprouve envers elle, Buffy encourage la jeune femme à se réconcilier avec Giles, car elle mesure à quel point son Observateur est malheureux… même s'il refuse de l'admettre. La mort de Jenny bouleverse Giles et éveille en lui une violence insoupçonnée.

Les relations se compliquent entre Spike, Drusilla et Angel. Drusilla offre à Spike un chiot qu'elle a baptisé Rayon de Soleil, et donne au vampire l'impression qu'on doit le nourrir comme un bébé. Les plaisanteries d'Angel à propos de la chaise roulante de Spike deviennent de plus en plus cruelles.

La bande met au point un protocole pour empêcher Angel de pénétrer chez Buffy («Alias Angélus»), chez les Rosenberg («Mensonge») et dans la voiture de Cordélia («Le Puzzle»). Buffy met sa mère en garde contre Angel, car Joyce s'en souvient comme de l'adorable étudiant qui lui donnait des cours particuliers d'histoire («Alias Angélus»).

Grâce à un programme informatique, Jenny parvient à reconstituer la malédiction jetée par les anciens («Alias Angélus», «Innocence»), mais la seule sauvegarde est sur une disquette qui glisse sous son bureau, et y restera jusqu'à «Acathla».

A la fin de cet épisode, Willow est nommée remplaçante provisoire de Jenny: un poste qu'elle conservera jusqu'à la fin de l'année («La Soirée de Sadie Hawkins», «Les Hommes Poissons», «Acathla»).

Le repaire des vampires, qu'ils occupaient depuis le début de la saison («La Métamorphose de Buffy», etc.) est détruit par Giles; dans «La Soirée de Sadie Hawkins», Angel, Spike et Drusilla s'installeront au manoir.

Extrait du Scénario original :

Juste après la scène où Jenny est assassinée, Angel parle en voix off pendant que Giles appelle chez Buffy pour lui annoncer la mort de la jeune femme. Voici le dialogue que les spectateurs ne peuvent entendre :

Willow: Alors, comment s'est déroulée l'explication avec ta mère ?
Buffy: Pas aussi mal que je l'aurais cru. (Le téléphone sonne.) Allô ?
Giles: Buffy ?
Buffy: Giles! On vient juste de finir le…
Giles: Jenny… Mlle Calendar… Elle a été assassinée.
Buffy: Quoi ?
Giles: Par Angel.
Buffy lâche le combiné.
Willow: Buffy ? (Elle ramasse le téléphone.) Giles ?
Giles: Willow. Angel a tué Jenny.
Willow: Quoi ? Oh, non…
Joyce: Willow! Buffy! Qu'est-ce qui ne va pas ? Que s'est-il passé ?

DANS MA CHAMBRE

A part un tiroir de commode rempli de pieux et de flacons d'eau bénite, et un coffre à double-fond contenant des hosties, de l'ail et un second assortiment de pieux, que trouve-t-on dans la chambre de la Tueuse ?

Réponse: les possessions typiques d'une adolescente de dix-sept ans.

⊃ une photo d'Alex et de Willow
⊃ des poupées et des animaux en peluche, dont une sorcière, une

vache, un nounours bleu, un cochon rose, un panda noir et blanc et une créature verdâtre vêtue d'une robe

- une ombrelle chinoise et un paravent orné de caractères orientaux
- une boule de neige
- un chapeau de paille et des foulards accrochés au mur
- une lampe à lumière noire
- deux lampes aux abat-jour renversés
- une bougie noire et violette en forme de pyramide
- une boîte verte et jaune représentant une lune, posée sur la deuxième étagère de sa bibliothèque ; un objet d'art représentant un soleil et une lune
- un fauteuil et une étagère en rotin
- des papillons

TITRE ORIGINAL : *Killed by Death ;* **SCÉNARISTES :** Dean Batali et Rob Des Hotel ; **RÉALISATEUR :** Deran Serafian.
AVEC : Kristine Sutherland (Joyce Summers), Richard Herd (Docteur Backer), Willie Garson (Don), Andrew Ducote (Ryan), Juanita Jennings (Docteur Wilkinson), Denise Johnson (Célia), Mimi Paley (Buffy à huit ans), Robert Munic (l'Interne des urgences), et James Jude Courtney (Der Kindestod).

Réminiscence

Bien qu'elle ait la grippe, Buffy s'acquitte de sa patrouille quotidienne. Après une rencontre avec Angel, elle s'évanouit et on la transporte à l'hôpital. Dans son sommeil, elle rêve d'une étrange créature et d'un petit garçon... qui est dans une chambre voisine, lui aussi grippé.

Ryan affirme connaître la créature : selon lui, c'est la Mort ; seuls les enfants peuvent la voir et plusieurs sont déjà morts à cause d'elle. Les indices désigneraient plutôt le docteur Backer, car il recourt à des traitements guère orthodoxes. Mais peu de temps après, Buffy trouve son cadavre lacéré par une créature invisible, qui attaque la jeune fille.

Giles et Cordélia découvrent qu'il s'agit de *Der Kindestod :*

Cordélia apporte à Alex des beignets *Krispy Kreme*, considérés comme les meilleurs par les Américains. Etant donné qu'il n'existe qu'une seule boutique *Krispy Kreme* dans les environs de Los Angeles, on peut supposer qu'elle s'est donné beaucoup de mal pour offrir un bon petit déjeuner à Alex.

la mort des enfants, en allemand. Comprenant qu'elle n'arrive à voir le monstre que lors de ses poussées de fièvre, Buffy convainc Willow de lui administrer le virus de la grippe afin d'être assez malade… mais pas trop, car elle doit être en état de la combattre.

A l'origine, le scénario prévoyait que Willow ait peur des chauves-souris, et non des grenouilles.

Citation de la semaine:

« Le tact, ça permet de ne pas dire la vérité. Je me tais. »
— Cordélia, résumant sa philosophie en quelques mots.

L'Amour Selon la Tueuse:

L'affrontement entre Angel et Buffy continue, d'abord au cimetière quand le vampire attaque la Tueuse, affaiblie par la grippe, puis quand il tente de lui rendre visite à l'hôpital et se fait intercepter par Alex. Celui-ci passe tout l'épisode à jouer les chevaliers servants de Buffy, pour le plus grand amusement d'Angel (« Pauvre chevalier servant, tu l'aimes toujours. Tu as du mal à supporter que je l'aie eue avant toi », ricane-t-il) et le suprême agacement de Cordélia.

Du coup, Alex et Cordélia se disputent en permanence. Mais la jeune fille se fend d'une tentative de réconciliation en lui apportant des beignets et du café après qu'il eut veillé Buffy toute la nuit..

CONTINUITÉ :

Nous apprenons que Buffy a rencontré *Der Kindestod* quand elle avait huit ans, le jour où sa cousine Célia est morte dans ses bras. Depuis, traumatisée, elle fuit les hôpitaux comme la peste.

Joyce présente ses condoléances à Giles pour la mort de Jenny Calendar (« La Boule de Thésulah). Plus tard, l'Observateur s'inquiète: et si Buffy avait inventé *Der Kindestod* afin d'avoir quelque chose à combattre, parce qu'elle n'a rien pu faire pour Jenny ?

Willow met à profit sa phobie des grenouilles (« Kendra ») pour détourner l'attention de la sécurité de l'hôpital.

Alex dit à Angel: « Tu vas crever, et moi je serai près d'elle »… et il n'a pas tort, considérant ce qui se passera dans « Acathla ».

TITRE ORIGINAL : *I Only Have Eyes for You;*
SCÉNARISTE : Marti Noxon; **RÉALISATEUR :** James Whitmore J.-R. **AVEC :** Chris Gorham (James), John Hawkes (Le concierge), Meredith Salinger (Grace Newman), James Marsters (Spike), Juliet Landau (Drusilla) et Armin Shimerman (Proviseur Snyder).

La Soirée de Sadie Hawkins

La veille de la soirée de Sadie Hawkins, alors qu'elle se rend à la bibliothèque, Buffy voit un jeune homme menacer une fille avec un revolver. Mais dès que la Tueuse le désarme, il reprend ses esprits et ne se rappelle plus pourquoi il en voulait à sa compagne. Quant à l'arme, elle disparaît.

Plus tard, dans le bureau du proviseur Snyder, une main invisible fait tomber le *Yearbook* de 1955 sous les yeux de Buffy. Pendant un cours d'histoire où elle s'ennuie à mourir, la jeune fille a la vision d'un étudiant nommé James et de son professeur, Mlle Newman; ils sont vêtus à la mode des années 50 et semblent avoir une liaison.

> Les chaussures de tous les acteurs sont doublées de semelles de crêpe pour ne pas faire de bruit, car cela risquerait de s'entendre sur la bande-son.

Les événements bizarres se multiplient: Alex est attaqué par un bras momifié caché dans son casier, des serpents apparaissent dans les couloirs du lycée, le concierge et un professeur rejouent la même scène que les deux lycéens surpris par Buffy. Mais en l'absence de la Tueuse, le concierge finit par tirer.

Willow découvre l'histoire de James et de Grace Newman: le soir de la soirée de Sadie Hawkins, en 1955, le jeune homme tua celle qui l'avait quitté par souci des convenances, avant de se suicider. Giles pense avoir affaire à un *poltergeist,* peut-être l'esprit de James rejouant la scène de rupture avec l'espoir de trouver la paix. Une première tentative d'exorcisme échoue, et les deux esprits s'affrontent de nouveau: cette fois, James possède Buffy et Grace, Angel.

> La scénariste Marti Noxon adore les histoires de fantômes. « Je sais que ma mère pleurera en voyant cet épisode », affirme-t-elle.

Citation de la semaine:

« C'est pas vrai ! On ne se réveille pas en cessant d'aimer quelqu'un un beau jour. Aimer, c'est pour la vie ! »
— James, le garçon du début, le concierge et Buffy le disent tous à divers moments de l'épisode.

L'Amour Selon la Tueuse:

Willow donne à Giles une pierre découverte dans le bureau de Mlle Calendar: « J'ai trouvé ça dans son tiroir. Elle me l'avait montré; c'est un quartz rosé. Ça a des vertus curatives. Je suis certaine qu'elle voudrait que vous le portiez. » Plus tard, le bibliothécaire se convainc que le *poltergeist* est celui de Jenny, bien qu'il n'en ait aucune preuve.

> La costumière Cynthia Bergstrom est hantée par Jenny Calendar. Elle se surprend parfois à faire du shopping pour le personnage joué par Robia LaMorte, bien que celle-ci n'apparaisse plus dans la série.

Les tourments de Buffy au sujet d'Angel obscurcissent son jugement pendant tout l'épisode, l'empêchant d'accepter une invitation à la soirée et la poussant à juger James sans aucune compassion.

CONTINUITÉ :

Buffy fait un rêve qui, pour une fois, n'est pas prémonitoire (« Bienvenue à Sunnydale », « Le Manuscrit », « Innocence ») puisqu'il lui montre le passé et lui est envoyé par James.

Willow continue à assurer les cours de Mlle Calendar (« La Boule de Thésulah », « Les Hommes Poissons », « Acathla »).

Après la destruction de leur ancien repaire (« La Boule de Thésulah »), Spike, Drusilla et Angel s'installent au manoir. Spike se lève de sa chaise roulante à la fin de l'épisode.

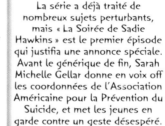

D'autres indices permettent de deviner que Snyder et les autorités municipales sont au courant de ce qui se passe à Sunnydale (« Attaque à Sunnydale », « Acathla »).

> La série a déjà traité de nombreux sujets perturbants, mais « La Soirée de Sadie Hawkins » est le premier épisode qui justifia une annonce spéciale. Avant le générique de fin, Sarah Michelle Gellar donne en voix off les coordonnées de l'Association Américaine pour la Prévention du Suicide, et met les jeunes en garde contre un geste désespéré.

Les Hommes Poissons

TITRE ORIGINAL : *Go Fish* ; **SCÉNARISTES :** David Fury et Elin Hampton ; **RÉALISATEUR :** David Semel. **AVEC :** Conchata Ferrell (Infirmière Ruth Greenliegh), Wentworth Miller (Gage Petronzi), Charles Cyphers (Entraîneur Carl Marin), Jake Patelis (Dodd McAlvy), Jeremy Garrett (Cameron Walker), Armin Shimerman (Proviseur Snyder) et Danny Strong (Jonathan).

L'équipe de natation du lycée a remporté plusieurs victoires dans des championnats régionaux. Du coup, le proviseur Snyder encourage Willow à remonter les notes d'un des nageurs, et refuse d'écouter la version de Buffy après que la jeune fille eut molesté un autre « champion » qui tentait de la peloter.

Pour compliquer les choses, les deux meilleurs nageurs se font tuer par une créature qui les écorche vifs. Les soupçons se portent d'abord sur Jonathan, que les membres de l'équipe ne cessaient de tourmenter, mais le jeune homme n'a rien fait de plus répréhensible qu'uriner dans la piscine pour se venger.

Quand Angel attaque Gage, le troisième meilleur nageur, et recrache son sang comme si c'était de l'acide, Buffy pense que les sportifs prennent peut-être des stéroïdes. Puis Gage se transforme en monstre amphibie et la jeune fille comprend qu'aucun des nageurs n'est réellement mort.

Bombardé espion, Alex intègre l'équipe pour en apprendre davantage. A la fin de l'épisode, les hommes poissons dévorent leur entraîneur et s'enfuient en mer.

> Les lycéens de Sunnydale ont des goûts intéressants en matière de lecture. Parmi les magazines auxquels la bibliothèque est abonnée, on trouve les titres suivants : *Vegetarian Times, Women's Sports and Fitness, Upscale, National Geographic, PC World, Slam, Skin Diver, Sports Illustrated, ArtNews, Smithsonian, Bon Appétit et Horseman*.

Citation de la semaine:

Giles : La bonne nouvelle, c'est que vous n'avez aucun mort de plus dans l'équipe.
Buffy : Et la mauvaise, c'est que ce sont des monstres.

L'Amour Selon la Tueuse:

Buffy accepte enfin un rendez-vous… avec Cameron, qui se révèle ennuyeux comme la pluie et pervers, et finit par se transformer en monstre aquatique.

Après avoir vu Alex en maillot de bain, Cordélia se félicite de sortir avec lui.

LE SAC A MALICE DE BUFFY:

Elle tape sur deux monstres avec une crosse.

QUIZZ DE CULTURE POP:

Giles : Il a été éviscéré. Il reste la peau et les cartilages.
Alex : En un mot, il ne s'agit pas d'un accident.
       — En référence à une célèbre réplique des *Dents de la Mer*.

Alex : Une équipe ? L'équipe de natation ? C'est pas ça, une équipe ! Les *Yankees*. Laurel et Hardy. Alors là, j'appelle ça une équipe.

CONTINUITÉ :

Willow est nommée professeur d'informatique titulaire jusqu'à la fin de l'année scolaire («La Boule de Thésulah», etc.).

> Les vues extérieures du *Bronze*, qui lui donnent l'air de faire partie d'un pâté de maisons, montrent en réalité le bâtiment qui abrite les plateaux de la série.

L'appartement d'Angel, toujours plongé dans la pénombre, est étonnamment dépouillé pour quelqu'un qui a vécu plus de deux cent quarante ans. Le vampire a des goûts très spartiates : une chaise au dessin de plumes bleues, une table sur laquelle reposent un cendrier et un briquet, une statue dans sa vitrine, un bureau et les nombreux dessins qu'il a faits de Buffy et de ses amis composent l'essentiel de l'ameublement et de la décoration. Question : comment fait-il pour payer ses factures ?

Acathla, première partie

TITRE ORIGINAL : *Becoming, Part 1 ;*
SCÉNARISTE ET RÉALISATEUR : Joss Whedon.
AVEC : Seth Green (Oz), Kristine Sutherland (Joyce Summers), Max Perlich (Whistler), Bianca Lawson (Kendra), Julie Benz (Darla), James Marsters (Spike), Juliet Landau (Drusilla), Armin Shimerman (Proviseur Snyder), Richard Riehle (Merrick) et aussi Jack McGee et Nina Girvitz.

En creusant les fondations d'un nouveau complexe immobilier, les ouvriers mettent au jour le sarcophage d'Acathla, un démon qui fut transformé en pierre par un chevalier. Angel s'en empare : il veut l'utiliser pour répandre l'enfer sur terre et tout détruire.

Pendant ce temps, sous le bureau de Jenny Calendar, Buffy et Willow découvrent la disquette de sauvegarde du sort qui permettrait de rendre son âme à Angel. Alex pense que ce serait une erreur de s'en servir, et Giles n'est pas très chaud pour la laisser faire, mais Willow se prépare tout de même au rituel.

Kendra réapparaît avec l'épée du chevalier qui avait emprisonné Acathla, et avertit Buffy : selon son Observateur, quelque chose de terrible est sur le point de se produire. La première tentative d'Angel visant à libérer le démon échoue ; le vampire attire Buffy loin de la bibliothèque pendant qu'un groupe conduit par Drusilla va enlever Giles.

Au terme de l'attaque, Willow, blessée à la tête, est plongée dans le coma, Alex a le poignet cassé et Kendra succombe face à Drusilla. Buffy revient à la bibliothèque

juste à temps pour recueillir son dernier souffle… et se faire surprendre par la police, qui l'accuse du meurtre.

Citation de la semaine :

« C'est une énorme stèle. Il faut que j'avertisse mes amis. Ils n'en ont pas de cette taille. »

— Spike, guère impressionné par le sarcophage d'Acathla.

L'Amour Selon la Tueuse :

Dans un des retours en arrière qui émaillent l'épisode, Angel voit Buffy pour la première fois quand l'Observateur Merrick lui révèle qu'elle est l'Elue. C'est le coup de foudre.

LE SAC A MALICE DE BUFFY :

Kendra lui donne une épée pour arrêter le démon, ainsi que son pieu favori, qu'elle a surnommé « M. Pointu ».

QUIZZ DE CULTURE POP :

Buffy écorche le nom du démon, qu'elle commence par prononcer Alfalfa (comme le personnage de *Little Rascals*), puis Al Franken (comme l'acteur américain).

CONTINUITÉ :

Cet épisode abonde en retours en arrière montrant des événements cruciaux de la vie des personnages : Darla transformant Angel en vampire (« Alias Angélus »), Angel torturant Drusilla (« Mensonge ») puis se faisant maudire par les bohémiens (« Alias Angélus », « Innocence »), Buffy apprenant qu'elle est la Tueuse (« Bienvenue à Sunnydale »).

> La cascadeuse qui prend feu dans une scène de cet épisode s'appelle Cindy Folkerson. À Hollywood, elle détient le record féminin d'immolations à l'écran.

Buffy et Angel découvrent la disquette de Jenny (« La Boule de Thésulah »). Willow tente une première fois de lancer le sort, mais elle est interrompue par l'attaque des vampires. Elle essaiera encore dans la deuxième partie de l'épisode.

La diversion organisée par Angel pour enlever Giles est identique à celle imaginée par le Juste des Justes et Absalom dans « La Métamorphose de Buffy », ce que le vampire ne manque pas de rappeler à la jeune fille.

Extrait du Scénario original :

Whistler : Il existe trois types de gens que personne ne comprend : les génies, les fous, et ceux qui marmonnent dans leur barbe.

Acathla, deuxième partie

TITRE ORIGINAL : *Becoming, Part 2 ;*
SCÉNARISTE ET RÉALISATEUR : Joss Whedon. **AVEC :** Seth Green (Oz), Kristine Sutherland (Joyce Summers), Robia LaMorte (Jenny Calendar), Max Perlich (Whistler), James Marsters (Spike), Juliet Landau (Drusilla) et Armin Shimerman (Proviseur Snyder).

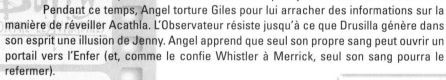

Buffy s'enfuit avant que la police ne puisse l'arrêter pour le meurtre de Kendra. Elle va à l'hôpital, où elle apprend qu'Alex a un bras cassé et que Willow est dans le coma. Whistler lui révèle qu'elle doit se servir de l'épée, mais la jeune fille est tellement frustrée qu'elle l'écoute à peine.

Spike va voir la Tueuse et lui propose une alliance temporaire pour arrêter Angel ; en échange, il veut que Drusilla et lui soient autorisés à quitter la ville. Buffy accepte à contrecœur. Willow reprend connaissance et insiste pour jeter le sort une nouvelle fois.

Pendant ce temps, Angel torture Giles pour lui arracher des informations sur la manière de réveiller Acathla. L'Observateur résiste jusqu'à ce que Drusilla génère dans son esprit une illusion de Jenny. Angel apprend que seul son propre sang peut ouvrir un portail vers l'Enfer (et, comme le confie Whistler à Merrick, seul son sang pourra le refermer).

Buffy va au manoir, bien décidée à libérer Giles et à tuer Angel. Alex ayant omis de le lui dire, elle ignore que Willow veut rendre son âme au vampire. Elle attaque avec l'aide de Spike, mais Angel réussit quand même à ouvrir le portail.

Quand la malédiction reprend effet et qu'Angel redevient l'homme qu'elle aime, Buffy réalise qu'elle doit lui percer le cœur et l'envoyer en enfer pour sauver le monde. Elle accomplit sa mission, puis quitte Sunnydale en bus après avoir laissé un mot à sa mère.

Citation de la semaine :

Giles : Qu'est-ce que vous voulez ?

Angel : Vous torturer, peut-être. J'adorais ça dans le temps, mais je ne l'ai pas fait depuis longtemps. La dernière fois que j'ai torturé quelqu'un, on n'avait pas inventé la tronçonneuse…

L'Amour Selon la Tueuse :

Alex admet qu'il aime Willow un peu avant que la jeune fille ne sorte du coma... Bien entendu, le premier nom qu'elle prononce est celui d'Oz.

Drusilla profite du chagrin de Giles, consécutif à la mort de Jenny Calendar, pour lui soutirer les informations dont Angel a besoin.

Redevenu lui-même, Angel échange un baiser passionné avec Buffy et lui déclare son amour avant qu'elle ne soit contrainte de l'expédier en enfer.

LE SAC A MALICE DE BUFFY :

Elle utilise l'épée donnée par Kendra pour percer le cœur d'Angel.

CONTINUITÉ :

Les policiers vont interroger Joyce au sujet de la culpabilité de Buffy dans le meurtre de Kendra, et font allusion aux antécédents criminels de sa fille. Après qu'un vampire eut attaqué Joyce, Buffy doit avouer à sa mère qu'elle est la Tueuse... un concept que Joyce a du mal à saisir.

Pour avoir l'air de souffrir atrocement pendant la scène où Angel le torture, Anthony Stewart Head coupait des piments extra-forts en petits morceaux et se les fourrait dans la bouche avant le début de chaque prise.

Quand Joyce demande à Spike s'ils se connaissent, le vampire lui rappelle qu'elle l'a frappé avec une hache dans « Attaque à Sunnydale ».

Le petit discours de Spike, affirmant qu'il aime le monde et ne veut pas le voir détruit (« Des millions d'humains, comme autant de bons repas ambulants... ») contredit ses actions dans « Innocence », où il voulait lâcher le Juge sur l'humanité.

Buffy est renvoyée par Snyder, rompant la promesse faite à sa mère dans « Bienvenue à Sunnydale ».

D'autres indices sur la conspiration fomentée par les autorités de Sunnydale transparaissent dans la conversation téléphonique entre Snyder et le maire (« Attaque à Sunnydale », « La Soirée de Sadie Hawkins »).

Spike et Drusilla quittent la ville comme ils y sont arrivés: dans leur DeSoto (« Attaque à Sunnydale »).

Angel retrouve son âme (« Alias Angélus », « Innocence »), mais Buffy doit quand même l'envoyer en enfer.

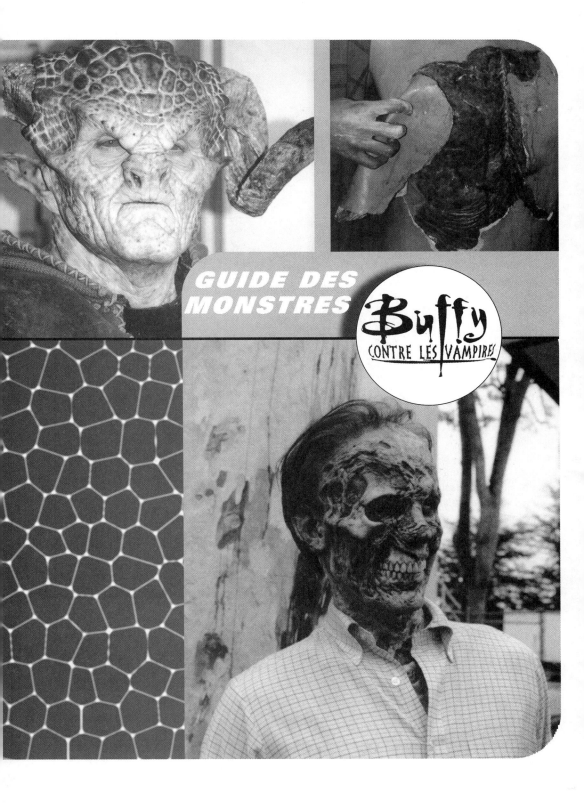

GUIDE DES
MONSTRES

Buffy
CONTRE LES VAMPIRES

VAMPIRES

Les vampires peuplent les légendes depuis la nuit des temps. De Chine jusqu'en Irlande, en passant par les autres pays du monde, chacun a sa version. Certains pensent que les références bibliques à un « hibou hurlant » sont des allusions au vampirisme, dans la mesure où le mot latin *strix* désigne aussi un vampire.

Ces mythes étaient présents dans l'ancienne Babylone, et d'autres références ont été découvertes sur des tablettes assyriennes et chaldéennes… Un fait qu'on est en droit de trouver perturbant. Il n'y a aucune raison pour que des cultures aussi diverses entretiennent les mêmes légendes, à moins que celles-ci ne soient basées sur un fond de vérité. Voilà qui donne à réfléchir…

Des *pennanglan* malais jusqu'aux *nachzehrer* allemands, le mythe des vampires semble avoir toujours existé. Cela serait assez facile à admettre si on pouvait prendre ses distances avec la mythologie en la replaçant dans un contexte historique. Mais bizarrement, elle se perpétue aujourd'hui à travers la culture pop moderne.

Partout dans le monde, on trouve des groupes de gens qui croient aux vampires, voire qui se prennent pour des buveurs de sang. Une secte de « vampires » fut responsable de plusieurs meurtres dans le sud-est des Etats-Unis, en 1996.

Mais la plupart des vampires modernes sont non-violents et se contentent de boire le sang des membres consentants de leur cercle. Jusqu'ici, aucun n'a manifesté les pouvoirs traditionnels des vampires de légende, ni n'est sorti de sa tombe après la mort.

Bien plus que toutes les autres créatures surnaturelles, les vampires doivent leur popularité à la littérature et aux média. Quelques écrivains s'y étaient essayés avant lui, mais c'est Bram Stoker qui, en 1897, publia le récit qui allait faire loi en la matière : *Dracula.*

Son œuvre a jeté les bases de presque toutes les histoires vampiriques écrites depuis. Les myriades de légendes qui existaient à travers le monde avaient leurs originalités et leurs variations sur le thème du vampire (processus de création, faiblesses, etc.), mais c'est *Dracula* qui établit les règles de référence.

Les vampires n'ont pas de reflet dans les miroirs. Ils ne projettent pas d'ombre. Ils ne peuvent pas traverser l'eau courante, et la lumière du soleil leur est fatale. Ils commandent des créatures primaires tels les rats, les chauves-souris et les loups, en quoi ils peuvent se transformer. Ils dorment dans un cercueil, avec un peu de terre de leur sol natal. Ils ont un regard hypnotique et peuvent changer n'importe quel humain en vampire s'ils boivent tout son sang. Ils craignent les croix et l'ail ; l'eau bénite les brûle. Un pieu dans le cœur, suivi d'une décapitation, est le seul moyen de s'en débarrasser une fois pour toutes.

Bien que les réalisateurs de cinéma et de télévision aient imaginé leurs propres variations sur ce thème de base, le consommateur moyen de culture pop occidentale accepte toujours l'œuvre de Stoker et les règles qui y sont définies comme la vérité suprême. Des films tels que *Les Prédateurs* ou *Aux Frontières de l'Aube* ont tenté de modifier cette perception. Les écrivains Kim Newman, Dan Simmons et surtout Anne Rice ont bousculé les règles de Stoker en créant leur propre mythologie vampirique.

« Pour devenir vampire, il faut qu'ils boivent votre sang ; ensuite, vous buvez celui de quelqu'un d'autre. C'est une sorte de cercle vicieux, mais en général, ils tuent leurs victimes. »
— **Buffy, dans « Bienvenue à Sunnydale », première partie.**

Quand vint le moment, pour Joss Whedon, d'inventer la mythologie de *Buffy contre les vampires*, il accepta certaines règles et en rejeta d'autres.

Sa plus grande divergence avec l'œuvre de Stoker est d'avoir adopté une interprétation de la mythologie vampirique dont seuls quelques érudits se souviennent: selon de très anciennes légendes, les vampires ne sont pas des humains

morts-vivants, mais des démons qui ont élu domicile dans des cadavres humains. A partir de ce principe, Whedon a créé des monstres qui ne sont pas aussi puissants que leurs ancêtres de fiction.

« La réalité, c'est autre chose. Tu crèves ; là, un démon ouvre boutique dans tes ruines. Et il marche, et il parle, et il se rappelle ta vie, mais ce n'est pas toi. »
— **Buffy à Ford, dans « Mensonge ».**

Dans le monde de Buffy, les vampires ne peuvent pas voler, ni se transformer en brume ou en animaux. Ils n'ont pas de reflet, mais projettent une

ombre, et peuvent également être filmés. Ils n'ont pas vraiment besoin de respirer, dans la mesure où leur corps ne consomme pas d'oxygène, mais leurs poumons continuent à simuler une fonction équivalente... sans doute pour les réconforter et leur faire oublier en partie leur statut de morts ambulants.

Les vampires de Whedon ont tous des pouvoirs hypnotiques, mais certains savent les utiliser mieux que d'autres. Drusilla s'en sert dans « Acathla », l'épisode final de la deuxième saison, pour inciter Giles à lui révéler des informations, puis pour distraire Kendra le temps de lui couper la gorge.

« Ecoutez-moi bien. Jesse est mort. N'oubliez pas : ce n'est pas votre ami que vous aurez devant vous, mais la chose qui l'a tué et qui le remplace. »
— **Giles à Alex, dans « Bienvenue à Sunnydale », deuxième partie.**

« Ce ne sont pas des humains du tout. S'ils peuvent avoir l'apparence, et même la personnalité, de l'être dont ils se sont emparés, ils restent des démons dans leur essence. »
— **Giles, dans « Alias Angélus ».**

Comme les vampires de Bram Stoker, ceux de Whedon ne peuvent pas entrer dans une maison sans y avoir été invités. Mais une fois que c'est fait, ils y reviendront quand bon leur semble. Dans *Dracula*, entrer dans des lieux de culte ou fouler un sol consacré leur est interdit, et ils craignent les symboles religieux, en particulier la croix chrétienne.

« Nous nous définissons par les choses qui nous effraient. Ce symbole... Ces deux morceaux de bois... Ils me déconcertent. Ils me remplissent d'une haine mortelle. La peur défie l'esprit. Comme la douleur, on peut la contrôler.

Si j'affronte ma peur, elle ne pourra pas me vaincre. »

— **Le Maître à propos d'un crucifix, dans « Billy ».**

Les vampires de Whedon n'ont aucun problème à entrer dans une église, mais le contact de la terre consacrée leur inflige de grandes souffrances, et ils craignent aussi la croix. Ils partagent avec ceux de Stoker la capacité de sortir le jour par temps couvert, ou à condition de demeurer dans l'ombre : seule la lumière directe du soleil peut les tuer, contrairement à la plupart des vampires de fiction créés au XXe siècle.

« Je ne peux pas voler : il n'y a aucun moyen efficace pour se protéger des rayons du soleil. »
— **Angel à propos des voyages en avion, dans « Innocence », première partie.**

Les vampires ont souvent été gratifiés d'un pouvoir de guérison instantané, qui agit sur toutes les blessures, exceptées celles provoquées par un pieu plongé dans leur cœur. Les vampires de Whedon peuvent se remettre de tout, mais il leur faut du temps. D'où le commentaire de Darla, dans « Alias Angélus » :
« Les balles ne tuent pas les vampires ; ils souffrent seulement le martyre. »

Sur l'origine des vampires, Whedon a une conception très spécifique qu'il expose par la bouche de Rupert Giles, l'Observateur :

« Le monde fut créé bien au-delà de ce que nous imaginons. Et contrairement à la croyance populaire, ce n'était pas un paradis. Pendant fort longtemps, les démons occupèrent la terre. Ils en firent leur royaume, leur enfer. Mais au fil du temps, ils perdirent leurs prérogatives. L'univers fut remodelé pour les mortels, et ils furent chassés par l'homme. De leur monde, il ne subsiste que des vestiges : certains rituels magiques et certaines créatures. »
« D'après ce bouquin, le dernier démon qui a fui la terre aurait mordu un humain, empoisonnant son sang. Ce faisant, l'homme devint comme possédé, infecté par l'âme démoniaque. Il mordit nombre de ses congénères, qui parcoururent le monde pour assouvir leur faim ou encore pour mêler leur sang afin de propager leur race, procédant à l'extermination de la nôtre pour que la leur règne sur terre. »
— **« Bienvenue à Sunnydale », deuxième partie.**

Pour faire revenir leurs ancêtres sur Terre, les démons qui habitent le corps des vampires ont créé leurs propres familles et des micro-sociétés : des clans de morts-vivants qui travaillent ensemble pour satisfaire leurs impulsions chaotiques.

Comme le fait remarquer Buffy dans « Mensonge », « les vampires sont pointilleux sur le choix de ceux qu'ils transforment ». En général, un clan se compose de plusieurs vampires et de celui qui les a tous créés, leur Sire. Jusqu'ici, le clan le plus connu dans la mythologie de *Buffy* est le Grand Ordre d'Aurélius, que le Maître dirigea pendant des siècles et auquel appartenaient autrefois Angel, Darla et, vraisemblablement, Spike et Drusilla.

Joss Whedon semble s'être démarqué à dessein des fictions vampiriques de ces dix dernières années, optant pour un compromis entre les légendes anciennes, les règles de Bram Stoker et sa propre vision.

ANGEL : Je t'ai appris à protéger tes arrières, il me semble. Tu devrais avoir quelqu'un dehors.

SPIKE : J'avais quelqu'un, seulement, je suis entouré d'idiots. Alors, comment tu vas ?

ANGEL : Bien, merci.

SPIKE : Tu cherches peut-être la Tueuse ?

ANGEL : Elle est mignonne. Elle n'est pas trop futée. Je joue au petit chien qui accourt quand sa maîtresse le siffle et comme ça elle me croit bien gentil, bien sage.

SPIKE : Comment peut-on se faire berner si facilement ? Dans quel monde on vit !

— « Attaque à Sunnydale »

Les vampires de *Buffy* sont des créatures uniques ; à mesure que la série progresse, les spectateurs attendent qu'on leur dispense plus d'informations à leur sujet.

ANGÉLUS

Angel est le vampire le plus important dans l'univers de *Buffy*. Il est à la fois l'amant de la Tueuse et son pire ennemi ; la source de ses plus grandes joies et de son désespoir le plus profond. Dans le Guide des Monstres, nous allons explorer sa face obscure, connue sous le nom d'Angélus.

Comme nous l'apprenons dans la première partie d'« Acathla », en 1753, à Galway en Irlande, Angel était un jeune vaurien souvent ivre et toujours prêt à revendre un peu de l'argenterie de son père pour se payer une nuit d'amour dans un bordel local.

Un soir, il rencontra Darla, devant qui il se vanta : « Sachez une chose : hormis une journée de labeur honnête, aucun défi ne m'a jamais fait reculer. »

Amusée, la vampire l'invita dans son monde au lieu de se contenter de le vider de son sang.

On peut établir un parallèle intéressant entre l'initiation d'Angel au monde des ténèbres et la rencontre de Buffy, alors âgée de quinze ans, avec feu l'Observateur Merrick.

BUFFY : Vous êtes de chez Bullock ? Vous savez, je voulais payer pour le rouge à lèvres.

MERRICK : Nous n'avons pas beaucoup de temps. Vous devez venir avec moi ; votre destinée vous attend.

BUFFY : Je n'ai pas de destinée. Je suis sans destinée, désolée.

— « Acathla », première partie.

Alors que Buffy devient une Tueuse héroïque, le gentleman dépravé Angel se transforme en Angélus au visage d'ange, le Fléau de l'Europe. Le Maître parle de lui comme de la créature la plus vicieuse qu'il ait jamais rencontrée.

Un de ses actes les plus horribles, parmi ceux dont nous avons eu connaissance jusque-là, fut la manipulation insidieuse d'une jeune Anglaise nommée Drusilla, qui, en 1860, était hantée par des visions. Sa mère lui ayant affirmé que la clairvoyance était un don du démon, Angélus se fit passer pour un prêtre afin de recueillir sa confession et de profiter de son désarroi.

DRUSILLA : Maman me dit que je suis maudite. Parce que j'insulte le Seigneur notre dieu, car Lui seul peut connaître les événements avant qu'ils ne se produisent. Mais je ne voulais pas ça, je vous le jure, mon père. Je vous le jure ! J'essaye d'être pure à Ses yeux. Je ne veux pas devenir mauvaise.

ANGEL : Doucement, mon enfant. Le Seigneur a des projets pour toutes Ses créatures. Même pour une enfant du Malin comme vous.

DRUSILLA : Du Malin ?

ANGEL : Oui. Vous êtes une créature de Satan ; tous les « Je vous salue Marie » n'y feront rien. Le Seigneur vous châtiera comme vous le méritez. Il aime ça.

DRUSILLA : Que dois-je faire ?

ANGEL : Il désire que vous soyez mauvaise ; alors faites le mal, obéissez-Lui.

DRUSILLA : Non. Je veux être bonne et pure.

ANGEL : C'est ce que nous voulons tous. Il faut l'accepter : le monde n'est pas ainsi.

DRUSILLA : Père, je vous en prie. Pitié, pitié, aidez-moi !

ANGEL : Je vous entends. Dix « Notre Père » et un acte de contrition, ça vous ira ?

DRUSILLA : Oui. Oui mon père, merci.

ANGEL : Le plaisir était pour moi. Et, mon enfant ?

DRUSILLA : Oui ?

ANGEL : Dieu vous regarde.
— « Acathla »,
première partie.

Angélus rend folle la pauvre Drusilla. Il profite de sa confusion mentale et tue tous ceux qu'elle aime. Désespérée, la jeune fille se réfugie dans un couvent. Le jour où elle prononce ses vœux, Angélus la transforme en vampire.

Avant, il avait tué sa propre famille et, un siècle durant, infligé une mort affreuse à tous ceux qu'il rencontrait. « Je l'ai fait avec une joie immense », dit-il à Buffy.

Angélus finit par quitter l'Angleterre, apparemment en compagnie de Darla, avec qui il avait une relation amoureuse. Ensemble, ils sèment la terreur en Europe. A Budapest, ils cueillirent les humains « comme du raisin sur la vigne ». Angélus se complaisait à torturer des animaux et des humains, comme il le confia plus tard à Giles.

« J'adorais ça dans le temps, mais je ne l'ai pas fait depuis longtemps. La dernière fois que j'ai torturé quelqu'un, on n'avait pas inventé la tronçonneuse… »
— « Acathla », deuxième partie.

Angélus aurait sans doute continué à être un animal violent et vicieux — selon les termes de Giles — si Darla ne lui avait pas fait cadeau d'une jeune bohémienne pour qu'il s'en nourrisse. Après avoir découvert le cadavre, sa tribu, les Romini, décida de se venger d'Angélus en lui rendant son âme. Comme Angel l'explique à Buffy :

« Quand on devient un vampire, le démon ne touche pas l'âme. Il ne prend que le corps ; la conscience s'anéantit, et sans conscience, il n'y a pas de remords. La vie est simple. Si tu savais dans quel enfer je suis depuis que j'ai conscience de mes actes… C'est horrible. »
— « Alias Angélus »

A partir de ce jour, les Romini envoyèrent des membres de leur clan espionner Angel pour s'assurer que leur malédiction ferait de sa vie un enfer sur terre. Mais le vampire ignorait un détail : s'il connaissait le bonheur parfait, fût-ce un instant, il perdrait de nouveau son âme et redeviendrait maléfique. Après la nuit passée dans les bras de Buffy (« Innocence »), il crie de douleur à la lune tandis que son âme déserte son corps.

Redevenu Angélus, sa première action consiste à se nourrir d'un être humain : une chose qu'il n'avait pas faite depuis un siècle. Puis il part en quête de

Spike et de Drusilla pour affirmer sa domination sur eux. Fasciné par son nouveau jouet (le Juge), le couple met un moment à réaliser ce qui se passe quand Angel entre dans son repaire.

LE JUGE (pressé par Spike de brûler le bien qui demeure chez Angel) : Impossible. Il n'y en a pas la moindre trace.
SPIKE : Vous voulez dire que… ?
LE JUGE : Il est totalement dénué d'humanité.
DRUSILLA : Angel ?
ANGEL : Oui, chérie, je suis de retour.
                — « Innocence », deuxième partie.

Angélus joue immédiatement le rôle de chef de la petite famille qu'il forme avec Spike et Drusilla. Il ne cesse de tourmenter Spike, affaibli et cloué sur une chaise roulante, avec des plaisanteries de plus en plus cruelles. Il séduit Drusilla et ne manque pas une occasion de sous-entendre qu'il couche avec elle, ce qui rend Spike fou de jalousie.

Angélus se donne pour mission de détruire tous ceux qui l'ont aidé à se sentir humain quand il était encore Angel, tourmenté par ses remords… Notamment, la jeune fille qui lui a offert son premier instant de bonheur depuis des siècles : Buffy.

Il tente d'assassiner ses amis, en commençant par Willow. Mais Jenny Calendar, informée de ce qui lui est arrivé, le tient à distance avec une croix le temps que Buffy vienne à la rescousse et sauve Willow (« Innocence »).

Angélus hait Buffy pour lui avoir inspiré de l'amour, mais il la craint également : elle est la plus puissante de toutes les Tueuses que Spike et lui aient jamais affrontées. N'osant pas l'attaquer directement, il la harcèle pour tenter de la rendre folle (une tactique qui avait bien fonctionné avec Drusilla) : il se glisse dans sa chambre pendant son sommeil pour lui laisser des dessins d'elle endormie, tue les poissons rouges de Willow, menace Joyce Summers et lui révèle qu'il a couché avec sa fille.

DRUSILLA : Tu ne veux pas la tuer, pas vrai ? Tu veux juste lui faire du mal, comme à moi.
ANGEL : Personne ne me connaît aussi bien que toi, Dru.
SPIKE : Il vaudrait mieux qu'elle ne s'interpose pas.
ANGEL : Ne t'en fais pas pour ça.
SPIKE : Si, je m'en fais.

ANGEL : Spike, mon garçon. Tu ne comprends rien, n'est-ce pas ? Tu as essayé de la tuer, et tu n'as pas pu. Regarde-toi. Tu es dans un état… La force ne résoudra rien. Il faut la saper de l'intérieur. Pour tuer cette fille, il faut l'aimer.
                — « Innocence », deuxième partie.

Mais tous ses plans se retournent contre lui. Buffy comprend qu'une telle cruauté ne peut venir d'Angel, même transformé, et que c'est une créature totalement différente qui habite le corps de son ancien petit ami. Du coup, elle se résigne à le tuer.

Pendant ce temps, Angélus réalise que Jenny Calendar, la bohémienne envoyée par les Romini pour l'espionner, tente de le maudire à nouveau pour lui rendre son âme. Au cours d'une scène à vous glacer les sangs, il lui rend visite au lycée, brise la Boule de Thésulah qui devait abriter son âme jusqu'à ce qu'elle lui soit retournée, et détruit ce qu'il croit être la totalité des copies du sort. Puis, sans passion ni haine mais avec une froide satisfaction, il brise le cou de Jenny.

Peu de temps après, il annonce qu'il en a fini avec sa vendetta personnelle contre la Tueuse. Plutôt que de s'acharner sur elle, il préfère provoquer la perte de toute l'humanité en ramenant à la vie le démon Acathla. En prenant cette décision, il se débarrasse de ses derniers vestiges d'humanité, y compris de la passion qu'il éprouvait pour la Tueuse… Qu'elle se manifeste sous forme d'amour ou de haine !

A présent, Angélus au visage d'ange est redevenu un monstre.

LE MAÎTRE

« En résumé, il y a soixante ans, un vieux vampire très puissant vint dans cette ville, et pas seulement pour assouvir sa faim », affirme Giles dans la seconde partie de « Bienvenue à Sunnydale ».

Pendant les douze épisodes de la première saison, le Maître, chef du Grand Ordre d'Aurélius, fut le principal ennemi de Buffy dans une ville qui en débordait littéralement. Bien que son nom et son histoire ne soient jamais révélés à l'écran, Joss Whedon affirme dans le scénario qu'il s'appelle

Heinrich Joseph Nest, qu'il est le plus puissant des vampires et arpente la Terre depuis six siècles.

A l'origine, le Maître fut attiré à Sunnydale parce qu'elle était située sur la Bouche de l'Enfer, que Giles décrit comme « une sorte de porte entre ici et l'au-delà »… autrement dit, l'enfer.

Selon la mythologie de la série, nous savons que c'est l'endroit où vivent actuellement les démons qui peuplaient la Terre avant l'arrivée des humains. Les plus âgés sont appelés Anciens, un terme qui fait allusion au mythe de Cthulhu créé par un des fondateurs de la littérature de terreur, H.P. Lovecraft.

Adorateur des Anciens, le Maître espérait ouvrir la Bouche de l'Enfer pour permettre aux démons de revenir sur Terre. Au moment de son arrivée à Sunnydale, son plan aurait réussi sans un terrible coup du sort (pour lui, mais pas pour le reste du monde !).

En 1937, un tremblement de terre ébranla Sunnydale, détruisant la moitié de la ville et engloutissant une vieille église qui devint la prison du Maître. Car ce fut là que la Bouche de l'Enfer commença à s'ouvrir avant d'être bloquée par le séisme, et sans doute par le Maître lui-même. Selon Giles, « pour faire communiquer deux dimensions, il faut de l'habileté. Le Maître s'est retrouvé coincé, un peu comme un bouchon dans une bouteille. »

Ainsi, le Maître demeura prisonnier dans les limbes, entre la terre et l'enfer, de 1937 à 1997. Au cours de la première saison de la série, il tenta plusieurs fois de se libérer. Grâce aux pouvoirs oniriques d'un petit garçon plongé dans le coma, il y parvint brièvement dans « Billy ».

Dans le dernier épisode de la première saison, « Le Manuscrit », il réussit enfin à s'échapper pour de bon. Une prophétie du *Pergamum Codex* — qui selon Giles ne se trompe jamais — affirmait que le Maître affronterait la Tueuse et que celle-ci mourrait.

Buffy voulut se dérober à ses responsabilités, mais elle finit par descendre dans l'antre du vampire pour l'affronter. Le Maître but un peu de son sang, qui lui donna la force de se libérer. Après avoir mordu la jeune fille, il la jeta dans l'eau, où elle se noya et mourut. Mais Alex parvint à la ressusciter en ayant recours au bouche à bouche.

Le Maître avait atteint son objectif. La Bouche de l'Enfer était ouverte. Les premiers Anciens commençaient à en sortir quand Buffy coinça le Maître. Après qu'elle l'eut embroché dans la bibliothèque du lycée, Giles, Willow et Alex enterrèrent ses ossements dans de la terre consacrée.

Dans le premier épisode de la deuxième saison, « La Métamorphose de Buffy », les fidèles du Maître essayèrent de le ressusciter. Mais Buffy les arrêta avant de réduire en poudre les os du vampire pour interdire toute tentative ultérieure.

Pour l'heure, on peut donc supposer que c'en est bien fini du Maître. Mais on ne sait jamais…

SPIKE

Également connu sous le nom de William le Sanguinaire, il apparaît pour la première fois dans « Attaque à Sunnydale », quand il emboutit avec sa voiture le panneau « Bienvenue à Sunnydale » placé à l'entrée de la ville. Ses premiers mots en arrivant, « Enfin chez soi ! », signifient que la Bouche de l'Enfer est le domaine naturel des vampires, et pas qu'il est déjà venu à Sunnydale.

Dans le même épisode, le Juste des Justes rassemble ses fidèles pour déterminer qui va remplacer le Maître. Deux vampires, désignés dans le scénario sous les noms de « Gros Laid » et de « Freluquet » sont en pleine dispute quand Spike entre dans leur repaire.

Gros Laid : Samedi soir, nuit de la Saint-Valérien, notre pouvoir sera incommensurable. Pour chacun de nous, la mort de la Tueuse sera le plus grand événement depuis la Crucifixion. Et ça, je le sais parce que j'y étais.

Spike : Tu y étais… Allons, allons, si chaque vampire qui a dit avoir été présent à la Crucifixion y était effectivement, on aurait assisté à un premier Woodstock !

Gros Laid : Je devrais te trancher la gorge, vermine !

Spike : En fait, moi, j'étais à Woodstock. Une fête plutôt étrange. J'ai avalé un gentil hippie et j'ai passé les six heures suivantes à regarder ma main trembler.

— « Attaque à Sunnydale »

Spike se vante d'avoir éliminé deux Tueuses. Puis Drusilla entre ; elle est visiblement folle et très affaiblie. Spike ne vit que pour elle et pour assouvir sa soif de pouvoir. Voulant prouver sa valeur, il jure de détruire Buffy.

Peu de temps après, Spike et Gros Laid vont au *Bronze*. Conformément au plan de Spike, Gros Laid attire Buffy dehors pour se battre avec elle. Malgré sa vantardise, il ne tarde pas à succomber tandis que Spike l'observe de loin, jaugeant les capacités de la Tueuse.

Plus tard, Buffy et ses amis parlent de l'arrivée de Spike, et Angel révèle qu'il le connaît. « Quand il commence quelque chose, il va jusqu'au bout. Si tu te trouves sur son passage, tu es mort. »

Giles découvre des références dans les Journaux d'Observateurs.

« Notre ami Spike, ou plutôt William le Sanguinaire. Surnom donné parce qu'il torture ses victimes et boit leur sang chaud… Une bonne nouvelle : il a deux cents ans, presque le même âge qu'Angel.

— « Attaque à Sunnydale »

La nuit de la réunion parents-professeurs, Spike et les autres vampires attaquent le lycée, mais sont vaincus et doivent battre en retraite après que Spike lui-même eut été frappé — à coups de hache — par Joyce Summers. Le Juste des Justes est très mécontent. Spike résout le problème en se débarrassant de lui. « A partir de maintenant, dit-il aux autres vampires, nous aurons un peu moins de rituels et nous ferons un peu plus la fête. »

Sa deuxième apparition a lieu dans « Halloween », où nous apprenons qu'il a fait filmer Buffy pour étudier ses tactiques de combat. Plus tard, Spike attaque de nouveau la jeune fille et essuie un nouvel échec.

Il essaye de la tuer une troisième fois dans « Mensonge », mais Buffy le met en fuite en menaçant Drusilla, toujours affaiblie. Dans le même épisode, nous découvrons que Spike est très jaloux des rapports que sa compagne avait autrefois avec Angel, un sujet dont l'importance augmentera jusqu'à la fin de la deuxième saison.

Dans l'épisode en deux parties « Kendra », Spike parvient à rendre ses forces à Drusilla, mais il finit sur une chaise roulante. Désormais, il sera plus calme, presque morose. Même quand Drusilla et lui reconstituent le Juge, dans « Innocence », il paraît agir pour faire plaisir à sa compagne davantage que pour détruire l'humanité.

Quand Angel et Buffy font l'amour pour la première fois, entraînant la fin de la malédiction et le retour d'Angélus, la flamme qui animait Spike se ravive en même temps que sa jalousie et sa haine d'Angélus. Car celui-ci ne cesse de se moquer de son handicap, et il flirte outrageusement avec Drusilla.

En apparence, Spike encaisse le coup et encourage Angélus à en finir avec la Tueuse une bonne fois pour toutes. A la fin de « La Soirée de Sadie

Hawkins », on s'aperçoit qu'il n'est pas aussi docile qu'il en a l'air : alors que personne ne peut le voir, il se lève de sa chaise roulante. A l'évidence, il a recouvré ses forces mais ne veut pas que ça se sache. William le Sanguinaire est de retour, et il mijote quelque chose…

Dans le dernier épisode de la deuxième saison, Spike se retourne contre Angel, dont le plan — détruire le monde — lui apparaît aussi saugrenu que contraire à l'intérêt des vampires. En outre, Spike a réalisé que la seule chose qui lui importe est de récupérer Drusilla.

En conséquence, il prend une initiative étonnante : il s'allie avec la Tueuse et promet de l'aider à sauver ses amis si elle laisse vivre Drusilla et leur permet de quitter la ville pour ne plus jamais y revenir.

« Les vampires aiment les grandes phrases : comme je vais détruire le monde… Des conversations en l'air, entre copains, devant un verre d'hémoglobine. En vérité, moi, j'aime ce monde. J'aime les courses de chiens, les équipes de foot, et surtout, il y a les humains. Des millions d'humains, comme autant de bons repas ambulants. C'est beau tout ça. Mais soudain, un type se pointe avec une autre intention. Une réelle passion pour la destruction. Angel pourrait tout balayer. Au revoir beaux paysages, bon vent le monde entier. Je suis suffisamment clair ? »

— **Spike, dans « Acathla », deuxième partie.**

Bien que tout ne se passe pas comme prévu, à la fin du dernier épisode, Spike et Drusilla s'enfuient dans la voiture qui les avait amenés à Sunnydale, les vitres teintées remontées pour les protéger du soleil. Spike a promis que Buffy n'entendrait plus parler d'eux, et il ferait bien de s'en tenir là : depuis

qu'il l'a abandonnée, lors de son combat final contre Angel, la Tueuse a probablement… une dent contre lui.

DRUSILLA

Comme Spike, elle apparaît pour la première fois dans « Attaque à Sunnydale ». Elle est sans doute un des personnages les plus étranges dans la mythologie de *Buffy*, car son évolution est étonnamment parallèle à celle de la Tueuse. Au début, elle paraît malade et très affaiblie ; Spike se met en quatre pour satisfaire ses caprices. A moitié folle, Drusilla lâche des phrases incohérentes et joue à la dînette avec des poupées qu'elle a bâillonnées.

« Vous aimez les lilas ? J'en plante parfois mais ils crèvent toujours. Tout ce que je peux faire pousser se flétrit et meurt un jour. Spike, j'ai froid, maintenant. »

— **Au Juste des Justes, dans « Attaque à Sunnydale ».**

« Mademoiselle Edith parle quand ce n'est pas son tour. Elle est un mauvais exemple et sera privée de gâteau aujourd'hui. Chut ! »

— **A propos de sa poupée favorite, dans « Attaque à Sunnydale ».**

« Tu sais de quoi j'ai envie ? De litchis. »

— **« Halloween »**

Drusilla a des visions colorées dans le kaléidoscope de sa folie, mais Spike parvient toujours à les interpréter. Comme la Tueuse, elle fait des rêves prémonitoires. Et comme la Tueuse, elle a des sentiments très forts pour Angel.

Lors de sa première apparition, nous découvrons quelques bribes de son passé et apprenons que Prague lui manque… Pourtant, comme le souligne Spike, elle a failli s'y faire lyncher par une foule en colère. Si elle passe le plus clair de son temps à jouer avec ses poupées ou à ressasser ses visions, elle trouve le temps de s'offrir une sortie nocturne pour rencontrer Angel. C'est là, dans « Mensonge », que leur passé commun est évoqué pour la première fois.

ANGEL : J'ai fait un tas de choses affreuses quand je suis devenu un vampire. Drusilla était la pire. Elle m'obsédait. Elle était pure et douce et chaste.

BUFFY : Tu l'as transformée en vampire.

ANGEL : J'ai commencé par la rendre folle. J'ai tué tous ceux qu'elle aimait, et je lui ai infligé toutes les tortures imaginables. Elle s'est réfugiée dans un couvent. Le jour où elle a prononcé ses vœux, je l'ai transformée en démon.

— « Mensonge »

Dans l'épisode en deux parties « Kendra », Drusilla retrouve ses forces grâce à un rituel accompli par Spike qui a nécessité le sang d'Angel (son Sire). « Dis "oncle" ! ordonne-t-elle en torturant Angel. Non, c'est vrai : tu as tué le mien. »

Ironiquement, à la fin de cet épisode, Spike est blessé et condamné à la chaise roulante ; alors, Drusilla et lui changent de rôles : désormais, c'est elle qui est forte et doit veiller sur lui.

« Tu as été un très mauvais père. »
— Drusilla à Angel, dans « Kendra »,
deuxième partie.

DRUSILLA : Ma maman mangeait des citrons. Elle disait qu'elle aimait leur goût amer. Elle adorait la crème anglaise et les poires au cognac…

ANGEL : Dru…

DRUSILLA : Chut. Et les grenades. Elle se mettait du rouge plein la figure et les doigts. Tu te souviens de ses petites mains ?

ANGEL : Si je pouvais, je…

DRUSILLA : Tiens ta langue ! Mes parents mangeaient, autrefois. Des gâteaux et des œufs. Du miel, aussi. Jusqu'à ce que tu leur arraches la gorge.

— « Kendra », deuxième partie.

Dans « Innocence », quand Angel réapparaît après avoir perdu son âme, Drusilla est ravie… contrairement à Spike. Elle ne semble pas mesurer la tension qui existe entre les deux hommes — à moins qu'elle ne s'en délecte —, car elle ignore totalement le malaise de Spike et le sadisme d'Angélus. Il semble qu'elle redevienne la maîtresse d'Angel, bien que rien ne soit jamais à l'écran. Au sein du trio, la tension continue à croître jusqu'à la fin de la deuxième saison.

L'intervention la plus amusante de Drusilla a lieu dans « Un Charme Déroutant » quand, sous l'effet du sort jeté par Amy Madison, elle tombe amoureuse d'Alex et lui offre la vie éternelle. Dans « La Boule de Thésulah », elle adopte un petit chien dont le maître a eu un accident (en fait, la mauvaise idée de *percuter* les crocs de la vampire).

Le passé de Drusilla nous est montré au cours de la première partie d'« Acathla ». A Londres, en 1860, nous assistons à la première rencontre de Drusilla et d'Angélus, qui commence à jouer avec son esprit.

« J'ai rencontré un vieil homme. Je ne l'ai pas aimé. Il est coincé dans mes dents ! Mais heureusement, la lune s'est levée. Elle m'a murmuré des choses, toute sorte d'horribles choses. »
— Drusilla, dans « Acathla », première partie.

A la fin de cet épisode, la nature profondément maléfique de Drusilla nous est révélée. Au cours de l'attaque de la bibliothèque, elle hypnotise Kendra et lui tranche la gorge. Dans la seconde partie, elle hypnotise également Giles, le convainquant qu'elle est Jenny Calendar pour lui arracher la dernière information nécessaire au réveil d'Acathla.

Lors du combat final, Drusilla est vaincue par Spike — qui a conclu une alliance avec la Tueuse —, et contrainte à se retirer de la bataille. Son compagnon l'emmène ensuite loin de Sunnydale. Mais gageons que nous n'avons pas fini d'entendre parler d'eux…

DARLA

Excepté le Maître et, bien entendu, Angel, Darla est le personnage le plus important de la mythologie vampirique de la première saison.

Membre du Grand Ordre d'Aurélius, elle est également le premier vampire que nous voyons quand elle tue un lycéen dans le pré-générique de « Bienvenue à Sunnydale ». Au cours du même épisode, elle devient le premier vampire à avoir vraiment combattu la Tueuse dans la série (un peu plus tôt, Buffy est attaquée par Thomas, mais elle ne l'embroche pas immédiatement, donc ça ne compte pas).

Darla est un personnage intéressant : bien que le Maître torture ou tue ceux qui lui désobéissent, elle le traite de façon très cavalière sans jamais en subir les conséquences. Par exemple, dans la deuxième partie de « Bienvenue à Sunnydale », elle goûte le sang de Jesse avant de livrer le jeune homme au Maître. Pourtant, quand Luke est tué, au cours du même épisode, c'est elle qui prend sa place à la droite du Maître.

Darla réapparaît dans « Alias Angélus ». Le Maître a envoyé trois vampires-guerriers surnommés le Trio pour tuer Buffy ; après qu'ils eurent rapporté leur échec, elle les exécute joyeusement.

Dans le même épisode, nous en apprenons davantage sur elle quand elle rend visite à Angel dans son appartement. Elle semble avoir été sa maîtresse du moment où elle l'a changé en vampire jusqu'à celui où les Romini lui ont rendu son âme. C'est elle qui a fait cadeau de la jeune bohémienne à Angélus, à l'époque du tremblement de terre qui ravagea Budapest.

Darla espère ramener Angel au sein du « troupeau » en le forçant à tuer Buffy. Pour cela, elle attaque la mère de la jeune fille, devenant le seul vampire à avoir bu le sang d'un des proches de la Tueuse. Puis elle tente de faire accuser Angel à sa place. Mais son plan échoue. A la fin de l'épisode, Angel la tue.

Le Maître pleure Darla. « Elle a été ma seule favorite pendant quatre cents longues années », dit-il.

LE SUCCESSEUR

« **E**t viendra l'époque de la misère et de la détresse, où le monde s'interrogera sur son propre destin. Et c'est à cette époque qu'apparaîtra le Juste des Justes. Le combattant suprême du Maître. La Tueuse ne le reconnaîtra pas, ne l'arrêtera pas, et c'est en Enfer que le Juste des Justes la conduira. Ainsi il est écrit, ainsi il en sera, mes frères. Cinq êtres humains mourront, et de leurs cendres brûlantes naîtra le Juste des Justes. Le Grand Ordre d'Aurélius l'accueillera et le conduira vers sa destinée immortelle. »

— Le Maître, lisant les écrits d'Aurélius, dans « Un Premier Rendez-Vous Manqué ».

De son vivant, le Juste des Justes était un petit garçon à l'allure angélique appelé Collin. Après sa transformation, il conserva son apparence mais acquit une voix grave et un regard noir inexpressif, devenant ainsi l'arme secrète que le Maître affûtait en secret pour s'en servir contre la Tueuse.

Il apparaît pour la première fois dans « Un Premier Rendez-Vous Manqué ». Qu'il jette des cailloux dans une mare de sang ou qu'il tienne la main du Maître (et, plus tard, de Buffy elle-même), il ressemble toujours à un gentil petit garçon. Mais il est déterminé à débarrasser le Maître de la Tueuse, et fait preuve d'une froide lucidité chaque fois qu'il doit évaluer une situation.

Par exemple, après la mort de Darla, le Maître s'abandonne à son chagrin. La vampire était sa favorite depuis quatre siècles, et il ne supporte pas de l'avoir perdue à cause d'Angel, qui devait siéger à sa droite le jour de son avènement. D'une voix vide d'émotion, Collin lui dit : « Elle était faible. On n'a pas besoin d'elle. Je vous apporterai la tête de la Tueuse. »

Bien qu'il n'attaque jamais physiquement Buffy, c'est Collin qui la conduit jusqu'à l'antre du Maître dans « Le Manuscrit ». C'est également lui qui orchestre la tentative de résurrection du Maître dans « La Métamorphose de Buffy ».

Après son échec, il devient le chef de la petite communauté vampirique... jusqu'à l'entrée en scène de Spike et de Drusilla. A la fin d'« Attaque à

Sunnydale», Spike le tue en l'enfermant dans une cage pour l'exposer à la lumière crue du soleil.

La venue du Juste des Justes avait été prédite au XIIe siècle par Aurélius, fondateur de l'ordre du même nom. «Cinq êtres humains mourront, et de leurs cendres brûlantes naîtra le Juste des Justes.»

Selon les sources de Giles, le Juste des Justes devait apparaître au soir du millième jour après l'avènement de Septus. Le moment venu, le Maître envoya donc ses fidèles accomplir la prophétie en tuant les passagers et le chauffeur d'une navette qui se dirigeait vers l'aéroport: cinq personnes, dont Andrew Borba, un fou que la police recherchait pour l'interroger sur un double meurtre.

Quand Borba, devenu un vampire, se releva à la morgue de Sunnydale, Giles, Buffy et leurs amis pensèrent avoir affaire au Juste des Justes. La Tueuse l'élimina et crut avoir rempli sa mission. Pendant ce temps, le petit Collin faisait son entrée à la cour du Maître.

Dans «Le Manuscrit», Mlle Calendar parle à Giles d'un «moine fou de Cortona» qui lui a envoyé un e-mail au sujet du Juste des Justes. Plus tard, Giles lui demande si elle a pu le contacter.

JENNY : Non; d'ailleurs, personne n'a plus de nouvelles. Il a disparu. Il m'a envoyé un dernier message très sibyllin...

GILES : Qu'est-ce qu'il disait ?

Jenny : *Isaïe onze six*, et j'ai vérifié diligemment.

GILES : Le loup vivra avec l'antilope, le léopard se couchera avec l'enfant, le lion et la brebis s'abreuveront ensemble, et le jeune enfant les guidera.

— « Le Manuscrit »

Quand le Juste des Justes voit arriver Buffy la nuit où elle est censée mourir, il feint d'être un petit garçon perdu et pleure. «Je te suivrai, lui dit Buffy. Je sais qui t'envoie.» Elle lui prend la main, et il la conduit vers sa destinée.

LUKE

Le second vampire présenté aux téléspectateurs est Luke, membre du Grand Ordre d'Aurélius et bras droit du Maître au début de la série. Il est très puissant, comme en témoigne ce dialogue :

LE MAÎTRE : La Tueuse... Tu peux prouver ce que tu avances ?

LUKE : Après s'être frottée à moi, elle est encore en vie.

LE MAÎTRE : Oh mais oui ! C'est une preuve tangible. Si j'ai bonne mémoire, ce fait regrettable s'est déjà produit.

LUKE : Oui, en 1843 à Madrid. C'était dans mon sommeil.

— « Bienvenue à Sunnydale », deuxième partie.

Buffy est la première adversaire qui lui résiste depuis plus d'un siècle et demi. Depuis, Luke n'a pas affronté de Tueuse, et il confesse plus tard qu'il a toujours eu envie d'en éliminer une.

Dans la deuxième partie de «Bienvenue à Sunnydale», nous découvrons que le Maître, une fois tous les cent ans, regagne du pouvoir grâce à un rituel appelé la Moisson. Luke a été choisi pour servir de Vaisseau. Le Maître lui trace un symbole sur le front avec du sang et accomplit un rituel au terme duquel chaque âme que prendra Luke le nourrira, et lui donnera la force de se libérer.

Luke et les autres fidèles du Maître attaquent le *Bronze*, et la Moisson commence. Malheureusement pour le Maître, et plus encore pour son Vaisseau, Buffy arrive à temps pour rétablir la situation et pulvériser Luke.

DALTON

Contrairement aux autres vampires des deux premières saisons, Dalton semble très calme et studieux, un peu comme une version démoniaque de Willow. Lors de sa première apparition à l'écran, dans «Kendra», il tente de traduire un vieux manuscrit pour aider Spike à guérir Drusilla. Malgré son caractère réservé, il n'hésite pas à mettre en question les méthodes de Spike dans cet épisode.

DALTON : Je ne suis pas certain. Ça pourrait être... *Deprimere ille bubula linter.*

SPIKE : Enfoncez le steak de... canoë. Bizarrement, ça ne me dit rien.

— « Kendra », première partie.

Dans le même épisode, Dalton part chercher le

Manuscrit du Lac, qui lui permettra de traduire le rituel pour Spike. Mais nous ne le revoyons pas avant « Innocence », où il aide Spike et Drusilla à collecter les morceaux du Juge. A un moment, Drusilla manque le tuer, mais Spike l'en empêche et suggère à Dalton de réparer l'erreur qu'il a commise.

« Dru, ma chérie… Laisse-lui une chance de retrouver ton trésor perdu. C'est un incompétent, mais c'est le seul type dont nous disposons qui ait la moitié d'un cerveau. S'il échoue, je te promets que tu pourras lui arracher les yeux. »
— Spike, dans « Innocence », première partie.

Personnage intéressant en dépit de ses rares apparitions, Dalton succombe en devenant le premier repas du Juge dans « Innocence ».

THOMAS

Thomas est un vampire assez jeune et pas très intelligent, qui apparaît seulement dans le premier épisode de la série. Il est le premier vampire que Buffy repère à Sunnydale, au grand dam de Giles, parce qu'elle a réussi grâce à ses instincts d'adolescente et non de Tueuse : Thomas s'habille selon la mode des années 80, et Buffy pense que les vampires restent focalisés sur l'époque de leur mort.

Un peu plus tard, Thomas flirte avec Willow et la convainc de venir manger une glace avec lui. Ils quittent le *Bronze* ensemble, et Thomas attire la jeune fille dans le cimetière, vers la crypte qui dissimule l'entrée du repaire du Maître. Peu de temps après, il croit pouvoir s'attaquer à Buffy et devient sa première victime de la série.

MAIN FOURCHUE

Main Fourchue faisait autrefois partie du Grand Ordre d'Aurélius, celui des fidèles du Maître. Après avoir mécontenté ce dernier, il s'est coupé la main en signe de pénitence et l'a remplacée par une sorte de crochet métallique.

Avant les événements de l'épisode « Le Chouchou du Prof », Main Fourchue a combattu et blessé Angel, mais tous deux ont survécu à cette rencontre. « Ne le laisse pas te coincer, dit Angel à Buffy. Et surtout sois sans aucune pitié ; sinon, il t'arrachera la gorge. »

Dans « Le Chouchou du Prof », pendant qu'il cherche des proies à Weatherly Park, Main Fourchue rencontre Buffy, qui le force à s'enfuir. La jeune fille le suit et voit son expression horrifiée lorsqu'il aperçoit Mlle French, la remplaçante du professeur de biologie, en réalité une mante religieuse géante.

Plus tard, Buffy utilisera la peur de Main Fourchue pour retrouver la créature, avant d'éliminer le vampire sans l'ombre d'un remords. Moralité, ce n'est pas aussi difficile qu'on veut nous le faire croire.

LE TRIO

Dans le pré-générique d'« Alias Angélus », le Maître annonce à Darla que Zachary, un membre de leur famille aussi résistant que prudent, a été éliminé par la Tueuse. Très irrité, il décide de se débarrasser de Buffy une bonne fois pour toutes et convoque le Trio, pour la plus grande joie de Darla.

Le Trio est un groupe de vampires-guerriers musclés et couverts de cicatrices qui portent des cuirasses d'une autre époque. D'un pas assuré, ils arpentent les rues de Sunnydale, effrayant les voyous les plus endurcis. Ils finissent par découvrir Buffy et l'attaquent. La jeune fille a le dessous jusqu'à l'arrivée d'Angel. Celui-ci, le vampire le plus vicieux qui ait jamais existé, récolte quand même une grave blessure et parvient de justesse à s'enfuir avec Buffy.

Plus tard, Giles confie à la jeune fille : « Il va de soi que vous gênez beaucoup le Maître. Il garde le Trio pour les grandes occasions. »

Entre-temps, ayant saboté sa mission, le Trio comparaît devant le Maître, à qui les vampires-guerriers offrent leur vie en signe de pénitence. Le Maître joue avec eux et leur laisse croire qu'il les épargnera. Mais Darla les contourne et les exécute joyeusement.

LYLE ET TECTOR GORCH

Ces deux frères, d'anciens cow-boys devenus vampires, apparaissent dans « Œufs-Surprise », sans doute attirés par l'énergie mystique que dégage la Bouche de l'Enfer. Lyle rencontre Buffy le premier ; il décide que son frère et lui la traqueront quand le moment sera propice.

Originaires d'Abeline, au Texas, Lyle et Gorch ont massacré tous les habitants d'un village mexicain en 1886… avant de subir la transformation. L'intelligence n'étant pas leur point fort, ils attaquent Buffy pendant qu'elle s'efforce de mettre un terme à la menace du bezoar. La créature tue Tector, et Lyle réalise qu'il ferait mieux de prendre ses jambes à son cou.

ABSALOM

Absalom fait son apparition dans le premier épisode de la deuxième saison, « La Métamorphose de Buffy ». Il est le porte-parole du Juste des Justes, devenu techniquement le chef du Grand Ordre d'Aurélius après la mort du Maître. C'est lui qui pourvoit aux détails pratiques de la résurrection.

ABSALOM : Par l'Enfer ! Ton dernier jour est arrivé. Je vais broyer tes os jusqu'à en faire de la poudre. Mais tu peux supplier : j'aimerais t'entendre pleurer avant le feu d'artifice.
BUFFY : Tu me tues maintenant, ou tu préfères badiner ?
— « La Métamorphose de Buffy »

A la fin de l'épisode, Buffy lui envoie une torche dans la figure, et il se transforme en un nuage de cendres.

SAINT VALÉRIEN

Saint Valérien est en quelque sorte le patron des vampires. Autrefois, il mena une croisade vampirique qui traversa Edessa et Harran avant de mettre le cap sur l'est, détruisant tout sur son passage.

A la Saint-Valérien, les pouvoirs des vampires sont décuplés. Selon Giles, « pendant trois nuits les impies se flagellèrent avec une rare violence qui trouva son apogée dans une attaque sauvage la nuit de la Saint-Valérien ». Dans une réplique qui a été coupée au montage, Jenny Calendar qualifie la Saint-Valérien de « Sainte Nuit de l'Attaque ».

DÉMONS

Sujet encore plus inépuisable que les vampires, les démons ont fait l'objet d'innombrables publications. Ils sont nés d'un mélange de croyances religieuses, de mythes populaires, de folklore et de superstitions. On retrouve l'idée d'un seigneur du « monde d'en bas » dans la plupart des panthéons polythéistes : les Romains avaient Pluton, les Grecs Hadès, les Vikings Hel, pour n'en nommer que quelques-uns. En outre, un large éventail d'esprits malins, de diablotins et de poltergeists occupe le paysage religieux et mythologique.

Dans le système judéo-chrétien, Satan (ou Lucifer) dirige des démons dont l'objectif est de tenter les humains pour les pousser à commettre des péchés et à se damner. Dans l'Ancien Testament, Satan était un ange chargé par Dieu de tester la loyauté des hommes. Plus tard, il se rebella contre son créateur et fut chassé du paradis en compagnie des anges qui l'avaient soutenu. A partir de ce moment, on se réfère à eux sous le nom de démons.

Plus tard dans l'histoire de la chrétienté, autour du XIIe siècle, naquit un consensus selon lequel les démons étaient en réalité les anciens dieux et déesses — pas seulement les seigneurs du monde d'en bas —, qui possédaient tous des incarnations animales.

Le jour de leur baptême, les chrétiens devaient promettre de renoncer « à Thor, à Odin, à Saxnot et à tous les êtres maléfiques de la même engeance ». Mais la notion plus ancienne, selon laquelle les démons étaient des anges déchus qui servaient Lucifer, finit par prévaloir dans les enseignements chrétiens.

Comme nous l'avons fait remarquer dans la section consacrée aux vampires, selon la mythologie de *Buffy*, la création du monde ne s'est pas déroulée conformément à la croyance populaire. Les démons de la série s'inspirent moins des conceptions judéo-chrétiennes occidentales que des traditions orientales, et en partie de l'œuvre de H.P. Lovecraft, partiellement basée sur l'ancienne démonologie sumérienne.

Les fictions de Lovecraft font souvent référence à une race de Grands Anciens, qui existaient sur terre avant l'humanité et tentent en permanence de reprendre le contrôle de notre monde. Divers acolytes et demi-démons (le jumeau humain dans *L'Horreur de Dunwich*, par exemple) s'efforcent d'ouvrir le portail pour le retour des Grands Anciens.

Dans *Buffy*, les vampires sont des cadavres habités par des démons. On les décrit donc plus souvent par leur fonction que par leur forme :

JENNY : Je savais qu'un jour ou l'autre ça arriverait ; je savais qu'il y avait un être maléfique, un démon, une sorte d'ange déchu ou…

GILES : C'est Moloch.

JENNY : Le Corrupteur…

— « Moloch »

CORDÉLIA : Beurk ! Qu'est-ce qu'il fait, celui-là ?

GILES : Il dépouille un homme de ses organes

vitaux pour renouveler la mutation de ses cellules.

CORDÉLIA : Beurk ! Et celui-là, qu'est-ce qu'il fait ?

GILES : Il distord sa bouche pour engouffrer sa victime en lui broyant la tête.

CORDÉLIA : Et celui-là, qu'est-ce qu'il fait ?

GILES : Il pose sans arrêt des questions à quelqu'un qui est en plein boulot, si bien que le travail n'avance pas.

CORDÉLIA : Mon Dieu, il y a des démons pour tout !

— « Réminiscence »

Cette fonction est généralement un réflexe de destruction ou un besoin plus raffiné de pouvoir et de contrôle. Elle est la principale limitation des démons, par opposition au caractère plus souple et plus adaptable des humains.

ANGEL : Les choses ont changé.

SPIKE : Pas nous, pas les vrais démons.

— « Attaque à Sunnydale »

Cadavres habités par des démons, les vampires sont et demeurent maléfiques, malgré l'opinion du Juge, selon qui Spike et Drusilla puent l'humanité à cause des sentiments qu'ils éprouvent l'un pour l'autre. En un sens, ce qui les rend humains est leur capacité d'éprouver des émotions (affection ou jalousie) ; ce qui fait d'eux des démons est leur incapacité à changer. Ils sont ce qu'ils sont et le resteront de toute éternité.

Si le mal est l'incapacité à choisir le bien ou à ressentir de l'amour, on comprend mieux la fureur d'Angélus devant les changements survenus en lui depuis qu'on lui a rendu son âme.

Mais il existe également de gentils démons dans le monde de *Buffy*… ou plutôt, des démons neutres. Whistler en fait partie. Et pourtant, lui aussi se définit en termes de fonction :

BUFFY : Vous n'êtes pas un vampire.

WHISTLER : Un démon. Techniquement, je ne suis pas un méchant. On ne nous affecte pas systématiquement à la destruction de toute vie. Il faut bien que quelqu'un maintienne l'équilibre. Le bien et le mal ne peuvent exister l'un sans l'autre.

— « Acathla », première partie.

L'introduction d'un personnage tel que Whistler suggère cela : dans l'univers de Whedon, il existe un *continuum* entre les pôles opposés de l'humain et du démon. En d'autres termes, certains démons sont plus humains que d'autres, tandis que certains humains se conduisent comme des démons en refusant de choisir le bien et en préférant se tourner vers le mal. Comme le dit Buffy à Ford, le jeune homme atteint d'une tumeur qui souhaite devenir un vampire :

« Tu as le choix. Ce n'est pas un choix facile ; aucune des options n'est très réjouissante. Mais là, tu optes pour un meurtre collectif, et rien de ce que tu peux me dire ne me fera changer d'avis. »

— « Mensonge »

Grâce à son approche versatile de la démonologie, Joss Whedon s'est ménagé un éventail de possibilités. Qu'est-ce qui distingue les démons des humains, et qu'est-ce qui les en rapproche ? Quels choix feront-ils ou refuseront-ils de faire au cours de l'éternelle bataille entre le bien et le mal ? Autant de questions qui restent à explorer.

ACATHLA

« Acathla le démon est venu pour anéantir le monde. Il fut tué par un preux chevalier qui lui transperça le cœur avant qu'il ait pu réaliser son dessein. Acathla fut transformé en pierre, ce qui arrive souvent aux démons. Et il fut enterré dans un endroit où nul homme ni démon n'aurait osé habiter. Sauf bien sûr en cas de crise du logement. »

— Angel, dans « Acathla », première partie.

Le démon Acathla fut déterré pendant des travaux d'excavation à Sunnydale, et aussitôt volé par Angel et Drusilla qui le firent transporter dans leur manoir. Quand ils ouvrirent le couvercle de son sarcophage, ils découvrirent un visage grimaçant et une poitrine transpercée par une épée.

DRUSILLA : Il me parle fort. Je n'entends rien d'autre.

SPIKE : Laisse-moi deviner. Quelqu'un retire l'épée.

ANGEL : Quelqu'un de valeur.

SPIKE : Le démon se lève et sa folie se réveille.

DRUSILLA : Il anéantira le monde.

ANGEL : Chaque créature de cette planète ira en enfer. Mes amis, c'est à nous qu'il appartient d'offrir au monde sa fin.

— « Acathla », première partie.

Comme l'explique Giles, « l'univers des démons existe dans une dimension séparée de la nôtre. D'un souffle, Acathla créerait un vortex, une sorte de maelström, et tout sur Terre serait alors attiré dans cette dimension. Et là, tout ce qui ne serait pas *démon* devrait subir pour l'éternité d'horribles tortures. »

Comme tous les démons, dans l'univers de *Buffy*, Acathla existe pour remplir une fonction. Il est presque semblable à une machine, dont il suffirait d'écraser l'interrupteur pour débarrasser la Terre de l'humanité. Il représente une menace non à cause de ce qu'il est, mais de ce qu'il fait. Une menace si réelle que, dans le dernier épisode de la deuxième saison, Buffy devra sacrifier Angel pour le vaincre.

EYGHON, LE SOMNAMBULE

Quand il avait une vingtaine d'années, Giles se rebella contre sa destinée d'Observateur. En compagnie de son ami Ethan Rayne, il trempa dans l'occultisme pour son seul amusement.

La « face cachée » de Giles se révéla quand Ethan et lui découvrirent comment invoquer l'ancien démon étrusque Eyghon. Pour cela, il fallait plonger un des membres de leur cercle dans un profond sommeil, pendant que les autres accompliraient un rituel pour inviter le démon à prendre possession de son corps.

Selon Giles, c'était une sensation incroyable. Mais Eyghon finit par prendre le contrôle d'un des dormeurs, Randall, qu'ils ne purent jamais faire revenir.

Chaque membre du cercle, Giles compris, porte un tatouage appelé la Marque d'Eyghon, qui attire le démon tel un aimant. Comme Willow le révèle à ses amis :

« Eyghon, aussi appelé le Somnambule, ne peut exister dans cette réalité que par la possession d'un hôte inconscient ; l'âme qui est possédée temporairement éprouve un sentiment euphorique lié à l'idée de puissance. Eyghon peut aussi prendre possession des morts, mais le démon, dans ce cas-là, désintégrera le corps de l'hôte. Il faudra alors qu'Eyghon s'empare du corps d'une personne inconsciente ou morte afin de continuer à exister. »

— « La Face Cachée »

Dans le pré-générique, Eyghon possède le corps en décomposition de Dierdre et traque Philip Henry pour le tuer. Il lui brise le cou avant de devenir une mare boueuse qui rampe vers le cadavre de Philip pour l'envahir.

Sous sa nouvelle apparence, Eyghon pourchasse ses prochaines victimes. Deux d'entre elles sont à Sunnydale : Giles et Ethan Rayne. Il attaque Jenny Calendar et, pendant qu'elle sombre dans l'inconscience, la possède à son tour.

Parce qu'elle est toujours vivante, la jeune femme prend une apparence de plus en plus grotesque, jusqu'à ce qu'elle ressemble à la forme naturelle d'un démon : une hideuse créature à cornes. Animée par la rage et l'agressivité d'Eyghon, elle rosse Giles et se prépare à le tuer. Mais Buffy surgit et le démon saute par une fenêtre pour lui échapper.

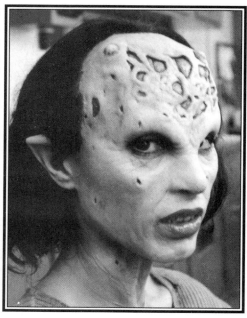

Plus tard, Angel fait mine de vouloir tuer Jenny en l'étranglant (un avant-goût de ce qui se produira dans « La Boule de Thésulah »). Piégé, Eyghon saute dans le corps du vampire, s'y bat avec le démon qui l'occupe déjà et perd... comme l'avait prévu Willow.

BUFFY : Tu savais que si le démon se sentait en danger, il attaquerait le mort le plus proche.
ANGEL : Donc, je l'ai mis en danger.
WILLOW : Et il a attaqué le mort.
ANGEL : Je sais qu'il y a en moi depuis deux cents

ans un démon qui n'attend que l'occasion de se battre.
BUFFY : Tu gardes le titre de champion.

— « La Face Cachée »

Eyghon fait office d'allégorie pour les noirs secrets et les pulsions honteuses que nous souhaitons dissimuler aux autres. Buffy et ses amis ont toujours considéré Giles comme l'archétype de l'Anglais un peu coincé, très à cheval sur les principes, et possédant les réponses à toutes les questions. Mais voilà qu'il se révèle à eux sous un jour nouveau.

GILES : J'aurais voulu que tu ne connaisses pas mon côté sombre.
BUFFY : Je ne vais pas vous mentir. Vous m'avez inquiété. Vous ne vous montrez que comme un adulte, d'habitude, et finalement vous êtes une vraie personne.
GILES : Oui, comme la plupart des adultes.
BUFFY : Qui aurait pu croire...
GILES : La plupart sont souvent aveugles et facilement blessés.
BUFFY : Donc, après tout ce temps, nous nous apercevons que nous nous ressemblons, et je ne parle pas du fait que nous soyons bizarres. Ça me plaît assez.

— « La Face Cachée »

Puisque Buffy connaît cette facette de Giles, elle porte désormais elle aussi la Marque d'Eyghon. Avec l'insouciance typique de la jeunesse, elle se plaint de ce que ça lui coûtera de la faire enlever : un paquet d'argent qu'elle économisait volontiers pour s'acheter de divines chaussures !

LE JUGE

Le Juge est un hideux démon bleu qui fut créé pour débarrasser la Terre du fléau de l'humanité. « Il fait le tri entre les bons et les mauvais… et brûle les bons jusqu'à la moelle », explique Angel aux autres.

Lors de sa dernière visite dans notre monde, il fut impossible à tuer, mais une armée réussit à le démembrer et à enfouir ses restes aux quatre coins de la planète. Dans une scène coupée au montage, Alex demandait à Oz : « Tu crois qu'ils ont laissé son cœur à San Francisco ? »

Dans « Innocence », un des bras du Juge manque étrangler Buffy quand elle ouvre la boîte qui le contient lors de sa soirée d'anniversaire — un cadeau que Spike réservait à Drusilla. Ignorant si c'est le seul morceau du Juge qui se trouve en ville, Angel est désigné pour l'emmener très loin, peut-être au Népal ou dans un endroit plus reculé encore.

Malheureusement, les séides de Spike reprennent la boîte. A la fin de la soirée qu'il a organisée pour Drusilla, le vampire met en place le dernier morceau du Juge : sa tête. Une aura d'énergie l'entoure. Vêtu d'une armure, il est énorme, avec des cornes et des yeux noirs sans pupille.

Son « radar à humanité » activé, sa première impulsion est de brûler Spike et Drusilla. Mais le couple préfère lui jeter Dalton en pâture. Détectant l'amour que le malheureux porte aux livres, le Juge le réduit en cendres.

Il a besoin de se remettre de l'épreuve subie par le passé : pour le moment, il doit toucher ses victimes pour exercer son pouvoir. Mais chaque fois qu'il prend une vie, ses forces se reconstituent ; bientôt, promet-il à Spike, il pourra agir à distance.

Dans une séquence coupée au montage, le Juge explique : « Les soldats m'ont taillé en pièces. Pendant 600 ans, ma tête est restée dans une boîte enfouie à dix mètres sous terre. J'ai appris à être patient. » Parce qu'il n'est pas encore remis, la Tueuse survit à un bref contact avec lui.

C'est le Juge qui révèle à Spike et à Drusilla qu'Angel est redevenu Angélus, débarrassé de la souillure de l'humanité. Il n'y a plus rien à brûler en lui.

Buffy et ses amis ont beau passer leurs nuits à faire des recherches, ils ne découvrent aucun moyen d'éliminer le Juge. « Où sont les armées quand on a besoin d'elles ? », soupire Willow. Alors, Alex a l'idée géniale de voler un lance-missiles. Puisque le Juge est un démon, donc une créature incapable d'évoluer, les méthodes modernes réussiront peut-être là où les armes anciennes avaient échoué.

De fait, le missile détruit le Juge, réduit à un nuage de fragments bleus dont on espère qu'ils ne seront jamais rassemblés.

MOLOCH

« Il y a un démon sur Internet. »

— Giles, dans « Moloch ».

En ces ultimes années du deuxième millénaire, on s'inquiète de plus en plus des dommages que pourrait provoquer un mauvais usage d'Internet. Les pédophiles s'en servent pour échanger d'immondes photos, et des malades attirent les gens trop solitaires ou trop confiants en commençant par développer avec eux une amitié virtuelle : ils entament une correspondance qui devient de plus en plus intime et débouche toujours sur une demande de rencontre.

Ajoutez à cela la multiplication des informations disponibles sur chaque individu — numéro de carte bancaire, renseignements médicaux et même messages prétendument privés —, et vous obtiendrez les principaux ingrédients de l'épisode consacré à Moloch.

Au Moyen Age, c'étaient les livres qu'on considérait comme des choses qu'il valait mieux confier à la garde d'ecclésiastiques reclus dans quelque sombre monastère. Dans une séquence coupée au montage, Giles déclare :

« Certains ouvrages ne sont pas faits pour être lus. Des créatures surnaturelles y sont emprisonnées et neutralisées… jusqu'à ce que quelqu'un les libère en lisant le texte à voix haute. »

— « Moloch »

Dans l'Italie médiévale, le démon cornu Moloch le Corrupteur régnait sur un groupe de disciples auxquels il avait promis l'amour, la richesse et le pouvoir. Malgré ses traits difformes, sa peau caout-chouteuse et ses mains pareilles à des serres, il semblait étrangement élégant dans ses habits de velours, et se déplaçait parmi ses fidèles tel un prince Borgia. En général, il les remerciait des services rendus en leur brisant sommairement le cou.

Puis un groupe de moines l'emprisonna dans un grimoire. L'essence d'un démon n'étant pas une forme, mais une entité, Moloch y demeura pendant des siècles, jusqu'à ce que l'ouvrage fasse partie d'une cargaison de volumes commandés par Giles. Sans prêter attention à son titre, l'Observateur pose le grimoire sur une pile de livres que Willow doit scanner dans le cadre d'un projet éducatif.

Pour le plus grand déplaisir de Giles, sa bibliothèque a été enva-hie par Jenny Calendar, séduisante prof d'infor-matique qui souhaite créer une base de don-nées. Pendant que Giles rumine dans un coin, Willow se met au travail. Très absorbée, elle ne remarque pas la ques-tion qui s'inscrit en haut de son écran, signalant que Moloch a été libéré : « Où suis-je ? »

La spécialité de Moloch est de séduire les esprits impression-nables. Dès qu'il réalise où il se trouve, il entre-

prend d'attirer un nouveau groupe de fidèles. Conscient de la solitude de Willow, il se présente comme un internaute nommé Malcolm Black et lui envoie une série de messages prétendument écrits dans sa ville natale d'Elmwood, à cent vingt kilo-mètres de Sunnydale. Willow, qui n'a jamais eu de véritable petit ami, est flattée par ses attentions et vit avec lui une romance virtuelle qui inquiète Buffy et éveille la jalousie d'Alex.

Malcolm prend également contact avec Dave et Fritz, deux mordus d'informatique. Dave est un jeune homme introverti, alors que son camarade se montre plus agressif et émet des opinions tran-

chées. « L'imprimerie, c'est dépassé depuis des années, affirme-t-il. L'informatique s'en est débar-rassée pour toujours. C'est ça la vérité : la seule réalité n'est que virtuelle. Si on n'adhère pas à ça, on est foutu. »

Moloch ne tarde pas à prendre les deux lycéens sous sa coupe. Il les attire dans une usine d'élec-tronique abandonnée pour qu'ils construisent un corps artificiel. Il veut marcher, toucher, tuer... et prendre Willow pour compagne.

MOLOCH : C'est toi qui m'as créé. Je me suis servi d'humains pour me construire une apparence, mais c'est toi qui m'as donné la vie. Tu m'as fait sortir de ce livre où j'étais prisonnier. Je veux te remercier.

WILLOW : Vous m'avez caché la vérité. Vous prétendiez être un être humain. Vous affirmiez que vous m'aimiez.

MOLOCH : Oui, je t'aime.

— « Moloch »

Par opposition à la nature intangible et illi-mitée d'Internet, une fois qu'il habite le corps créé pour lui, Moloch peut être fait prison-nier. Avec l'aide de Mlle Calendar, Giles le lie à sa nouvelle forme, et Buffy l'électrocute. Une question demeure : s'il était resté une entité virtuelle, Moloch aurait-il pu être détruit ?

WHISTLER

Ainsi que nous l'avons vu précédemment, Whistler se définit comme un démon dont la fonction primaire est de maintenir l'équilibre entre le bien et le mal. Il est jeune et mal habillé : ses vête-ments le font ressembler à un mafioso de bas étage.

Quand il contacte Angel à New York, en 1996, il lui confie que son nom est très difficile à prononcer, sauf pour les dauphins.

Au vampire à demi fou, il propose un choix : « Tu peux être un rat encore plus inutile qu'auparavant. Ou tu peux devenir quelqu'un, une personne sur qui on peut compter. » Puis il le conduit à l'endroit où Angel aperçoit Buffy pour la première fois, alors qu'elle vient d'apprendre qu'elle est la Tueuse destinée à lutter contre les forces des ténèbres.

Whistler donne à Angel le but qui lui manquait : aider la Tueuse, et à Buffy, il offre un allié dont elle aura bien besoin. « Ça va être difficile pour elle maintenant. Ce n'est qu'une enfant. Et elle vit dans un monde rempli d'embûches. » Angel affirme qu'il fera son possible. Whistler réplique que ce ne sera pas aussi simple, et le vampire lui demande de lui enseigner tout ce qu'il sait. La seule chose qu'il refuse, c'est de s'habiller comme lui.

Le démon apparaît pour la première fois à Buffy dans « Acathla ». Elle devine qui il est — « un démon immortel chargé du rôle d'arbitre entre les forces du bien et du mal » —, mais elle ne se montre guère impressionnée.

BUFFY : Dans ce cas, ça serait très gentil de votre part de nous débarrasser du mal une fois pour toutes ; moi, je suis fatiguée de me battre toute seule.

WHISTLER : Au bout du compte, vous serez toujours toute seule. Vous n'avez que vous ; je n'ai pas raison ?

BUFFY : Je perds mon temps.

— « Acathla », deuxième partie.

La fonction de Whistler n'est donc pas de rétablir lui-même l'équilibre entre le bien et le mal, mais de pousser les autres à s'en charger. Il peut également divulguer des informations : par exemple, il révèle à Buffy que l'épée du chevalier qui a emprisonné Acathla ne suffira pas à déjouer les plans d'Angel. Mais comme tous les démons, il est limité parce qu'il ne peut changer... Ce qui ne l'empêche pas d'avoir le sens de l'humour.

MACHIDO

Machido apparaît dans l'épisode « Dévotion ». C'est un énorme démon à l'apparence mi-humaine, mi-reptilienne, qui habite une fosse sous le QG de la fraternité Delta Zêta Kappa, sur le campus de la Faculté de Crestwood.

Accompagné par un grondement subsonique, il émerge des profondeurs pour dévorer les victimes fournies par ses adorateurs. Voici une description faite par le scénariste de « Dévotion », David Greenwalt :

« Machido a la moitié supérieure du corps d'un homme. Il est très musclé. Ses crocs et ses yeux sont ceux d'un serpent. Sa peau est couverte de motifs en forme de diamant, d'où les scarifications rituelles que s'infligent ses fidèles. Sa moitié inférieure est celle d'un énorme reptile dont la queue se perd dans les profondeurs de la fosse ; Dieu sait jusqu'où ses anneaux se déroulent. »

Une fois par an, les membres de la fraternité attirent de jeunes lycéennes innocentes dans leurs soirées, les droguent, les capturent et les offrent à Machido, qui leur assure en retour richesse et pouvoir. Le culte sévit depuis plus d'un siècle quand Buffy coupe Machido en deux et, aidée par Angel et le reste de sa bande, traîne les Delta Zêta Kappa devant la justice.

A l'origine, Machido devait survivre à l'attaque de Buffy. Mais selon Greenwalt, l'équipe technique n'a pas eu le temps de filmer la séquence de sa fuite ; il finit donc sous l'épée de la Tueuse.

Voici le passage du scénario qui a été modifié :

(Scène 86)

Tom s'approche de l'autel. Alors, sans que nos héros s'en aperçoivent, la moitié reptilienne de Machido rampe et rejoint son torse. Avec un bruit de succion, les deux se ressoudent.

CORDÉLIA : Et toi, tu vas voir : tu vas en prendre pour un million d'années de prison !

(Machido se redresse. L'air menaçant, Angel fait un pas vers lui. Le démon toise Tom.)

MACHIDO : Depuis cent ans, je vous dispense richesse et pouvoir. Et c'est ainsi que vous me remerciez ? A partir de ce jour, vous êtes seuls au monde.

(Il bat en retraite dans la fosse, tandis que Cordélia retient son souffle. Au dernier moment, le démon se saisit de Tom.)

MACHIDO : Un petit quelque chose pour la route.

Il disparaît en emmenant le jeune homme. On entend un cri déchirant, puis un bruit de mastication avant que le silence ne retombe.

DER KINDESTOD

Au premier abord, le monstre de « Réminiscence » semble n'être qu'une hallucination de la Tueuse alors qu'elle gît en proie à une forte fièvre sur son lit d'hôpital. Souffrant d'une grippe, elle a été blessée par Angel.

Mais il n'y a pas que ça.

A l'âge de huit ans, Buffy fut l'unique témoin de la mort inexpliquée de sa cousine Célia. Bien que près de dix ans se soient écoulés, la jeune fille est toujours terrifiée par les hôpitaux. D'ailleurs, malgré son état, elle supplie sa mère de la ramener à la maison. Elle n'a pas tort : outre la menace représentée par Der Kindestod, Angel tente de lui rendre visite, mais Alex, dans le rôle du chevalier servant de Buffy, parvient à l'en dissuader.

Dans son délire, Buffy rêve d'une créature vêtue comme au XIXᵉ siècle avec un visage blanc, un nez en bec d'aigle et une bouche garnie d'énormes crocs acérés. Inquiète, elle mène l'enquête.

Dans l'aile réservée aux enfants, deux docteurs

se disputent sur le traitement à administrer aux patients victimes du même virus que Buffy. Pendant que la jeune fille les observe, deux enfants s'approchent d'elle. Le petit garçon, Ryan, lui explique que le monstre était avec Tina, et qu'il reviendra les chercher tous. Selon lui, il n'est autre que la Mort.

Au matin, le corps de Tina est emmené à la morgue. Buffy tente de rapporter à ses amis ce que lui a dit Ryan. Avec son tact habituel, Cordélia exprime à voix haute ce que les autres pensent tout bas.

« Moi, je pense que ta peur et ta haine des hôpitaux, à cause de la mort de ta cousine, font que tu t'es créé un monstre à combattre. Comme ça, tu sauverais une vie et tu arrêterais de culpabiliser. »
— « Réminiscence »

Alex propose quand même d'aider Buffy à enquêter. Ils soupçonnent d'abord le docteur Backer, un des hommes qui se disputaient la veille. Mais le malheureux, sous les yeux de Buffy, est assassiné par un meurtrier invisible qui lacère le cadavre et le traîne dans le couloir avant de projeter la Tueuse contre un mur.

Ryan donne à Buffy un portrait du monstre ; la jeune fille confie le dessin à Giles pour faciliter ses recherches. L'Observateur, qui la prend enfin au sérieux, quitte l'hôpital en compagnie de Cordélia. C'est d'ailleurs elle qui trouvera le fin mot de l'histoire.

CORDÉLIA : C'est de l'allemand ; ça veut dire en gros « l'ogre tueur ». Le bouquin dit qu'il se nourrit en aspirant la vie des enfants. Bon, quoi qu'il en soit, leur mort ressemble à une mort naturelle.

BUFFY : C'est lui qui a tué Tina.

CORDÉLIA : C'est ce que je pense. Si tu veux mon avis, pour lui, les enfants représentent une sorte de rayon fruits et légumes.

BUFFY : Et Backer, en les soignant, l'empêche de faire son marché.

CORDÉLIA : C'est ça. Privé de dessert !

— « Réminiscence »

Buffy se demande pourquoi elle a entrevu la silhouette de Der Kindestod une fois, alors qu'il lui est demeuré invisible depuis. Elle réalise qu'à ce moment, elle était très fiévreuse… littéralement aux portes de la mort. Elle se fait inoculer le virus pour l'affronter une dernière fois.

Der Kindestod est un adversaire redoutable, aux méthodes peu ragoûtantes. « Il immobilise sa proie ; il s'assied au-dessus d'elle et lui enfonce des pieux dans les yeux pour aspirer sa vie », lit Cordélia à Buffy. Pas étonnant que Célia ait hurlé et se soit débattue en mourant.

Affaiblie par la maladie, Buffy manque succomber face à Der Kindestod. Mais dans un ultime sursaut d'énergie, elle parvient à lui briser le cou.

Il semble peu probable qu'on le revoie un jour.

LA FRATERNITÉ DES SEPT

Ce chiffre se réfère à la fois au nombre de la Fraternité des membres et à la durée de leur cycle de vie. A l'origine, les Sept étaient des démons capables de prendre la forme d'adolescents humains.

« Tous les sept ans, ils ont besoin d'organes humains : un cerveau et un cœur, pour garder leur humanité. Sans cela, ils doivent reprendre leur forme originelle, laquelle manque de sex-appeal. »

— Giles, dans « La Marionnette ».

Plusieurs meurtres sont commis pendant le radio-crochet annuel du lycée de Sunnydale. Des organes ayant été prélevés sur les cadavres, Giles soupçonne l'intervention d'un ou plusieurs membres des Sept. Comme d'habitude, son petit doigt ne le trompe pas.

Au début, Buffy pense que le coupable est Morgan, un étudiant qui prépare un numéro de ventriloque. Puis ses soupçons se portent sur la marionnette, un pantin de bois nommé Sid.

« En de rares occasions, des objets inanimés d'apparence humaine, tels que poupées ou mannequins, ont été mystérieusement possédés par des créatures qui, pour satisfaire leurs besoins, ont collecté des organes. »

— Willow, dans « La Marionnette ».

A la grande surprise de tous, bien que Sid soit habité par un esprit, ce n'est pas celui d'un des Sept, mais d'un chasseur de démons condamné à passer le reste de son existence sous la forme d'une marionnette. Au moment où se déroule l'épisode, Sid a déjà renvoyé en enfer six membres de la Fraternité. La malédiction qui l'affecte sera levée quand il tuera le dernier.

Le septième démon habite le corps d'un apprenti-magicien nommé Marc. Il tente d'assassiner Giles, mais Buffy et Sid interviennent. La marionnette élimine le dernier démon et trouve enfin le repos.

SORCIERS

La sorcellerie a toujours été un sujet très controversé, et les choses se sont compliquées ces vingt dernières années. Dans de nombreuses cultures anciennes, la position de chamane (ou son équivalent) suscitait un grand respect. Depuis quelque temps, le mouvement New Age provoque un regain d'intérêt pour ces pratiques. Le phénomène n'a rien de bien nouveau en soi, car il résulte d'une évolution politique, sociale, religieuse et culturelle.

Le féminisme, le développement des droits civiques et les lacunes du système médical sont quelques-uns des facteurs ayant remis la sorcellerie à la mode. Le paganisme moderne est un parfait exemple de religion d'aujourd'hui, mais qui s'enorgueillit de sa parenté avec le druidisme. Ses membres sont les adorateurs de la déesse Wicca. Malheureusement, ils doivent lutter contre les préjugés nourris de la théologie chrétienne et qui remontent au XIIe siècle.

Au cours des sept siècles suivants, l'Europe a subi de grands bouleversements. L'idée que Satan rassemblait ses forces et tentait de corrompre l'humanité naquit alors; l'alphabétisation n'ayant pas atteint le stade où les gens sont capables de remettre en question les dogmes religieux, l'Inquisition eut le champ libre pour se développer.

Elle se composait d'investigateurs et de juges chrétiens, dont la mission consistait à débarrasser la société de l'engeance démoniaque... autrement dit, des sorcières. Le sujet est beaucoup trop vaste pour qu'on l'aborde ici en détail. Contentons-nous de dire que la majorité des femmes qui finirent sur le bûcher n'étaient pas réellement des sorcières, les sorcières n'étant d'ailleurs pas les créatures maléfiques pour lesquelles l'Eglise tentait de les faire passer, mais les membres exposés au danger de cultes minoritaires.

Quand une personne était accusée de sorcellerie, on la torturait jusqu'à ce que mort s'ensuive ou qu'elle confesse ses péchés: auquel cas, elle était brûlée vive. Par conséquent, toute accusation équivalait à une sentence définitive, une absurdité qui devint rapidement une arme politique. Pour se débarrasser de quelqu'un de gênant, il suffisait de le dénoncer aux autorités...

La folie de l'Inquisition atteignit les Etats-Unis en 1692, et culmina avec les événements de Salem (aujourd'hui rebaptisée Danvers), dans le Massachussetts. En Europe, des femmes furent brûlées vives pour sorcellerie jusqu'à la fin du XVIIIe siècle. La culture populaire, notamment la télévision et le cinéma, perpétua au XXe siècle l'image de la sorcellerie telle que l'avait instaurée l'Inquisition au XIIe. Très récemment, nous avons appris à faire la part des choses.

Nous ne nous intéresserons pas ici aux relations entre les sorcières modernes et la véritable magie, ni même à la définition de cette dernière. Dans l'univers de *Buffy*, les sorcières sont toujours très puissantes, mais on ne nous explique ni pourquoi ni comment.

En revanche, une distinction très claire existe entre la sorcellerie et le paganisme: Jenny Calendar se définit elle-même comme une techno-païenne, alors que les deux sorcières de la famille Madison ne semblent pas adhérer à un courant religieux.

Quand Giles demande à Jenny si elle est une sorcière, la jeune femme répond qu'elle n'a pas ce genre de pouvoir.

Giles et Willow lancent des sorts à divers moments de la série, et personne ne les traite jamais de sorciers. Que faudrait-il pour qu'ils le soient?

Peut-être le découvrirons-nous au cours de la troisième saison...

Dans les deux épisodes où la sorcellerie est mentionnée, on nous donne très peu d'informations. Mais dans « Sortilèges », Giles évoque un moyen de déterminer si Amy/Catherine est oui ou non la responsable des accidents survenus aux pom-pom girls. Il faut mélanger des cheveux de la suspecte, du mercure, de l'acide nitrique et un œil de salamandre, puis faire chauffer le tout et appliquer sur la sorcière présumée. Si elle a lancé un sort au cours des dernières quarante-huit heures, sa peau devient bleue. C'est aussi simple que ça, et ça marche... du moins, à la télévision.

GILES : Sorcellerie. Aveugler un ennemi, ça le désoriente et ça lui fait très peur; un classique du genre.

ALEX : D'abord les vampires, ensuite les sorciers. Va y avoir de la maison à vendre, dans le coin.

— « **Sortilèges** »

« On doit avoir des intentions pures pour lancer un sort d'amour. »

— Amy, dans « **Un Charme Déroutant** ».

« Les gens sous l'influence de sorts d'amour sont dangereux, Alex. Ils perdent toute capacité de raisonnement. »

— Giles, dans « **Un Charme Déroutant** ».

Un des sorts lancés par Catherine, sous la forme d'Amy, est la Malédiction de Vengeance Mortelle; selon Giles « ça a un effet foudroyant aussi grave que des litres d'alcool, et ça neutralise tout le système immunitaire ». C'est avec ça que Catherine manque tuer Buffy.

Nous apprenons dans le même épisode que les enchantements d'une sorcière peuvent être annulés grâce à son livre de sorts (une sorte de journal relatant ses activités), ou en lui coupant la tête.

Pour exercer son art, la sorcière a besoin « d'un lieu obscur, d'un pentagramme et d'un gros chaudron ».

La présence d'un chat noir, qui veille sur le livre de Catherine dans « Sortilèges », indique que la mythologie de *Buffy* reconnaît le concept de familiers : des animaux avec qui les sorcières peuvent communiquer.

CATHERINE MADISON

Dans « Sortilèges », la Tueuse affronte sa première sorcière. C'est aussi la première fois qu'il est fait usage de magie dans la série.

A quinze ans, Catherine Madison était la star de l'équipe des pom-pom girls de Sunnydale. Sa fille ne montrant pas de disposition à suivre ses traces, elle commit un acte horrible… Se servir de ses pouvoirs pour changer de corps avec elle.

Bien qu'elle ait travaillé dur pour se remettre à niveau, son nouveau corps ne lui obéit pas comme l'ancien, et elle ne parvint pas à devenir titulaire. Troisième remplaçante, elle décida d'utiliser sa magie pour éliminer la concurrence. Ainsi, Amber Grove prit feu, Lishanne devint muette et Cordélia se retrouva aveugle.

A la fin de l'épisode, Giles parvint à annuler l'échange de corps. Furieuse, Catherine tenta d'abord de détruire sa propre fille, puis Buffy. Mais la Tueuse plaça un miroir entre elle et la sorcière ; le sort se retourna contre son expéditrice, qui se retrouva prisonnière du trophée de pom-pom girl gagné au temps de sa jeunesse.

AMY MADISON

Bien qu'Amy n'ait rien de maléfique, elle n'en demeure pas moins une sorcière. Après avoir été prisonnière quelque temps du corps de sa mère, on aurait pu penser qu'elle se garderait de solliciter les puissances occultes.

Mais dans « Un Charme Déroutant », on découvre qu'elle a suivi les traces de Catherine. Elle jette un sort à un de ses professeurs pour lui faire croire qu'elle a rendu un devoir alors que c'est faux. Plus

tard, Alex la force à ensorceler Cordélia pour qu'elle tombe amoureuse de lui, mais le sort échoue de façon aussi spectaculaire que hilarante.

ETHAN RAYNE

Ethan Rayne est un vieil ami de Giles, du temps où il étudiait à Oxford. Meneurs d'un groupe qui trempait dans l'occultisme, les deux jeunes gens furent responsables de la mort d'un de leurs camarades, possédé par le démon Eyghon. Ethan continue à défendre ce que Giles a renié, et il semble n'être revenu dans sa vie que pour l'humilier.

Ethan apparaît pour la première fois dans « Halloween » : il vient d'ouvrir à Sunnydale une boutique de costumes qu'il a ensorcelés en invoquant Janus, le dieu aux deux visages. Plus tard, dans « La Face Cachée », Giles et lui sont poursuivis par Eyghon. Giles est rongé par le remords d'avoir invoqué le démon ; sous sa casquette d'Observateur, il ordonne à Buffy de se tenir à l'égard de cette affaire.

Mais Ethan tatoue la Marque d'Eyghon sur la jeune fille, et détruit son propre tatouage avec de l'acide histoire que le démon s'en prenne à la Tueuse plutôt qu'à lui.

Il a un humour assez cynique, comme en témoigne ce dialogue :

BUFFY : Je vous connais, vous êtes le propriétaire du magasin de costumes.

ETHAN : Oh, charmé. Quelle mémoire !

BUFFY : C'est vous qui m'avez vendu une robe pour Halloween, et on a tous failli y passer.

ETHAN : Mais en beauté ! Oh. Et là, on est quittes.
— « La Face Cachée »

C'est aussi un dilettante sans morale, ce qui explique pourquoi Giles a renoncé à son amitié.

ETHAN : Alors, pas d'étreinte ? Tu n'es pas content de revoir un camarade, Rupert ?

GILES : Je suis surpris. J'aurais pourtant dû me douter que c'était toi. Cette perfidie porte la marque d'Ethan Rayne.

ETHAN : Oui, j'aime assez Halloween. Je ne

voudrais pas paraître présomptueux, mais c'est génial, cette occasion de jouer à « méfiez-vous de vous-même ».

GILES : C'est malsain, brutal et ça blesse des innocents.

ETHAN : Oh ! c'est vrai. Nous savons tous que tu es le protecteur de l'innocence, ainsi que de la bonté et de la pureté. Ça te va bien, ce nouveau rôle d'homme honorable.

GILES : Ce n'est pas un rôle, je ne joue pas.

— « Halloween »

A la fin des deux épisodes, Ethan Rayne se fond dans la nuit. Impossible de deviner dans quelles circonstances il réapparaîtra...

LOUPS-GAROUS ET MÉTAMORPHOSES

es mythes relatifs à la lycanthropie et autres métamorphoses animales sont étroitement liés à ceux du vampirisme. Selon les légendes, les vampires pouvaient se transformer à volonté en créatures inférieures tels que loups, rats ou chauves-souris. En cela, ils diffèrent des lycanthropes, qu'une malédiction oblige à se métamorphoser les nuits de pleine lune.

Comme celles qui traitent des vampires, les histoires de loups-garous et de métamorphes sont présentes dans toutes les cultures depuis le commencement des temps et jusqu'au XIXe siècle. Mais on les retrouve dans les travaux des historiens les plus respectés. Hérodote, Pline, Virgile, et même Ovide dans ses *Métamorphoses,* ont tous évoqué la transformation de l'homme en loup, même si, dans la plupart des cas, elle est permanente ou annuelle plutôt que mensuelle.

La mythologie nordique et le folklore scandinave regorgent de références à des hommes-loups, apparemment liées au phénomène des *berserkers* : des guerriers qui se drapaient de peaux de bêtes et

dans certains cas, parvenaient à prendre la forme de l'animal en question. Et ce n'est qu'un exemple parmi tant d'autres à travers le monde.

En Amérique du Sud, l'*azeman* est une femme le jour et une bête sauvage la nuit. En Afrique des légendes circulent au sujet de hyènes-garous, de lions-garous ; en Amérique du Sud, de jaguars-garous et de sangliers-garous ; en Ecosse, de gentils phoques-garous ou selkies. Les Navajos croient en l'existence des changepeaux, des sorciers qui pouvaient se transformer comme les *berserkers.*

> « Je dois reconnaître que je suis intrigué. Un loup-garou, c'est un vieux classique, quoi ! Je suis sûr de passer une après-midi géniale avec mes livres. »
>
> — Giles, dans « Pleine Lune ».

Dans la mythologie de *Buffy contre les vampires,* les variations sur le thème de la lycanthropie et de la métamorphose animale semblent infinies. Chaque fois que le sujet est abordé, c'est d'une manière complètement différente.

Des lycéens transformés par la science en créatures aquatiques. Une prof moitié humaine, moitié insecte. Des hyènes démoniaques capables de posséder les humains... Sans oublier les loups-garous, bien sûr.

GILES : Nous voyons donc que le loup-garou est une représentation extrême et *fantasmée* du côté animal qui est en chacun de nous, et qui se manifeste pendant trois nuits consécutives avant, pendant et après la pleine lune.

WILLOW : Il doit s'en mettre plein la panse !

GILES : C'est un peu ça, oui. Le loup-garou agit par pur instinct, bestialement ; c'est un prédateur très agressif.

— « Pleine Lune »

On notera que le loup-garou de la série est beaucoup plus proche de sa représentation traditionnelle que les vampires ou les démons : il s'agit d'un être humain qui a eu la malchance de se faire mordre par un lycanthrope et qui a survécu à l'attaque. A partir de ce jour, il se transforme en loup trois nuits par mois, à la pleine lune, et il ne peut être tué que par des armes en argent : couteau ou balle, le plus souvent.

L'originalité de *Buffy* en la matière, c'est de présenter le loup-garou comme un être sympathique, victime d'une malédiction, qui n'est pas responsable de ses actions quand il est sous sa forme animale... Ce qui a le don de compliquer les choses !

Oz

Oz est un loup-garou. Apparemment, il a été mordu au doigt par son jeune cousin Jordy, dont il a découvert plus tard la nature de loup-garou. On ignore si les parents de Jordy, oncle Ken et tante Maureen, sont aussi des lycanthropes : la question n'a pas encore été abordée. Mais Oz semble étrangement stoïque à propos de sa nouvelle condition.

« Est-ce que Jordy est un loup-garou ? Ah oui, et ça fait longtemps ? Non, non, c'est juste comme ça. Merci, et bonjour à oncle Ken. »
— **Oz au téléphone avec sa tante Maureen, dans « Pleine Lune ».**

Chaque mois, pendant les trois nuits de la pleine lune, Oz s'enchaîne pour empêcher son alter-ego animal de semer la terreur dans les rues de Sunnydale. Les chaînes lui ont été fournies par Rupert Giles. La Tueuse et tous ses amis connaissent le secret d'Oz, et même sa petite amie, Willow Rosenberg, ne s'est pas laissé démonter par cette révélation.

« Ben, t'es quelqu'un que j'apprécie. Tu es gentil, tu es assez drôle et tu ne fumes pas. D'accord, oui, tu es un loup-garou, mais c'est pas si terrible. Et puis, il y a certains jours dans le mois où je ne suis pas non plus marrante à fréquenter. »
— **Willow, dans « Pleine Lune ».**

Loup-garou ou pas, Oz n'a jamais tué personne. Sous sa forme animale, il est énorme et très puissant. Son seul ennemi connu est le chasseur Gib Kane, qui fut forcé de quitter la ville sans la fourrure de loup-garou dont il rêvait et qu'il comptait revendre au Sri Lanka. Il se peut qu'il revienne à Sunnydale, dans la mesure où le personnage d'Oz va occuper une place de plus en plus importante dans la troisième saison de la série.

La Meute

Au lycée, comme dans toutes les jungles, il existe des prédateurs qui se groupent pour tourmenter les plus faibles. Ils franchissent rarement la ligne rouge de la cruauté, pour laquelle ils risqueraient d'être punis, mais satisfont leur besoin inné de domination.

Joss Whedon a révélé que son adolescence fut difficile, et qu'il s'en est beaucoup inspiré pour tout ce qui concerne la vie au lycée de Sunnydale. C'est sans doute ce qui donne un tel accent de vérité à la série, et qui la rend si populaire auprès des spectateurs de tous âges : qui d'entre nous n'a jamais eu à subir les moqueries de ses camarades ? Qui d'entre nous ne s'est jamais senti incompris par le monde entier ?

Quatre des cinq « monstres » de la meute ont formé ce genre de *groupe*. Ils s'appellent Kyle, Tor, Heidi et Rhonda, et passent le plus clair de leur temps à tourmenter le studieux Lance, une proie facile. Lors d'une visite au zoo, ils défient le timide lycéen de les accompagner dans la maison des hyènes, pourtant fermée au public, et menacent de le jeter en pâture aux animaux.

Alex intervient pour sauver Lance. Kyle et lui sont sur le point d'en venir aux mains quand les yeux des hyènes émettent une lueur jaune... bientôt imités par ceux des adolescents. Ces derniers sont maintenant possédés par les hyènes.

Alex commence à changer, d'abord de façon subtile : il se montre plus agressif, malpoli et méprisant envers ses amis. Les quatre autres semblent le respecter, et l'incluent peu à peu dans leur sphère d'influence. Certaine que quelque chose ne tourne pas rond, Buffy fait part de son inquiétude à Giles, qui se moque gentiment d'elle :

GILES : Il passe son temps à importuner les plus faibles, et il y a à l'évidence un changement radical dans son comportement.
BUFFY : Oui.
GILES : De plus, il passe tout son temps libre à déambuler avec des imbéciles.
BUFFY : C'est grave, hein ?
GILES : C'est affligeant. Il s'est transformé en jeune homme normal. Tu n'as pas le choix : il faut l'éliminer.
— **« Les Hyènes »**

Mais quand Alex et le reste de la meute dévorent Herbert, la mascotte du lycée, Giles se décide à faire des recherches. Il se souvient d'une secte de primitifs, adorateurs des animaux, dont le but était d'être possédé par les prédateurs les plus féroces.

« Les Masaï du Serengeti connaissent l'art de l'hypnose depuis des générations. J'aurais dû me rappeler cela… Il existe une secte de primitifs qui voue un culte à l'adoration des animaux. Ils sont persuadés que l'humanité, la conscience, la pensée sont une perversion, une distorsion de l'esprit. Pour ces hommes, l'animal est un dieu vivant. Ils sont capables de s'approprier, de… faire passer l'esprit de certains animaux dans leur propre corps. »
— Giles, dans « Les Hyènes ».

Peu à peu, la victime (ou hôte) adopte les caractéristiques de l'animal qui la possède, jusqu'à ce qu'elle ne soit plus qu'une bête sauvage.

Pendant que le reste de la meute attaque le proviseur, Alex s'en prend à Buffy. Giles rend visite au gardien du zoo, qui connaît la légende. Il lui explique que le « transfert d'esprit » nécessite un acte de prédation et la présence d'un symbole totémique… comme celui dessiné sur le sol de la maison des hyènes.

Le gardien du zoo fait en réalité partie de la secte. Il menace de trancher la gorge de Willow pour provoquer un combat avec Buffy. Bien décidée à dévorer la jeune fille, la meute pénètre dans la maison des hyènes, une scène qui n'est pas sans rappeler *Le Seigneur des Mouches* de William Golding (un roman où des lycéens anglais, isolés sur une île, retournent à l'état sauvage).

Le gardien entonne un chant sacré, et les esprits de toutes les hyènes bondissent en lui, oblitérant son humanité. Tandis qu'Alex et Buffy luttent pour protéger Willow, il tombe dans l'enclos des hyènes et se fait dévorer par les animaux avec lesquels il voulait désespérément communier.

« Un guerrier masaï m'a raconté que les hyènes sont capables de comprendre le langage des humains. Elles pistent les hommes pendant la journée, elles apprennent leur nom et quand la nuit est bien noire, quand les hommes dorment, elles appellent. S'il y en a un qui répond, la meute le dévore. »
— Le gardien du zoo, dans « Les Hyènes ».

SIRÈNE-MANTE

Bien qu'elle ait pris celle de Nathalie French, une prof de biologie, on ne nous révèle jamais la véritable identité de la sirène-mante lors de son unique apparition, dans « Le Chouchou du Prof ». C'est une créature qui peut altérer les perceptions des gens et se métamorphoser en mante religieuse géante, avec un net penchant pour les jeunes puceaux humains.

Dans « Le Chouchou du Prof », la sirène-mante commence par tuer le docteur Gregory, histoire qu'on ait besoin d'un professeur de biologie remplaçant au lycée. Puis elle jette son dévolu sur deux étudiants, Blayne Mall et Alex Harris, qu'elle attire chez elle.

La sirène-mante est une créature terrifiante — à tel point que même les vampires en ont peur. Comme ses minuscules cousines, c'est une cannibale qui dévore la tête de son partenaire pendant l'accouplement. Elle commence par pondre ses œufs, puis trouve un mâle pour les fertiliser. Même sous sa forme humaine, elle peut faire pivoter sa tête à 180 degrés.

« Non, je te dis pas que son cou s'est allongé, je te dis que sa tête a tourné à 180 degrés, comme dans *L'Exorciste* ! »
— Buffy, dans « Le Chouchou du Prof ».

Selon Giles, un de ses anciens associés, le docteur Ferris Carlyle, connaît l'existence de la sirène-mante et en a même traqué une après le meurtre de plusieurs adolescents.

« Ce type de créature, *Kleptes Virgo* ou *ravisseur de vierges*, apparaît dans une multitude de cultures. Les sirènes grecques, les pucelles de mer celtiques qui arrachaient vivante la chair des os des… »
— Giles, dans « Le Chouchou du Prof ».

Mais sa rencontre avec la créature a valu à Ferris un aller simple pour l'asile le plus proche. Quand Giles le contacte, Carlyle lui recommande de couper les membres de la sirène-mante avec une lame tranchante. C'est Buffy qui a l'idée d'utiliser un enregistrement de sonar de chauve-souris afin de distraire la créature et de s'en approcher suffisamment pour la tuer.

HOMMES-POISSONS

Dans l'épisode du même nom, il semble d'abord que les membres de l'équipe de natation du lycée soient attaqués et dévorés par des créatures aquatiques. En réalité, ils se transforment !

Dodd McAlvy, Gage Petronzi, Cameron Walker (avec qui Buffy sort brièvement) et leur ami Sean perdent leur humanité à cause d'une solution à base de stéroïdes mise au point par l'entraîneur Marin et l'infirmière Greenleigh. Buffy soupçonne la vérité quand Angel attaque Gage et recrache son sang comme si c'était de l'acide.

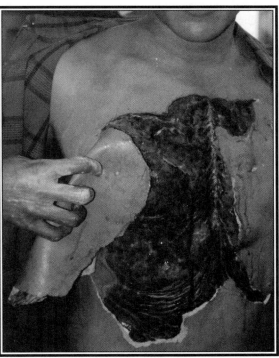

BUFFY : Question maladie, on bat tous les records.

WILLOW : Ce sont des symptômes connus d'abus de stéroïdes.

ALEX : Oui, mais le fait de se droguer n'a jamais changé les gens en poissons.
— « Les Hommes Poissons »

Alex intègre l'équipe de natation et découvre que les stéroïdes sont mélangés à la vapeur du sauna où les sportifs se rendent après chaque entraînement.

Quand l'infirmière Greenleigh tente de persuader son complice d'abandonner l'expérience, il la jette en pâture aux hommes-poissons. Une seule chose compte : remporter le championnat. Quand Buffy l'interroge, il lui révèle fièrement la source des mutations.

« Après la chute de l'Union soviétique, des documents secrets ont été révélés, concernant les expériences menées avec de l'ADN de poissons sur les nageurs olympiques : ADN de tarpon, de requin-taupe… Mais sans résultat. »
— **L'entraîneur Marin, dans « Les Hommes Poissons ».**

Bien que ses protégés aient déjà mangé, il jette Buffy dans la grotte souterraine où attendent les hommes-poissons, et ce afin de satisfaire… leurs autres besoins. « Ça n'arrangera pas ma réputation, si on sait que je me suis tapé toute l'équipe de natation », se lamente Buffy dans une réplique coupée au montage.

A la fin de l'épisode, c'est l'entraîneur qui termine sa vie dans l'estomac des créatures. Puis celles-ci fuient dans l'océan, qui est désormais leur habitat naturel. Il semble peu probable qu'elles reviennent un jour.

FANTÔMES

Dans la plupart des anciens systèmes de croyance, les fantômes étaient les esprits des ancêtres morts qu'on invitait aux cérémonies tribales et aux célébrations telles que Samhain (Halloween). En Europe, leur tête ou leur crâne était préservé et décoré ; les sortir équivalait à invoquer leur présence. On déposait des offrandes devant, et on les consultait comme un oracle.

Quand le christianisme devint une force religieuse et politique, il découragea ces pratiques : selon la doctrine de la résurrection, les cadavres devaient être enterrés intacts. Ainsi, planter les têtes des morts sur des piques ou au sommet de portails était une menace contre la poursuite de leur existence dans l'au-delà.

Pourtant, la coutume consistant à préserver les têtes des morts se perpétua. Sous le roi Henry VIII d'Angleterre, on dit que la fille de Sir Thomas More récupéra celle de son père, exécuté, et, au lieu de l'enterrer, la conserva jusqu'à sa propre mort. On peut y voir la source des nombreuses histoires où un fantôme se promène avec sa tête sous le bras : *Le Cavalier Décapité* de Washington Irving, notamment.

On pense également que les fantômes sont les esprits de personnes ayant connu une mort violente (assassinat, accident ou suicide), et n'ayant pas réussi à trouver la paix : soit parce qu'on ne les a pas enterrées en terre consacrée, soit parce que des forces maléfiques se sont emparées d'elles. Ces fantômes hantent le lieu de leur trépas, ou celui où ils ont toujours vécu.

Dans une séquence de « Portée Disparue » qui fut coupée au montage, Giles parlait de sa propre rencontre avec un fantôme : « ... à Dartmoor. Une comtesse assassinée. Elle était très belle et hantait les collines en poussant des gémissements pitoyables. » Plus tard, il admet n'avoir jamais touché de fantôme, ce qui ne l'empêche pas de déduire que Buffy et ses amis ont affaire à tout autre chose.

GILES : D'après ce que je sais, c'est une sensation bizarre. Je n'ai pas eu ce genre d'expérience ;

c'est paraît-il froid et sans consistance, mais ça donne la chair de poule.

BUFFY : C'est justement le problème. J'ai touché quelque chose de matériel, j'ai été bousculée, j'ai bien senti et en plus, ça n'était pas froid.

ALEX : Là, tu nous parles de l'Homme Invisible, pas vrai ?

— « Portée Disparue »

Bien que les différentes cultures aient chacune leur conception des fantômes (par exemple, les Japonais pensent qu'ils n'ont pas de pieds et sont attirés par l'eau), tout le monde s'accorde à dire que ce sont les esprits de personnes mortes.

JAMES STANLEY ET GRACE NEWMAN

Dans les croyances occidentales, une variante du fantôme standard se nomme le poltergeist, ou esprit frappeur. Dans l'épisode « La Soirée de Sadie Hawkins » (jusqu'ici, le seul qui ait traité du sujet), Giles déduit que la force malveillante qui sème la panique au lycée doit en être un.

En 1955, un étudiant du nom de James Stanley était amoureux de sa prof, Grace Newman. Bien que la jeune femme éprouvât les mêmes sentiments, elle savait que rien de bon ne sortirait de leur liaison, et tenta de rompre avec lui le soir du bal de Sadie Hawkins. Fou de douleur, James lui tira dessus et la tua, puis retourna son arme contre lui.

Aujourd'hui, alors que la soirée approche et que l'énergie maléfique de la Bouche de l'Enfer fait des siennes une fois de plus, les gens qui passent dans le couloir où James abattit Grace sont possédés par leurs esprits et rejouent la tragédie. Buffy intervient dans une dispute entre deux étudiants (on apprendra plus tard qu'ils répétaient les paroles prononcées par le couple lors du drame), ce qui lui vaut d'être convoquée dans le bureau du proviseur. Là, une main invisible fait tomber sous ses yeux le *Yearbook* de 1955.

Plus tard, en cours d'histoire, la jeune fille rêve de James et de Grace. Quand elle s'arrache à sa stupeur, elle voit que son professeur, M. Miller, sans s'en rendre compte, est en train d'écrire au tableau : « Je t'interdis de me plaquer, salope. »

Inquiète, Buffy se confie à Alex. « Je voudrais pas en rajouter, mais la dispute d'amoureux et le petit dérapage sur le tableau, ça m'a tout l'air de faits démoniaques », raille le jeune homme. Il change d'avis quand un bras en décomposition jaillit de son casier et tente de l'étrangler.

Buffy et lui se précipitent pour demander l'aide de Giles.

Giles : On dirait un phénomène paranormal.

Willow : Un revenant, c'est cool !

Alex : Oh non, c'était pas cool ! C'était pas un fantôme avec des chaînes ! C'était plutôt genre : « Je suis mort et je compte pas en rester là, crois-moi » !

Giles : En dépit d'un langage un peu imagé, c'est une définition pertinente d'un poltergeist.

Alex : J'ai défini quelque chose, moi ? Avec pertinence ? Alors, j'ai plus besoin d'étudier.

Buffy : Il y a un mauvais esprit farceur ici ?

Giles : Oui.

Willow : Pourquoi est-ce qu'il est là ? Il veut juste nous faire peur ?

Giles : Je crains qu'il ne sache pas ce qu'il veut au juste. C'est là le point noir. Voyez-vous, la plupart du temps, le spectre connaît les tourments dont souffrent les mortels. Mais lui n'a aucun moyen de trouver la paix de l'esprit ; alors il essaie, il tourne en rond. Il devient de plus en plus troublé, de plus en plus furieux.

Buffy : C'est un ado normal, alors ? Sauf qu'il est mort.

Willow : Mais que peut-on faire ? Est-ce qu'on a un moyen de l'arrêter ?

Giles : Le seul moyen efficace que je connaisse, c'est d'essayer de savoir ce qui le tourmente, ce qui le retient dans ce monde, et d'en supprimer les causes. C'est simple.

Buffy : Super, on devient les docteurs Freud des esprits.

Giles : Avant tout, il faut savoir qui est le spectre... Qui il était.

— « **La Soirée de Sadie Hawkins** »

Giles, habituellement très circonspect avec les phénomènes surnaturels, conclut hâtivement que l'esprit troublé est celui de Jenny Calendar. Même après que le concierge du lycée eut tué Mlle Frank, une prof, il continue à s'accrocher à cet espoir, poignant témoignage de son amour pour Jenny.

Pendant ce temps, Buffy et les autres se chargent des recherches qui sont d'habitude l'apanage du bibliothécaire, et découvrent l'histoire de James et de Grace. Ils en concluent que le poltergeist est le fantôme de James, qui cherche à se faire pardonner.

Le plus intéressant dans cette vision du poltergeist, c'est qu'il peut intervenir dans le monde physique, et posséder des vivants pour leur faire répéter l'acte qui est la source de son tourment.

Pendant que l'esprit de James entre en Buffy (elle-même rongée par la culpabilité suite à la transformation d'Angel), le gentil fantôme de Grace, qui veut pardonner à son amant, réussit à posséder le vampire, altérant pour quelques minutes sa nature sauvage et brutale.

CADAVRES ANIMÉS

Partout dans le monde, on trouve des légendes au sujet de gens qui reviennent d'entre les morts: les vampires, les fantômes... Mais les cadavres animés sont un peu différents. Pour une raison ou pour une autre, ils se relèvent, intacts ou pas, généralement pour servir de sinistres objectifs.

Autrefois, il existait une distinction entre les zombies — cadavres humains ranimés par la magie ou le vaudou, et tenus d'obéir à la personne responsable de leur état — et les goules, poussées par leur besoin de consommer de la chair humaine. Mais depuis *La Nuit des Morts-Vivants* de George A. Romero, en 1968, les deux sont inextricablement liés dans notre culture populaire.

Il existe bien entendu d'autres théories sur les moyens d'animer un cadavre, notamment grâce à la science. Le roman de Mary Shelley, *Frankenstein,* expose le schéma le plus répandu: celui d'un savant fou qui s'efforce de recréer la vie. Il a fait l'objet de nombreuses adaptations au cinéma et à la télévision. Qu'en est-il dans l'univers de *Buffy contre les Vampires*?

ZOMBIES

Les zombies existent dans le monde de *Buffy,* même si nous n'en avons pas encore vu. Ils sont mentionnés à plusieurs reprises dans l'épisode «Le Puzzle», notamment quand Giles explique à Alex que les zombies ne mangent pas la chair des vivants... ce qui laisse la porte ouverte aux goules, censées fréquenter les cimetières pour se nourrir des cadavres récemment enterrés.

Cela nous permet aussi de supposer que, dans la série, les zombies peuvent consommer la chair des *morts.*

Quand Giles découvre que des cadavres ont été dérobés, il penche pour l'intervention d'un sorcier vaudou. Alex lui demande si quelqu'un tente de fabriquer un zombie, et le bibliothécaire répond: «Des zombies, c'est possible. Si on se réfère à la vraie tradition du vaudou, plusieurs cadavres en font un seul.» Jusqu'ici, nous ne possédons pas d'autres informations sur le sujet.

DARYL EPPS

«**L**e Puzzle» est un hommage au *Frankenstein* de Mary Shelley. Dans cet épisode, les savants fous sont deux lycéens, Chris Epps et son ami Eric qui, grâce à une technique scientifique non précisée, parviennent à ramener à la vie Daryl Epps, le frère de Chris, mort quelques mois plus tôt dans un accident de varappe.

Pendant que sa mère le pleure, Daryl, ressuscité, se cache dans la cave de leur maison. Se sentant seul, il ne cesse de réclamer une compagne à Chris et à Eric. Ceux-ci s'efforcent de lui en fabriquer une, mais leurs plans sont déjoués par Buffy.

Daryl meurt une seconde fois parce qu'il refuse de quitter le laboratoire en flammes où se trouve sa compagne, à laquelle il manque encore la tête. Nous pouvons supposer qu'il ne reviendra pas, sauf peut-être sous la forme d'un fantôme. Dans cette série, on ne sait jamais.

AMPATA GUTIERREZ, LA MOMIE

Il y a cinq cents ans, le peuple inca choisit une très belle jeune fille pour en faire sa princesse... et la sacrifier à ses dieux. Momifiée, elle devint une morte-vivante prisonnière du sceau de céramique placé entre ses mains.

Quand Rodney, un étudiant du lycée de Sunnydale, tente de voler le sceau et le brise accidentellement, la momie se relève, tue le jeune homme et abandonne son cadavre dans le sarcophage.

Ampata Gutierrez est le nom de l'étudiant étranger qui doit séjourner quelque temps chez Buffy et sa mère. Quand la jeune fille va le chercher à la gare routière, la momie a déjà aspiré ses forces vitales pour se régénérer.

Souhaitant mener une vie normale, elle se présente à Buffy sous l'identité d'Ampata, qui a donc changé de sexe. Sa soif de vivre (et pas seulement d'absorber la vie des autres) fait d'elle l'un des monstres les plus sympathiques des deux premières saisons.

« Comme nous, elle n'avait que seize ans. Elle fut sacrifiée, la mort était son destin. Imagine tout ce à quoi elle dut renoncer pour accomplir son devoir. Elle renonça à l'amour. »
— Ampata à Buffy, parlant d'elle-même, dans « La Momie Inca ».

Ampata est un personnage tragique qui n'a pas choisi son destin. Le Péruvien qui la traque (il veut l'empêcher de prendre d'autres vies en la faisant retourner dans sa tombe sombre et exiguë) la désigne même sous le nom d'Elue.

A part Buffy, Ampata est la première fille qui s'intéresse réellement à Alex. Le jeune homme a du mal à croire que cette adolescente aussi belle qu'exotique lui retourne ses sentiments. Ampata apprend à aimer Alex et, désespérée, lutte pour ne pas aspirer ses forces vitales : elle préfère se retourner contre d'autres victimes, notamment Jonathan et Willow.

ALEX : Si tu as quelqu'un à embrasser, ça doit être moi.
AMPATA : Alex, nous pourrons nous aimer pour toujours. Laisse-moi prendre cette vie.
BUFFY : Je ne te laisserai pas faire.
AMPATA : Je dois le faire ! Comprends, il le faut ; sinon, ce sera la fin pour moi et pour nous.
— « La Momie Inca »

A la dernière extrémité, quand elle risque de se dessécher complètement, Ampata tente de donner au jeune homme le baiser de la mort.

Après avoir détruit la momie, Buffy souligne quelle vie tragique fut la sienne, et Alex lui rappelle son comportement héroïque quand elle était dans la même situation.

BUFFY : Elle était déboussolée. Cette fille, on lui avait volé sa vie, tu imagines un peu ? Essaie de te rappeler. Quand j'ai entendu la prophétie de

ma mort, comment j'ai réagi ? J'ai été très perturbée, je ne savais pas quoi faire.
ALEX : Oui, mais tu as trouvé. Tu as donné ta vie.
— « La Momie Inca »

DIVERS INVISIBLES

Même si on peut supposer qu'il existe différents moyens pour les êtres humains de devenir invisibles — dans la mythologie de Buffy ! —, nous allons nous concentrer sur le seul cas évoqué à l'écran : celui de Marcie Ross.

« Selon un mythe grec, un manteau pouvait rendre invisible, mais uniquement les dieux. Le problème, c'est que je n'ai pas ce manteau. »
— Alex, dans « Portée Disparue ».

Dans « Portée Disparue », un ennemi invisible attaque plusieurs lycéens. Giles songe d'abord à un fantôme ou à un être doué de pouvoirs télékinétiques, mais grâce à la bande à Buffy, il ne tarde pas à découvrir la vérité.

Marcie Ross était une étudiante à qui personne n'adressait la parole, et dont personne ne se souvient. Même Alex et Willow, aussi gentils qu'effacés (et donc dans le même panier qu'elle) ne semblent pas s'être aperçus de son existence. Giles en déduit que Marcie n'est pas devenue invisible à cause d'un événement surnaturel, mais scientifique.

Dans une réplique coupée au montage, il explique que « la réalité est modelée, voire créée, par la perception qu'on en a ». Obéissant aux lois de la physique quantique, Marcie, perçue comme invisible, a fini par le devenir.

Son nouvel état a fait basculer la jeune fille dans la folie. Elle tente de se venger, notamment en s'attaquant à Cordélia qu'elle entend défigurer pour lui donner une bonne leçon. Buffy l'en empêche, mais les agents Doyle et Manetti du FBI viennent chercher Marcie.

« Vous avez déjà vu le même cas, peut-être ? » demande la jeune fille. Evidemment, les deux hommes ne se donnent pas la peine de répondre. Ils emmènent Marcie dans une école remplie d'autres lycéens invisibles qui étudient les tentatives d'infiltration et d'assassinat.

L'ORDRE DE TARAKA

L'Ordre de Taraka apparaît pour la première fois dans l'épisode en deux parties « Kendra ». Spike, qui veut absolument guérir Drusilla, et qui craint que Buffy ne tente de l'en empêcher, décide de prendre des mesures draconiennes. A la grande surprise de ses fidèles, il fait appel aux membres de l'Ordre.

DALTON : L'Ordre de Taraka ? Ce n'est pas un peu exagéré ?

SPIKE : Non, c'est pile ce qu'il nous faut.
> — « Kendra », première partie.

Un des vampires, Dalton, les désigne sous le nom de « chasseurs de primes ». Ce sont en réalité des assassins, dont l'origine remonte au roi Salomon, comme l'explique Giles.

« Leur credo est de semer la discorde et de tuer ceux qu'ils surprennent. Ils sont une race à part. Contrairement aux vampires, ils ne sont animés par aucun autre désir que celui de toucher leur prime. Ils découvrent leur cible et l'éliminent. »
« Vous pouvez en tuer autant que vous voulez, ça ne fera aucune différence : il en viendra toujours d'autres, jusqu'à ce qu'ils aient accompli leur mission. Chacun d'eux travaille seul, à sa façon. Certains sont humains, d'autres pas. Nous ignorons leur identité jusqu'à ce qu'ils frappent. »
> — Giles, dans « Kendra », première partie.

Tous les membres de l'Ordre portent un anneau qui permet de les identifier. Selon Kendra, ils sont présentés en détail dans le sixième tome des *Ecrits de Dramius*.

Trois d'entre eux interviennent dans cet épisode. Une femme nommée Patrice se déguise en agent de police et tire sur Buffy pendant les Journées d'Orientation du lycée. Bien qu'elle semble moins effrayante que ses complices, c'est elle qui survivra le plus longtemps.

Le premier assassin qui meurt se nomme Octarus. Le scénario original le décrivait comme « un géant : 2,10 mètres de haut pour plus de deux cents kilos. La cataracte recouvre un de ses yeux ; l'autre est profondément enfoncé dans la masse de tissu cicatriciel qui lui tient lieu de visage. » L'Octarus vu dans la version finale est tout aussi terrifiant, mais il ne résiste pas plus longtemps.

Le dernier et le plus sinistre des trois assassins est un certain M. Pfister : il ressemble à un humain mais est composé de vers et d'autres insectes grouillants. Sans doute s'agit-il d'un démon. « Et moi qui pensais avoir tout vu », soupire Alex dans une réplique coupée au montage.

BUFFY : Qu'est-ce que tu as qui attire les insectes à ce point ?

ALEX : Non, ce type était différent de la mante religieuse. Ce n'était pas un asticot ; il était en asticots.
> — « Kendra », deuxième partie.

Octarus et Patrice sont vaincus par Buffy et Kendra. Mais M. Pfister ne peut être éliminé que sous sa forme insectoïde. Alex et Cordélia le provoquent, puis se cachent derrière une porte pour l'obliger à se métamorphoser.

Quand la masse grouillante passe sous le battant, elle est engluée dans une tache de peinture blanche que les deux jeunes gens ont répandue, puis se fait joyeusement piétiner.

« Hé, l'asticot ! Ouais, toi ! Je te parle, espèce de grosse larve ! »
> — Alex, dans « Kendra », deuxième partie.

Nous n'entendons plus reparler des assassins jusqu'à l'épisode « Le Fiancé », où Buffy apprend une bonne nouvelle à Alex et à Willow : selon les sources d'Angel, le contrat a été annulé. L'Ordre de Taraka se composant de toutes sortes de créatures (humains, démons ou vampires), il y a de fortes chances pour qu'il réapparaisse un jour.

Bezoar

Les petits bezoars sortent des « Œufs-Surprise ». Ce sont des parasites préhistoriques dont la mère hiberne sous terre, avant de pondre des œufs qui ressemblent à ceux d'une poule.

Dans leur coquille, les bébés déploient de longs tentacules sur le visage de leur hôte futur afin de le préparer à les accueillir. Ces hideuses petites créatures ressemblent à des poussins munis de pattes de crabe, ou aux larves d'*aliens* dans les films du même nom.

Dans le cadre d'un cours d'éducation sexuelle, en classe de biologie, Buffy et les autres élèves de sa classe se voient « accidentellement » confier des œufs de bezoar sur lesquels ils devront veiller comme de vrais parents.

Dès qu'ils éclosent, les bébés prennent le contrôle du premier humain qui passe à leur portée : Cordélia, Willow, M. Whitmore, Giles et la mère de Buffy sont tous *parasités*. Alex est épargné : pour ne pas risquer de casser son œuf, il a eu l'idée saugrenue de le faire bouillir. Quant à Buffy, elle surprend son petit bezoar au moment de l'éclosion et le tue.

La maman bezoar est une énorme mare de vase noire tapie sous la chaufferie du lycée, son œil unique ouvert pour observer ce qui l'entoure. Ses bébés ordonnent à leurs hôtes de la libérer, quitte à tuer tous les humains « sains » qui s'opposeraient à eux.

Avec un tentacule pareil à un fouet, la maman bezoar se saisit du cow-boy vampire Tector Gorch, l'attire à elle et le dévore. Lyle, le frère de Tector, tente de jeter Buffy en pâture au monstre, mais la jeune fille le détruit et émerge de la fosse couverte d'une gelée bleuâtre : le sang des bezoars.

L'Ogre

L'Ogre est un monstre fascinant, car issu de l'imagination du jeune Billy Palmer. Après un match de base-ball où il manqua un point décisif, le garçonnet de douze ans se fit rouer de coups et tomba dans le coma. Les autorités purent retrouver son agresseur quand il reprit connaissance et dénonça son entraîneur.

Pendant qu'il était dans le coma, Billy fit d'horribles cauchemars. L'interaction entre son esprit et les forces de la Bouche de l'Enfer donna vie aux mauvais rêves des autres habitants de Sunnydale.

Le cauchemar du petit garçon, une créature hideuse appelée l'Ogre générée par la frayeur consécutive à son agression, arpentait les rues de la ville. Par ailleurs, Billy projetait dans le monde réel une image astrale de lui-même que Buffy était la seule à voir.

L'Ogre se manifeste pour la première fois à l'écran quand une lycéenne appelée Laura se glisse dans la chaufferie pour fumer en cachette. Elle est attaquée par la créature, qui dit simplement « Le 19 porte bonheur », en référence au numéro du maillot de Billy.

C'était ce que son entraîneur lui avait dit avant qu'il ne rate le point décisif.

Tout le reste de l'épisode, l'Ogre pourchasse Billy et Buffy. Bien entendu, la Tueuse le terrasse, et aide le jeune garçon à comprendre ce qui lui est arrivé. Billy reprend connaissance à l'hôpital. Peu de temps après, son entraîneur lui rend visite. Comprenant que son crime a été découvert, il tente de s'enfuir, mais Alex et Giles l'en empêchent.

Ted Buchanan

Même humain, Ted Buchanan serait resté un monstre. Au début de l'épisode « Le Fiancé », Buffy découvre sa mère en train d'embrasser un homme dans leur cuisine. C'est le nouveau petit ami de Joyce et, aux yeux de tous, un beau-père en puissance parfait : il cuisine bien, défend de solides valeurs morales et s'entend à merveille avec tout le monde.

BUFFY : Jusque-là, tout ce que je vois, c'est quelqu'un qui a un bon boulot, qui a l'air poli et gentil, et que ma mère aime beaucoup…
ALEX : Bref, un horrible monstre !
— « Le Fiancé »

Seule Buffy ne l'apprécie guère, mais ses amis ne prennent pas son inquiétude au sérieux. Pourtant, Ted la menace dès qu'ils sont seuls.

Un peu plus tard, il lit son journal et, au cours

d'une dispute avec la jeune fille, finit par la frapper. Buffy riposte. Comme elle est beaucoup plus forte que lui, Ted fait une chute apparemment mortelle dans l'escalier.

On apprend bientôt que les soupçons de Buffy étaient fondés : Ted revient à la vie, et il est obsédé par Joyce. Alex, Willow et Cordélia vont chez lui, où ils découvrent les cadavres momifiés de ses quatre femmes précédentes.

« C'est une petite maison douillette… Pour un serial killer des années 50. »
— Cordélia au cours d'une visite chez Ted, dans « Le Fiancé ».

Il s'avère que Ted est un robot construit par un savant génial mais fou, qui se savait mourant. Pour reformuler tout ça en termes compréhensibles par tous :

« Je suis Ted le minable ; je suis en train de crever et ma femme m'a largué. Je construis un Ted plus performant. Il la ramène. Elle meurt dans son petit nid d'amour, alors il ne cesse de la rechercher. Ça fout les boules à un point dont j'ignorais l'existence ! »
— Alex, dans « Le Fiancé ».

Au bout du compte, Buffy détruit Ted. Plus tard, elle dit à sa mère qu'elle est certaine qu'il a « fini à la décharge ». Mais comme le savent tous ceux qui ont vu *Terminator*, un robot performant n'a jamais dit son dernier mot. Et on ignore combien le savant a construit de répliques de lui-même avant de mourir.

SORTS, ENCHANTEMENTS ET INCANTATIONS

« Celui qui est plongé dans le sommeil se réveillera. Il se réveillera, et le sang recouvrira l'univers. Amen. »
— **Luke, dans « Bienvenue à Sunnydale », première partie.**

« Et comme la peste bubonique, la race humaine envahit la Terre. Mais au crépuscule du troisième jour viendra la Moisson, et le sang des hommes coulera quand le Maître une fois encore se lèvera et se retrouvera parmi eux. La Terre appartiendra aux Anciens. Et alors l'Enfer sera aux portes de la ville. Amen. »
— **Luke citant le texte sacré, dans « Bienvenue à Sunnydale », première partie.**

LE MAÎTRE : Mon sang que tu viens de boire pour l'éternité coule dans tes veines.
LUKE : Par mon corps, ton destin j'accomplis.
— **Préparation du Vaisseau, dans « Bienvenue à Sunnydale », deuxième partie.**

« *Corces en galeo* ; la porte est close, reçois l'obscurité. Relâche l'innocente. Nourris-toi de mon énergie, et repais-toi. »
— **Giles lançant le sort qui permettra à Amy et à Catherine de retrouver leurs corps respectifs, dans « Sortilèges ».**

« Le regard que je porte sur mon ennemi sera celui de sa mort terrestre, et les enfers accueilleront son âme. Esprits, je vous le livre. »
— **Catherine, pour se débarrasser de Buffy, dans « Sortilèges ».**

« Pour notre Maître, pour sa blessure, par l'Enfer. »
— **Les membres du Grand Ordre d'Aurélius priant pour la résurrection du Maître, dans « La Métamorphose de Buffy ».**

« Saint Valérien, grand exterminateur, nous te supplions. Délivre-nous de notre faiblesse, de notre pitié. Nous étancherons notre soif avec leur sang. »
— **La prière du Freluquet à saint Valérien, dans « Attaque à Sunnydale ».**

« Diane, déesse de l'amour et de la chasse, je t'implore. Que mes appels touchent le cœur de la bien-aimée d'Alex. Puisse-t-elle perdre le sommeil, le boire et le manger jusqu'à ce qu'elle se soumette à sa volonté. Diane ! Suscite et bénis son amour ! »
— **Amy, pour que Cordélia tombe amoureuse d'Alex, dans « Un Charme Déroutant ».**

« Déesse Hécate, exerce ton pouvoir. Laisse ramper devant toi la créature impure ! »
— **Amy transformant Buffy en rat, dans « Un Charme Déroutant ».**

« Diane, Hécate ! Je vous demande de repartir ! Déesses des créatures grandes et petites, je vous conjure de vous retirer ! »
— **Amy, quand elle rend sa forme originelle à Buffy, dans « Un Charme Déroutant ».**

« Diane, déesse de l'amour, retire-toi ! Nous ne voulons plus écouter ton chant de sirène ! »
— **Giles rompant le charme d'amour dans « Un Charme Déroutant ».**

« Eligor, je crie ton nom. Toi qui fais naître seigneurs de guerre, empoisonneurs, parias ; toi, géniale obscénité ! Eligor, sombre maître de la pourriture, donne-nous tes infâmes remèdes. Viens restaurer les forces de ton enfant impie et meurtrière. Du sang de son Sire elle s'est levée ; du sang de son Sire elle se relèvera… Bon, maintenant il faut laisser bouillir, puis faire mitonner à feu doux. »
— **Spike, au Rituel du Lac pour rendre ses forces à Drusilla, dans « Kendra », deuxième partie.**

« Et viendra l'époque de la misère et de la détresse, où le monde s'interrogera sur son propre destin. Et c'est à cette époque qu'apparaîtra le Juste des Justes. Le combattant suprême du Maître. La

Tueuse ne le reconnaîtra pas, ne l'arrêtera pas, et c'est en Enfer que le Juste des Justes la conduira. Ainsi il est écrit, ainsi il en sera, mes frères. Cinq êtres humains mourront, et de leurs cendres brûlantes naîtra le Juste des Justes. Le Grand Ordre d'Aurélius l'accueillera et le conduira vers sa destinée immortelle. »

— Le Maître lisant les écrits d'Aurélius, dans « Un Premier Rendez-Vous Manqué ».

« Par le pouvoir du cercle de Kayless, démon je t'ordonne. Démon, obéis. D'où tu viens, retourne. »

— Giles à voix haute, pendant que Jenny tape sur son ordinateur, pour chasser Moloch d'Internet, dans « Moloch ».

RICHARD : J'engage ma vie et ma mort...

INITIÉ : J'engage ma vie et ma mort...

RICHARD : Aux Delta Zêta Kappa et à Machido que nous servons.

INITIÉ : Aux Delta Zêta Kappa et à Machido que nous servons.

RICHARD : Sur mon honneur, devant l'assemblée de mes frères...

INITIÉ : Sur mon honneur, devant l'assemblée de mes frères...

RICHARD : Je promets de garder mon secret, depuis cette heure jusqu'à ma dernière heure.

INITIÉ : Je promets de garder mon secret, depuis cette heure jusqu'à ma dernière heure.

RICHARD : Dans mon sang je fus baptisé ; désormais dans le sang je régnerai, en son nom glorieux.

INITIÉ : Dans mon sang je fus baptisé ; désormais dans le sang je régnerai, en son nom glorieux.

RICHARD : Maintenant, tu es l'un des nôtres.

INITIÉ : Gloire à son nom !

— Cérémonie d'initiation à la fraternité des Delta Zêta Kappa, dans « Dévotion ».

TOM : Machido.

FIDÈLES : Gloire à son nom !

TOM : C'est nous qui te servons, nous qui recevons tes offrandes avec humilité. Nous t'invoquons en cet instant sacré ; nous n'avons pas de richesses, pas de biens à part ceux que tu daignes nous accorder. Nous n'avons ni pouvoir, ni toit sur nos têtes, sinon l'abri que tu nous accordes.

FIDÈLES : L'abri que tu nous accordes.

TOM : Accepte ces humbles sacrifices, ô noir seigneur. Bénis-nous de toute ta puissance, Machido. Viens ! Montre-toi, et que ton visage terrible regarde tes esclaves et leurs humbles offrandes. Nous t'invoquons, Machido.

FIDÈLES : Gloire à ton nom, Machido.

TOM : Car il s'élèvera des profondeurs et nous tremblerons devant lui. Lui, qui est la source de tout ce que nous recevons, ce que nous possédons. Machido ! S'il est satisfait de nos sacrifices, nos fortunes s'accroîtront.

FIDÈLES : Machido, fais que nos fortunes s'accroissent.

TOM : Aux dernières heures du dixième jour du dixième mois, il sera affamé et nous le nourrirons avec le sacrifice.

— Rituel pour nourrir Machido, dans « Dévotion ».

« Le monde qui te renie sera désincarné. Le monde qui t'ignore sera corrompu. Janus, garde-moi pour toujours dans ton cœur, comme ton frère de sang. Janus, entends ma prière. Prends ceci et fais-le tien. Montre-nous ta vérité. Le masque devient chair. Le cœur se recroqueville en ta sainte présence. Janus, cette nuit t'appartient. »

— Ethan Rayne, pour ensorceler les porteurs de ses costumes, dans « Halloween ».

« His verbes, consesus rescissus est. (Par ces mots, je reviens sur le consentement.) »

— Willow annulant la permission d'Angel d'entrer chez Buffy, dans « La Boule de Thésulah ».

« Je vais réussir totalement à extirper et détruire le mal. Le chasser de mon corps, de mes os. Hors de chez nous et de ce monde. Qu'il ne revienne jamais sur cette Terre. »

— Willow, Cordélia, Alex et Buffy en plein exorcisme, dans « La Soirée de Sadie Hawkins ».

« Nici mort nici al flinçtei, te invoc, spirit al trecerii. Reda trupului ce separa omu de animal, cu ajutorul

acestui magic glob de cristal. (Ni vivants ni morts, j'appelle les esprits du royaume du milieu. Rendez au Vaisseau ce qui nous sépare de la bête. Utilisez cet orbe comme guide.) »
— **Bohémienne lançant en roumain le sort de restauration de l'âme, dans « Acathla, première partie ».**

« Je vais boire ton sang, ton sang qui lavera mes entrailles, qui coulera sur ma peau, et je serai purifié. Je serai alors digne de réveiller Acathla. Soyez témoins de mon ascension. De mon baptême. »
— **Angel, rituel pour éveiller Acathla, dans « Acathla », première partie.**

« *Quod perditum est, in venietur.* (Ce qui fut perdu sera retrouvé.) »
— **Giles, quand il lance en latin le sort de restauration de l'âme, dans « Acathla », première partie.**

« Ni morts ni vivants, j'appelle les esprits du royaume du milieu. Qu'ils connaissent les souffrances de l'humanité. Esprits, tendez vos mains vénérables vers moi. Donnez-moi l'âme… »
— **Willow, interrompue alors qu'elle lance le sort de restauration de l'âme à la suite de Giles, dans « Acathla », première partie.**

« Dieux protecteurs, je vous implore. Eloignez son cœur et son esprit des forces du mal. *Te implor Doamne, nu ignora accasta rugaminte ! Lasa orbita sa fie vasul crei va transporta sufletul la el !* (Je vous implore, dieux, de ne pas ignorer cette supplique. Que l'orbe soit le vaisseau qui lui portera son âme.) *Este scris, aceasta putere este dreptul poporuil meu de a conduce.* (Ainsi est-il écrit : mon peuple est en droit d'utiliser ce pouvoir.) *Asa sa fie ! Acum !* (Qu'il en soit ainsi, maintenant !) »
— **Willow, lançant une deuxième fois le sort de restauration de l'âme, dans « Acathla », deuxième partie.**

GUIDE
DES COUPLES

Buffy
CONTRE LES VAMPIRES

L'amour fait peut-être tourner le monde, mais à Sunnydale, il risque de vous tuer. Éprenez-vous du mauvais vampire, d'un démon, d'un robot ou d'une mante religieuse et vous serez le prochain sur la liste des victimes.

Pourtant, que ce soit la faute de la Bouche de l'Enfer ou non, les étincelles de l'amour ne cessent de jaillir à Sunnydale. Assistez en direct au feu d'artifice… et au déclenchement des alarmes anti-incendie quand se déploient les

Intrigues amoureuses à Sunnydale

Buffy et Angel

Car jamais il n'y eut d'histoire plus tragique…

Le chemin de l'amour a rarement été plus semé d'embûches que celui de la Tueuse et du vampire repenti nommé Angel. Dans l'épisode-pilote, « Bienvenue à Sunnydale », ce dernier se présente comme « un ami »… mais pas nécessairement celui de la jeune fille. Lors de leurs premières rencontres, il se borne à la prévenir d'un danger imminent, sans qu'aucun d'eux puisse soupçonner qu'il sera un jour le plus terrible d'entre tous.

Dès la deuxième partie de « Bienvenue à Sunnydale », Angel prend le risque de révéler son nom à Buffy. Il sait pourtant que l'Observateur de la jeune fille pourrait établir un lien entre lui et le tristement célèbre Angélus. Mais son courage a cependant des limites… ou peut-être comprend-il que la Tueuse est chargée d'une mission sacrée, et pas lui.

Buffy : Angel, puisque vous avez l'air de savoir ce qu'il faut faire, pourquoi n'y allez-vous pas ?

174

Angel : Je suis un froussard. Il vaudrait mieux renoncer.

Buffy : J'ai un ami là-dessous. Ou du moins, je le considère comme tel. Savez-vous ce que c'est que d'avoir un ami ?

(Angel ne répond pas.)

Buffy (gentiment) : Je ne voulais pas vous mettre dans l'embarras.

Dans « Le Chouchou du Prof », le quatrième épisode de la première saison, nous découvrons qu'Angel a pris l'habitude de contacter Buffy chaque fois qu'il entend parler d'un danger la concernant :

Buffy : Oh, regardez-moi qui est là !

Angel : Salut.

Buffy : Je devrais te dire que je suis contente de te voir, mais tu es d'accord avec moi : il est inutile de mentir.

Angel : Je ne serai pas long.

Buffy : Oh, je sais. Tu vas me donner un message codé m'avertissant d'un nouveau et excitant danger, et tu disparaîtras dans la nuit. Je me trompe ?

Angel : Tu es froide.

Buffy : Non, réservée.

Angel : Je voulais dire, tu as froid.

(Il enlève son blouson et le donne à Buffy.)

— « LE CHOUCHOU DU PROF ».

Cet homme mystérieux intrigue Buffy autant qu'il l'irrite. Toujours seul, il semble hanté par quelque horrible secret. C'est sans doute son isolement qui attire la jeune fille vers lui : bien qu'elle ait de bons amis, Alex et Willow, sa mission de Tueuse l'isole du reste de l'humanité.

En outre, Angel partage son objectif — « les tuer, les tuer tous » —, ce qui tisse un lien entre eux avant que Buffy ne s'en rende compte. Elle ne sait encore rien de lui, sinon qu'il est son ange gardien. Pourtant, il occupe déjà une place importante dans sa vie. Bien qu'elle tente d'être une adolescente normale, qui sort avec des garçons de son âge, sa relation avec Angel ne tarde pas à éclipser toutes les autres.

Angel : J'espérais te trouver ici.

Buffy : C'est vrai ?

Angel : Il se passe des choses graves ce soir ; tu dois faire ton devoir.

Buffy : Ah non, ça suffit ! Pas toi !

Angel : Buffy, qu'est-ce que tu sais ?

Buffy : La Prophétie, le Successeur, etc.

Angel : Bon, tu sais, c'est parfait. Je voulais juste te prévenir.

Buffy : Me prévenir ? Tu vois ce garçon là-bas, au bar ? Il est ici pour être avec moi.

Angel : T'es avec un garçon ?

Buffy : Oui. Pourquoi est-ce que ça étonne tout le monde ? »

— « UN PREMIER RENDEZ-VOUS MANQUÉ ».

L'apparition suivante d'Angel a lieu dans « Alias Angélus », un épisode qui lève enfin le voile sur sa nature. Buffy a de plus en plus de mal à mener une existence normale :

Willow : (parlant de la soirée de fumigation) : C'est assez marrant. C'est bien, dans ton univers ?

Buffy : Je… pensais à autre chose. J'étais un peu ailleurs.

Willow : Avoue, tu veux qu'on parle d'un garçon ?

Buffy : Oui, c'est ça sans l'être. Pour avoir une conversation, il faut un sujet à propos duquel avoir une conversation, tu comprends ? Est-ce que je suis claire ?

Willow : Il te plaît, en somme…

Buffy : Très juste. Oh, ce n'est pas un problème en général, mais…

Willow : En ce qui concerne Angel ?

Buffy : Tu imagines nos rapports ? C'est genre : « Tu cours un grave danger ; on se voit dans un mois ou deux, d'accord » ?

Willow : Oui, il n'est pas très présent, c'est sûr.

Buffy : Quand je le vois, c'est dingue, il n'y a que lui qui compte, je ne connais plus personne d'autre. Ça fait cet effet, parfois. **— AU *BRONZE*, DANS « ALIAS ANGÉLUS ».**

Plus tard, quand Angel aide Buffy à combattre le Trio et qu'ils se réfugient ensemble chez la jeune fille, la tension monte. Il enlève sa chemise pour qu'elle puisse le soigner. Malgré son trouble, Buffy tente de garder le contrôle de la situation.

Buffy : Sans toi, je ne serais plus là. Est-ce que tu passais par hasard ?

Angel : Oui, j'habite tout près. Je faisais une balade…

Buffy : Alors, tu ne me suivais pas ? C'est drôle, j'avais cette impression.

Angel : Pourquoi je te suivrais ?

Buffy : A toi de répondre. C'est toi, le mystérieux sauveur qui surgit de nulle part. Je ne dis pas que ça me déplaise, ce soir, mais si tu traînes dans le coin, je tiens à savoir pourquoi… **— « ALIAS ANGÉLUS ».**

Entre-temps, Joyce a ordonné à sa fille de se coucher, mais Angel ne peut pas repartir à cause des vampires qui rôdent autour de la maison. Ensemble, ils vont dans la chambre de Buffy, et la tension monte encore d'un cran. « Deux pour un lit… Mince, ça ne marche pas », bafouille la jeune fille.

Le lendemain soir, quand elle rentre du lycée, Angel lui avoue : « La conclusion de mes réflexions, c'est qu'il vaut mieux en rester là, parce que quand on est ensemble… Je n'ai qu'une idée, une obsession : t'embrasser, te prendre dans mes bras. »
Incapable de contrôler plus longtemps ses impulsions, il finit par le faire… Mais l'odeur du sang de la jeune fille provoque la transformation. Buffy découvre brutalement la vérité.

Angel est un vampire.

Son ennemi.

« J'en suis malade ; c'est impensable. On s'embrassait et soudain, le cauchemar. Est-ce qu'un vampire peut être bon et sensible, ça peut arriver ? »
— Buffy, dans « Alias Angélus ».

Giles lui répond que non, mais elle hésite à accomplir son devoir de Tueuse. « Pourquoi est-ce qu'il m'a sauvée ? » Et avec Willow, elle parle de lui comme d'un garçon ordinaire.

Willow : Dis-moi, quand Angel t'a embrassée, quand il t'a serrée contre lui… avant bien sûr que tu ne te rendes compte, c'était comment ?

Buffy : Je trouve pas les mots. **— « Alias Angélus »**

Willow : Maintenant, il faut que tu te fasses à l'idée qu'il restera toujours beau et jeune alors que toi au contraire, tu vas vieillir et te rider. Et, oh, pour vos enfants, c'est… J'arrête, je me tais.
— WILLOW, DANS « ALIAS ANGÉLUS ».

Buffy est horrifiée de s'apercevoir qu'Angel l'a trahie de la plus horrible des façons ; elle le découvre penché sur sa mère évanouie, qui porte deux blessures sanglantes au cou. Pourtant, elle ne peut se résoudre à l'éliminer et se contente de le jeter par la fenêtre avant d'appeler les urgences.

Plus tard, à l'hôpital, elle réalise que le moment est venu de détruire Angel. Alors qu'elle va l'affronter, elle parvient à lui arracher des révélations :

Buffy : Pourquoi ? Pourquoi tu ne m'as pas tuée quand tu en avais l'occasion ? Tu voulais jouer ? Que je tombe amoureuse de toi ensuite ? J'ai tué bon nombre de vampires, sans avoir la haine que j'éprouve pour toi.

Angel : Ça facilite les choses. Ça paraît simple…

Buffy : Je t'ouvre ma porte, je te fais confiance, et tu agresses ma famille.

Angel : Et alors ? J'ai tué la mienne.
— « ALIAS ANGÉLUS »

C'est un moment clé qui révèle la profondeur des remords d'Angel. Au lieu de détromper Buffy (ce n'est pas lui qui a attaqué Joyce, mais Darla, afin de lui tendre un piège et de le pousser à se nourrir de nouveau de sang humain), il lève le voile sur les choses horribles qu'il a faites dans son passé.

« J'ai tué mes proches, leurs amis et les enfants de leurs amis.
Pendant cent ans, j'ai dispensé une mort affreuse à tous ceux que je rencontrais,
et je l'ai fait avec une joie immense. »
— Angel, dans « Alias Angélus ».

Plus tard, il révèle qu'il n'a pas attaqué Joyce mais ajoute : « J'ai voulu le faire. J'ai l'apparence d'un humain, mais je n'en suis pas un. Je voulais te tuer ce soir. » Alors, Buffy pose son arbalète et approche de lui pour lui offrir son cou. Mais Angel se contente de la regarder, et ils comprennent tous deux que ce n'est pas aussi facile que ça en a l'air. Leur relation est à la fois plus profonde et plus complexe.

Angel disparaît pendant trois épisodes. Quand il refait surface, dans « Portée Disparue », il évite Buffy.

Giles : C'est pour ça que vous êtes là, pour la voir ?

Angel : *Je ne peux pas. C'est trop douloureux pour moi.*

Giles : Un vampire amoureux. C'est très poétique et émouvant, d'une certaine manière.

— « PORTÉE DISPARUE »

Dans le dernier épisode de la première saison, « Le Manuscrit », Buffy est immensément heureuse de le revoir... jusqu'à ce qu'elle s'avise qu'il parle avec Giles de sa mort, qui doit survenir vingt-quatre heures plus tard. « Tu crois que je supporterais qu'il touche à un seul de tes cheveux ? » demande Angel.

Bien que le vampire aime Buffy, c'est Alex qui le pousse à descendre dans l'antre du Maître pour sauver la jeune fille, et encore Alex qui la ramène à la vie. Mais c'est Angel, quand s'ouvre la Bouche de l'Enfer, qui se bat contre ses semblables, Angel qui est accepté comme le compagnon de Buffy quand, après la victoire, vient le moment de se rendre au *Bronze* pour faire la fête.

Dans le premier épisode de la deuxième saison, « La Métamorphose de Buffy », la jeune fille a du mal à surmonter le traumatisme de sa propre mort et sa destinée de Tueuse. Elle se montre froide et cruelle envers tous ses amis, Angel y compris.

Buffy : C'est tout ? Tu n'as plus rien à me dire ? Parce que je faisais un beau rêve ; j'aimerais me rendormir.

Angel : Pardon. J'y vais. (Il se dirige vers la fenêtre et, sans se retourner vers Buffy, ajoute doucement :) Tu m'as manqué.

(Buffy ne répond pas, mais son expression s'adoucit et elle se retourne.)

Buffy : Je t'ai manqué ?

Mais Angel a disparu.

— « LA MÉTAMORPHOSE DE BUFFY »

« Tu ne vois que le bout de ton nez ; oublie-moi une seconde.
Moi, je vous oublie. Angel, ne m'en veux pas si je n'ai pas passé l'été à te pourchasser.
Excuse-moi, mais j'ai profité des vivants. »

— Buffy à Angel, dans « La Métamorphose de Buffy ».

Angel : Pourquoi as-tu peur de moi ?

Buffy : Parce que je ne te fais pas confiance. Tu es un vampire. Oh, pardonne-moi. J'aurais dû employer un terme différent... Mort ambulant ?

Angel : Ne sois pas si obstinée, tu n'y arriveras pas seule.

Buffy : Je me débrouillerai.

Angel : Tu n'es pas aussi forte que tu le crois.

Buffy : Qu'est-ce que tu veux de moi ?

Angel : Quoi ?

Buffy : Oh, je t'en prie. Ne me dis pas que tu n'y as jamais pensé. Qu'est-ce qui se passerait si on se battait : toi le vampire, moi la Tueuse ? Tu ne t'es pas demandé qui gagnerait ? J'aimerais bien avoir la réponse.

Angel : Je ne me battrai pas contre toi.

Buffy : S'il te plaît, fais-moi plaisir.

— « LA MÉTAMORPHOSE DE BUFFY »

Quand elle réduit enfin en poudre les ossements du Maître, Buffy s'effondre en larmes dans les bras d'Angel, lâchant la bonde à sa peur et à sa frustration.

Dans l'épisode suivant, « Le Puzzle », les amoureux ont leur première véritable dispute.

Buffy : Dis, est-ce que tu es jaloux ?

Angel : D'Alex ? Je t'en prie, c'est un gamin.

Buffy : Et j'ai dansé avec ce gamin.

Angel : Dansé n'est pas le bon terme. Plutôt allumé, si je peux me permettre.

Buffy : Je te trouve un peu trop injuste. J'ai dansé pour que tu me remarques, pour que tu voies à quel point j'ai du succès.

Angel : Je ne suis pas jaloux.

Buffy : Pourquoi, les vampires ne connaissent pas la jalousie ?

Angel : Chaque fois qu'on se dispute, c'est pareil, c'est toi qui remets le vampire en avant.

Buffy : Je ne suis pas venue me disputer.   — « LE PUZZLE »

A la fin de l'épisode, Angel a retrouvé suffisamment d'humour pour faire cette confession :

Buffy : L'amour ne tient pas compte des limites.

Angel : Quoi ?

Buffy : Des bêtises.

Angel : Oh, des bêtises... Comme un homme de 240 ans jaloux d'un étudiant.

Buffy : Ça y est, tu l'admets ?

Angel : J'y ai pensé. Je suis obligé de l'admettre.

Buffy : Je ne suis pas amoureuse d'Alex.

Angel : Oui, mais il est dans ta vie. Il est près de toi tout le temps, dans ta classe, dans ton quotidien. Il t'entend rire et pleurer. Il te voit à la lumière du jour.

Buffy : Oh, je suis moins jolie à la lumière du jour.

Angel : C'est bientôt le matin...

Buffy : C'est le moment de se quitter. Je peux te raccompagner.   — « LE PUZZLE »

Comme tous les jeunes couples, Buffy et Angel ont parfois du mal à communiquer :

Angel : Je ne savais pas si tu y allais, toi.

Buffy : J'étais de bonne humeur, alors... Dis-moi, ça fait deux cents ans que tu donnes des rendez-vous. Tu ne comprends pas encore ce que ça veut dire quand une fille dit qu'elle viendra peut-être ?
— « ATTAQUE À SUNNYDALE »

Les choses empirent dans « Dévotion » :

Buffy : C'est drôle ; j'étais en train de me dire qu'au fond, ça pourrait être sympa de se voir en dehors des crimes, du sang... Euh, ce serait chouette...

Angel : Est-ce que tu me ferais des avances ?

Buffy : Non !

Angel : C'est pas des avances ?

Buffy : Non, tu exagères, je ne t'ai jamais fait d'avances !

Angel : Je vois. Tu veux qu'on prenne un café ensemble, c'est ça ?

Buffy : Un café ?

Angel : J'étais sûr que ça arriverait.

Buffy : Quoi ? Il faudrait que tu m'expliques…

Angel : Toi, tu as seize ans, et moi 241…

Buffy : Ça compte tellement ?

Angel : En fait, tu ne sais pas ce que tu veux.

Buffy : Oh si, au contraire : arrêter cette conversation !

Angel : Attends ! Si on sort ensemble, toi et moi, on sait où ça risque de nous entraîner !

Buffy : On sait jusqu'où ça nous a déjà entraînés ! Je regrette, il est déjà trop tard pour la mise en garde, je pense.

Angel : Je voudrais surtout te protéger. On risque de ne rien contrôler !

Buffy : Je crois que ce serait très bien, justement.

Angel : Je ne suis pas le prince charmant. Quand je t'embrasse, tu ne t'éveilles pas d'un profond sommeil, on ne vit pas heureux à jamais.

Buffy : Non, mais dans tes bras, j'oublie tout le reste   .— « DÉVOTION »

Dans « Halloween », Buffy espère faire plaisir à Angel en s'habillant comme une jeune noble de son époque. Mais elle a mis à côté de la plaque.

Angel : Explique-moi, Buffy. Pourquoi t'as pensé que tu me plairais davantage dans cette robe ?

Buffy : Je voulais ressembler à une jeune fille comme celles que tu aimais quand tu avais mon âge. Quoi ?

Angel : Je n'aimais pas ce genre de filles. En particulier les nobles.

Buffy : Menteur.

Angel : Je t'assure que c'est vrai. Je les trouvais souvent stupides. J'aurais tellement voulu rencontrer une femme intéressante, passionnante.   — « HALLOWEEN »

L'apparente légèreté de cet interlude disparaît dans « Mensonge », quand Buffy découvre au sujet d'Angel d'autres vérités mauvaises à connaître. Comme elle avait dû accepter, dans « Alias Angélus », qu'il ait été engendré par Darla, elle doit se faire à l'idée que la très jolie fille qu'elle a vue avec lui est une vampire, la compagne de Spike et quelqu'un qu'Angel a torturé de la plus horrible façon qui soit

Angel : J'ai fait un tas de choses affreuses quand je suis devenu un vampire. Drusilla était la pire. Elle m'obsédait. Elle était pure et douce et chaste.

Buffy : Tu l'as transformée en vampire.

Angel : J'ai commencé par la rendre folle. J'ai tué tous ceux qu'elle aimait, je lui ai infligé toutes les tortures imaginables. Finalement, elle s'est réfugiée dans un couvent, et le jour où elle a prononcé ses vœux, je l'ai transformée en démon.   — « MENSONGE »

Buffy réussit à surmonter le choc, et leur amour se développe.

Dans « Kendra », la jeune fille comprend une chose : quel que soit le résultat des Journées d'Orientation, son destin est tout tracé. Mais elle rassure Angel :

Buffy : Angel, ce n'est pas ta faute. Tu es la seule chose effrayante dans mon monde effrayant qui ait encore un sens pour moi. C'est juste que des fois, je m'emmêle un peu les pinceaux. J'aimerais qu'on soit des ados ordinaires.

Angel : Ça fait longtemps que je ne suis plus un ado.

Buffy : Okay, alors, je voudrais qu'on soit une ado ordinaire et son petit ami démoniaque qui détourne une mineure.

— « KENDRA », PREMIÈRE PARTIE.

Plus tard, après qu'Angel eut emmené Buffy à la patinoire pour la distraire et passer avec elle une soirée «normale», ils doivent combattre un assassin de l'Ordre de Taraka. Le vampire affiche toujours son visage bestial quand la jeune fille veut panser ses blessures, alors qu'il la presse de fuir.

Angel : Tu ne devrais pas me toucher quand je suis comme ça.
Buffy : Comme quoi ?
Angel : Tu sais bien.
Buffy : Oh. Je n'avais même pas remarqué.   — **« KENDRA », PREMIÈRE PARTIE.**

Dans «Œufs-Surprise», Buffy lance une réplique ironiquement prophétique : «Comme si Angel et moi étions juste d'impuissants esclaves de notre passion... Je t'en prie.»

Leurs sentiments ne cessent de croître. Plus âgé et plus mûr, Angel s'inquiète de l'avenir. Mais Buffy le rassure avec l'insouciance de ses dix-sept ans :

Buffy : J'envisage sérieusement d'avoir des enfants. Un de ces quatre, quand j'en aurai assez de m'amuser follement. Pour le moment, ça ferait un peu trop de responsabilités.
Angel : Qu'est-ce que j'en sais ? Je ne peux pas... Tu sais bien.
Buffy : Oh. Ben, tant pis. Je me doutais bien qu'il y a des tas de choses que les vampires ne peuvent pas faire, du genre bosser pour la compagnie du téléphone, être volontaires à la Croix Rouge ou engendrer de petits vampires.
Angel : Alors, tu ne penses pas à l'avenir ?
Buffy : Non.
Angel : Jamais ?
Buffy : Jamais.
Angel : Comment peux-tu dire ça ? Tu te fiches vraiment de ce qui arrivera dans un an ? Dans cinq ans ?
Buffy : Angel... Quand j'essaye d'imaginer mon avenir, tout ce que je vois, c'est toi.
                                        — **« ŒUFS-SURPRISE »**

Leur relation a atteint son apogée : ils ont affronté de nombreux dangers. Buffy a découvert et accepté les vérités qui se cachent derrière le visage d'ange de son petit ami. Elle l'aime déjà de tout son cœur, et songe à l'aimer de tout son corps. Elle a accepté de regarder la mort en face chaque nuit... pas seulement la sienne, mais aussi celle d'Angel. Quand elle fait des cauchemars, c'est lui qui la réconforte :

Buffy : J'aime bien te voir en me réveillant.
Angel : Pour moi, c'est l'heure d'aller au lit.
Buffy : Dans ce cas, j'aime bien te voir au moment du coucher... Tu vois ce que je veux dire. J'aime bien te voir, quoi. Et c'est de plus en plus dur de te dire au revoir le matin.
Angel : Je sais.   — **« INNOCENCE », PREMIÈRE PARTIE.**

Plus tard, pensive, Buffy parle de ses sentiments avec Willow :

Buffy : Ce n'est pas parce qu'on veut une chose très fort qu'elle est bonne pour soi.
Willow : C'est vrai.
Buffy : D'un autre côté, ne pas chercher à avoir les choses qu'on veut très fort... Et si je ne ressentais plus jamais ça ?
Willow : *Carpe diem.* Tu me l'as dit toi-même une fois.

Buffy : Poisson du jour ?

Willow : Pas carpe, *carpe*. Ça veut dire profite du jour présent.

Buffy : Ah. (Un long silence.) Dans ce cas, je pense qu'on va… en profiter. Au stade où on en est, c'est presque inévitable. — **« INNOCENCE », PREMIÈRE PARTIE.**

Buffy s'est vu arracher tant de choses… Une famille unie, la vie paisible qu'elle menait à Los Angeles. Toutes les nuits, pendant que les filles de son âge papotent au téléphone ou essayent les dernières teintes de vernis à ongles, c'est elle qui se bat pour leur sécurité jusqu'au lever du soleil.

Etant la Tueuse, elle sait qu'elle n'aura jamais droit à une existence normale. Et puisqu'elle aime Angel, elle doit renoncer à son rêve d'une grande maison remplie d'enfants.

Quand elle manque perdre Angel dans «Innocence», mais finit par le retrouver, elle décide de faire tout ce qui est en son pouvoir pour lui démontrer son attachement, la profondeur et l'inéluctabilité de ses sentiments. Elle se donne à lui.

Ils font l'amour, et leur monde vole en éclats. Car en cet instant de pur bonheur, Angel perd son âme.

Le cauchemar de Buffy ne fait que commencer.

Angel : Fais pas cette tête. On a passé un bon moment, mais c'est pas la peine d'en faire tout un plat.

Buffy : Bien sûr que si ! C'était…

Angel : Comme un feu d'artifice ? Tu as entendu sonner des cloches ? Chanter les petits oiseaux ? Tu sais, je connais déjà tout ça par cœur.

Buffy : Pourquoi tu me parles comme ça ?

Angel : J'aurais dû me douter que tu le prendrais mal.

Buffy : Angel… Je t'aime.

Angel : Ouais, moi aussi. On s'appelle. — **« INNOCENCE », DEUXIÈME PARTIE.**

Buffy : Angel… Une partie de toi doit se souvenir de qui tu es.

Angel : Rêve toujours, fillette. Ton petit ami est mort. Et tu ne vas pas tarder à le rejoindre.

Buffy : Laisse Willow et bats-toi contre moi.

Angel : Mais elle est si vulnérable. Ça m'excite terriblement.

— **« INNOCENCE », DEUXIÈME PARTIE.**

Alors, Buffy réalise que le cadeau qu'elle a fait à Angel — son amour entier et inconditionnel — l'a de nouveau transformé en monstre.

A partir de là, Angel ne cessera plus de la traquer. Il menace sa mère et ses amis, se délecte de sa peur, s'introduit dans sa chambre pour la regarder dormir ou déposer sur son oreiller des dessins et des roses.

Chaque matin, la résolution de Buffy s'affermit. Angel n'est plus l'homme qu'elle aimait. La terrible vérité, c'est que son amour l'a tué.

Angel : Le pire, c'était de faire semblant d'être amoureux de toi. Si j'avais su que tu céderais aussi facilement, je ne me serais même pas donné cette peine.

Buffy : Ça ne marche plus. Tu n'es pas Angel.

Angel : Ça te plairait de le croire, hein ? Peu importe. Tout ce qui compte, c'est que tu as fait de moi ce que je suis aujourd'hui. — **« INNOCENCE », DEUXIÈME PARTIE.**

Angel la provoque, comme dans «Pleine Lune» quand il lui transmet ses meilleurs sentiments en transformant une de ses camarades en vampire. Ou, à l'approche de la Saint-Valentin...

Giles : Je note une tendance perturbante. Aux alentours de la Saint-Valentin, il se livre à des démonstrations de... d'affection un peu brutales.
Buffy : De quel genre ?
Giles : Mieux vaut ne pas entrer dans les détails. — « **UN CHARME DÉROUTANT** »

Giles : Il le fait délibérément, Buffy. Il essaye de te compliquer la vie.
Buffy : Au contraire, il me la simplifie. Je sais ce que j'ai à faire.
Giles : Quoi ?
Buffy : Le tuer. — « **INNOCENCE** », DEUXIÈME PARTIE.

Après le meurtre de Jenny Calendar, si chère au cœur de son Observateur, Buffy est obligée de sévir contre le meurtrier de la jeune femme, le démon qui a pris la place de son amant :
« J'aurais dû le tuer quand j'en avais l'occasion. Mais je n'étais pas prête. Je crois que maintenant, je le suis. [...] Je ne veux plus continuer à m'accrocher au passé. Angel n'est plus, et personne ne le fera jamais revenir.
— **BUFFY, DANS « LA BOULE DE THÉSULAH ».**

Et pourtant, à bien y regarder, ses actions insensées trahissent une logique perverse :

Buffy : C'est étrange. Chaque fois qu'il se passe quelque chose de bizarre, mon premier instinct est de courir vers Angel. Je ne peux pas croire que ce soit la même personne. Il est complètement différent du garçon que j'ai connu.
Willow : Oui, tu as raison. Sauf que...
Buffy : Sauf quoi ?
Willow : Tu es la seule à exister dans ses pensées. — « **LA BOULE DE THÉSULAH** »

Angel le prouve dans «Réminiscence», quand il tente de rendre visite à Buffy, hospitalisée, et qu'Alex le repousse.
Plus tard, dans «La Soirée de Sadie Hawkins», la jeune fille n'arrive pas à se pardonner d'avoir couché avec Angel — au prix de son âme. Elle se complaît dans la morosité, mais quand elle est possédée par le fantôme de quelqu'un qui a désespérément besoin qu'on lui pardonne, et Angel par un fantôme qui a besoin de pardonner, les deux amants ont droit à un bref instant de grâce.
Dans le dernier épisode de la deuxième saison, Angel retrouve son âme... pour être aussitôt damné. Quand le démon qui l'habite décide de lâcher l'enfer sur Terre, il pense avoir détruit sa passion pour Buffy.
De son côté, la jeune fille qui l'a aimé, malgré sa nature de vampire et les crimes commis par le passé, doit le sacrifier au moment même où il retrouve son âme. Elle devient ainsi l'héroïne tragique ultime.

Angel : Qu'est-ce qui se passe ?
Buffy : Chut, je suis là, n'aie pas peur. (Elle s'écarte pour le dévisager et l'embrasse passionnément.) Je t'aime.

Angel : Je t'aime.
Buffy : Ferme les yeux.

— « ACATHLA », DEUXIÈME PARTIE.

Tels sont les derniers mots qu'ils échangent en ce monde. Puis la Tueuse expédie en enfer son unique amour.

Les quatre coups du destin

BUFFY ET FORD : Buffy avait le béguin pour Billy Fordham quand elle était en CM2. Mais lui ne s'intéressait pas aux gamines. Dans l'épisode « Mensonge », le voilà qui débarque à Sunnydale : son père a été muté, et il va suivre des cours au même lycée que Buffy.

En réalité, il ne prend même pas la peine de s'y inscrire. Victime d'une tumeur cérébrale qui ne lui laisse que six mois à vivre, Ford s'arrange pour rencontrer Spike et lui propose un marché : si le vampire accepte de le transformer, il attirera la Tueuse dans un club gothique pour la lui livrer.

Buffy est effondrée quand elle découvre la trahison de son ami, même si elle compatit à ses souffrances. Lorsqu'il sort de la tombe, elle lui transperce le cœur sans hésitation : le Ford qu'elle aimait est déjà mort depuis longtemps.

BUFFY ET OWEN THURMAN : Buffy n'a pas choisi d'être la Tueuse. Par un caprice du destin, c'est l'univers qui s'est chargé de la désigner, et elle doit faire face aux conséquences. De là à sortir avec un garçon qui lui plaît, comme n'importe quelle adolescente de seize ans, il y a un fossé que Giles ne se prive pas de lui faire remarquer. Quand le séduisant mais timide Owen trouve enfin le courage de l'inviter, Buffy est ravie… jusqu'à ce que le jeune homme se retrouve impliqué dans une bataille contre les vampires à la morgue de Sunnydale, et qu'elle s'aperçoive qu'il est accro au danger. Réalisant que son monde est trop dangereux pour Owen, elle rompt avec lui sans pouvoir dire pourquoi.

BUFFY ET CAMERON WALKER : A l'origine, Buffy est intéressée par Cameron, un des membres de l'équipe de natation du lycée, mignon et enclin à de grandes envolées poétiques quand il parle de l'océan.

Mais dès la fin de leur premier rendez-vous, elle réalise qu'il est ennuyeux et narcissique. Elle veut le repousser ; comme il insiste lourdement, elle lui casse le nez… et se fait sermonner par le proviseur pour l'avoir allumé. D'ailleurs, quel avenir aurait-elle eu avec un type qui se transforme en poisson à la fin de l'épisode ?

BUFFY ET TOM WARNER : Tom appartient à la même fraternité d'étudiants que Richard Anderson, le nouveau petit ami de Cordélia. Mais les Delta Zêta Kappa vénèrent Machido, un démon-serpent, et Tom est leur chef. Il attire Buffy dans une soirée pour l'offrir en sacrifice à Machido. Evidemment, leur relation était condamnée depuis le début.

Le cœur a ses raisons...

Alex a eu plus que sa part de romances étranges. On dirait qu'il a le chic pour tomber amoureux des filles qu'il ne lui faut pas, alors qu'il a une parfaite petite amie potentielle sous le nez... Mais c'est une autre histoire.

ALEX ET NATHALIE FRENCH :

Mlle French assassine le docteur Gregory, professeur de biologie au lycée de Sunnydale, afin d'être engagée comme remplaçante. Sexy et fascinante, c'est en réalité une mante religieuse qui doit s'accoupler avec de jeunes mâles humains pour fertiliser ses œufs. Ses deux premières cibles sont Blayne Mall (qui ne cesse de se vanter de ses nombreuses conquêtes) et Alex (qui ne se prive pas pour en faire autant). Bien sûr, on découvrira que la sirène-mante ne choisit que des puceaux pour cible...

ALEX ET AMPATA GUTIERREZ : Ampata est le nom d'un étudiant sud-américain qui, dans le cadre d'un programme d'échange, doit passer deux semaines chez les Summers. Mais la momie d'une princesse inca, morte un millénaire plus tôt, vient de sortir de son sommeil et aspire la vie du jeune homme en l'embrassant.

Après avoir usurpé son état civil, elle tombe amoureuse d'Alex. Incapable de le tuer, même pour se régénérer, elle tente de s'en prendre à Willow. Puis Buffy intervient, et le bel amour exotique d'Alex tombe en poussière devant ses yeux.

ALEX ET CORDÉLIA : Les spectateurs les plus perspicaces avaient peut-être flairé la passion qui couvait entre les deux jeunes gens sous les remarques caustiques dont ils faisaient assaut. Pour les autres, ce fut un choc de les voir se jeter l'un sur l'autre alors qu'ils avaient été faits prisonniers par le redoutable assassin tarakan M. Pfister. Comme le décrit le scénario :

Ils se figent un instant, puis échangent un baiser d'une intensité à faire trembler la terre et fondre l'acier.

Une éternité paraît s'écouler. Puis ils se détachent l'un de l'autre et font un bond en arrière comme s'ils venaient d'être électrocutés.

Evidemment, Cordélia veut garder le secret sur cette relation « contre nature ». Et peut-être a-t-elle raison: quand Willow découvre la vérité, elle est effondrée !

Willow : Je le savais ! Bien sûr, je ne savais pas quoi exactement, mais je sentais qu'il se passait quelque chose de pas normal. Vous vous disputiez beaucoup trop. Ce n'était pas naturel.

Alex : Je sais, ça peut sembler bizarre...

Willow : Bizarre ? C'est contre toutes les lois de Dieu et de l'homme ! C'est Cordélia ! Tu te souviens que tu es le trésorier du club de ceux qui la haïssent ?

Alex : Je voulais te le dire...

Willow : Oh, et qu'est-ce qui t'en a empêché ? La honte, sans doute ?

Alex : Je trouve que tu pousses un peu...

Willow : Ah oui ?

Alex : On s'embrassait ; ça ne veut pas dire grand-chose.

Willow (tout bas) : Ça veut juste dire que tu préfères être avec quelqu'un que tu détestes plutôt qu'avec moi.　　　　　　　　**— « INNOCENCE », DEUXIÈME PARTIE.**

Si le chemin de l'amour véritable est semé d'embûches, que dire d'une passion insensée entre deux jeunes gens que tout oppose ? Alex et Cordélia ne tardent pas à s'en apercevoir.

Alex : Tu sais, c'est mieux pour moi si tu ne parles pas.

Cordélia : Et c'est mieux pour moi sans la lumière.

Alex : Tu veux dire que tu ne supportes pas de me regarder quand on... quand on...

Cordélia : C'est pas que je ne peux pas, c'est que je ne préfère pas.

Alex : Génial. Il ne manquait plus que ça. On se trouve répugnants. On se cache de nos amis...

Cordélia : J'espère bien !

Alex : Cette histoire est en train de démolir ma confiance en moi.　　**— « ŒUFS-SURPRISE »**

Ils se demandent ce qui les attire l'un vers l'autre. S'il s'agit bêtement de leurs hormones, pourquoi sont-ils jaloux de tous ceux qui s'interposent entre eux ?

Alex : Mais qu'est-ce qu'elle peut lui trouver, à ce mec ?

Cordélia : Je te demande pardon ? On n'est pas venus ici pour parler de Willow ; on est venus ici pour faire des trucs que je pourrais pas dire à mon père parce qu'il croit encore que je suis innocente.

Alex : Je ne vois pas ce qu'il fait avec elle. D'abord, il est plus vieux ; ensuite, il est attirant, lui. Bon, peut-être pas pour moi, mais il est dans un groupe, et dans les groupes, il y a beaucoup de nazes.

Cordélia : Des nazes, il n'y en a pas que chez les musiciens.

Alex : Ah, merci.

Cordélia : Tu veux vraiment rester ici ?

Alex : Je t'ai dit que je voulais partir ?

Cordélia : Parce que quand tu ne bavasses pas sur cette pauvre petite Willow, tu t'émerveilles devant la super Mlle Buffy qui...

Alex : Hé, je ne bavasse pas. De temps en temps, j'y fais allusion, même si c'est avec un peu de... Oui ?

Cordélia : Alex ? Tu as vu où on est ? On est dans la bagnole de mon vieux, on est rien que tous les deux, il y a une magnifique pleine lune juste au-dessus de nos têtes. Rien ne peut être plus romantique que ça. Alors... la ferme !　　　　　**— « PLEINE LUNE »**

Ils n'arrivent même pas à savoir s'ils sortent ensemble ou pas.

Alex: Donc, tu y vas. Et j'y vais. On devrait peut-être… y aller ?

Cordélia: Pourquoi ?

Alex: Je ne sais pas. Ce truc qu'on fait… malgré nous, je te l'accorde. Mais ça n'arrête pas de se reproduire. On devrait admettre qu'on sort ensemble.

Cordélia: Se peloter dans le placard à balais, c'est pas sortir ensemble. On ne sort ensemble que quand le garçon dépense de l'argent.

Alex: D'accord : je dépenserai d'abord, et on se pelotera ensuite. Mais c'est trop bizarre de devoir se cacher de nos amis.

Cordélia: Evidemment que tu as envie d'en parler à tout le monde ! Tu n'as pas à avoir honte de quoi que ce soit. Moi, en revanche…

Alex: Tu sais quoi ? Oublie ça. Ça devait être une de mes personnalités multiples qui parlait. Jeff le Maso. — **« INNOCENCE », PREMIÈRE PARTIE.**

Au bout du compte, leur persévérance finit par payer.

Cordélia: Moi ? Ce n'est pas moi qui ai trempé dans la magie noire pour attirer les filles ! Félicitations, ça a marché !

Alex: Ça aurait marché si tu n'avais pas la peau si dure. Même la magie ne peut pas la pénétrer !

Cordélia: Tu veux dire que le sort… était pour moi ?

— **« UN CHARME DÉROUTANT »**

Cordélia réalise combien Alex tient à elle. Avec un courage étonnant, elle adopte une attitude qui pourrait lui coûter sa vie sociale jusqu'à la fin des temps.

Cordélia (à Harmony) : Je sortirai avec qui je veux, aussi minable qu'il soit. (Elle s'éloigne.) Oh, mon Dieu…

Alex: Tout ira bien. Continue à marcher.

Cordélia: Qu'est-ce que j'ai fait ? Ils ne m'adresseront plus jamais la parole.

Alex: Mais si. Si ça peut t'aider, on se disputera chaque fois qu'ils seront dans les parages.

Cordélia: C'est promis ?

Alex: Tu peux compter là-dessus. — **« UN CHARME DÉROUTANT »**

ALEX ET TOUTE LA POPULATION FÉMININE DE SUNNYDALE

« Mais enfin, Alex ! Qui t'a métamorphosé en Elvis ? »

Cordélia après qu'Alex eut fait craquer toutes les femmes de Sunnydale (sauf elle), dans « Un Charme Déroutant ».

Dans cet épisode conçu pour libérer Sarah Michelle Gellar des contraintes du tournage pendant quelques jours, afin qu'elle puisse participer au Saturday Night Live, Alex obtient d'Amy Madison qu'elle jette un sort à Cordélia.

La cote de popularité de Cordy a chuté en flèche après la révélation de sa relation avec le jeune homme ; pour retrouver l'estime de ses amis, elle a décidé de le plaquer. Mais il est clair qu'elle le fait à contrecœur. Même si elle s'en défend, elle a des sentiments pour Alex.

Le jeune homme décide de se venger. Malheureusement, le sort ne fonctionne pas comme prévu : au lieu de faire tomber Cordélia amoureuse de lui, il agit sur toutes les femmes de Sunnydale, excepté Cordélia, mais y compris Jenny Calendar, Buffy, sa mère… et même Drusilla !

C'est une chance pour Alex, car la vampire intervient au moment où Angel allait lui faire passer un sale quart d'heure.

Drusilla : Si tu touches à un seul cheveu de sa jolie petite tête…
(Angel n'en croit pas ses oreilles.)
Angel : Tu plaisantes ? Lui ?
Drusilla : Tu es jaloux parce que j'ai trouvé un homme, un vrai.
(Angel secoue la tête.)
Angel : Un homme, un vrai ? Je vois que j'ai réussi à te rendre folle.

— « **UN CHARME DÉROUTANT** »

Drusilla : Ton visage est un poème. Je peux le lire.
Alex : Vraiment ? Il n'y aurait pas marqué : épargne-moi, par hasard ?
Drusilla : Que penses-tu de la vie éternelle ?
Alex : On pourrait peut-être commencer par prendre un café ensemble…

— « **UN CHARME DÉROUTANT** »

Alex découvre qu'il n'est pas marrant d'être l'objet d'une hystérie collective quand toute la population féminine de la ville, outrée par son manque d'attention, se jette sur lui et sur Cordélia pour les menacer de haches et de couteaux, avant de les enfermer dans la cave de Buffy.

Puis les choses redeviennent normales et Cordélia est de nouveau sous le feu de projecteurs… Alex à son bras.

ALEX ET… KENDRA ? On peut s'interroger sur le comportement bizarre de la jeune fille en présence d'Alex. C'est vrai qu'elle n'a pas eu beaucoup de contacts avec des garçons de son âge, mais il semble que son malaise aille au-delà de la simple gêne.

Alex : Bienvenue. Alors comme ça, tu es une Tueuse. J'aime ça chez une femme.
(Kendra s'empourpre et baisse le nez sur ses chaussures.)
Kendra : J'espère que… Merci beaucoup. Si je peux vous être utile à quoi que ce soit…
Alex : Euh… C'est bien d'être serviable.
(Il jette un coup d'œil perplexe à Buffy, qui hausse les épaules.)

— « **KENDRA** », **DEUXIÈME PARTIE.**

Mais quand ils se rencontrent pour la deuxième fois, les circonstances ne leur permettent pas d'approfondir ; Kendra est tuée par Drusilla avant qu'une relation ait pu se développer entre eux.

ALEX ET BUFFY Dès la première seconde où il pose les yeux sur elle, Alex est attiré par Buffy. Sans s'apercevoir qu'il blesse Willow (amoureuse de lui depuis leur enfance, quand il avait cinq ans et qu'il lui volait ses Barbie), il évoque souvent ses sentiments pour la Tueuse devant elle.
Il lui faut toute la première saison pour trouver le courage de demander à Buffy de sortir avec lui. Quand il y parvient enfin, on ne peut pas dire que les résultats soient très brillants.

Alex : Tu sais, Buffy, que le bal de printemps est propice aux rencontres et… On se lance. J'aimerais que tu sortes avec moi, que tu sois ma cavalière à la soirée et ailleurs.

Buffy : Ah ouais ? Je suis étonnée, tu sais…

Alex : Au moins, ça te fait pas rire, c'est déjà ça ! Je t'aime beaucoup, je le sais. On est très copains tous les deux, on a vécu des expériences, on a combattu cette bande de suceurs de varices ensemble et c'était bien ! Mais je veux plus. Je veux danser avec toi.

Buffy : Vous êtes mes amis les plus proches, toi et Willow.

Alex : Willow ne veut pas sortir avec moi… ou alors, c'est une dissimulatrice d'enfer !

Buffy : Je ne veux surtout pas gâcher une amitié si forte.

Alex : Je le souhaite pas plus que toi ! Mais là n'est pas la question ! Soit tu le ressens, soit non, c'est tout !

Buffy : Euh, c'est non ! Je suis désolée, Alex. Je t'avoue que je te vois d'une autre manière.

Alex : J'attendrai. Ça fait rien.

Buffy : Alex !

Alex : Non, ça fait rien. Je suis pas lui. Je suppose qu'il faut être immortel pour t'intéresser.

— « LE MANUSCRIT »

« Lui », bien sûr, c'est Angel. Alex ne supporte pas que Buffy lui préfère un mort-vivant. Il est le seul à refuser de lui accorder sa confiance et nie que ses soupçons soient dus à la jalousie.

> « Si Angel a fait quelque chose de mal,
> je veux le savoir, parce que ça me rend heureux.
> **Alex, dans « Mensonge ».**

Comme nous l'avons déjà mentionné, c'est Alex et non Angel qui insiste pour descendre dans l'antre du Maître afin de sauver Buffy dans « Le Manuscrit ». Quand la bande se mobilise, c'est souvent lui qui prend sa tête et distribue les tâches.
Même si Buffy sort avec d'autres garçons quand Angel n'est pas là (Owen, Ford, Tom, Cameron) et qu'elle flirte avec lui seulement par provocation, quand elle traverse une mauvaise passe dans « La Métamorphose de Buffy », les sentiments d'Alex pour elle ne faiblissent jamais.

> « Officier Harris, en mission pour Buffy. Madame Buffy, duchesse de Buffonie, je m'incline
> devant vous. Je renonce définitivement aux mini-jupes. »
> **Alex, après avoir vu Buffy en costume, dans « Halloween ».**

En dépit de tout, Alex, Willow et Buffy forment un trio très soudé : ils passent presque tout leur temps libre ensemble, au *Bronze* ou les uns chez les autres, à regarder le câble ou à échanger des confidences.

Même la relation d'Alex avec Cordélia ne réussit pas à entamer son amour pour Buffy. D'ailleurs, sa nouvelle petite amie l'accuse régulièrement d'être obsédé par la Tueuse, au point d'être prêt à mourir pour elle (« Innocence »).

Parfois, Willow tente timidement sa chance, jusqu'à ce qu'elle se lasse et finisse par sortir avec Oz.

Willow : Quand Buffy était un vampire, elle te plaisait toujours autant ?
Alex : Willow, comment j'aurais… ? Enfin, tu es malade ; elle était… grotesque.
Willow : T'étais toujours accro, hein ?
Alex : D'accord, c'est moi le malade.
Willow : Je le savais.

— « HALLOWEEN »

Angel, redevenu Angélus, ne manque pas une occasion de tourmenter Alex au sujet de Buffy :

Angel : Pauvre chevalier servant, tu l'aimes toujours. T'as du mal à supporter que je l'ai eue avant toi.
Alex : Tu vas crever, et moi, je serai près d'elle.

— « RÉMINISCENCE »

Par moments, il semble que la persévérance d'Alex sera enfin récompensée, comme dans « Pleine Lune », quand Buffy détruit la vampire Thérésa créée et envoyée par Angel pour lui témoigner son « affection ».

« Mais non, ma vie n'est pas du tout compliquée ! »
Alex après une étreinte prolongée avec Buffy, dans « Pleine Lune ».

A la fin de la deuxième saison, Buffy envoie Angel en enfer et quitte Sunnydale. Alex la reverra-t-il un jour ? Son amour loyal et indéfectible sera-t-il enfin payé de retour ?

Et le relais est transmis…, non sans mal

WILLOW ET MOLOCH : Willow est amoureuse d'Alex depuis toujours, mais bien trop timide pour le lui avouer. Buffy ne cesse de l'encourager à faire le premier pas. Sans succès. « T'es dingue, avouer ma faiblesse ? Ça me rendrait trop malade ; j'aurais les mains moites ! » proteste Willow dans « Alias Angélus ».

De plus, le jeune homme ne laisse planer aucun doute sur la nature de ses sentiments pour Buffy. De guerre lasse, Willow finit par s'intéresser à quelqu'un d'autre. Dans « Moloch », elle rencontre Malcolm Black sur Internet, et ils entament une romance virtuelle qui ne cesse d'inquiéter Buffy.

Willow : Tu as vu la tête que tu me fais ?
Buffy : Pas du tout. Mais c'est vrai que je te trouve bizarre ces temps-ci. Oui, tu as changé.
Willow : Tu dis ça parce que j'ai un petit ami.

Buffy : C'est ton petit ami ?

Willow : Tu as l'art de me le reprocher ; pourquoi es-tu comme ça ? En ce moment, y a pas beaucoup de garçons qui me tournent autour, tu le sais bien. J'aurais pensé que ça te ferait plaisir.

Buffy : J'aimerais que tu le rencontres, que tu le voies face à face, en plein jour et dans un bistrot et avec des copains. Juste pour que tu sois rassurée, c'est tout.

Willow : Malcolm et moi, on a des tas de choses à se dire. Pas grave que je loupe des cours ou que j'arrive en retard.

Buffy : Je croyais que tu t'étais rendormie.

Willow : Malcolm savait que ça te dépasserait.

Buffy : Malcolm avait raison.

— « MOLOCH »

Malheureusement, comme cette histoire se déroule à Sunnydale, Malcolm n'est pas un lycéen mais un démon que Willow a accidentellement lâché sur Internet, en scannant le livre où des moines italiens l'avaient enfermé. Après s'être fait construire un corps artificiel, Moloch le Corrupteur enlève Willow.

Willow : Que voulez-vous dire ? Qu'attendez-vous de moi ?

Moloch : Je veux te donner le monde.

Willow : Pourquoi ?

Moloch : C'est toi qui m'as créé. Je me suis servi d'humains pour me construire une apparence, mais c'est toi qui m'as donné a vie. Tu m'as fait sortir du livre où j'étais prisonnier. Je veux te remercier.

Willow : Vous m'avez caché la vérité. Vous prétendiez être un être humain. Vous prétendiez que vous m'aimiez.

Moloch : Oui, je t'aime.

— « MOLOCH »

Bien sûr, c'est faux. Et quand Willow tente de « rompre » avec lui, il se prépare à la tuer. Dans la dernière scène de l'épisode, les trois amis font d'amers constats sur leur vie amoureuse.

Willow : Qu'importe son nom, le seul garçon qui m'ait jamais aimée aura été un robot monstrueux. Ça veut dire quoi, à ton avis ?

Buffy : Ça ne veut rien dire, Willow.

Willow : Tu vois, le seul dont je suis tombée amoureuse…

Buffy : Hé, souviens-toi, le garçon pour qui j'ai craqué ici. Eh bien, c'est un vampire !

Alex : Exact. Et le prof dont j'étais dingue ? Une mante religieuse.

Willow (dont le visage s'éclaire) : C'est vrai.

Alex : C'est la vie aux portes de l'enfer.

Buffy : Soyons logiques : aucun de nous n'aura de relation tout à fait normale dans sa vie.

Alex : Ouais, on est maudits.

(Ils éclatent d'un rire mal assuré, puis détournent le regard, l'air incroyablement déprimé.)

— « MOLOCH »

Le feu qui couve

WILLOW ET OZ Dans «La Métamorphose de Buffy», le premier épisode de la deuxième saison, Alex et Willow semblent sur le point d'échanger un baiser (le jeune homme vient d'essuyer tendrement de la glace sur le nez de sa compagne), quand ils sont attaqués par un vampire. Plus tard, après que Buffy est rentrée de vacances, Willow tente de recréer la même situation, mais elle échoue : de nouveau, Alex n'a plus d'yeux que pour la Tueuse. Un preux chevalier va tenter de prendre la forteresse d'assaut : Oz, le très discret et très décontracté guitariste des Dingoes Ate My Baby. Lors de ses deux premières apparitions, dans «La Momie Inca» et «Halloween», il se contente d'admirer Willow de loin en se demandant qui elle est.

Dans «Kendra», pendant les Journées d'Orientation du lycée, il découvre qu'elle et lui sont les deux seuls étudiants sélectionnés pour un entretien par une grande société de logiciels, et il lui adresse ses premiers mots : «Un canapé?» Plus tard, il lui révèle que sa véritable ambition est de maîtriser la clé bémol neuvième modifiée, un accord particulièrement viril. L'étincelle est déjà là ; il ne lui reste plus qu'à se propager.

Oz : Un biscuit en forme d'animal?
Willow : Non, merci. Comment va ton bras?
Oz : Je ne le sens plus du tout.
Willow : Tu arriveras quand même à jouer de la guitare?
Oz : Pas très bien, mais pas pire qu'avant.
Willow : Je ne t'ai jamais remercié…
Oz : Pas la peine. Ça me fait rougir et je ne suis pas très beau à voir.
Willow : Dans ce cas, je n'en parlerai pas. Surtout puisque tu m'as sauvé la vie.
(Pour changer de sujet, Oz sort de la boîte un biscuit en forme de singe.)
Oz : Regarde, il a un petit chapeau et un pantalon.
Willow : Oui, je vois.
Oz : Tu sais que c'est le seul biscuit qui a le droit de porter des vêtements? Au fait, tu as un sourire ravissant. Alors, je me demande si les autres animaux ne sont pas un peu jaloux. Peut-être que l'hippopotame se sent floué, qu'il voudrait lui aussi protéger sa dignité avec un pantalon. Et si le singe se moque de lui, un jour, il y aura un soulèvement au zoo… **— «KENDRA», DEUXIÈME PARTIE.**

Puis Willow trouve le courage d'inviter Oz à la fête-surprise organisée pour l'anniversaire de Buffy dans «Innocence». Le jeune homme entre officieusement dans la bande dès qu'il voit un vampire partir en fumée. Sans ciller, il se joint à Alex qui veut voler un lance-missiles. «Ça vous arrive souvent de détrousser l'armée?» demande-t-il.

Et il sait exactement ce qu'il veut.

Oz : Parfois, quand je suis assis en classe, je n'arrive pas à me concentrer… Ça, c'est normal. Mais je pense tout le temps à toi et je m'imagine en train de t'embrasser comme au cinéma. Arrêt sur image… Mais je ne vais pas le faire.
Willow : Ben, pourquoi?
Oz : Quelqu'un d'un peu observateur dirait que tu essayes de rendre ton ami Alex jaloux. Ou de prendre ta revanche, un truc dans le genre. Ça ne m'intéresse pas. Tu vois, dans mon rêve, quand je t'embrasse, tu m'embrasses aussi. Mais c'est pas grave, j'attendrai.
— «INNOCENCE», DEUXIÈME PARTIE.

Sans vraiment le chercher, Willow s'est déniché un merveilleux petit ami. Mais comme nous sommes toujours à Sunnydale, les choses ne seront pas faciles pour eux non plus. Dans « Pleine Lune », Willow découvre qu'Oz a un secret.

Willow : Qu'est-ce que je dois croire, moi ? D'abord, tu m'offres des pop-corn ; ensuite, tu es content que je ne me sois pas fait mordre, et il y a l'étiquette que tu as remise dans mon survet'. Mais tout ça, je suppose que ça ne veut rien dire parce qu'au lieu de chercher des noms avec moi, tu es là tout seul chez toi à ne rien faire de positif.

Oz : Willow, on parlera de ça demain, je te promets.

Willow : Ah non, sûrement pas ! Nous allons en parler tout de suite. Buffy, mon amie, m'a dit que la fille peut aussi faire le premier pas. Maintenant que j'en parle, je commence à réaliser que ma version écrite était plutôt bonne, mais tu vois ce que je veux dire ?

Oz : Je vois. Je vois, c'est… C'est moi, mais je n'y peux rien du tout. Tu comprends, je suis en train de changer ; c'est difficile à…

— « PLEINE LUNE »

Oz est un loup-garou. Choquant au premier abord, mais on peut s'y habituer.

Oz : C'est vrai ? Tu veux quand même… ?

Willow : Ben, t'es quelqu'un que j'apprécie. Tu es gentil, tu es assez drôle, et tu ne fumes pas. D'accord, oui, tu es un loup-garou… Mais c'est pas si terrible. Et puis il y a certains jours dans le mois où je ne suis pas non plus marrante à fréquenter.

Oz : Tu es vraiment un être humain ?

Willow : Alors je veux… Si tu veux, toi.

Oz : Oui, je veux qu'on continue de se voir.

— « PLEINE LUNE »

Enfin, Willow a un petit ami. Et ce n'est pas n'importe qui !

« Mon petit ami joue dans le groupe ! »
Willow, dans « Un Charme Déroutant ».

Oz est vraiment un garçon qui gagne à être connu. D'ailleurs, c'est son nom que prononce Willow quand elle sort du coma dans « Acathla ». On ne peut qu'imaginer les aventures qu'ils partageront dans les épisodes à venir.

WILLOW ET ALEX : Willow est la meilleure amie d'Alex depuis des années, et réciproquement. Mais elle souhaiterait que leur relation aille plus loin, même si le jeune homme, trop occupé à soupirer après Buffy, ne s'en aperçoit pas.

Dans un passage d'«Alias Angélus» coupé au montage, il résume parfaitement la situation, sans se douter que ses paroles blessent terriblement Willow:

Alex: L'amour, c'est nul. Depuis l'école primaire, c'est toujours la même chose: chaque fois que tu craques pour quelqu'un, il craque pour quelqu'un d'autre, qui lui-même craque pour une troisième personne et ainsi de suite.

Willow: C'est l'idée, oui.

Alex: On irait si bien ensemble, je le sais! Elle est débile de ne pas s'en rendre compte… Non, ce n'est pas ce que je voulais dire. Elle n'est pas débile du tout; c'est juste que… On est si proches tous les deux, on partage tout, et elle n'a pas la moindre idée de ce que je ressens pour elle. Ça me tue.

(Il s'éloigne, laissant Willow seule.)

Willow: Oui, j'imagine que ça doit être affreux comme situation…

— **EXTRAIT DU SCÉNARIO ORIGINAL D'« ALIAS ANGÉLUS ».**

Willow lutte contre ses sentiments et tente de remplacer Alex par quelqu'un d'autre. Mais pas de chance: le premier candidat est un démon, et les autres ne se bousculent pas au portillon.

Willow: J'ai le choix: ou je passe ma vie à attendre qu'Alex soit sorti avec toutes les filles du monde avant qu'il me remarque, ou je décide de vivre sans lui.

Buffy: Qu'est-ce que t'en penses?

Willow: Que c'est dur de choisir.

— **« LA MOMIE INCA »**

Finalement, Oz arrive à la rescousse. Peut-être Alex avait-il besoin de sentir Willow lui échapper pour se rendre compte à quel point il tenait à elle…

«Allez, Willow. Tu n'as pas le choix, tu sais: tu dois te réveiller. J'ai besoin de toi. Comment je vais faire en cours si t'es pas là? Qui je vais appeler chaque soir pour parler de la journée qu'on a eue. Tu es ma meilleure amie depuis toujours… Je t'aime.»

Alex pendant que Willow gît dans le coma, dans « Acathla », deuxième partie.

Alors la jeune fille se réveille en appelant Oz.
Que se passera-t-il ensuite?
Seul le temps le dira.

Les mille et une amours de Cordélia Chase

CORDÉLIA ET TOUS LES PORTEURS DE CALEÇONS DE SUNNYDALE: Cordélia s'est toujours vantée d'avoir bon goût en matière d'hommes. Elle sait ce qu'elle veut: le meilleur. Elle sait ce qu'elle mérite: le meilleur. Et elle refuse de se satisfaire de moins. Comme elle l'explique à son fan-club dans «Bienvenue à Sunnydale»:

« Les Terminales : il n'y a vraiment qu'eux qui vaillent le coup. Les mecs de notre âge n'ont
aucune maturité ; ce sont de vrais gosses. Regarde Jesse, il n'arrête pas de me suivre
comme un petit toutou. On a envie de le renvoyer dans son panier. Mais les
Terminales… Ils ont une espèce d'aura. Ils ont également… Voyons, au juste quel est
le mot ? Une voiture. »

Cordélia, dans « Bienvenue à Sunnydale », deuxième partie.

Mais sortir avec Cordélia ne porte pas chance aux garçons : dans les deux premières
saisons, la jeune fille collectionne plus de petits amis morts ou grièvement blessés qu'une
veuve noire.

CORDÉLIA ET DARYL EPPS : L'ancienne star du football Daryl Epps apparaît
dans « Le Puzzle ». Mort dans un accident de varappe, il est ressuscité par son jeune frère
Chris, un petit génie en biologie. Obligé de se terrer dans la cave de leur maison, où il
s'ennuie, ce Frankenstein moderne réclame une compagne. La tête de Cordélia en serait
l'exquise touche finale…

CORDÉLIA ET MITCH FARGO : Mitch est la coqueluche du moment dans
« Portée Disparue ». Il doit servir de cavalier à Cordélia pour le bal de la Reine de Mai. Mais
après s'être fait rouer de coups par Marcie Rosse, la fille invisible, il aura besoin d'une
épaisse couche de maquillage pour ne pas ridiculiser sa très exigeante partenaire…

CORDÉLIA ET KEVIN : Kevin était un gentil garçon qui devait accompagner
Cordélia au bal de promotion ; hélas, des vampires le tuèrent dans la salle vidéo du lycée en
compagnie de plusieurs de ses camarades… pour le plus grand chagrin de la jeune fille, qui
comptait lui faire installer la sono au *Bronze*.

CORDÉLIA ET RICHARD ANDERSON : Richard est étudiant à la Faculté de
Crestwood et membre de la fraternité des Delta Zêta Kappa, un culte qui sacrifie de jolies
lycéennes au démon-serpent Machido. Au départ, Richard drague Cordélia ; puis, comme il
leur faut une victime de plus, son ami Tom invite Buffy à leur petite soirée.

« Les Zêta Kappa veulent un certain équilibre dans leur fête ;
c'est Richard qui m'a tout expliqué, mais comme j'étais occupée à bien écouter,
j'ai rien compris du tout… Ah ! Ah ! Sauf qu'ils ont besoin que tu viennes ;
on doit y aller toutes les deux ou rien. Et moi je te parle de Richard Anderson,
tu saisis ? C'est-à-dire Anderson les fermes, Anderson l'aéronautique et…
(Avec des larmes dans la voix :) Anderson les cosmétiques. »

Cordélia dans « Dévotion ».

A la fin de l'épisode, Buffy tue Machido et envoie en prison les membres du culte qui
n'ont pas été dévorés par le démon.

CORDÉLIA ET JONATHAN : Jusqu'ici, Jonathan est apparu dans quatre épisodes : « Dévotion », « La Momie Inca », « Œufs-Surprise » et « Les Hommes Poissons ». Dans le
premier, Cordélia l'honore de sa présence (bien qu'il ne le mérite guère, ayant oublié le
supplément de mousse sur son cappuccino).

Dans le second, Ampata manque le tuer avec un de ses baisers fatals. Dans le troisième, un bébé bezoar le réduit en esclavage ; dans le dernier, il échappe de justesse à la
transformation en monstre aquatique. Ce garçon a plus de vies que le chat noir de Catherine
Madison !

CORDÉLIA ET DEVON : Devon est le chanteur des Dingoes Ate My Baby. Il apparaît dans «La Momie Inca», quand Oz remarque Willow pour la première fois. Dans «Halloween», il sort avec Cordélia et lui pose un lapin. Pourtant, la jeune fille le couve du regard lors de la soirée au *Bronze*.

CORDÉLIA ET ANGEL :

«Ah, il y a quand même une justice sur Terre ! Prends le téléphone, appelle le SAMU : ce jeune et beau garçon aura grand besoin d'oxygène quand j'en aurai terminé avec lui. »
Cordélia venant de repérer Angel, dans « Un Premier Rendez-Vous Manqué ».

«Oh, c'est un vampire ? Bien sûr. Mais du genre gentil, une sorte de peluche avec des crocs. [...] Je sais ce que vous faites : vous essayez de m'épouvanter alors que c'est vous qui avez peur de la compétition. Tu vois, Buffy, peut-être que c'est toi la plus forte pour les démons et tous ces trucs-là. Mais pour les mecs et les rendez-vous, je suis la meilleure. »
Cordélia après qu'on lui eut expliqué qu'Angel est un vampire, dans « Halloween ».

Comme toutes les filles qui ont des yeux pour voir, Cordélia trouve Angel terriblement séduisant. A plusieurs reprises, elle tente de le piquer à Buffy qui, peu sûre des sentiments du vampire à son égard, s'imagine à tort que sa camarade pourrait être une menace sérieuse.

Buffy : Je me demande si tu ne devrais pas t'occuper de tes affaires.
Cordélia : C'est ça, demande-toi. Fais de beaux rêves. Moi, je vais voir si Angel a envie de danser. **— « LA MÉTAMORPHOSE DE BUFFY »**

Bizarrement, Angel n'accorde jamais le moindre intérêt à Cordélia, bien qu'elle prenne une douche tous les matins et dépense une fortune en coiffeur.

CORDÉLIA ET OWEN THURMAN : Encore un garçon qui préfère Buffy, même si techniquement, c'est Cordélia qui lui propose la première de sortir avec lui.

Cordélia : Owen, on va tous se retrouver au *Bronze* ce soir. Tu viendras ?
Owen : Qui ça, « on » ?
Cordélia : Oh, je ne sais pas. Mais moi, j'y serai.
Owen : Qui d'autre viendra ?
Cordélia : Tu veux dire, pour faire tapisserie ?
Owen : Buffy, tu...
Buffy : Quoi ?
Cordélia : Non, non, non : elle déteste s'amuser.
Owen : On peut s'y retrouver à vingt heures.
Buffy : Ben oui, vingt heures. Je viendrai. **— « UN PREMIER RENDEZ-VOUS MANQUÉ »**

CORDÉLIA ET ALEX : Sa seule véritable passion à ce jour, même si la jeune fille fait tout pour s'en défendre.

Cordélia : Je n'arrive pas à croire que ce sont peut-être mes derniers instants sur cette terre et que je suis coincée avec toi !

Alex: J'espère bien que ce sont mes derniers instants! Trois secondes de plus avec toi et je vais…

Cordélia: Tu vas quoi? Lâche!

Alex: Abrutie!

Cordélia: Je te déteste!

Alex: Moins que moi!

(Ils s'embrassent à perdre haleine.)

Alex: Il faut absolument qu'on sorte d'ici! — «KENDRA», DEUXIÈME PARTIE.

Dans un passage d'«Innocence» coupé au montage, Cordélia tâte le terrain auprès de ses amis branchés.

Cordélia (d'un air détaché): Salut. Je viens juste de penser à un truc, je ne sais pas pourquoi… Alex Harris. Tu ne trouves pas que sa chemise va presque avec son pantalon?

(Harmony jette un coup d'œil et hausse les épaules.)

Harmony: Presque, oui. Et alors?

Cordélia: Ben… Si on le regarde sous un certain angle, il pourrait être vaguement mignon, non?

(Alex esquisse trois pas d'une danse ridicule pour faire rire Willow.)

Harmony (avec une grimace ironique): C'est sûr, un vrai tombeur. Tu as fumé ou quoi?

(Silence. Puis Cordélia éclate d'un rire de crécelle.)

Cordélia: Tu pensais que j'étais sérieuse? Par pitié! C'était juste pour te tester. Ah! «Un vrai tombeur.» Excellent! — «INNOCENCE», PREMIÈRE PARTIE.

Les amours démoniaques d'Angel

ANGEL ET DARLA: Sous sa forme humaine, Darla est une belle jeune fille blonde qui se fait passer pour une lycéenne. Elle a transformé Angel à Galway en 1753:

Angel: Oh, votre visage est si joli. D'où êtes-vous?

Darla: A la fois d'ici et de partout.

Angel: J'ai toujours voulu connaître le monde. Je n'ai jamais été nulle part, mais…

Darla: Veux-tu me suivre?

Angel: Où ça?

Darla: Voir des choses inconnues, que tu n'imagines pas.

Angel: C'est très tentant.

Darla: Je sais. Et effrayant.

Angel: Je n'aurai pas peur. S'il te plaît, ouvre-moi ton monde.

Darla: Ferme les yeux. — «ACATHLA», PREMIÈRE PARTIE.

Tout le siècle suivant, les deux vampires entretiennent une relation amoureuse. Mais après que la malédiction des bohémiens lui eut rendu son âme, Angel renonce à la compagnie de ses semblables.

Darla continue à assister le Maître, dont elle est la favorite, et exécute ceux qui l'ont déçu. Quand elle apprend que son bien-aimé fréquente la Tueuse, elle conçoit un plan pour les monter l'un contre l'autre, avec l'espoir qu'Angel tuera Buffy et rejoindra le troupeau. Malheureusement pour Darla, son plan se retourne contre elle. Après qu'elle eut révélé à

Buffy l'amour qui la liait autrefois à Angel, celui-ci la tue. Le dernier mot que prononce Darla est son nom, comme si elle avait du mal à croire qu'elle n'a plus aucune emprise sur lui.

ANGEL ET DRUSILLA :

Angel : « J'ai fait un tas de choses affreuses quand je suis devenu un vampire. Drusilla était la pire. Elle m'obsédait. »   **— ANGEL, DANS « MENSONGE ».**

Angel transforme Drusilla à Londres dans les années 1860. Tout à la gloire de son existence démoniaque, il la tourmente dans le confessionnal tandis qu'elle évoque d'une voix tremblante les visions qui la poursuivent : sa mère lui a dit qu'elles étaient l'œuvre du diable, et la jeune fille s'est tournée vers l'Eglise pour obtenir un peu de réconfort.

Au lieu de cela, Angel affirme qu'elle est l'engeance du démon. Il tue sa famille et la rend complètement folle. Quand il ne reste plus rien à Drusilla, pas même son identité, il se décide à lui donner le baiser du vampire.

Plus tard, quand il retrouve son âme, Angel éprouve de vifs remords lorsqu'il revoit Drusilla dans « Mensonge ». Son chagrin est presque palpable.

Angel : Drusilla, va-t'en. Je te laisse une dernière chance. Emmène Spike et partez.
Drusilla : Sinon, tu me feras du mal ? Non, tu ne peux plus.
Angel : Si vous ne partez pas, ça finira mal… Pour nous tous.
Drusilla : Mon chéri lui appartient désormais, n'est-ce pas ?
Angel : A qui ?
Drusilla : La fille… La Tueuse. Tu sens son odeur. Pauvre petite chose ; elle n'a aucune idée de ce qui l'attend.
Angel : Ça ne peut pas continuer comme ça. Il faut que ça s'arrête.
Drusilla : Oh non, mon amour… (Elle se penche pour lui chuchoter à l'oreille :) Ça ne fait que commencer.   **— « MENSONGE »**

DRUSILLA ET SPIKE :

Le Juge : Vous puez l'humanité. Vous éprouvez de l'affection et de la jalousie l'un pour l'autre.
Spike : Ouais, et alors ?   **— « INNOCENCE », PREMIÈRE PARTIE.**

Quand ils arrivent à Sunnydale, Spike et Drusilla sont en adoration l'un devant l'autre. La vampire, faible et pâle comme un spectre, a survécu de justesse à l'attaque d'une foule en colère, à Prague. Tous deux s'installent en ville et mettent leur plan au point : à savoir, débarrasser le monde de la Tueuse et rendre ses forces à Drusilla.

Spike est fou de sa compagne et créatrice. Quand elle entre pour la première fois dans la cour du Juste des Justes (« Attaque à Sunnydale »), il reprend visage humain et se tourne vers elle avec le regard énamouré d'un tout jeune homme.

Ensemble, les deux vampires découvrent qu'Angel est en ville. Ayant retourné sa veste, il est désormais le toutou de la Tueuse et leur ennemi juré.

Parfois, Drusilla se sert de sa folie comme d'un prétexte pour manipuler Spike :

Spike : Tu as rencontré quelqu'un d'intéressant ? Angel, par exemple ?
Drusilla : Angel…
Spike : C'est un peu bizarre de vous voir en si bons termes, vu qu'il est passé à l'ennemi…
                                   — « MENSONGE »

Quand Spike, irrité par son entrevue avec Angel, lui fait remarquer que son oiseau est mort parce qu'elle a encore oublié de le nourrir, Drusilla gémit. Aussitôt, il fait acte de contrition et abandonne le sujet.

« Désolé, mon bébé. Je suis un méchant homme. »
Spike, dans « Mensonge ».

Spike ne se soucie que de sa compagne, à qui il veut rendre ses forces. Mais quand il s'y essaie, une allusion au drame à venir assombrit son heure de triomphe. Voici le dialogue qui a lieu pendant que Drusilla torture Angel avant d'effectuer le rituel qui le tuera.

Spike : Je n'ai jamais aimé les préliminaires.
Angel : Dommage. C'est ce que préfère Dru, si mes souvenirs sont exacts.
Spike : Que veux-tu dire ?
Angel : Demande-lui. Elle, elle sait.
Spike : Alors ?
Drusilla : Chut ! Méchant toutou !
Angel : Tu devrais me laisser lui parler, Dru. Apparemment, il a besoin du mode d'emploi. Elle aime qu'on la caresse…
Spike : Ferme-la !
Angel : Honnêtement, mon vieux, tu devrais t'en occuper. La façon dont elle me touche… Je sens bien qu'elle n'est pas satisfaite.
Spike : Je t'ai dit de la fermer !
Angel : Ou peut-être qu'il n'y a pas la même alchimie entre vous.
— « KENDRA », DEUXIÈME PARTIE.

Quand Angel trouve enfin le bonheur entre les bras de Buffy, il perd son âme, et Drusilla pousse un cri de jouissance.

Spike : Tu te sens mieux ?
Drusilla : Je donne des noms aux étoiles.
Spike : Tu ne peux pas les voir. C'est le plafond, et il fait jour.
Drusilla : Je les vois quand même. Mais je les ai toutes baptisées pareil, et ça les gêne. Je redoute un duel.
— « INNOCENCE », DEUXIÈME PARTIE.

Comme elle a raison…

ANGEL, DRUSILLA ET SPIKE : Après sa transformation, Angel gagne le repaire des deux vampires pour des retrouvailles longtemps attendues. Spike et Drusilla sont ravis.

Angel : Oui, c'est vrai.
Drusilla : Tu es revenu.
Spike : Ça y est, tu as retrouvé tes esprits ?

Angel : Je traversais une mauvaise passe.

Spike : Génial ! Ça va être super !

Drusilla : Ça chante dans ma tête. La famille est réunie. Nous nous nourrirons ensemble…

Spike : Ça me rendait malade de te voir jouer les toutous de la Tueuse.

Drusilla : Comment ça a pu arriver ?

Angel : Tu ne me croirais pas si je te le disais.

Spike : Qui s'en soucie ? L'essentiel, c'est qu'il soit de retour. Maintenant, c'est quatre contre une… le genre de statistiques que j'aime.

— « INNOCENCE », DEUXIÈME PARTIE.

Mais bientôt, la joie de Spike (cloué dans un fauteuil roulant) laisse la place à un malaise, puis à une franche jalousie quand Angel le provoque, lui laissant croire qu'il a pris sa place auprès de Drusilla.

Angel : Je te promets de t'emmener avec moi la prochaine fois. Tu peux me rendre un grand service, si j'ai besoin d'un bon emplacement de parking où me garer.

Spike : Aurais-tu oublié que tu n'es qu'un foutu invité que je ne supporte plus chez moi ?

Angel : En tant qu'invité, y aurait-il quelque chose que je pourrais faire pour te rendre service pendant que tu pousses les roues de ta chaise ? (Avec un regard en biais à Drusilla :) Quelque chose que je n'aie pas déjà l'habitude de faire.

— « LA BOULE DE THÉSULAH »

Spike tente de riposter, mais il n'arrive pas à la cheville d'Angel en matière de cruauté.

Spike : Tout dans la tête, rien ailleurs.

Angel : Ça reste à prouver. Et je trouve que cette histoire de Tueuse a assez duré. Je préfère concentrer mon énergie ailleurs.

Spike : Ailleurs ?

Angel : Oh oui ! Dans ton état, je ne peux pas te laisser tomber. Il ne serait pas très sage que je m'éloigne de la maison. Vous aurez toujours besoin de deux bras forts.

— « LA SOIRÉE DE SADIE HAWKINS »

Spike : Je ne supporte plus que tu me nourrisses comme un enfant, Drusilla.

Angel : Et pourquoi non ? Elle te fait prendre ton bain, elle te promène en petite voiture, elle te change comme un enfant. — « LA BOULE DE THÉSULAH »

Angel : Je sais bien que Dru a pitié de toi, mais reconnais que c'est plus facile quand je fais les choses à ta place.

Spike : Tu ferais mieux de te soucier un peu moins de Dru et un peu plus de la Tueuse avec laquelle tu t'es compromis.

Angel : Chère Buffy… Je cherche le meilleur moyen de lui envoyer mes amitiés.

Spike : Arrache-lui les poumons ; ça l'impressionnera sûrement.

Angel : Ça manque de poésie.

Spike : Peu importe. Il n'y a pas grand-chose qui rime avec poumons.

— « UN CHARME DÉROUTANT »

Quand Angel décide d'envoyer tous les humains en enfer, Spike regimbe. C'est la peur de perdre Drusilla, plus que l'amour pour ce monde, qui le pousse à trahir Angel en s'alliant avec Buffy.

« Drusilla m'échappe ; je veux qu'elle soit à moi comme avant.
Je ne veux pas qu'elle l'aime. »

Spike à Buffy, dans « Acathla », deuxième partie.

Pour finir, Spike trahit à la fois le vampire et la Tueuse. Il ne pense qu'à se sauver lui-même, et à emmener Drusilla le plus loin possible d'Angel.

Le chagrin et la miséricorde

GILES ET JENNY CALENDAR : Jenny Calendar, professeur d'informatique au lycée de Sunnydale et technopaïenne à ses moments perdus, fait sa première apparition dans « Moloch ». Bien qu'elle soit très séduisante, Giles se montre plus ennuyé par l'invasion de sa bibliothèque par des scanners qu'intéressé par l'envahisseuse.

Giles : Je vais rester et mettre un peu d'ordre avant de retourner au Moyen Age.
Jenny : Retourner, vous dites ?

— « MOLOCH »

Puis il découvre que la jeune femme comprend ce qu'il dit quand il lui révèle la présence d'un démon sur Internet. En plus, elle veut bien l'aider à effectuer un exorcisme… Alors, son agacement se change en curiosité.

Jenny : Vous auriez dû naître au siècle
    précédent.
Giles : Hé bien oui, je suis le dernier des
    dinosaures.
Jenny : Ce n'est pas ce que j'ai voulu dire.

— « MOLOCH »

Il songe à lui demander de sortir avec lui, mais comme il n'a pas l'habitude de parler aux femmes, il répète son petit discours dans la bibliothèque. La bande à Buffy ne se prive pas de l'ensevelir sous les conseils.

Buffy : Certains mots peuvent être évités…
    Les « pas sensibles » et les
    « inconvenant »… Utilisez des mots
    justes comme quand on parle à…
Giles : Une chaise.
Buffy : Oui. Vous dites : « Hé, je sens un truc et
    peut-être que tu sens un truc ; pourquoi
    pas se le dire ? »
Giles : De cette façon-là ?
Buffy : Attendez, c'est pas tout. Après, vous
    dites « Qu'est-ce que tu penses d'un
    mexicain ? »

Giles : Un mexicain ?

Buffy : Un mexicain. Un restaurant. Vous l'emmenez au restaurant et là vous payez.

Giles : Oh oui, oui.

Alex : Donc, cette chaise s'appelle… Enfin, il s'agit de Mlle Calendar.

Giles : Je ne vois pas ce qui te fait dire ça.

Alex : Simple déduction. Mlle Calendar est une femme douce, elle est mignonne et surtout, elle connaît votre métier : rat de bibliothèque. Donc, pas la peine de vous justifier de votre passion pour les bouquins : elle le sait.

Buffy : Et c'est la seule femme à qui on vous a vu parler, donc…

Alex : Il serait peut-être temps de vous apprendre certaines choses de la vie.

Giles : Finalement, tout ça ne vous concerne pas ; ne vous en mêlez pas.

— « LE PUZZLE »

Giles se montre extrêmement timide et maladroit face à Jenny. Mais celle-ci ne se prend pas la tête et opte pour une approche directe.

Giles : Je trouve ça plutôt drôle, des hommes qui mettent toute leur virilité dans vingt kilos de matériel de protection pour s'affronter. Appeler ça un corps à corps…

Jenny : Vous faites toujours ça au premier rendez-vous ? Dénigrer, mépriser ce que tout le monde aime ?

Giles : Vous avez dit rendez-vous ?

Jenny : Vous avez remarqué, hein ?

— « LE PUZZLE »

« La vie n'est ni calme, ni rassurante, Rupert. Vous n'avez pas appris ça ? »

Jenny, dans « La Face Cachée ».

Leur touchante romance se poursuit jusqu'à ce que le passé douteux de Giles refasse surface, et que Jenny soit possédée par le démon Eyghon. Le bibliothécaire est rongé par les remords. Il lui semble donc d'autant plus difficile de pardonner Jenny quand la jeune femme lui révèle qu'elle est une espionne au service de la tribu de bohémiens qui a maudit Angel un siècle plus tôt.

Parce qu'elle a gardé le silence trop longtemps, Angélus a refait surface, Buffy a le cœur brisé, et le Juge risque d'anéantir l'humanité. Jenny tente de s'excuser. Sans succès.

Jenny : Je sais que vous vous sentez trahi.

Giles : Oui. Rien de plus normal à mon sens, c'est une conséquence de la trahison.

Jenny : Rupert… J'ai été élevée par le peuple qu'Angel a fait le plus souffrir. Mon devoir envers les miens passe avant tout, c'est ce qu'on m'a enseigné. Je ne suis pas venue faire du mal, et si j'ai menti, c'est parce que c'était la seule chose à faire. Je ne savais rien de ce qui se passerait. Je ne savais pas que j'allais tomber amoureuse de vous.

— « LA BOULE DE THÉSULAH »

Mais personne ne peut rester très longtemps fâché contre l'adorable Jenny… pas même Buffy.

Buffy : Voilà ; je sais que vous regrettez beaucoup ce qui s'est passé et je voulais vous dire… C'est bon. On continue.

Jenny : Tu peux compter sur moi.

Buffy : Attendez… Vous lui manquez. Il ne me l'a pas dit directement, mais je sais que c'est vrai. Et je ne veux pas qu'il se sente seul. Je ne le veux pour personne.

— « LA BOULE DE THÉSULAH »

Et quand elle pense pouvoir rendre son âme à Angel (un acte de rédemption pour elle autant que pour le vampire), c'est à Giles que Jenny veut annoncer la bonne nouvelle en premier. Voici les derniers mots qu'ils échangent :

Jenny : J'ai parlé à Buffy.
Giles : Et alors ?
Jenny : Elle a dit que je vous manquais.
Giles : Ah bon. Elle se mêle de tout.
Jenny : Rupert, écoutez… Je ne veux pas vendre la peau de l'ours, mais il se peut qu'il y ait du nouveau. J'ai une chose à terminer. On pourrait se voir plus tard ?
Giles : Oui, oui. Vous voulez passer chez moi ?
Jenny : D'accord.
Giles : C'est bien.

— « LA BOULE DE THÉSULAH »

Divers :

L'AMOUR EST ÉTERNEL : JAMES STANLEY ET GRACE NEWMAN : En 1955, James Stanley était étudiant au lycée de Sunnydale. Il tomba amoureux d'une de ses profs, Grace Newman. Réalisant qu'ils ne pourraient jamais être heureux ensemble, parce que la société les désapprouverait, Grace tenta de mettre un terme à leur liaison le soir du bal de Sadie Hawkins.
Désespéré, James la tua avant de se suicider. Depuis, leurs fantômes hantent les couloirs de l'école, condamnés à jouer sans cesse la même tragédie.

James (possédant diverses personnes, dont Buffy :) Non, reviens ! On n'a pas fini ! (Il lui saisit le bras.) Tu ne ressens rien pour moi, c'est ça ?
Grace : (possédant aussi diverses personnes, dont Angel :) Ça ne compte pas ! Ça n'a pas d'importance, ma souffrance.
James : Dis-moi que tu ne m'aimes plus ! (Grace garde le silence. Il la secoue brutalement.) Dis-le !
(Elle se met à pleurer.)
Grace : Est-ce que ça t'aidera ? C'est ce que tu veux entendre ? D'accord. Je ne t'aime plus, laisse-moi. Adieu !
(James la dévisage, l'air incrédule et peiné.)
James : Non, c'est pas vrai. On ne se réveille pas en cessant d'aimer quelqu'un un beau jour. (Il lève son arme.) Aimer, c'est pour la vie !
— « LA SOIRÉE DE SADIE HAWKINS »

Quand James possède Buffy et Grace, Angel, les deux amants rejouent la scène une dernière fois ; puis Grace apparaît à James et lui pardonne, libérant l'esprit du jeune homme. Buffy n'a pas autant de chance : elle continue à se reprocher la disparition de l'âme d'Angel. Mais au plus profond d'elle-même, son fardeau est un peu plus léger.

Une autre note poignante de cet épisode est l'entêtement de Giles à croire que le poltergeist qui sévit dans le lycée est Jenny. Dérogeant à ses habitudes méticuleuses, il ignore tout indice qui infirme sa théorie.

La jeune femme lui manque. Elle le hante.

PAPA CHÉRI : JOYCE ET TED : On ne peut pas dire que Joyce Summers mène une vie facile. Divorcée et mère d'une adolescente qu'elle ne comprend pas, forcée de quitter Los Angeles pour venir s'installer dans la petite ville de Sunnydale, elle se sent souvent très seule. Mais jamais elle ne se laisse abattre. Comme on le dit, les chiens ne font pas des chats : n'est-elle pas la mère de la Tueuse ?

Quand elle tombe amoureuse de Ted Buchanan, il lui semble vivre un rêve. Son petit ami est gentil, attentionné et il sait même faire la cuisine. Ses pizzas et ses biscuits sont particulièrement délicieux. Mais à la grande déception de Joyce, Buffy ne s'entend pas très bien avec lui.

Buffy : Jusque-là, tout ce que je vois, c'est quelqu'un qui a un bon boulot, qui a l'air poli et gentil, et que ma mère aime beaucoup…
Alex : Bref, un horrible monstre !

— « LE FIANCÉ »

En fait, Ted est un robot qui tente de dénicher une épouse parfaite pour fonder la famille qu'il n'a jamais eue. Avant de le découvrir, Buffy se dispute avec lui et le pousse accidentellement dans l'escalier, où il fait une chute mortelle… au moins, en apparence. Inutile de dire que l'amour maternel de Joyce est mis à rude épreuve. Pourtant, quand Ted réapparaît, elle soutient Buffy :

« Oh mon Dieu, Buffy… Ted, je te jure qu'elle ne voulait pas te faire de mal ;
tu dois me croire ! »
— « LE FIANCÉ »

Elle aime cet homme, mais sa fille passera toujours en premier.

EN COULISSES

Buffy
CONTRE LES VAMPIRES

INTRODUCTION

Selon Joss Whedon, « l'univers de *Buffy* est un endroit émotionnellement sûr ». Les personnages principaux ont beaucoup d'affection les uns pour les autres (oui, même Cordélia); quand l'enfer se déchaîne autour d'eux, ils savent qu'ils peuvent compter sur leurs amis. Ils partagent une vision et servent un objectif commun. Ils sont sincères et loyaux, prêts à donner leur vie pour leur prochain.

C'est ça, l'amour!

L'univers de l'audiovisuel, lui, ne se soucie ni de vision, ni d'objectif commun, ni d'amour. Ce n'est pas un endroit émotionnellement sûr. Malgré la prolifération des chaînes de télévision, la montée du cinéma indépendant et la tendance actuelle des réalisateurs à télécharger des *ultracourts* métrages sur Internet en guise de CV, il est toujours facile de dégringoler de la montagne qu'on a eu tant de mal à gravir.

Certaines séries ne sont jamais sélectionnées, ou déprogrammées après la diffusion de trois épisodes. Des films magnifiques auxquels il a fallu des années pour voir le jour sont retirés de l'écran au bout d'une semaine d'exploitation parce qu'ils ont eu le malheur de sortir en même temps qu'un gros succès commercial.

(Si vous voulez savoir la vérité, le milieu de l'édition n'est guère plus réjouissant... mais c'est une autre histoire.)

Pourtant, cet univers offre parfois aux gens l'occasion de donner le meilleur d'eux-mêmes sur un projet qui leur tient à cœur.

Bienvenue à Sunnydale.

Un endroit émotionnellement sûr?

En aucun cas.

Mais à travers les entretiens conduits avec les acteurs et les membres de l'équipe technique de *Buffy contre les Vampires,* nous avons mesuré quel dévouement ils apportaient à leur art.

Ils nous ont parlé des conflits avec leurs agents quand ils ont accepté de travailler sur la série (« La Tueuse de quoi? Vous êtes malade? »). Puis ils nous ont révélé ce qui s'est produit: quand une présentation de vingt minutes a eu lieu devant les gros bonnets de l'industrie, personne n'a voulu de la série! Tout le monde trouvait ça nul.

Puis une première saison de douze épisodes a été commandée pour remplacer d'urgence une autre série dont la diffusion venait d'être interrompue. Pas vraiment de quoi pavoiser...

Ce furent d'abord les critiques qui remarquèrent Buffy, et les spectateurs ne tardèrent pas à suivre. Les fans venaient de tous horizons: amateurs de terreur, lycéens, adultes... Pas besoin de correspondre à un profil particulier pour comprendre que la série ne traitait pas seulement de monstres aux étranges habitudes alimentaires, mais qu'elle était le reflet de la vie. Parce que les gens qui y contribuent mettent tout leur cœur et toute leur âme dans la balance.

Pour donner naissance à une vision partagée!

SARAH MICHELLE GELLAR

Que ce soit sur le plateau, sur les sites Internet consacrés à la série ou au cours d'entretiens téléphoniques, on nous a répété mille fois les mêmes choses au sujet de Sarah.

Ex-enfant prodige, elle est devenue une vraie professionnelle dont le talent crève l'écran. Et quand elle n'est pas en train de jouer, elle endosse le rôle de mère poule de toute l'équipe, s'intéressant à chacun et tentant de trouver une solution à tous les problèmes.

Elle travaille trop dur.

Par exemple, entre la fin du tournage d'« Acathla », l'épisode final de la deuxième saison, et le début du tournage de la troisième saison, elle n'a eu droit qu'à quelques jours de repos. Entre-temps, elle avait réussi à jouer dans deux films, un remake moderne des *Liaisons Dangereuses* intitulé *Sexe Intentions*, et une comédie romantique pas encore diffusée en France, baptisée *Vanilla Fog*. Quand trouve-t-elle le temps de dormir ?

En a-t-elle seulement besoin ?

Apparemment pas, puisque malgré les inquiétudes de ses camarades, Sarah semble tenir ce rythme depuis sa naissance ou presque : à l'âge de quatre ans, elle faisait ses premiers pas devant une caméra pour un spot publicitaire. A l'époque, elle était déjà le genre de fille et d'actrice qu'on ne peut pas oublier.

Marcie Shulman, la directrice du casting des deux premières saisons de *Buffy*, se souvient des débuts de Sarah. C'est elle qui lui a décroché son premier rôle, aux côtés de Seth Green, quand tous deux étaient encore trop jeunes pour fréquenter une école maternelle.

Quelques mois plus tard, Sarah était attaquée en justice par McDonald's pour avoir, dans un spot de la chaîne de fast-foods Burger King, déclaré que ses hamburgers ne tenaient pas au corps !

Selon Marcie, les producteurs de Buffy savaient quel genre d'actrice ils recherchaient pour le rôle-titre de la série… Jusqu'à l'arrivée de Sarah. Après avoir visionné ses essais, ils acceptèrent de réviser leur jugement.

Dire qu'au début, Sarah était venue auditionner pour le rôle de Cordélia ! Mais Joss Whedon ne l'entendait pas de cette oreille.

Julie Benz, qui jouait Darla, se souvient d'avoir fait un bout d'essai avec Sarah pour le rôle de Kendall Hart dans *All My Children*. Les deux jeunes filles faisaient partie du même groupe de postulantes. Julie affirme qu'elle a su tout de suite que Sarah décrocherait le rôle.

Sarah est très méticuleuse quand il s'agit de conserver des traces de sa carrière. La publicité tournée avec Seth Green ? Quand Marcie lui en a reparlé, elle savait exactement où s'en procurer une copie. Même chose avec son bout d'essai pour *All My Children*.

Sarah a grandi à Manhattan, où elle fréquentait l'Ecole des Enfants du Spectacle. A la télévision, elle a participé à la série *Swan's Crossing* et au feuilleton *Jackie*, dans lequel elle incarnait Jacqueline Kennedy adolescente.

Plus tard, elle remporta un Emmy Award pour son rôle dans *All My Children*. Au cinéma, elle a tourné dans *Funny Farm*, *Scream 2* et *Souviens-toi l'été dernier*, avant que *Buffy contre les Vampires* ne connaisse un succès retentissant.

Motivée n'est pas un mot assez fort pour décrire Sarah.

Alors que nous sommes sur le plateau, elle plaisante avec le producteur Gareth Davies et la scénariste Marti Noxon, ou effraye un serveur qui se propose de la débarrasser d'un yaourt qu'elle n'a pas tout à fait fini, puis esquisse une grimace taquine.

Avant de retourner taper sur James Marsters devant les caméras, elle nous raconte une anecdote sur une soirée de remise des prix, organisée par la chaîne de clubs vidéo Blockbuster, à laquelle elle s'est rendue récemment.

Des ouvriers étaient en train de faire des travaux chez elle, et venaient notamment de regoudronner l'allée du garage. Avec sa belle robe et ses talons hauts, Sarah ne voyait pas comment rejoindre sa limousine sans abîmer sa tenue. Alors, les ouvriers l'ont portée dans leurs bras jusqu'à la voiture. Leur gentillesse semble surprendre Sarah; pourtant, ça ne devait pas vraiment être une corvée…

Sa vie amoureuse reste un mystère; avec ses horaires de travail, elle n'a sans doute guère de temps pour chercher l'homme de sa vie. Ou pour faire quoi que ce soit d'autre.

Mais Sarah ne s'en plaint pas. En septembre 1994, elle défilait encore sur le plateau de *Regis and Kathie Lee* pour présenter la mode automne-hiver. Les choses ont beaucoup changé depuis. Sarah a acheté sa première maison et sa première voiture, et elle s'est fait faire un tatouage au sujet duquel des litres d'encre ont coulé.

On pourrait établir un parallèle entre sa vie et celle de Buffy, sauf que Sarah n'a pas été élue: elle a choisi sa mission. Véritable bourreau de travail, elle n'a jamais eu le temps de se détendre et de vivre une adolescence normale. Parfois, elle doit demander à Joss Whedon ce que signifient les termes d'argot du scénario !

Dès qu'elle a un bref moment de libre — quand elle n'est pas en train de tourner, de donner une interview ou de se prêter à une séance-photo —, Sarah aime passer du temps avec les autres acteurs de la série, et surtout Alyson Hannigan. Elle affirme d'ailleurs que c'est l'arrivée d'Alyson (à l'origine, une autre actrice devait jouer le rôle de Willow) qui a ajouté l'ingrédient indispensable pour que la mayonnaise prenne. Un soir, Sarah, Alyson et Charisma Carpenter sont même allées toutes les trois au Hard Rock Café, puis au cinéma pour voir *Scream*.

Sarah essaye de trouver un peu de temps pour s'occuper de son chien, un bichon maltais blanc appelé Thor (comme le dieu nordique du tonnerre), regarder les films de John Cusack et manger des gaufres à la vanille.

Si vous vous demandez à quel point elle est débordée, sachez qu'un jour, elle est arrivée sur le plateau en bottes de cuir montantes et nuisette: elle avait oublié de mettre sa robe ! Attendu son emploi du temps, ce genre d'incident risque de se reproduire. La prochaine fois, espérons pour elle qu'elle ne conduira pas une décapotable…

Grâce au succès de Buffy, la popularité de Sarah ne cesse de monter en flèche. Elle a été l'invitée de *Saturday Night Live*, a fait la couverture d'*Entertainment Weekly*, de *Rolling Stone*, de *Seventeen*, de *YM*, de *Cinefantastique* et d'à peu près tous les magazines qui ont un vague rapport avec la série.

La publicité qu'elle avait faite dans le cadre d'une récente campagne de promotion du lait est parue dans les périodiques familiaux et au dos des comics Marvel.

Entertainment Weekly a classé sa prestation dans *Buffy* parmi les dix meilleures performances d'actrices de l'année 1997. Et pour décrire l'excitation générée par son film, Wes Craven, le réalisateur de *Scream 2*, a employé la formule suivante : « Buffy la Tueuse de Vampires y a un rôle secondaire, c'est dire ! »

Comme Buffy, Sarah craint davantage les blessures émotionnelles que physiques. Mais dans *Scream 2* et *Souviens-toi l'été dernier*, les rôles ont été inversés : c'était elle la victime. « Pour une fille de mon âge, les personnages les plus intéressants sont souvent dans les films de terreur. »

Dans la vie, de quoi a-t-elle peur ? Que quelqu'un s'introduise dans sa maison… et d'être enterrée vivante.

NICHOLAS BRENDON

Nicholas Brendon n'est pas Alex, ça saute aux yeux. Il a la langue bien pendue et il aime faire des plaisanteries, mais la ressemblance s'arrête là : contrairement à l'impulsif camarade de Buffy, il est réfléchi et d'un naturel contemplatif.

Nous nous rencontrons devant sa caravane. Comme celle de tous les acteurs vedettes, elle est séparée en deux compartiments (le deuxième étant occupé par Alyson Hannigan). Nicholas sort un rocking-chair qu'il nous propose en véritable gentleman et, devant notre refus, se laisse tomber dedans.

Alyson passe près de nous ; elle promène son chien. Charisma vient lui demander ce qu'il compte faire après le tournage, et il aimerait se balader en ville.

La première chose qui frappe dans le travail de Nicholas, c'est la spontanéité et le naturel avec lesquels il lance ses répliques. « Chaque fois que j'auditionne, explique-t-il, j'essaie d'adopter un débit inhabituel. Par exemple, je prends une inspiration au milieu d'une phrase. Dans la vie réelle, les gens réfléchissent avant de parler ; leurs phrases ne sortent pas toujours d'une traite. »

Il n'a pas de recette miracle pour décrocher un rôle… sinon, ça se saurait. Mais cette combinaison de stratégie et de philosophie doit fonctionner, car pour un acteur au CV aussi sommaire, il a obtenu le rôle d'Alex avec beaucoup de facilité.

« J'ai rencontré la directrice du casting, Marcie Shulman, se souvient-il. Elle m'a fait lire devant Joss et Gail ; une heure plus tard, j'ai reçu un coup de fil me demandant d'aller à la Fox pour un bout d'essai. J'étais super nerveux. Le lundi suivant, ils m'ont envoyé chez Warner Bros avec un autre type sélectionné. Le mardi, j'ai appris que j'avais le rôle. »

Quatre jours. Ça n'a pas traîné.

Quand on pense que devenir acteur n'était même pas le rêve de Nicholas ! Né et élevé à Granada Hills, en Californie, il fréquenta l'Université du Canyon, où il jouait au base-ball. A l'origine, il voulait devenir professionnel. Mais un accident — il se cassa le bras — mit fin à ses espoirs sportifs.

Peu de temps après, il tourna des spots publicitaires, sans véritable satisfaction. Alors, il passa de l'autre côté de la caméra et devint assistant de production sur la série *Dave's World*.

Après avoir brillamment auditionné pour un petit rôle, il apparut plusieurs fois dans *Les Feux de l'Amour,* tint le rôle principal dans le pilote de *Secret Lives*, joua dans un épisode de *Marié, deux enfants* et fut un adorateur de maïs homicide dans *Children of the Corn 3: Urban Harvest*.

Puis vint Buffy.

« Mon frère jumeau, Kelly, s'est teint les cheveux en blond parce qu'il en avait marre qu'on lui réclame des autographes », confie Nicholas, ébahi.

Hum. Il a un frère jumeau… Cette nouvelle ravira sans doute les admiratrices de la série, mais risque d'inspirer aux producteurs un épisode avec un double maléfique d'Alex.

« Impossible de dire ce qui se produira au cours des prochaines saisons, mais nous avons déjà signé pour une centaine d'épisodes, confie Nicholas. Les doubles maléfiques, c'est un grand classique de la terreur. Ce qui serait sympa, c'est que chacun de nous en ait un, mais je ne sais pas où on trouvera les autres ! »

Il existe aussi des différences physiques entre Alex et Nicholas. « J'avais le nombril piercé depuis trois ou quatre ans quand j'ai commencé à travailler sur la série, explique l'acteur. Mais comme je devais apparaître torse nu à plusieurs reprises, Joss m'a demandé d'enlever mon clou : il pensait que ce n'était pas le genre d'Alex. »

Avez-vous des cicatrices, des tatouages ou d'autres marques distinctives ?

NICHOLAS : Une cicatrice sur le coude, consécutive à mon accident de base-ball. Et plein d'autres sur mon cœur, parce que ma petite amie l'a brisé tant de fois… C'est elle-même qui le dit.

Avez-vous des talents dont vous aimeriez faire la démonstration dans *Buffy* ?

NICHOLAS : Je m'en découvre sans cesse. Pour danser, par exemple. Quoi qu'on me demande, je suis prêt à le faire.

Enfant, de quoi aviez-vous peur ?

NICHOLAS : C'est votre question qui me fait peur. Je n'aime pas parler de mon enfance.

C'est assez courant chez les acteurs.

NICHOLAS : Comme ça, vous savez que notre choix de carrière est motivé par quelque chose.

Quel membre du Gang de Scoubidou seriez-vous ?

NICHOLAS : A la fois Sammy et Scooby. Et peut-être un peu Fred.

Vous adorez les vieux films. Votre acteur favori est Jack Lemmon, votre film préféré *Certains l'aiment chaud.* Qui d'autre admirez-vous, et pourquoi ?

NICHOLAS : Cary Grant pour l'ensemble de son œuvre. La plupart des acteurs de cette époque venaient du vaudeville. Cary Grant excellait dans ce genre, mais avec son physique, on lui donnait forcément des rôles de tombeur. Si quelqu'un disait un jour de moi : « C'est une pâle copie de Cary Grant », j'en serais vraiment ravi.

« Jimmy Stewart, bien sûr. Ernest Borgnine dans *Marty*: une des meilleures performances d'acteur que j'aie jamais vues. Hollywood était si différent à l'époque ! Mieux d'une certaine façon, et pire d'une autre. Mais quand on ne l'a pas connu, on fantasme, c'est normal. Tout semblait tellement épique…

Avez-vous un souvenir favori de la série, devant les caméras ou en coulisses ?

NICHOLAS : Le jour où j'ai tourné en maillot de bain pour « Les Hommes Poissons ». Toute l'équipe m'a beaucoup encouragé, mais j'avais une de ces trouilles ! Le tournage de la scène n'a duré que quatre minutes, mais c'était l'enfer ! Je suis entré sur le plateau, j'ai débité mon texte et plongé dans l'eau. En remontant à la surface, j'ai entendu un bruit bizarre, et quand j'ai émergé, tout le monde applaudissait. C'était vraiment sympa.

Tout le monde... Même David Boreanaz ?
NICHOLAS : Non, il n'était pas là. Pas si bête...

Vous avez embrassé ou tenu dans vos bras toutes les actrices principales de la série. Ça vous a fait plaisir ?
NICHOLAS : Ce n'était pas désagréable. Et en plus, on m'a payé pour ça !

Toute l'équipe semble penser que c'est le destin qui l'a réunie et qui a fait de la série un tel succès. Vous aussi ?
NICHOLAS : Disons que tout fonctionne comme sur des roulettes, et que c'est un vrai miracle. Je pense que le succès, c'est quatre-vingt-dix pour cent de chance. Joss a du talent, bien sûr, mais le choix des acteurs était un sacré pari. Pour la première fois, je suis au générique d'une série télé, et j'ai l'impression d'avoir gagné au loto !

ALYSON HANNIGAN

Elle n'a pas grand-chose en commun avec Willow, ça paraît évident. Vétéran des plateaux, qu'elle arpente depuis l'âge de quatre ans, Alyson Hannigan est sûre d'elle-même et extravertie, drôle et mûre.

Mais son sourire, son regard expressif, sa chaleur et sa sincérité rappellent tout de même le personnage qu'elle incarne. Disons qu'elle ressemble à ce que Willow pourrait devenir quand elle sera adulte.

Née à Washington D.C., Alyson a passé plusieurs années à tourner des spots publicitaires à Atlanta avant de déménager pour Los Angeles quand elle avait onze ans. Elle est apparue dans plusieurs séries telles que *Picket Fences*, *Roseanne* et *Touched by an angel*, avant de décrocher un rôle régulier dans *Free Spirit* (qui ne connut malheureusement pas un grand succès). Au cinéma, on l'a vue dans *Dean Man on Campus* et *J'ai épousé une extraterrestre*, où Seth Green jouait le rôle de son petit ami comme dans *Buffy*.

Le copain d'Alyson pense que Willow est une de ses multiples facettes. « Ça me plaît bien », avoue la jeune fille. Mais contrairement à son alter ego, elle n'est pas folle d'informatique. « J'ai un ordinateur et je suis connectée à Internet. Je ne m'y connais pas autant que Willow, mais je sais utiliser les logiciels et naviguer un peu partout.

Je trouve mon Packard Bell un peu lent ; mon modem est complètement dépassé, et ça me décourage d'aller sur Internet. Il faudrait que j'en achète un autre. »

Comme la plupart des acteurs de la série, Alyson adore les animaux. Elle en a « une armée », selon sa propre expression : deux chiens et cinq chats dans la maison qu'elle partage avec sa colocataire.

Son chien Alex, un terrier Jack Russell, l'accompagne souvent sur le tournage. Pourtant, officiellement, les animaux sont interdits sur le plateau. Si quelqu'un la rencontre avec, elle prétend qu'Alex est un produit de leur imagination. Son autre chien se nomme Zippy, ses chats Docteur Seuss, Jupiter, Tear Drop, Rain et Lucky.

Considérant la naïveté de Willow, on peut se demander si Alyson n'a pas quelquefois envie de se comporter de manière un peu plus… provocante. « Non, répond-elle avec insouciance. Pour "Halloween", j'ai essayé toute sorte de costumes. Si le personnage avait été différent, ça ne m'aurait pas gênée. Mais incarner Willow dans une tenue pareille… Je me sentais mal. Et je ne veux pas qu'elle se dévergonde : je l'aime comme elle est. »

« Comme elle est », c'est Alyson qui l'a définie en se fiant à son instinct. La façon dont elle a lu son texte pendant l'audition, la cadence particulière qu'elle a employée est devenue un trait de caractère de Willow.

« J'étais assise dans le parking en attendant l'heure d'y aller, se rappelle-t-elle. Je lisais les dialogues, et je les trouvais déprimants. "Les garçons ne me regardent pas, et je suis trop timide pour leur parler, et bla bla bla…" Je ne voulais pas que tout le monde ait pitié d'elle.

« Au début d'une scène avec Buffy, Willow devait dire : "Alex et moi sommes sortis ensemble quand on avait quatre ou cinq ans, mais nous avons rompu." "Pourquoi ?" demandait Buffy. "Parce qu'il avait volé ma Barbie." Pendant le tournage, cette scène a été modifiée. Mais dans la version originale, Buffy ajoutait : "As-tu récupéré ta Barbie ?" Et Willow répondait : "En grande partie."

« J'ai décidé qu'elle aurait l'air très fière d'elle en disant ça, comme si c'était un exploit, et j'ai continué à tourner toutes les scènes sur le même ton. Je ne voulais pas la rendre morose ou défaitiste, et apparemment, c'était un bon choix. »

Avez-vous des cicatrices, des tatouages ou d'autres marques distinctives ?

ALYSON : J'ai tout ça. Un paquet de cicatrices, pour commencer. La première, c'est un chien qui me l'a faite quand j'avais deux ans. Il était en train de me lécher la figure ; sa dent a accroché ma narine, il a tiré pour se dégager et mon nez s'est déchiré.

« J'en ai une autre, sur un sourcil, qui date de quand j'étais gamine. J'allais prendre un bain avec ma copine, mais j'ai mis le pied dans la poubelle, j'ai trébuché et ma tête a heurté le montant de la porte coulissante. J'en ai une troisième sur le menton (juste après avoir appris à marcher, je suis tombée sur une bouteille), et une dessous…

« L'histoire officielle, celle que j'ai racontée à ma mère, c'est que je suis tombée. En fait, je jouais à Marco Polo avec une copine, et ma mère m'a ordonné d'aller chercher le courrier. Comme je ne voulais pas arrêter de jouer, j'ai gardé les yeux fermés et contourné la maison.

« Je me débrouillais pas mal, mais quand je suis arrivée dans l'allée du garage, j'ai oublié qu'on avait fait enlever la barrière de l'entrée et qu'elle était posée par terre. Evidemment, j'ai trébuché… Vous devinez la suite. Je suppose que je n'étais pas très assurée sur mes jambes, à l'époque !

«Pour ce qui est des tatouages, j'ai des dauphins tribaux sur la cheville et un *kanji* japonais dans le bas du dos.

Des dauphins tribaux ?
ALYSON : Ils sont noirs et stylisés ; rien à voir avec Flipper.

Et que signifie le *kanji* ?
ALYSON : C'est celui de la chance et du bonheur.

Avez-vous des talents dont vous aimeriez faire la démonstration dans *Buffy* ?
ALYSON : (rire) Je ne crois pas.

Vous aviez déjà joué avec Seth Green dans *J'ai épousé une extraterrestre*. Aviez-vous travaillé avec d'autres acteurs de la série ?
ALYSON : Non. Mais Seth a aussi participé à la sitcom *Free Spirit* avec moi.

Plus jeune, étiez-vous intéressée par le fantastique et la terreur ?
ALYSON : Oui. Mais j'étais une vraie poule mouillée. Je le suis toujours : du genre à pousser des cris au cinéma. J'aime bien avoir peur.

Justement… Enfant, de quoi aviez-vous peur ?
ALYSON : Des interros pour lesquelles je n'avais pas révisé ? Oh, je sais : de ma prof d'anglais. Elle était assez sévère. Et des monstres cachés sous mon lit : c'est pour ça que j'y fourrais tous mes jouets. Ma mère pensait que j'étais bordélique, mais c'était de l'autodéfense !

CHARISMA CARPENTER

Charisma Carpenter vient de sortir du maquillage, et porte un pardessus qui recouvre la tenue fournie par Cynthia Bergstrom pour cet épisode. Il lui reste quelques minutes avant le tournage de sa prochaine scène, aussi grignote-t-elle pendant que nous sommes assis à une table de pique-nique, sur un bout de pelouse non loin duquel se dresse le décor du cimetière.

La première question qu'on se pose à propos de Charisma, bien sûr, c'est si elle ressemble à Cordélia. La réponse est : pas du tout. Charisma est une jeune fille intelligente, réfléchie et concentrée, trois qualificatifs qu'on ne peut guère appliquer à son alter ego.

Charisma est née et a grandi à Las Vegas, dans le Nevada, jusqu'à ce que sa famille déménage à Mexico quand elle avait quinze ans. Depuis son enfance, elle manifestait des dons artistiques. A l'âge de cinq ans, elle commença à étudier la danse classique et continua jusqu'au lycée, n'hésitant pas à aller jusqu'à San Diego pour prendre des cours à l'Ecole des Arts Créatifs et du Spectacle.

Après avoir passé son bac et voyagé en Europe, Charisma entra en fac à San Diego et fit tout un tas de petits boulots : employée dans un club-vidéo, caissière dans un fast-food, professeur d'aérobic… En 1991, elle fit quelque temps partie de l'équipe de pom-pom girls qui soutenaient les *Chargers* de San Diego, une expérience qui allait lui servir plus tard sur le plateau de *Buffy*.

Finalement, Charisma emménagea à Los Angeles. «J'étais serveuse dans un restaurant ; j'économisais mes sous pour reprendre la fac et devenir prof d'anglais. Beaucoup de clients me demandaient si j'étais actrice ou mannequin, et m'encourageaient à essayer.

Un jour, l'un d'eux m'a dit: "Je connais quelqu'un, et je voudrais vous le faire rencontrer." »

Le "quelqu'un" était un agent qui lui recommanda plusieurs cours de théâtre. Après les avoir tous contactés, Charisma s'inscrivit au très célèbre Playhouse West, qu'elle fréquenta pendant dix-huit mois.

« C'est là que j'ai compris à quel point j'aimais jouer, confie-t-elle. C'était un moyen de me défouler et de gagner ma vie. Ça m'a donné une grande assurance. Je me suis dit: "C'est possible; si je bosse vraiment dur, je peux y arriver." C'était tout ce que je voulais. J'adorais vraiment ça. »

Malgré des débuts prometteurs, Charisma n'oublie pas sa vocation première. « Je suis sûre que je ferais un bon prof, et je le deviendrai peut-être un jour. J'adore les enfants, l'idée de les aimer, de les aider à s'instruire et à s'épanouir. Ce serait super, mais pas pour le moment. »

Pendant qu'elle suivait des cours à Playhouse West, Charisma tourna des spots publicitaires. Elle figura dans une vingtaine avant de décrocher un petit rôle dans un épisode d'*Alerte à Malibu*.

Peu après, elle passa une audition pour Aaron Spelling qui lui donna le rôle d'Ashley dans la série *Malibu Shores* brièvement diffusée sur la NBC. « C'était une expérience formidable de travailler avec lui, se souvient Charisma. Mais la série ne marchait pas du tout. Alors mon agent m'a envoyée auditionner pour *Buffy*. »

Au départ, Charisma devait auditionner pour le rôle-titre. « Je portais une salopette et des tongues orange avec une veste. D'après moi, Buffy ne s'embarrassait pas de détails tels que les fringues, dit-elle avec un léger sourire.

« Je pensais n'avoir pas besoin d'être sur mon trente et un pour convaincre les producteurs; je voulais juste avoir l'air cool. Toutes les autres filles étaient vraiment pomponnées; elles avaient des minijupes plissées avec des chaussettes qui remontaient au-dessus du genou, dans le plus pur style lycée américain. »

A la grande surprise de Charisma, les producteurs lui demandèrent de lire le rôle de Cordélia. Le moins qu'on puisse dire, c'est qu'elle n'y était pas préparée. « J'ai pensé: *Ça ne marchera jamais, je ne suis pas du tout habillée pour jouer cette fille*. Le talent, c'est une chose, mais l'apparence compte aussi énormément. Cela dit, c'était une expérience intéressante: j'ai eu quinze minutes pour me préparer alors que je répétais le rôle de Buffy depuis des semaines ! »

Visiblement, ça ne l'a pas empêchée de faire des étincelles. Les producteurs lui demandèrent de revenir pour un bout d'essai, qui faillit ne jamais avoir lieu. « J'étais très en retard parce que j'avais passé toute la journée sur la plage pour *Malibu Shores*. Les essais se déroulaient à Burbank, de l'autre côté de la ville.

« Je me suis retrouvée coincée dans un embouteillage. Pour couronner le tout, il s'est mis à pleuvoir. J'arrivais quand mon agent m'a appelée pour me dire que les producteurs étaient sur le point de s'en aller. »

La plupart des acteurs auraient paniqué, mais pas Charisma. « Je lui ai dit de leur commander une pizza pour les faire patienter, parce que je n'avais pas conduit une heure et demie sous la pluie pour voir l'audition me passer sous le nez. C'était la panique totale. »

Les producteurs acceptèrent d'attendre encore un peu, et le bout d'essai se déroula à merveille. « Ils riaient, et je sentais que je leur avais plu, se souvient Charisma. Après leur départ, j'ai appelé mon agent pour lui dire que j'avais le rôle. Elle a répliqué que je n'en savais rien, et que ça portait malheur de s'avancer. Mais j'en étais sûre. »

Et elle avait raison.

Pendant la première saison, le personnage de Cordélia semble être la Némésis snobissime de Buffy. Mais dans le dernier épisode, elle apprend la vérité au sujet de Sunnydale. A partir de ce moment, il est clair qu'elle va se rapprocher de la bande de la Tueuse.

Curieusement, Charisma avoue qu'elle accueillit cette nouvelle avec appréhension. « Je ne voulais pas que Cordélia perde son mordant, qu'elle change et devienne trop gentille. Le personnage aurait perdu tout son intérêt. »

Pourtant, le caractère de Cordélia a valu à Charisma de nombreuses critiques. « Les fans ont tendance à confondre le personnage et son interprète, explique-t-elle. Du coup, ils ne m'aiment pas beaucoup. Dans leurs lettres, ils me demandent quand je vais enfin me décider à être gentille avec Buffy.

« Ils ne comprennent pas que je suis une fille normale et sympa. C'est Cordélia la peste, pas moi ! Dans toutes les séries, il faut quelqu'un que les spectateurs aiment détester. Je devrais peut-être considérer ça comme un hommage à mon talent d'actrice… »

Charisma ne veut pas que Cordélia change. A propos du geste gentil qu'elle a envers Alex dans le dernier épisode de la deuxième saison, elle précise : « Il ne faudrait pas que ça se reproduise trop souvent. » Pour tout dire, elle ne cesse de harceler les producteurs pour qu'ils la rendent plus méchante encore.

« Cordélia deviendrait ennuyeuse si elle était tout d'une pièce. Le vrai défi, c'est de trouver un équilibre. C'est pour ça que j'aime ce rôle. Il faut qu'elle soit à la limite de l'insupportable ; sinon, les autres l'expulseraient du groupe. Mais je tiens à ce qu'elle conserve sa franchise brutale et son sens de la repartie. »

Ce qui nous ramène à la première question : ses initiales mises à part, Charisma partage-t-elle quelque chose avec Cordélia Chase ? Avant cet entretien, elle aurait répondu non sans la moindre hésitation. A présent, elle n'en est plus si sûre.

« Maintenant qu'on en parle, je suppose que nous avons des points communs. Il m'arrive de manquer de tact, au risque d'offenser les gens. Je devrais peut-être apprendre à tenir ma langue. Parfois, ils réagissent d'une telle manière à mes remarques que je me demande ce qui a bien pu sortir de ma bouche pour les mettre dans un état pareil. Et ce n'est pas ce que je cherche, parce qu'au fond, j'ai bon cœur. Je suis une gentille fille, je vous le jure. »

Et au lycée ? Charisma était-elle populaire comme son personnage, ou rejetée par les autres comme Alex et Willow ? « Ni l'un ni l'autre, dit-elle très vite. Je n'étais pas un rat de bibliothèque comme Willow, mais pas davantage snob et obsédée par mon apparence comme Cordélia. J'avais tendance à rester dans mon coin et je ne me suis pas fait beaucoup d'amis. »

Pour ce qui est de l'avenir, Joss Whedon se montre avare de confidences. Les acteurs ne savent pas ce qui arrivera à leurs personnages au cours des saisons prochaines, ni des épisodes suivants. Charisma s'avoue curieuse de le découvrir. Qui songerait à l'en blâmer ?

Avez-vous un souvenir favori de la série, devant les caméras ou en coulisses ?
CHARISMA : J'en ai plusieurs, surtout au cours des scènes où Alex et Cordélia sont ensemble. Les conflits qui agitent mon personnage sont pour la plupart articulés autour de sa relation avec Alex… Parce qu'elle l'aime en dépit d'elle-même, ou en dépit de lui.

Etes-vous du genre à répéter une scène pendant des heures, ou jouez-vous plutôt à l'instinct ?
CHARISMA : J'ai tendance à bien me préparer avant le tournage. Mais je laisse aussi un peu de place à l'improvisation. Je lis le scénario, et si quelque chose ne me plaît pas, je cherche un moyen de le faire passer qui me satisfera tout en restant fidèle au personnage. Ça fait deux ans que j'interprète Cordélia, et je commence à la connaître vraiment bien. C'est un des avantages de tourner dans une série télévisée.

Avez-vous des tatouages ou d'autres marques distinctives ?
CHARISMA : Juste un grain de beauté sur la hanche.

Des cicatrices ?
CHARISMA : Une très vilaine sur le ventre. Vous voulez voir ?

Ouah, ça a dû faire drôlement mal ! Qu'est-ce qui vous est arrivé ?
CHARISMA : Je devais avoir cinq ans, et je m'étais glissée hors de la maison pour jouer dans le jardin. A l'époque, mes parents faisaient construire une piscine, et les ouvriers avaient laissé le portail ouvert. Avec un copain, je suis descendue dans le grand bassin. « On a couru au fond, et quand il m'a heurtée, je suis tombée sur un fer tors (une barre métallique qu'on coule dans le ciment pour faire tenir les nouvelles constructions). J'ai failli me perforer l'estomac. Je ne me souviens pas de m'être dégagée ; je me revois juste en train d'entrer dans les WC du rez-de-chaussée et d'arracher de gros morceaux de papier toilette pour les appliquer sur la blessure.
« Puis je suis montée à l'étage. Ma mère se préparait dans la salle de bains. "Maman, j'ai un bobo." "Je vais te faire un bisou pour qu'il disparaisse", m'a-t-elle dit avant de se retourner. J'ai écarté le papier toilette imbibé de sang ; elle a été horrifiée. Ce jour-là, mon père était au travail et la voiture chez le garagiste. Ma mère m'a prise dans ses bras et a été sonner chez les voisins pour qu'ils m'emmènent à l'hôpital. On m'a mis des tas de points de suture ; ça a fait très mal. J'ai failli mourir. »

Enfant, de quoi aviez-vous peur ?
CHARISMA : De mon frère. Et ce n'est pas une plaisanterie.

Avez-vous des talents dont vous aimeriez faire la démonstration dans *Buffy* ?
CHARISMA : Je danse. J'adore les ballets classiques ; je prends des cours depuis que je suis toute petite. Pour la série, j'ai poussé la chansonnette, et croyez-moi, ce n'est pas un don ! C'est justement pour ça que les producteurs me l'ont fait faire, je crois. « Vous chantez juste ? » « Non. » « Super ! »

DAVID BOREANAZ

Il est aussi séduisant en ville qu'à l'écran. Très gentil, très poli. Il nous invite à nous asseoir dans le salon du décor du manoir, mais nous sommes à peine installés que les accessoiristes se mettent à déménager des meubles autour de nous. Il nous suggère de nous déplacer. Dès que nous avons pris des chaises, quelqu'un passe l'aspirateur. David se confond en excuses, mais nous lui assurons que ce n'est pas grave.

David Boreanaz est né à Buffalo, dans l'Etat de New York. Il a grandi à Philadelphie et fréquenté la fac d'Ithaca avant de déménager à Los Angeles pour tenter sa chance dans le cinéma. En attendant un rôle, il a été voiturier, peintre en bâtiment et garçon de vestiaire dans un club de sport. Il a fait un peu de théâtre et a décroché un petit rôle dans un épisode de *Mariés, deux enfants.*

La suite semble sortie d'un film hollywoodien des années 40.

Pour le rôle d'Angel, la directrice du casting, Marcie Shulman, avait vu défiler dans son bureau tout ce que Los Angeles compte de jeunes acteurs. Un jour, elle reçut un coup de fil d'un agent qui venait de faire signer un débutant — un type qu'il avait aperçu dans la rue.

David était en train de promener son chien quand l'agent l'accosta. Quelques jours plus tard, il passait une audition. Au moment où il pénétra dans la pièce, Marcie Shulman écrivit en marge de sa feuille de casting : « C'est lui ! »

C'était bien lui.

Devant une caméra, David est fougueux et déterminé. Hors plateau, il a acquis une réputation de sage. Ces deux côtés de sa personnalité cohabitent harmonieusement. L'ange et le démon. Angel et Angélus. Ce qui nous amène à la question suivante : quelle est la facette de son personnage qu'il prend le plus de plaisir à jouer ?

« Les deux ont des avantages et des inconvénients. Angel est plus renfermé que je ne le souhaiterais. Mais quand il redeviendra bon, j'aurai appris de son expérience sous l'identité d'Angélus, et je pourrai le faire évoluer. Je pense que les deux se complètent et s'équilibrent à merveille. »

Angélus est capable de choses terribles ; l'intensité du regard de David laisse penser qu'il pourrait en faire autant. Mais il suffit que quelqu'un mentionne sa chienne, Bertha Blue, pour qu'il fonde littéralement. Il est tout triste de devoir la laisser à la maison pendant la journée.

« C'est terrible, soupire-t-il. Parfois, je l'emmène sur le tournage. Mais je suis obligé de l'enfermer dans ma caravane, sinon, elle s'enfuit. Quand je rentre chez moi, elle me saute dessus et me fait la fête. La retrouver est un bonheur. Je l'ai depuis quatre ans. Je lui ai acheté une niche spéciale. Elle a une oreille dressée vers le haut et l'autre qui pend.

« Je l'ai perdue souvent, mais grâce à son collier et à sa plaque d'identité, on me l'a toujours ramenée… quand elle ne retrouvait pas son chemin toute seule. Maintenant, j'évite de stresser. »

Pas aussi morose qu'Angel, donc. Mais largement aussi séduisant.

Assez parlé du présent, nous voulons en savoir plus sur son passé. Enfant, l'homme qui, en promenant son chien, a réussi à décrocher sa propre série télévisée (**Angel**, un spin-off de *Buffy contre les Vampires*, pas encore diffusé en France) était-il cool ?

« Euh…, balbutie-t-il, pris au dépourvu par la question. J'adorais Fonzie dans *Happy Days*. Sinon, je ne sais pas trop. En tout cas, je ne faisais aucun complexe ; je me sentais bien dans ma peau. »

Avant cet entretien, nous avons vu David faire plusieurs prises d'une scène très dure. Il ne doit pas être facile pour lui de se préparer émotionnellement. « En effet, avoue-t-il. Il faut bien étudier le scénario, arriver préparé sur le plateau et se concentrer à fond. Le plus excitant, c'est qu'on ne sait jamais comment ça sortira sur la pellicule. On joue, et on laisse le charme agir. Parfois, il se produit quelque chose d'imprévu qu'on arrive à intégrer à une scène et qui la rend encore meilleure. C'est magique. »

Comment se prépare-t-il ? « Ça dépend. Je ne répète jamais devant un miroir, en tout cas. Je ne vais pas vous révéler tous mes petits secrets ! Disons qu'en rentrant chez moi le soir, je commence par mémoriser les dialogues du lendemain. Ensuite, je leur donne vie en travaillant sur mon personnage. J'ajoute certains détails de mon cru. Pendant les répétitions, si le réalisateur ne les aime pas, je cherche une autre façon de jouer la scène. »

« Chaque fois qu'on vient d'en mettre une en boîte, je pense à quelque chose que j'aurais pu faire mieux, même si la prise était très réussie. On peut toujours repousser les limites, améliorer son jeu. C'en est presque fatigant. »

David admet qu'on le reconnaît de plus en plus dans la rue, mais il s'est décidé à faire avec. « Ça fait partie du métier. Les gens viennent me voir pour me dire qu'ils aiment la série ou mon personnage. Je n'y suis pas encore habitué, mais je trouve ça plutôt sympa. Ça veut dire que je fais du bon boulot. »

Quant à la coupure entre le tournage des deuxième et troisième saisons, il ne sait pas encore comment il va s'occuper. « Je vais prendre des vacances et me détendre un peu. En revenant, je verrai bien ce qui se passera. Je suis très patient, capable d'attendre que les choses se produisent d'elles-mêmes.

« J'ai toute la vie devant moi. Pas question de m'abrutir de travail et me retrouver sur les rotules. Je préfère me prélasser dans une chaise longue avec une margarita, dit-il en souriant. M'embarquer sur un film ou un projet qui ne me passionne pas à cent pour cent ne m'intéresse pas. »

A l'avenir, quelles nouvelles facettes de son personnage aimerait-il explorer ? « J'adorerais qu'Angel puisse aller à Las Vegas faire une virée avec ses copains vampires, confie David. Quand je rentre chez moi, j'essaye de déconnecter, mais c'est impossible : je pense tout le temps à la série. Angel fait partie de moi, et les spectateurs ont encore beaucoup de choses à découvrir sur lui.

« Il a un bon et un mauvais côté. La recherche d'équilibre entre les deux est très intéressante. Il peut faire la gueule en se lamentant sur son sort ou réagir et tenter de changer les choses autour de lui. Vous voyez ce que je veux dire ? »

Avez-vous l'impression d'être un sex-symbol ?

DAVID : Un sex-symbol, moi ? J'ignorais que j'en étais un, mais si c'est le cas, il faut remercier mes parents, parce que c'est grâce à eux. Vous saviez qu'ils m'ont conçu à Toronto ?

Il doit être difficile pour un acteur de démarrer dans une nouvelle série, au milieu de gens qu'il ne connaît pas mais avec lesquels il doit former une équipe soudée.

DAVID : C'est vrai qu'on nous a *parachutés* ensemble. En ce qui me concerne, j'ai eu beaucoup de chance : je me suis tout de suite très bien entendu avec tout le monde. Les autres acteurs de *Buffy* sont très généreux. Parfois, nos rapports sont un peu tendus parce qu'on a trop bossé et qu'on est crevés, mais c'est tout.

« Il suffit que quelqu'un soit fatigué, plus vulnérable que d'habitude, et qu'on lui fasse une remarque sur un sujet sensible pour qu'il se foute en rogne, mais il faut respecter le droit de chacun à n'être pas toujours de bonne humeur. Cela dit, dans l'ensemble, tout se passe comme sur des roulettes. Il y a une bonne ambiance sur le plateau.

A quelle heure vous êtes-vous levé aujourd'hui ?

DAVID : Cinq heures du matin. Je devais être au studio à six.

Plus jeune, étiez-vous intéressé par le fantastique et la terreur ?

DAVID : Je me rappelle avoir été terrifié la première fois que j'ai vu *Frankenstein*. La vieille version, avec Boris Karloff. La scène où il va voir la petite fille, près du lac... Je n'ai pas pu la regarder. Oh, et j'adore les films de Godzilla.

Ça vous dirait de passer derrière la caméra ?

DAVID : Oui, sans aucun doute. J'ai étudié la réalisation à la fac, donc je m'y connais un peu. Il faudrait juste que je m'intéresse plus au côté technique.

Avez-vous un souvenir favori de la série, devant les caméras ou en coulisses ?

DAVID : Plusieurs, en fait. La scène, après être redevenu mauvais, quand je vais retrouver les autres dans leur repaire et que je gratte une allumette sur la table en brique. Ça, c'était très cool.

« J'ai aussi beaucoup de scènes avec Sarah, et il y a une alchimie entre nous. On se comprend sans rien dire, ce qui est très plaisant. Je sens quand on est en train de faire du bon boulot, et même quand j'ai l'impression du contraire, ça rend souvent très bien. Il est difficile de se juger. Il faut faire chaque fois de son mieux et apprendre de ses erreurs.

ANTHONY STEWART HEAD

Il incarne le seul véritable adulte parmi les personnages principaux de la série : Rupert Giles, l'Observateur de Buffy, bibliothécaire du lycée de Sunnydale.

Né à Camdentown, en Angleterre, Anthony a connu une longue et fructueuse carrière qui prend ses racines dans la comédie musicale, après avoir terminé ses études à l'Académie de Musique et d'Art Dramatique de Londres.

Son premier grand rôle fut celui de Jésus dans *Godspell,* à West End. Il a également joué sur les planches le Frank N. Furter du *Rocky Horror Picture Show,* et dans *Julius Caesar, The Heiress, Chess, Yonadab* de Peter Shaffer et *Rope.*

Aux Etats-Unis, il a attiré l'attention en incarnant Oliver Sampson, un personnage régulier de la série *VR5*. Il a fait des apparitions dans *Highlander, NYPD Blue* et de nombreuses productions de la BBC (dont *Enemy at the door*). Il a joué avec Jim Belushi dans *Royce*, et a également participé au tournage des films *A prayer for the dying* et *L'amant de Lady Chatterley*.

Pendant longtemps, on a surtout pensé à lui comme le type romantique et mystérieux qui buvait du café dans une publicité pour Taster's Choice, mais cette image a été remplacée par celle du bibliothécaire sexy de *Buffy contre les Vampires*.

Quand il a demandé à visiter une bibliothèque américaine pour se préparer à son rôle, l'employée qu'il a interrogée était tout excitée à l'idée qu'un membre de sa profession occupe une place prépondérante dans une série télévisée — et qu'il soit joué par un homme séduisant.

« Elle a dit que c'était bien d'avoir à l'écran quelqu'un qui montre les côtés méconnus de son travail. Par exemple, personne ne sait qu'il y a davantage de bibliothèques dans les prisons que dans les écoles. J'ai promis d'essayer de caser cette information dans un scénario. »

A propos de son rôle, Anthony ajoute : « Je ne pense pas que Giles soit un très bon bibliothécaire. Personne ne vient jamais lui emprunter de livres ! Mais il leur est attaché ; ça fait partie de son charme. »

Il a été surpris que des fans considèrent Giles comme un sex-symbol. « En général, j'ai incarné à la télé des types plutôt inquiétants. La première fois que j'ai rencontré Jeri Baker (coiffeuse en chef de la série), je lui ai suggéré de me faire une raie sur le côté et d'aplatir mes cheveux pour me donner l'air d'un intellectuel déconnecté de la réalité.

« Mais elle a protesté : "Vous êtes un homme séduisant ; il faut jouer là-dessus pour conquérir le public féminin." Je lui en suis très reconnaissant ; sans elle, mon personnage n'aurait pas eu autant d'admiratrices ! »

Les hommes aussi plébiscitent Giles, que ce soit sur Internet ou par l'intermédiaire de l'Association des Bibliothèques Américaines. Anthony apprécie leurs petites attentions et les cadeaux qu'ils lui envoient : par exemple, des T-shirts où figurent des citations de *Buffy*.

Anthony a pu donner son avis sur l'apparence de son personnage, mais aussi sur la décoration des endroits où il est le plus souvent : la bibliothèque, son bureau et son appartement. Il partage avec le décorateur en chef, Carey Meyer, un amour de l'Art Déco qui se reflète dans le choix des meubles de Giles.

Anthony a suggéré une chambre en mezzanine : une poutre de l'appartement lui avait rappelé un des principes fondamentaux du Feng Shui, et il avait décidé que Giles serait sans doute adepte de cette philosophie chinoise.

Aussi fut-il ravi de découvrir que quelqu'un avait ajouté au décor de son appartement les prismes de cristal si chers au Feng Shui. Comme il imaginait que Giles avait dû être archéologue autrefois, il a fait accrocher des photos de fouilles dans son bureau, au lycée.

Pour le reste, il s'est inspiré d'un ami de jeunesse qui exerçait la même profession et était fasciné par l'occultisme. « Moi, ça m'a toujours foutu les jetons, avoue-t-il. Je déteste les planches oui-ja et ce genre de trucs. Je les considère comme dangereux. »

Mais les producteurs ne lui ont pas donné le feu vert pour tout. Par exemple, Giles conduit une vieille DS pourrie. « Moi, grimace-t-il, j'aurais adoré une motocyclette anglaise des années 50 ou 60, une BSA avec un side-car où seraient montés Alex et Willow. Buffy aurait été derrière moi, bien sûr.

« Je crois que cette image me trotte dans la tête depuis que j'ai vu *Les Aristochats*. Mais selon Joss, il y a un temps pour faire de l'humour et un temps pour être sérieux. En cas d'urgence, la motocyclette aurait eu l'air un peu ridicule. »

Anthony vient d'une famille de *théâtreux*. Sa mère est une actrice, connue pour avoir incarné l'épouse du célèbre commissaire dans la série *Maigret* de la BBC. Son père, un producteur de documentaires, a fondé la compagnie Verity Films, et son frère a chanté le rôle de Judas dans l'enregistrement original de *Jésus-Christ Superstar*.

Pour l'instant, Anthony travaille sur le scénario d'une comédie musicale qu'il écrit avec un collaborateur, et participe à l'élaboration d'un projet de dessin animé. Chanter lui manque, « parce que c'est un moyen d'expression complètement différent ». Ses seules occasions de le faire sont les galas de charité.

« Un jour, j'avais choisi cette chanson de Police : *Every breath you take, every move you make, I'll be watching you,* sans réaliser le rapport avec Giles. (Observateur = Watcher en anglais.) Le public a adoré. »

Il est ravi de travailler pour *Buffy* : « Pouvoir faire évoluer un personnage au fil des mois est formidable. Je croyais avoir de la chance quand je jouais Oliver Sampson dans VR5, mais ça, c'est encore mieux ! »

Avez-vous un souvenir favori de la série, devant les caméras ou en coulisses ?

ANTONY : Oui, dans « La Face Cachée ». Etant Anglais, j'ai un peu de mal à faire remonter mes émotions. J'ai toujours eu une bonne technique, mais pleurer sur commande reste une chose très difficile.

« Dans une scène avec Sarah, je devais dire que je ne savais pas comment chasser le démon sans tuer Jenny, et j'étais tellement dedans que j'ai éclaté en sanglots. Depuis, je n'ai plus de problème. C'était un moment marquant pour moi en tant qu'acteur, même si les producteurs ont utilisé une prise un peu moins larmoyante.

Vous savez pourquoi ?

ANTONY : Joss ne veut pas en faire trop de ce côté-là, pour ne pas qu'on l'accuse de sentimentalisme. D'après lui, il est suffisant de voir les larmes remplir les yeux d'un personnage ; il ne veut pas qu'elles coulent sur ses joues. Si l'acteur a bien fait son boulot, les spectateurs extrapolent à partir de là.

« Un autre exemple : dans "La Boule de Thésulah", après avoir attaqué Angel, j'ai sangloté sans verser une larme. Normal : à ce moment, Giles est au bout du rouleau, vidé de tout.

« Une partie des gens qui étaient sur le plateau au moment de la prise ont dû s'éloigner. Ils trouvaient embarrassant de voir pleurer un homme. Du coup, Joss a fait étouffer le bruit de mes sanglots : il ne voulait pas s'aliéner les spectateurs. La frontière est très mince entre l'émouvant et le ridicule, mais je lui tire mon chapeau : il a un instinct infaillible quand il s'agit de savoir ce qui touchera les gens.

Avez-vous des cicatrices, des tatouages ou d'autres marques distinctives ?

ANTONY : Quand j'avais sept ans, je suis tombé d'un réservoir à charbon et je me suis cassé le nez. C'était en Angleterre, dans les années 60 ; beaucoup de maisons se chauffaient encore au charbon. Je jouais dans le jardin avec des amis et j'ai sauté sur ce réservoir, qui devait mesurer dans les un mètre cinquante de haut. Mon pied est passé à travers le couvercle, et j'ai atterri sur le béton. D'où la forme un peu particulière de mon nez.

« Plus tard, j'incarnais un méchant et j'essayais de m'enfuir. La scène était filmée en trois parties ; dans chacune, mes poursuivants se rapprochaient. Comme une andouille, j'ai suggéré que je devais tourner la tête pour voir où ils en étaient, ce qui me ralentissait forcément. Le réalisateur a pensé que c'était une bonne idée.

« Mais j'ai perdu l'équilibre, et mes jambes se sont dérobées. En faisant un roulé-boulé comme on m'avait appris à l'école d'art dramatique, je me suis déboîté l'épaule. J'aurais pu me faire opérer, mais je ne pouvais pas me permettre d'avoir un bras en écharpe pendant deux ou trois mois.

Dans la vie réelle, portez-vous des lunettes ?

ANTONY : Je suis astigmate. J'ai besoin de verres correcteurs pour conduire et pour aller au cinéma ou au théâtre. Je trouve que ça se voit, à l'écran, quand les acteurs portent de fausses lunettes.

« En principe, j'utilise des lentilles de contact, sauf quand elles reflètent la lumière pendant une prise particulière ; auquel cas je mets une paire de lunettes à verres plats antireflet. Mais j'essaye d'éviter autant que possible.

Est-ce que ça affecte votre vision ?

ANTONY : Un peu. Hier soir, je suis allé faire une partie de bowling, et ma boule n'arrêtait pas de filer dans la gouttière. J'ai pensé que je devrais peut-être mettre mes lunettes. Soudain, j'y voyais. Cela dit, ça n'a pas tellement amélioré mes performances…

« Sur le plateau, je dois faire comme si Giles portait des doubles foyers. Mon ordonnance est pour la myopie, alors que Giles se sert de ses lunettes pour lire. L'autre jour, dans un film, j'ai vu quelqu'un enlever les siennes pour lire, et j'ai trouvé ça très cool. Ça fait partie des petites choses de la vie réelle qu'on amène avec soi sur le plateau et qui enrichissent votre jeu.

« Dans une scène avec Alyson, j'ai pensé que je pourrais manger une pomme qu'un étudiant aurait apportée à Giles. Je suis en train de mâchouiller quand Alyson me donne un prisme de cristal ayant appartenu à Jenny ; soudain, je pose la pomme d'un geste mécanique, comme si elle m'était complètement sortie de la tête. Pour donner vie à un personnage, il ne faut pas se contenter des indications du scénario.

Autrement dit, vous faites partie de ce qu'on appelle les *acteurs méthodistes* ?

ANTONY : Je ne suis pas sûr de connaître la signification de ce mot, mais il est facile de trouver de petites choses pour s'aider à rentrer dans la peau d'un personnage. Pour une scène de torture, je voulais un truc qui me fasse me sentir vraiment mal à l'aise.

« J'ai demandé son avis à Jeri, qui était infirmière autrefois. Elle a eu l'idée des piments. J'ai acheté les plus forts que j'ai pu trouver, et ça a marché au-delà de mes espérances. Je transpirais, je tremblais… C'était affreux et super à la fois. Ma seule inquiétude, c'était de mettre le feu à Robia et Juliet quand elles m'embrasseraient !

« Parfois, le réalisateur se contente de me dire : "J'ai besoin que tu sois par là. Trouve-toi quelque chose à faire." L'autre jour, par exemple, il m'a collé derrière mon bureau parce que ça l'arrangeait pour tourner une scène. Mais tous mes partenaires étaient à l'autre bout de la bibliothèque, et Buffy allait faire une grande révélation. Je crois que c'était dans "La Boule de Thésulah", quand elle raconte qu'Angel est venu dans sa chambre. « Bref, j'ai décidé de tamponner l'adresse du lycée dans des ouvrages de la bibliothèque. Comme ça, quand Sarah est entrée sur le plateau, je l'ai rejointe en tenant encore le tampon à la main. C'est le genre de chose qui donne vie à une scène. Il ne faut pas hésiter à jouer avec les accessoires.

Parlez-moi de la scène où Giles découvre le cadavre de Jenny…
ANTONY : Joss est un génie. Je pensais que ce serait mieux si on ne voyait pas Angel tuer Jenny et si on laissait durer le suspens pendant la coupure publicitaire. « Alors, il l'a fait ou pas ? » Puis on aurait vu quelqu'un entrer dans l'appartement de Giles et on aurait cru que c'était Jenny, jusqu'à ce qu'on la découvre morte. Mais Joss pensait que les spectateurs se sentiraient encore plus mal à l'aise s'ils savaient avant. Et il avait raison.

Anthony sourit en évoquant son audition : il a décroché le rôle de Giles dès le premier jour du casting, au grand ravissement de Marcie Shulman. « Je sentais que ça s'était bien passé. Quand je suis allé faire mon bout d'essai à la Fox, et que j'ai rencontré Joss, j'ai eu le pressentiment que j'allais apprendre à bien le connaître, qu'on deviendrait amis. J'en aurais mis ma main à couper. »

KRISTINE SUTHERLAND

Kristine Sutherland est l'actrice très talentueuse qui incarne Joyce Summers (la mère de Buffy). Grâce à ce rôle, elle a été confrontée à des tribulations maternelles ô combien classiques, et à d'autres, beaucoup plus étranges : mordue par un vampire, tombée sous le coup d'un enchantement qui la rend amoureuse d'un adolescent, fiancée au doppelganger robotique d'un savant fou mort depuis des années…

Incontestablement, Kristine s'amuse comme une petite folle.

L'actrice, qui a tourné dans des films tels que *Chéri, j'ai rétréci les gosses* et *L'Affaire Chelsea Deardon*, est née et a grandi à New York avant de déménager pour Los Angeles. Elle a épousé l'acteur John Pankow (qui apparaît notamment dans la série *Dingue de toi*) ; ils ont une petite fille de huit ans nommée Eleanore. Kristine, qui reconnaît volontiers se comporter de façon protectrice à l'égard de ses jeunes partenaires, profite de son expérience de « mère de Buffy » pour se préparer à l'adolescence de sa fille.

« J'espère être le genre de mère qui la laissera grandir en paix, à sa façon. J'adore jouer la mère de Sarah ; c'est comme une répétition en costume ! Ça me permet de réfléchir à toutes ces situations à l'avance, de me demander ce que je ressentirai et comment je réagirai quand ça m'arrivera.

« Tout le monde dit que c'est une période difficile, mais je trouve que l'adolescence est un moment merveilleux. La mienne m'a parue si pénible que, contrairement à beaucoup d'adultes, je n'ai pas de mal à m'identifier aux jeunes d'aujourd'hui. »

Kristine ajoute ceci : à son avis, c'est également le cas de Joss Whedon.

Elle ne se comporte pas de façon protectrice qu'à l'égard de ses jeunes partenaires, mais aussi de leurs alter ego fictifs. « Je m'inquiète pour Buffy qui n'a plus de modèle paternel. Mes parents ont divorcé; je sais ce que c'est de grandir dans une famille mono-parentale.

«Dans mon cas, c'était très différent: ils ont vécu leur séparation comme l'aveu d'un échec, ce qui leur a fait perdre toute autorité sur moi. Ils avaient chacun leurs problèmes émotionnels, et je suppose que j'y ai contribué… Avec la cruauté typique des adolescents,

j'en ai rajouté. Ils s'étaient tellement trompés à mes yeux, que je refusais tout conseil de leur part, ce qui ne facilitait pas les choses. Souvent, je reçois des lettres de jeunes parents qui me disent combien ils s'identifient à Joyce et comprennent les problèmes qu'elle doit résoudre.»

La conversation revient sur ses jeunes partenaires. Evidemment, c'est de Sarah Michelle Gellar que Kristine est la plus proche, puisqu'elles ont beaucoup de scènes ensemble. «Je m'inquiète pour elle. Elle travaille bien trop dur! Je n'arrête pas de lui conseiller de prendre un assistant pour la décharger d'une partie de son boulot.»

Kristine est assez contente de la manière dont Joyce évolue. «Dans la première saison, les scénaristes ne se sont pas trop intéressés à elle: il y avait d'autres sujets à défricher. Mais cette année, nous avons pu explorer beaucoup d'aspects de sa vie.

«Une de mes scènes favorites se trouve dans l'épisode en deux parties "Innocence", quand Joyce et Buffy sont assises sur le canapé. Joyce sait que quelque chose cloche, que sa fille ne va pas bien, mais elle n'ose rien lui demander et se contente d'espérer que tout finira pour le mieux. Normal: elle ne peut pas lui dire: "Je suis ta meilleure amie; raconte-moi tout" Ce n'est pas son rôle de mère.»

Bien qu'elle ne puisse pas être objective, Kristine est une fan enthousiaste de la série. «Je me laisse vraiment prendre par le scénario. Je me rappelle très bien ce que c'est d'être adolescent; les situations et les dialogues sonnent juste.»

Quant au bouquet final de la deuxième saison, elle avoue qu'il l'a laissée sans voix. «Je n'avais pas pu lire le scénario immédiatement parce que je devais me rendre à une séance de doublage. Dès que j'ai eu un moment de libre, je me suis garée quelque part pour le regarder. L'air conditionné était en panne; il devait faire soixante degrés dans ma voiture! Mais je voulais absolument savoir ce qui allait se passer. Quand j'ai vu que Buffy montait dans le car et s'en allait, je n'ai pas pu me retenir de sangloter.»

Inutile de préciser que Kristine adore son travail. Comme beaucoup d'acteurs et de techniciens que nous avons rencontrés en préparant ce livre, sa participation à la série est le fruit d'un tel concours de circonstances qu'on pourrait l'imputer au destin.

«Je venais de quitter New York et d'arriver à Los Angeles, mais personne n'était encore au courant. Je ne songeais pas tellement à travailler; j'avais juste envie de profiter de ma fille, qui était en vacances. Pendant le mois d'août, quand tout est calme, mon agent m'a appelée. J'ai pensé "Et zut, comment m'a-t-il retrouvée?". "Je suis content de t'avoir au bout du fil, Kristine, m'a-t-il dit. Je voudrais que tu passes une audition pour un rôle qui t'irait comme un gant."

« Il m'a envoyé quelques pages du scénario, et ça m'a beaucoup plu. Je n'ai lu qu'une scène très courte pour les producteurs, mais je suis sortie de la salle avec l'impression d'avoir décroché le gros lot.

« Je me sens privilégiée de faire partie de cette aventure. La série est fabuleuse, et elle envoie des tas de messages aux adolescents. Je ne sais pas si tous les parents sont de mon avis, parce ce que c'est enveloppé dans pas mal d'argot, de culture pop et de fringues à la mode dont l'intérêt ou le sens leur échappe. Mais Buffy lutte. Rien n'est facile pour elle, et malgré tout, elle ne baisse jamais les bras. »

En guise d'exemple, Kristine cite « La Métamorphose de Buffy », le premier épisode de la deuxième saison. « Quand on est jeune, on a souvent des réactions dont on n'est pas très fier avec le recul. On se rend compte qu'on a été injuste avec ses amis ou sa famille. Et les sujets qui vous perturbent le plus dans votre adolescence continuent à vous poursuivre plus tard. On ne grandit jamais vraiment. »

Plus jeune, étiez-vous intéressée par le fantastique et la terreur ?

KRISTINE : J'adorais l'heroic fantasy et la science-fiction, mais je ne supportais pas les films de terreur. Quand j'ai loué celui de *Buffy*, j'ai demandé à mon mari de le regarder avec moi. Je sais bien qu'il est plus humoristique qu'autre chose, mais je prends peur très facilement.

« J'attends avec impatience que Sarah se décide à tourner autre chose que des films de terreur, pour que je puisse aller les voir. Je ne regarderais pas la série si je ne jouais pas dedans. Même en ayant assisté au tournage, j'ai la chair de poule en visionnant les épisodes.

Enfant, de quoi aviez-vous peur ?

KRISTINE : Des démons ! Pendant que j'étais allongée sur mon lit, j'imaginais que la pièce était remplie d'esprits maléfiques. Je me retrouvais en sueur, si terrifiée que je ne pouvais ni parler ni bouger. J'étais convaincue qu'il y avait des démons et des squelettes sous mon lit.

« Parce que je vivais seule avec ma mère, je craignais aussi que quelqu'un s'introduise dans la maison par une fenêtre pour tuer ma famille. Aujourd'hui encore, je déteste habiter au rez-de-chaussée. Je suis une pure new yorkaise ; j'aime vivre au onzième étage, avec un portier et dix serrures pour me protéger.

Avez-vous un souvenir favori de la série, devant les caméras ou en coulisses ?

KRISTINE : Je me suis beaucoup amusée cette année. Avant, presque toutes mes scènes étaient avec Sarah, et je connaissais très mal les autres acteurs. Pendant la deuxième saison, je les ai fréquentés davantage et je suis devenue un membre du groupe.

« Pour répondre à votre question, je crois que c'est le jour d'Halloween. Je devais tourner, et ça m'embêtait de ne pas pouvoir aller récolter des bonbons avec ma fille. Mais quel meilleur endroit pour fêter Halloween que le plateau de *Buffy*, avec des vampires qui grouillaient dans tous les coins ?

« Beaucoup d'entre nous sont arrivés en costume ; c'était très amusant. Cette semaine-là, nous tournions l'épisode "Le Fiancé". Je suis venue habillée à la mode des années 50, comme la première femme de Ted. Sarah était Dorothy du *Magicien d'Oz*, et son chien Thor faisait Toto.

Aviez-vous travaillé avec d'autres acteurs de la série ?

KRISTINE : Non, mais j'ai passé mon audition le même jour que David. Quand je suis entrée dans la salle d'attente, cinq types étaient assis sur des canapés, attendant pour le rôle d'Angel. Parmi eux, David est le seul dont le visage ait vraiment retenu mon attention. J'étais persuadée qu'il aurait le rôle, et je n'ai pas été surprise de le retrouver sur le plateau.

Avez-vous des talents dont vous aimeriez faire la démonstration dans *Buffy* ? Comme Armin qui joue de la trompette, par exemple.

KRISTINE : On pourrait peut-être faire un duo : je joue du piano ! C'était un grand sujet de discorde avec ma mère quand j'étais enfant. Je détestais prendre des leçons ; je pensais qu'elle m'y obligeait pour me torturer. J'ai étudié le piano entre sept et quatorze ans, puis j'ai abandonné. Je m'y suis remise il y a environ deux ans et demi, au moment où le tournage de *Buffy* a commencé et… j'adore ça ! En fait, je devrais remercier ma mère.

Avez-vous des cicatrices, des tatouages ou d'autres marques distinctives ?

KRISTINE : Oui, mais rien de très intéressant. Je suis couverte de petites cicatrices. J'en ai une sur la figure, très difficile à voir. Un jour où je me battais avec mon frère, il a essayé de m'arracher un œil. Et une autre sur le front, cachée par mes cheveux. Cette fois, c'est moi qui avais essayé de tuer mon frère en le poussant dans une petite voiture d'enfant le long d'une pente assez raide… Ça s'est terminé au fond d'un ruisseau.

Vous n'aviez pas l'air de très bien vous entendre.

KRISTINE : Oh, c'étaient juste des histoires de gosses.

Angel est considéré comme un sex-symbol, mais Oz a également beaucoup d'admiratrices.

KRISTINE : C'est à cause de la scène dans son van avec Willow, quand elle lui demande de l'embrasser et qu'il répond : « Je ne t'embrasserai pas à moins que tu ne veuilles aussi m'embrasser », quelque chose de ce genre. Toutes les filles rêvent d'un homme comme ça.

Votre série et celle de votre mari (*Dingue de toi*) passent à la même heure sur des chaînes concurrentes. Cela ne génère-t-il pas une certaine rivalité ?

KRISTINE : Nous n'avons qu'une seule télé. Sarah a proposé de faire une collecte pour nous en offrir une seconde, mais nous l'avions déjà commandée.

Songez-vous à travailler un jour avec John ?

KRISTINE : Nous nous efforçons de mener des vies professionnelles et des carrières séparées ; c'est ce qui nous convient le mieux. Quand nous sommes arrivés à Los Angeles, tout le monde a proposé de me donner un rôle dans *Dingue de toi*, mais je n'en avais pas envie. Certaines personnes arrivent à travailler ensemble, d'autres non. Nous avons même des agents différents !

Joyce pense-t-elle que Giles est sexy ?

KRISTINE : Oui, je crois.

ARMIN SHIMERMAN

Autrefois, Armin Shimerman voulait devenir avocat. Au grand soulagement de millions de fans, il a opté pour une profession tout autant sujette à controverse. Aujourd'hui, il est l'un des acteurs les plus demandés d'Hollywood. Pourtant, quand il a débuté dans le métier, il ne s'intéressait pas à la télévision.

« J'ai étudié le théâtre classique, explique-t-il. Il y a vingt ans, si vous m'aviez demandé si je tournerais un jour pour la télé, je vous aurais répondu par un non catégorique. Je voulais brûler les planches, et c'est ce que j'ai fait, d'abord dans des théâtres régionaux puis à Broadway.

« Finalement, je me suis laissé séduire par le Côté Obscur de la Force et je suis venu à Hollywood. Mais je me considère comme un acteur classique qui s'est égaré en chemin. Si on ne me propose plus de travail à la télé, je reviendrai sûrement à mes premières amours. Le théâtre est ce qui me rend le plus heureux.

« Paradoxalement, c'est peut-être mon approche d'acteur classique qui m'aide à obtenir des rôles à la télé, notamment dans des séries de terreur ou de science-fiction. Je suis capable de réciter mon texte d'une façon sérieuse ou humoristique, et de faire ressortir les implications profondes de chaque scène, au-delà de l'aspect fantastique. »

Armin sait de quoi il parle. Il est apparu au générique de nombreuses séries très populaires dans ce domaine, comme *La Belle et la Bête* (il a joué le rôle de Pascal pendant deux ans et demi), les différents *Star Trek* (sous les traits d'une demi-douzaine de personnages, dont le célèbre Quark), *Alien Nation* et *Stargate SG-1*. Dans un autre domaine, il a participé à *Brooklyn Bridge* aux côtés de Marion Ross (vue dans *Happy Days*), et joué un juge dans les séries de David E. Kelley *Ally McBeal* et *The Practice*.

Bref, il bouge pas mal. Mais le chemin qui l'a conduit sur le plateau de *Buffy* n'a pas été aussi direct qu'on pourrait le croire. A l'origine, il avait passé une audition pour le rôle du proviseur Flutie, qui se fait dévorer par des hyènes dès le sixième épisode de la première saison.

« Les producteurs ont choisi Ken Lerner. Mais ils ont dû se souvenir de moi, à moins qu'ils ne m'aient vu dans *Star Trek*, parce qu'après la mort de Flutie, ils m'ont demandé de passer une audition pour le rôle de son remplaçant. »

Bien qu'il ait grandi sur la côte est, la ville natale d'Armin (Lakewood, dans le New Jersey) n'est sans doute pas très différente de Sunnydale. « Comparé à beaucoup d'autres gens, j'ai eu une enfance merveilleuse, explique-t-il, même si je venais d'une famille très pauvre. »

Au sujet de la conspiration conduite par Snyder, le maire de Sunnydale et le chef de la police, Armin n'en sait pas plus que nous. « J'ai posé la question à Joss une ou deux fois. Il a refusé de me répondre. Je ne sais pas s'il a déjà décidé de la suite des événements, mais il est évident que quelque chose se prépare, et j'ai hâte de découvrir quoi. J'apprécie de jouer un rôle si différent de celui de Quark. »

Il ne parle pas seulement de leurs caractères, mais surtout du fait que le proviseur de *Buffy* est (en apparence, au moins) humain. Pas besoin de masque ni de maquillage ! C'est un des aspects qui l'enchante le plus.

« Quand je vois passer d'autres acteurs de la série maquillés en vampires ou en monstres, je ne peux m'empêcher d'éclater de rire. Ils doivent me prendre pour un fou…

Et je leur recommande de boire beaucoup d'eau (surtout aux vampires !), parce que c'est un tel plaisir pour moi de ne pas être à leur place. Un rôle de ce genre, ça me suffit.

« Les autres acteurs et les membres de l'équipe technique considèrent leur boulot comme un véritable travail. Pour moi, ce sont des vacances ! En plus de jouer un personnage normal, ça me permet de passer du temps avec des gens très gentils et très créatifs. C'est vraiment un plaisir. »

Organiser son emploi du temps n'est pas toujours facile ; par chance pour Armin, le producteur de *Buffy*, Gareth Davies, coopère avec Steve Oster de *Star Trek : Deep Space Nine*. « Il n'y a pas longtemps, Steve m'a libéré vers onze heures du matin, ce qui m'a laissé deux heures pour arriver à Malibu où on tournait un épisode de *Buffy* à treize heures. C'était une journée parfaite : j'ai pu incarner deux personnages d'affilée », se réjouit-il.

Jusqu'à la fin de la troisième saison, où les jeunes héros recevront leur diplôme, l'essentiel de la série gravite autour de la vie au lycée. Et depuis sa première apparition dans « La Marionnette », le proviseur Snyder en est une des principales composantes.

A notre grande surprise, Armin avoue qu'il partage des traits de caractère avec Snyder. « Je ne déteste pas les jeunes autant que lui, bien sûr, mais j'ai du mal à communiquer avec eux et je n'apprécie guère leur présence. Je me sers de ça pour jouer mon personnage. Je m'inspire aussi de proviseurs que j'ai connu dans mon adolescence, et qui avaient une aura d'autorité teintée de mépris. »

Selon Armin, pour les jeunes héros de la série, Snyder est une menace plus réelle que les vampires : « Il détient les pleins pouvoirs sur leur avenir. S'ils sont renvoyés du lycée, leur vie est fichue. Ils peuvent attaquer un vampire, mais que faire face à un dossier scolaire ? »

Enfant, de quoi aviez-vous peur ?
ARMIN : Des serpents. Récemment, j'ai dû surmonter mon dégoût pour le tournage d'un épisode, même si je n'ai pas eu affaire à eux d'aussi près que Charisma. J'avais également peur des poulets, parce que j'ai grandi dans une ferme où on faisait l'élevage de volailles, et qu'ils n'arrêtaient pas de me donner des coups de bec.
« Pour ce qui est de la série, j'avais peur de ne pas être aimé. C'est ce qui la rend attachante : elle montre des adolescents aux prises avec des problèmes très concrets, et qui tentent désespérément de se faire accepter par les autres.

Avez-vous des cicatrices, des tatouages ou d'autres marques distinctives ?
ARMIN : Ça, c'est une question intéressante. On ne me l'avait encore jamais posée. J'adore les cicatrices ; je les trouve fascinantes, très érotiques. J'en ai une petite au-dessus de mon œil droit. Elle date de quand j'avais six ans. J'étais assis sur une poubelle avec les bras autour du cou de mon chien, Brownie. Il a voulu se dégager et m'a fait tomber sur des pots de peinture posés à terre (mon père était peintre en bâtiment). Mon front a tapé contre le bord d'un des pots, et il a fallu sept points de suture.

Avez-vous des talents dont vous aimeriez faire la démonstration dans *Buffy* ?
ARMIN : Je voudrais jouer de la trompette. Je ne me débrouille pas très bien, mais j'adorerais ça. Sinon, je sais jongler, mais j'imagine mal le proviseur Snyder dans cet exercice.

Avez-vous un souvenir favori de la série, devant les caméras ou en coulisses ?
ARMIN : Le tout premier jour du tournage. Je voulais que mon personnage soit vraiment différent de Quark, qu'il soit sérieux et comique en même temps. J'ai eu de la chance : j'ai

commencé par la scène où Tony et moi descendons l'allée de l'amphithéâtre pendant le radio-crochet. Je me souviens d'avoir pensé : *C'est exactement ça. C'est pile ce que j'avais imaginé.*

« Ce fut un vrai soulagement de me glisser dans la peau du personnage avec une telle facilité. Pour *Deep Space Nine*, il m'avait fallu six épisodes avant de réaliser qui était Quark. Mais là, une seule scène a suffi. J'étais très content de moi ; c'était un moment magique.

ROBIA LaMORTE

L'actrice qui jouait Jenny Calendar a eu une carrière plutôt variée : elle a dansé sur scène avec Prince, joué dans des clips vidéo, tourné des spots publicitaires et plusieurs séries télé très populaires. Et pourtant, ce n'est que le commencement.

Robia est née dans le Queens, à New York, mais elle a beaucoup voyagé dans sa jeunesse. « J'ai eu une enfance nomade, confie-t-elle. Ma mère n'est pas tout à fait une bohémienne, mais elle avait sans cesse la bougeotte. J'ai vécu dans le Colorado, dans le Maryland, en Floride et dans le Connecticut avant d'arriver en Californie avec mon père quand j'avais quatorze ans. »

A l'époque, Robia était passionnée par la danse. Elle avait déjà pris des cours dans l'est, et elle fréquenta pendant six mois le lycée des Arts de Los Angeles. Après avoir passé son examen, elle quitta l'école pour accepter une bourse offerte par l'Académie de Danse Dupre.

A l'âge de seize ans, elle tournait déjà dans son premier clip : *Shake Your Love* de Debbie Gibson. Elle est apparue dans les vidéos d'artistes aussi variés que Yanni et Donny Osmond (« Rien de vulgaire », nous rassure-t-elle), a fait des défilés de mode et est partie en tournée avec divers musiciens, notamment les Pet Shop Boys et Prince.

Pendant des mois, Robia voyagea dans le monde entier sous l'identité de Pearl, pendant la tournée de Prince intitulée *Diamonds and Pearls*. Elle apparaît dans tous les clips tirés de l'album du même nom, et sur la couverture holographique de celui-ci.

« Ce fut le sommet de ma carrière de danseuse, avoue-t-elle. Au départ, j'avais juste passé une audition pour un clip. Prince cherchait des jumelles et n'arrivait pas à en trouver qui lui conviennent. Or, le milieu de la danse est assez fermé, et je connaissais une fille qui me ressemblait, Laurie.

« Il nous a demandé de nous habiller de la même façon ; ça lui a plu, et on a commencé les répétitions. Comme il y avait une bonne entente entre nous, et que l'album s'appelait *Diamonds and Pearls*, il a eu l'idée de rebaptiser Laurie Diamond et moi Pearl. Au total, on a dû tourner sept clips.

« Puis on est partis en tournée en Europe. A cette époque, Prince ne parlait plus du tout à la presse ; c'est Laurie et moi qui avons assuré la promo de l'album. Nous sommes passées au *Joan Rivers Show*, dans l'émission d'Howard Stein et bien d'autres encore. Nous avons aussi fait beaucoup de séances de dédicaces.

« En tout, ça a duré un an et demi, pendant lequel nous avons mené une vie fantastique. On passait notre temps dans les avions, sur scène, sur des plateaux de tournage ou dans des soirées fabuleuses. Ensuite, j'ai eu l'impression d'en avoir fait le tour. Je ne pouvais pas aller plus loin en tant que danseuse, et je me suis dit que c'était le moment idéal de passer à autre chose. Comme je prenais déjà des cours de comédie, la transition s'est faite en douceur. »

Peu de temps après, Robia signa pour plusieurs épisodes de *Beverly Hills*. « Les gens me reconnaissent encore dans la rue à cause de ça, et c'était il y a six ans », s'émerveille-t-elle. Elle jouait Jill Fleming, une jeune New Yorkaise qui passait l'été à Los Angeles et se laissait séduire par Steve Sanders, le personnage de Ian Ziering. « Les scénaristes voulaient développer mon rôle, mais c'est tombé à l'époque où Brandon sortait avec une de ses profs de fac, et l'histoire s'est concentrée sur lui. »

Ensuite, Robia tourna des spots publicitaires pour Oil of Olaz, GE, The Gap, Budweiser et Mitsubishi, où elle est assise au volant de sa voiture, en train d'écouter une cassette pour apprendre l'italien. Un homme séduisant s'arrête près d'elle dans un véhicule identique. Il s'imagine qu'elle est italienne et commence à lui parler dans cette langue.

Peu de temps après, Robia fut engagée par les producteurs de *Buffy*. Elle avait déjà connu une certaine célébrité grâce à son travail avec Prince et dans *Beverly Hills*, mais cette fois, elle réalisa vite que la barre était montée d'un cran. Elle va sans doute assister à des conventions jusqu'à l'âge de quatre-vingt-dix ans, car elle a conquis le cœur de milliers de fans.

« Il y a quelques mois, raconte-t-elle, je suis allée faire des courses dans une épicerie de nuit. Devant, un type faisait la manche. Quand je suis sortie de ma voiture, il s'est exclamé : "Hé, vous êtes une copine de Buffy, pas vrai ?" J'ai souri : "Oui" "Vous auriez pas un peu de monnaie, Mlle Calendar ?"

« Depuis, je l'ai revu plusieurs fois. Quand je lui demande comment il va, il me répond "Je suis foudroyé d'admiration ; je ne peux pas vous parler." Il ne rate jamais un épisode de la série. »

Robia a passé une audition, comme tous les autres acteurs de *Buffy*, mais elle sentait dès le début que le destin lui faisait signe. « Parfois, quand vous recevez un scénario, les mots coulent de votre bouche comme s'ils avaient été écrits pour vous. J'ai lu un passage ; les producteurs m'ont rappelée pour que je tourne un bout d'essai avec Tony. Je ne savais même pas qui il était, mais il restait une autre fille dans la course, et les producteurs voulaient voir avec laquelle des deux le courant passerait le mieux.

« Dans la salle d'attente, on a plaisanté, et quand on est entrés dans la pièce, je lui ai donné le chewing-gum que j'étais en train de mâcher pour qu'il me le tienne ! J'ai été engagée le lendemain. »

Avez-vous des cicatrices, des tatouages ou d'autres marques distinctives ?
ROBIA : Non, je suis intacte. (Une pause, et elle désigne une marque de naissance sur son cou.) C'est mon seul signe distinctif. Les producteurs adorent ou détestent. La moitié du temps, ils le font recouvrir par la maquilleuse. Mais pas ceux de *Buffy*.

Enfant, de quoi aviez-vous peur ?
ROBIA : D'un tas de choses. Des insectes, par exemple. Quand j'habitais en Floride, il y en avait partout. Et je n'aime pas rester dans le noir, à cause de ce qui pourrait se produire sans que je le voie.

« Et de ce qui pourrait se cacher dans les ténèbres !

« Les requins m'ont toujours terrifiée ; pourtant, j'adore nager. Ça ne m'empêche pas d'aller dans l'eau, mais de temps en temps, je rêve qu'une grosse vague vient vers moi, et je distingue la silhouette d'un requin à l'intérieur. Petite, j'adorais me faire peur. Dans la piscine, je nageais sous l'eau en imaginant que des requins allaient me dévorer. A la fin, je sortais de l'eau en hurlant. C'est fou, non ?

Avez-vous un souvenir favori de la série, devant les caméras ou en coulisses ?

ROBIA : Le premier épisode que j'ai tourné, « Moloch ». Il y avait beaucoup répliques à double sens, vraiment amusantes. C'est rare d'en entendre de pareilles à la télé.

Aviez-vous travaillé avec d'autres acteurs de la série ?

ROBIA : Non. Mais l'année dernière, j'étais chez ma grand-mère en train de fouiller dans une commode où elle entasse des tas de trucs hétéroclites. Je suis tombée sur un vieux guide télé de l'époque où je jouais dans *Beverly Hills*. Je l'ai ouvert, et ma grand-mère avait entouré mon nom au feutre. Vous ne devinerez jamais qui faisait la couverture cette semaine-là... Sarah, pour son rôle dans *All My Children* ! Qui aurait cru que cinq ans plus tard...

Contrairement aux autres personnages, vous n'avez pas eu l'occasion de tourner beaucoup de scènes de combat. Vous n'étiez pas trop déçue ?

ROBIA : C'est vrai que j'aurais aimé en faire plus. Mais dans l'épisode où je suis possédée par un démon, j'ai sauté par une fenêtre et salement malmené Giles. C'était très marrant.

LaMorte, c'est votre vrai nom ?

ROBIA : Absolument.

SETH GREEN

Comme Sarah Michelle Gellar et Alyson Hannigan, avec qui il avait déjà travaillé avant *Buffy*, Seth Green a pratiquement grandi devant les caméras.

Né à Philadelphie, il commença sa carrière à New York en tournant des spots publicitaires alors qu'il portait encore des couches-culottes. Dans l'un d'eux, il avait pour partenaire une fillette de quatre ans qui n'était autre que Sarah. C'est Marcie Shulman, directrice du casting de ce spot et de *Buffy*, qui le leur apprit il y a quelques mois.

Seth a tourné dans des séries et des feuilletons télévisés tels que *X-Files*, *The Wonder Years*, *Beverly Hills*, *Evening Shade* et *Seaquest*. Il a joué le rôle principal dans *Ça* de Stephen King et dans *Byrds of Paradise*. Sur le grand écran, il est également apparu dans les films *L'Hôtel New Hampshire*, *Radio Days*, *Pump Up the Volume*, *Austin Powers* et *J'ai épousé une extraterrestre*, où il joue le petit ami d'Alyson Hannigan.

En ce moment, il est à l'affiche de plusieurs autres: *Can't Hardly Wait*, avec Jennifer Love Hewitt, *Stonebrook* et *La Main qui Tue*. Et il vient juste de se voir offrir un rôle régulier dans *Buffy*, une des séries télévisées les plus populaires aux Etats-Unis.

« J'ai été très bien accueilli sur le plateau. Evidemment, être ami avec Alyson depuis près de dix ans m'a pas mal aidé: elle m'a tout de suite intégré à la bande. Jamais je n'ai eu l'impression d'être le nouveau venu. Dès que les autres bougeaient, ils me demandaient si je voulais les accompagner. »

Pendant la deuxième saison, Seth se satisfaisait très bien d'un rôle secondaire, mais à partir de l'année prochaine, il apparaîtra pratiquement dans chaque épisode. « A choisir entre les deux, explique-t-il avec sagesse, je préfère une carrière un peu moins fulgurante et qui dure, plutôt que de me retrouver sous les projecteurs pendant un moment et plus rien ensuite. »

Contrairement à beaucoup de jeunes (et moins jeunes) acteurs, Seth n'est pas du tout pressé de passer derrière la caméra. Il préférerait produire des films pour le cinéma avec certains de ses amis. D'ailleurs, il commence déjà à explorer la question.

« Un réalisateur doit avoir une *vision* et beaucoup d'endurance, deux choses que je n'ai pas. Je préfère m'intéresser à un projet depuis le début, convaincre d'autres gens d'y participer et tout mettre en place pour en faire quelque chose de spécial. »

Seth n'a pas très envie de s'étendre sur le sujet d'Hollywood et des règles qui y sont en vigueur. En revanche, il s'anime quand nous évoquons le van d'Oz. « Il y avait de la moquette et de vieux poufs des années 70 — vous savez, ceux en forme de poire remplis de haricots —, un banc, des têtes réduites, une boule disco, un jeu de fléchettes, un frigo… C'était vraiment marrant; les accessoiristes avaient fait un super boulot. » A tel point qu'il existe un site Internet entièrement consacré au van d'Oz.

Seth a passé du temps sur le site web officiel de *Buffy*, mais il ne laisse pas l'admiration des fans lui monter à la tête. «Cela dit, ça ne coûte pas grand-chose de leur montrer à quel point on apprécie leurs encouragements. Mais il ne faut pas se laisser distraire du boulot pour autant: quand on se préoccupe trop de son ego, on cesse de travailler aussi dur.

«Il y a deux ou trois ans, quelqu'un m'a donné un conseil dont je n'étais pas encore capable de mesurer la valeur, mais que je n'ai pas pu oublier depuis: "Traite chaque audition comme si c'était la finale du Super Bowl, et chaque jour de travail comme ta première audition. N'oublie jamais ce qui te motive. Si tu fais toujours de ton mieux, sans te complaire dans l'autosatisfaction, tu réussiras." »

Bien qu'il ne l'ait pas cherché, Seth est ravi de figurer bientôt régulièrement au générique de la série. «Il est agréable de savoir que je ne me trouverai pas d'un coup à court de boulot, et que je vais pouvoir développer mon personnage. J'ai prévenu les scénaristes que je préfère ne pas piper mot de toute une scène plutôt que de dire quelque chose de stupide, d'inintéressant ou d'incongru dans la bouche d'Oz. »

Non qu'il s'inquiète de voir les scénaristes pondre des dialogues stupides. «Joss, Marti, Rob, Dean et tous les autres m'ont aidé à définir Oz, et j'espère bien ne pas le perdre de vue. Au fil du temps, on oublie parfois les origines d'un personnage ou l'avenir qu'on lui réserve. Je déteste quand on fait dire quelque chose à quelqu'un histoire de justifier sa présence dans une scène.

«Pour moi, Oz se définit tout entier par deux ou trois scènes. Par exemple, dans "Innocence", quand je suis assis dans le van avec Alyson. Je n'ai encore rien dit depuis le début de l'épisode. "Tu veux qu'on s'embrasse?" me demande-t-elle. Et je lui réponds: "Quelqu'un d'un peu observateur dirait que tu essayes de rendre ton ami Alex jaloux. Ou de prendre ta revanche, un truc dans le genre. Ça ne m'intéresse pas."

«Ça donne l'impression qu'Oz sait où il va. Qu'il fait attention à ce qu'éprouvent les gens qui l'entourent, non seulement pour lui mais les uns vis-à-vis des autres.

«Il prend les choses comme elles viennent, sans se poser trop de questions. J'aimerais bien explorer son côté sentimental, mais il faudrait un puissant catalyseur pour faire exploser sa nonchalance. Même sa famille n'a pas eu l'air étonnée par sa transformation en loup-garou. Il est assez cérébral; au lieu de se torturer, il cherche un moyen de s'en accommoder au mieux. »

Au début, il n'était pas prévu qu'Oz devienne un loup-garou. Seth avait été engagé pour trois épisodes seulement. «Puis les producteurs ont vu que je m'entendais vraiment bien avec Alyson, et la mécanique s'est mise en branle dans la tête de Joss. On pouvait presque l'entendre penser: "Qu'est-ce que je vais bien pouvoir tirer de ça?" Il est venu me trouver et… Non, en fait, c'est Aly qui m'en a parlé la première. "Si on te demandait de signer un contrat pour la fin de la saison, ça te dirait?" "Bien sûr que oui!"

«Alors, j'ai été voir Joss pour savoir ce qu'il en pensait. "J'aimerais faire d'Oz un loup-garou, mais j'ignore encore comment", m'a-t-il avoué. Quinze jours plus tard, il m'a fait lire un projet de scénario pour le quinzième épisode de la deuxième saison. "Si ça te plaît, on pourra négocier à partir de là." C'était «Pleine Lune» et j'ai accroché tout de suite. »

Outre qu'il connaissait déjà Sarah, Alyson et Marcie avant de travailler sur *Buffy*, Seth est le seul acteur qui avait participé au film du même nom. «J'ai été coupé au montage, mais je suis en photo au dos de la cassette vidéo.

«Cela dit, j'espère que la bande originale ne refera jamais surface, parce que j'étais vraiment mauvais. A l'époque, ce projet m'excitait beaucoup. J'étais un type timide dont Sasha devait se moquer, qu'il tourmentait en faisant tomber ses livres, ce genre de trucs…

Dans une autre scène, je traversais les bois pour rejoindre le manège.

« A un moment, Sasha dit : "Je vais me retourner, et tu ne seras plus là." Et quand il le fait, c'est Paul Reubens qui est sur le manège. Mais cinq minutes de pellicule ont été coupées. A l'origine, quand Sasha se retournait, je me tenais devant lui avec le visage d'un vampire. Il me demandait ce que je faisais là. J'éclatais de rire ; alors, il me saisissait par le col pour me secouer.

« Mais quand il me lâchait, je flottais en l'air et, sans cesser de rire, je l'attrapais pour le mordre. Le tournage était terrible ; je m'étais trompé en leur donnant mes mensurations, et je me suis retrouvé avec un harnais cinq fois trop grand qui me donnait l'air de porter une couche-culotte. Pas très sexy », conclut Seth avec une grimace.

Plus jeune, étiez-vous intéressé par le fantastique et la terreur ?

SETH : Absolument. A une époque, j'étais passionné par la mythologie vampirique et ce genre de trucs. Et puis j'en ai eu marre de voir des gens se teindre les cheveux en noir et porter des T-shirts de Marilyn Manson.

« Quand on prend quelque chose au sérieux, et que d'autres le ridiculisent par leur ignorance, il est difficile de ne pas en être dégoûté. C'est pour ça que je suis content de participer à une série comme *Buffy*, où malgré l'humour, les monstres restent effrayants plutôt que pathétiques. Ce n'était pas le cas du film, et ça me rend toujours un peu triste de le revoir à la télé.

Oz est le guitariste des Dingoes Ate My Baby. Jouez-vous de cet instrument ?

SETH : J'arrive à faire semblant, non ?

Ce n'est pas ce que j'ai demandé.

SETH : Non, je ne sais pas. Je vois à peu près où sont les accords, mais je n'ai aucune dextérité. Heureusement qu'il y a des coordinateurs musicaux pour m'aider, et que certains de mes amis sont de bons guitaristes. Comme on me donne les cassettes à l'avance, j'ai le temps de m'entraîner… Même si ça ne sert jamais à rien, puisqu'on ne me voit pas jouer à l'écran.

Avez-vous des cicatrices, des tatouages ou d'autres marques distinctives ?

SETH : J'ai deux cicatrices côte à côte sur le cuir chevelu. La première date de quand j'avais cinq ans. Je courais avec ma sœur dans la salle à manger. J'ai plongé tête la première sur un coin de la table à café, et je me suis presque fendu le crâne. Deux ans après, en jouant au foot avec mon père, je me suis pris un coin de mur pile au même endroit !

A part ça, qu'est-ce qui vous a traumatisé dans votre enfance ?

SETH : J'ai réalisé très tôt que j'irai en enfer, la fois où j'ai vu une vieille dame tomber du bus et où j'ai éclaté de rire. Elle ne s'était pas vraiment fait mal, et je l'ai aidée à se relever, mais quand même… Du coup, je me dis que foutu pour foutu, je ferais aussi bien d'en profiter.

Enfant, de quoi aviez-vous peur ?

SETH : Je ne sais plus trop, des trucs débiles. Quand j'avais quatre ans, j'ai vu un épisode de Starsky et Hutch à la télé, où ils découvraient un cadavre en voie de décomposition dans un placard. Ça m'a foutu une de ces trouilles ! Mais je n'ai jamais eu peur d'un truc précis. J'ai vu tellement de films de terreur que je suis un peu blasé.

Quels autres acteurs admirez-vous ?

SETH : Breckin Meyer, qui est à mon avis un des meilleurs de la génération montante. Totalement sous-employé pour le moment, mais je suis sûr qu'il deviendra un sex-symbol. Si je devais être amoureux d'un homme, ce serait lui.

Vous le connaissez personnellement ?

SETH : On peut le dire. Lui, notre ami Ryan et moi essayons de produire un film ensemble. Je sais que ça a l'air très prétentieux...

Avez-vous un souvenir favori de la série, devant les caméras ou en coulisses ?

SETH : Pendant qu'on tournait la deuxième partie d'« Innocence ». Les décorateurs avaient reconstitué un centre commercial dans un entrepôt, et il y a eu une mini-révolte. Aly, Charisma, Nick, Tony et moi avons décidé d'aller déjeuner dans un restaurant chinois, mais ils ont refusé de nous servir. On a fini au McDonald's.

« Après, on a fait les magasins de jeux et on a acheté un TVopoly, une sorte de Monopoly sur le thème de la télé. Comme Juliet, David et Sarah étaient occupés à tourner une scène, on a tous fini dans la caravane de Charisma à faire partie sur partie. C'était très sympa.

JAMES MARSTERS

Le crépuscule vient de tomber. James Marsters nous annonce qu'il a une pause pendant que les éclairagistes modifient la lumière sur le plateau. Nous allons nous asseoir sur les marches de la caravane qu'il partage avec Juliet Landau, et il allume une cigarette… Dans sa tenue de Spike, cela semble étrangement approprié.

Ce geste excepté, James ressemble aussi peu à son alter ego vampirique qu'on peut l'imaginer. Il est serviable et enthousiaste, passionné par son métier, le théâtre et la série *Star Trek*. Il aime plaisanter, rit de ses propres blagues et s'amuse de la simple idée d'être interviewé.

James vient de Modesto, en Californie. Il a joué dans divers films et séries, dont *Northern Exposure*. Il a étudié à Juilliard et est arrivé à Los Angeles en 1997 après avoir passé plus de dix ans dans le circuit des théâtres régionaux. Sa décision fut basée sur une conversation avec une de ses idoles à propos du pragmatisme.

« Je parlais avec Michael Winters, qui est selon moi le meilleur acteur de théâtre du pays, et dont je suis fan depuis l'âge de dix ans. A Seattle, j'ai eu la chance de faire avec lui une lecture de *The Cider House Rules*, dirigé par Tom Hulce. A la fin, je l'ai raccompagné chez lui. Il m'a dit que sa bagnole était en rade, qu'il n'avait pas assez de fric pour la faire réparer et qu'il en avait marre d'être fauché. Michael a cinquante ans. Tout le monde lui avait dit que s'il s'entêtait à faire du théâtre, il finirait pauvre, mais il n'a pas écouté. Pour la première fois de ma vie, je n'avais plus envie de l'imiter.

« Puis Michael s'est rendu à Los Angeles et il a obtenu un rôle régulier dans *The Single Guy*. Il a tourné un film pour la télé, et maintenant, il se débrouille plutôt bien. C'est un merveilleux acteur. Alors, j'ai décidé de faire comme lui, et de gagner assez d'argent pour assurer mes vieux jours. J'étais prêt à faire n'importe quoi, y compris à enfiler le costume d'Alf. Je ne voulais pas être un de ces acteurs de théâtre qui considèrent qu'ils s'abaissent à faire de la télé, et qui ne cessent de se plaindre de ne pas jouer du Shakespeare.

« Le plus drôle, c'est que maintenant, je bosse sur une série dont les scénarios sont mieux écrits que beaucoup de pièces que j'ai jouées sur scène. J'ai énormément de chance. Et puis, il est agréable de se faire connaître par un rôle de tueur cool et sexy. Sans compter l'excellente ambiance qui règne sur le plateau. J'apprends beaucoup de trucs. Mes dix ans de théâtre ne me servent pas à grand-chose face aux caméras ; ce sont deux métiers totalement différents. »

Quand James a auditionné, il avait des cheveux bruns ondulés, comme David Boreanaz qui joue Angel. Les producteurs ont dû en faire abstraction et imaginer à quoi il ressemblerait dans le rôle de Spike. Par chance, son jeu était si bon qu'ils n'ont pas eu trop de mal.

« Je me suis tout de suite bien entendu avec Juliet, ce qui a aidé, avoue-t-il. Mais j'ai eu de la chance que les producteurs se focalisent sur autre chose que l'apparence, qui est une donnée malléable. »

Surtout que Spike est censé être anglais, et que James ne pourrait pas être plus américain. Pourtant, il ne s'est pas laissé intimider par le problème de l'accent. « Quand j'ai reçu ma convocation pour auditionner, je jouais *La Tempête* de Shakespeare dans le cadre d'un festival de théâtre. J'ai demandé à l'acteur qui incarnait Caliban, et qui venait du nord de Londres, s'il voulait bien m'aider à répéter. Tony aussi m'a filé un coup de main : il ne voulait pas avoir à rougir de la série devant ses amis Anglais ! »

Le plus difficile, ce fut de s'habituer à son maquillage de vampire (même s'il l'a porté de moins en moins souvent au fil des épisodes). « Par chance, les mousses utilisées pour créer les prothèses, et les colles qui permettent de les faire tenir se sont beaucoup améliorées au cours des dix dernières années. Elles sont devenues très souples, presque confortables. Au bout d'un moment, on en oublie leur présence. »

Ça ne signifie pas pour autant qu'un acteur peut utiliser toute la gamme de ses expressions quand il est maquillé de la sorte. « J'ai appris très vite que le masque adoptait ses propres expressions, et qu'il valait mieux que je n'en rajoute pas trop. Le plus simple, c'est de faire passer beaucoup de choses dans le regard. Au début, je m'entraînais devant une glace pour voir ce qui faisait le plus d'effet. Mais je n'aime pas tuer la spontanéité en répétant trop. Le maquillage me rend effrayant, les dialogues de Joss me rendent drôle, et c'est bien assez. »

Hors du plateau, passez-vous beaucoup de temps avec les autres acteurs de la série ?

JAMES : Oui ; on s'entend vraiment très bien. Un jour, David, Nicky, Seth et moi sommes allés dîner chez Todd McIntosh. C'est un très bon cuisinier, et on s'est beaucoup amusés. Il voulait qu'on se connecte sur Internet, et on se demandait tous ce qu'on allait bien pouvoir y faire. Mais à la fin, on ne voulait plus se déconnecter !

« Pour le dernier Halloween, Alyson et moi nous sommes fait maquiller en vampires. Elle était vraiment très sexy avec son costume ! C'est une chance que les gens qui s'occupent du casting comprennent l'importance d'une bonne entente entre les acteurs, et que ce soit pour eux un facteur de choix primordial. Ce n'est pas toujours le cas...

Avez-vous un souvenir favori de la série, devant les caméras ou en coulisses ?

JAMES : De loin le premier épisode que j'ai tourné (« Attaque à Sunnydale »), quand je faisais passer la tête d'un de mes serviteurs à travers la vitre d'un extincteur. J'adore jouer Spike parce que je n'arrête pas de me battre. Mais les flics ne sont jamais obligés d'intervenir, et personne n'est blessé pour de vrai.

Et sauf contre Buffy, c'est toujours vous qui gagnez...

JAMES : C'est vrai, et ce n'est pas désagréable ! J'ai vraiment été épaté par le cascadeur : il a passé la tête à travers du verre épais deux ou trois fois, et c'était moi qui avais l'air d'un gros dur ! Un peu injuste pour lui...

Vous avez une idée de ce qui attend Spike et Drusilla ?

JAMES : Spike a réalisé que Dru est attirée par Angel comme un alcoolique par sa bouteille. Pour son propre bien, et pour préserver leur relation, il devait l'éloigner de Sunnydale. Malgré sa jalousie, il comprend Drusilla. C'est elle qui l'a créé. Il sait qu'elle ne peut rien contre son attirance pour Angel. Elle ne cherche pas à faire du mal à Spike mais elle est comme possédée.

Plus jeune, étiez-vous intéressé par le fantastique et la terreur ?

JAMES : Oui, beaucoup. J'adorais *Creature Feature*. Je pense que le fantastique en général permet d'employer des métaphores bien plus intéressantes que dans les séries « réalistes ». On peut y traiter des sujets qui autrement seraient tabous. C'est un peu comme le bouffon dans les cours médiévales : il disait ce qu'il voulait pourvu que ce soit sur le ton de la plaisanterie.

« Trop de réalisme tue l'intérêt du cinéma, de la télévision ou du théâtre. Je suis content d'échapper à ça. Robert Heinlein a dit : "La bonne science-fiction doit obliger le spectateur à douter de son propre scepticisme une fois au moins. Le reste suit." »

Avez-vous des cicatrices, des tatouages ou d'autres marques distinctives ?

JAMES : J'ai une cicatrice sur la jambe gauche, juste au-dessous du genou, que je me suis faite en CM2. J'étais en train de jouer avec des copains ; en me laissant glisser le long d'une pente, j'ai accroché une tête de sprinkler qui a déchiré ma chair jusqu'à l'os sur les deux tiers de mon mollet. Il ne restait plus que deux ou trois centimètres à l'arrière pour la retenir ; sinon, elle me serait tombé sur la cheville comme une chaussette trop grande ! « Le chirurgien a dû prélever des tissus sur ma cuisse parce que ma peau ne repoussait pas. Je n'ai pas pu marcher pendant près d'un an. Aujourd'hui encore, les poils de mon genou gauche poussent de travers parce qu'ils ont greffé la peau dans le mauvais sens.

Avez-vous des talents dont vous aimeriez faire la démonstration dans *Buffy* ?

JAMES : Oui : je joue de la guitare et je chante. Je peins aussi, et j'écris.

Que faites-vous de votre temps libre ?

JAMES : J'ai une petite maison près de la mer ; j'aime bien y aller avec ma copine. Mais c'est rare que je le puisse.

Enfant, de quoi aviez-vous peur ?

JAMES : De rien, sinon de ne pas arriver à tout faire. J'étais très casse-cou, et j'accumulais les bêtises. Mais je me suis amélioré. Après mon accident, je me suis aperçu qu'il était possible de survivre à tout… Et que si on avait le droit de se plaindre et qu'on évitait de le faire, les gens ne vous en admiraient que davantage.

JULIET LANDAU

Juliet Landau incarne Drusilla, une vampire anglaise moitié folle, moitié clairvoyante déchirée par son attirance pour deux de ses congénères. Inutile de dire que c'est un rôle bizarre… Ou plutôt, en or, pour une actrice qui rêve de faire ses preuves.

Juliet est une star de la seconde génération, fille de Martin Landau et de Barbara Bain, qui ont contribué à l'émergence des séries télévisées et démontré qu'on pouvait être un bon acteur même si on ne faisait pas que du cinéma.

Juliet est impatiente de se faire un prénom. Outre *Buffy*, elle a déjà tourné dans le film de Tim Burton *Ed Wood*, et a fait de brèves apparitions dans *Les Arnaqueurs, Pump Up the Volume et Neon City*, entre autres.

Nous avons la chance de pouvoir nous entretenir avec elle au cours d'un de ses derniers jours de tournage. Profitant d'un changement d'éclairage, nous nous installons dans un décor abandonné avec Juliet en costume et maquillage de vampire.

En vraie professionnelle, elle semble tout d'abord distraite : elle a du mal à se détacher de son personnage. Mais bientôt, elle se détend, révélant un caractère chaleureux à mille lieues du stéréotype hollywoodien.

Son cas est unique dans l'équipe de *Buffy*. Contrairement aux autres acteurs, elle n'a pas eu besoin d'auditionner pour décrocher son rôle. « Joss m'avait vue dans *Ed Wood*, explique-t-elle. Il a appelé mon agent qui m'a arrangé un entretien avec lui, David Greenwalt, Gail Berman (producteurs exécutifs) et Marcie Shulman (directrice du casting).

« Ce fut une réunion très créative. Je n'avais lu que la description du personnage et deux ou trois pages de scénario, mais je le sentais déjà très bien. Une demi-heure après que je suis partie, ils ont appelé mon agent pour lui dire que j'avais le rôle ! »

Pendant cette fameuse réunion, Juliet n'eut aucun mal à adopter ce qu'elle appelle le « mode Drusilla » : mains qui papillonnent, regard distant... Les producteurs adorèrent. Juliet aussi. La première fois que Drusilla apparaît à l'écran, très affaiblie, elle ressemble à une héroïne d'opéra qui se meurt. Mais l'actrice adorait l'idée qu'elle retrouverait ses forces au bout de quelques épisodes.

« C'est un personnage haut en couleurs, une méchante capable d'amour. Etrange et parfois vicieuse, mais aussi dévouée à Spike. Avant sa guérison, elle a même un petit côté fragile, éthéré, qui donne envie de la protéger malgré tout. Joss les décrit, Spike et elle, comme les Sid et Nancy vampiriques. Et j'adore son look, à mi-chemin entre une héroïne victorienne et Kate Moss. »

Bizarrement, Juliet ne pense pas que Drusilla soit maléfique. « J'en ai parlé à Joss, et il m'a dit qu'il le savait déjà, que ça se voyait à la façon dont je l'interprétais. Elle a de quoi glacer les sangs, mais elle n'en est pas consciente. "Ben quoi, j'ai mangé deux ou trois humains... Où est le problème ?" »

C'est vrai : selon la perspective de Drusilla, il semble normal de tuer les gens pour se nourrir. Elle ne fait que se conformer à sa nature...

Juliet insiste sur la chance qu'elle a de travailler dans une série où les personnages se développent et évoluent au fil du temps. « Angel démarre comme un gentil garçon, mais il finit par redevenir mauvais et par s'interposer entre Spike et Drusilla. A la seconde où je retrouve mes forces, je dois prendre soin de Spike, cloué dans sa chaise roulante. Avant c'était l'inverse. »

Nous évoquons ensuite son accent. Américaine de naissance, Juliet a passé quatre ans à Londres quand elle était enfant. Et ça lui a rendu service pour *Buffy*. « Le type qui doublait le Juge dans "Innocence" était anglais. Après la fin du tournage, il est venu me voir et m'a demandé d'où j'étais. "D'ici", ai-je répondu. Il n'arrivait pas à y croire, et j'étais toute fière de l'avoir bluffé avec mon accent ! »

Avez-vous un souvenir favori de la série, devant les caméras ou en coulisses ?

JULIET : Après m'avoir engagée, les producteurs m'ont fait faire des essais avec les deux derniers acteurs en lice pour le rôle de Spike. James et moi nous sommes bien entendus.

« Pendant notre audition, la scène où Spike et Dru discutent avec le Juste des Justes, James s'est approché de moi comme s'il allait m'embrasser, mais nous ne l'avons pas fait et nous nous sommes détournés d'un commun accord. Plus tard, devant les caméras, on a fait exactement la même chose. Les producteurs ont utilisé cette séquence pour la publicité de la série : "Le mal a deux nouveaux visages".

Plus jeune, étiez-vous intéressée par le fantastique et la terreur ?

JULIET : Pas vraiment. Mais je n'ai pas l'impression de tourner dans une série de terreur. Les forces du mal servent surtout à porter à son paroxysme l'expérience de l'adolescence et de la vie au lycée : une horreur absolue à laquelle nous pouvons tous nous identifier ! L'humour permet de faire la transition entre l'effrayant et le tragique.

Drusilla est la méchante la plus intéressante qu'on ait vu à la télévision depuis bien longtemps. Comment se fait-il que Buffy ne l'ait pas encore combattue ?

JULIET : Il existe un parallèle intéressant entre les deux personnages : Buffy fait des rêves prémonitoires, tandis que Drusilla a des visions. Elles livrent une sorte de combat spirituel plus que physique. C'est très intéressant.

JULIE BENZ

Les choses commencent vraiment à décoller pour Julie Benz. Non seulement elle a joué dans le film à succès *Pour le Meilleur et Pour le Pire* avec Jack Nicholson et Helen Hunt, mais elle vient de se marier et de tourner *Jawbreakers* avec Rebecca Gayheart, Rose McGowan et Pam Grier.

Avant ça, elle est apparue au cinéma dans *Inventing the Abbotts*, *Black Sheep* et *Two Evil Eyes*, à la télé dans des séries telles que *Diagnosis Murder*, *Notre Belle-Famille*, *Mariés, deux enfants*, *Sliders* et *Fame L.A.* Elle a également tenu un rôle régulier dans *All My Children*.

Bref, pour l'actrice qui joue Darla, la vampire qui a initié Angel au monde de la nuit, l'année a été fructueuse. Mais bien qu'elle ait été très occupée, elle n'a pas caché son enthousiasme quand on lui a demandé de faire une apparition dans l'épisode final de la deuxième saison de *Buffy*.

« J'étais très excitée, surtout quand j'ai appris que la scène se passerait dans l'Irlande de la fin du XVIIIe siècle, confie-t-elle. Je n'avais encore jamais tourné en habits d'époque. Les costumiers ont fait venir le mien de Londres ! »

Julie a été surprise d'apprendre le retour de Darla : après tout, son personnage était mort... pour de bon, cette fois. « Après le tournage d'"Alias Angélus", tout le monde m'avait dit : "Oh, on trouvera un moyen de te faire revenir." Mais Darla s'était fait percer le cœur, et je ne voyais vraiment pas comment ils auraient pu s'y prendre sans porter atteinte à l'intégrité de la série. Ils avaient déjà tué une centaine de vampires comme ça ; ils ne pouvaient pas remettre ma mort en question ! Mais ils ont quand même réussi à trouver un moyen épatant. »

Comme les scénaristes prévoient d'explorer le passé d'Angel, Julie aura sans doute d'autres occasions de reprendre le rôle de Darla. Elle s'est promis de trouver le temps nécessaire, quelles que soient les contraintes de son métier. « Les personnages vampiriques ont tous un passé intéressant. Il serait génial de faire des retours en arrière pour explorer leurs relations. En tant qu'actrice, je m'en réjouis d'avance. J'adore la série. »

A l'origine, Julie avait auditionné pour le rôle de Buffy... comme toutes les jeunes actrices d'Hollywood ou presque. Ce n'était pas la première fois qu'elle était en compétition avec Sarah Michelle Gellar. Mais nous y reviendrons plus tard.

« Sarah était fabuleuse pendant l'audition. Je ne m'étonne pas qu'elle ait été choisie. Pendant qu'ils filmaient le pilote, les producteurs m'ont demandé si j'accepterais le rôle d'une vampire, et j'ai sauté sur l'occasion : je n'avais encore jamais joué ce genre de personnage. Cette fois, ils ne m'ont même pas demandé de lire un texte.

« Après le pilote, ils m'ont proposé de tourner deux épisodes supplémentaires. Je ne m'y attendais pas du tout ; je pensais ne faire qu'une apparition dans la série. Mais j'étais ravie de cette occasion. »

Contrairement à d'autres acteurs, Julie avoue qu'on la reconnaît rarement pour son travail sur *Buffy*, sans doute parce qu'elle est maquillée en vampire dans la plupart de ses scènes. Mais les gens l'identifient parfois grâce à sa voix.

Julie a toujours aimé les films de terreur ; pourtant, elle avoue que même les très mauvais lui font peur. Sa participation à la série ne l'a pas guérie. « Dans la deuxième partie de "Bienvenue à Sunnydale", nous avons tourné une scène de nuit dans le cimetière. J'étais maquillée en vampire et je me foutais la trouille toute seule, alors que c'est moi qui étais censée effrayer les autres ! »

Enfant, de quoi aviez-vous peur ?

JULIE : Du noir ; ça me terrifiait. Et aussi de l'idée qu'il y avait des gens sous l'escalier ou dans mon placard. Je craignais toujours qu'une main jaillisse de sous les marches pour m'attraper la cheville pendant que je montais, et inutile de dire que mon placard n'était jamais très bien rangé ! Je n'osais pas y accrocher de vêtements, et je laissais la porte ouverte pour être sûre que personne ne pouvait se cacher à l'intérieur.

Avez-vous un souvenir favori de la série, devant les caméras ou en coulisses ?

JULIE : David et moi nous sommes beaucoup amusés en travaillant ensemble. Dans l'épisode où je meurs, il me frappe dans le dos avec un carreau d'arbalète. Je devais me retourner et réaliser que c'était lui mon meurtrier. Mais on n'arrêtait pas de se marrer, et on a eu du mal à mettre la scène en boîte.

« Chaque fois que nos regards se croisaient, nous éclations de rire. Ça semblait tellement absurde, avec nos maquillages de vampires ! Ensuite, je devais tomber sur un matelas posé hors champ, mais je l'ai raté. Un fou rire irrépressible : plus on essayait de se calmer, et moins ça marchait !

Avez-vous des cicatrices, des tatouages ou d'autres marques distinctives ?

JULIE : J'ai deux minuscules cicatrices sur le menton. Quand j'étais petite, je faisais beaucoup de patin à glace. Une fois, j'ai trébuché sur mes propres patins et je me suis ouvert le menton. Je devais être en cours préparatoire. Il a fallu me mettre deux points de suture, et je trouvais que c'était la chose la plus laide du monde. Deux semaines après que le médecin les eut enlevés, je suis tombée une nouvelle fois et je me suis rouvert le menton au même endroit !

Aviez-vous travaillé avec d'autres acteurs de la série ?

JULIE : Sarah et moi avions toutes les deux passé l'audition pour le rôle de Kendall Hart dans *All My Children*. C'était il y a longtemps. Je me souviens que nous étions six dans notre groupe ; elle est passée la première et moi la quatrième. Quand j'ai tourné le pilote de *Buffy*, je lui en ai parlé. Je lui ai dit que j'avais les cheveux courts à l'époque.

« Elle s'en est souvenue et elle en a profité pour se repasser la cassette de l'audition ! C'est une fille très gentille. Après l'avoir vue jouer, j'étais certaine qu'elle décrocherait le rôle. Je la trouve épatante : elle a une vraie éthique du travail, et elle bosse dur pour quelqu'un d'aussi jeune. En fait, je l'admire.

De quoi parle votre dernier film ?

JULIE : *Jawbreakers* parle de trois lycéennes qui enlèvent leur meilleure amie le jour de son anniversaire et la tuent accidentellement. C'est une comédie noire dans la veine de *Fatal Games*.

Si vous aviez l'occasion de jouer à nouveau Darla...

JULIE : C'est un de mes personnages préférés. Il est très amusant d'incarner un vampire, parce qu'on a une grande liberté de jeu et d'action. J'adore ça, même si la vue du sang me donne la nausée. Par bonheur, ils n'en utilisent pas sur le plateau de *Buffy*. Mais même l'encre rouge me donne envie de m'évanouir.

BIANCA LAWSON

Elle était venue pour mourir.

Le jour où nous l'avons rencontrée, Bianca Lawson, l'actrice qui incarna Kendra la Tueuse de Vampires pendant quatre épisodes de la deuxième saison, tournait sa dernière scène : celle où elle succombe face à Drusilla, dans la bibliothèque.

Sous le regard inquisiteur de David Greenwalt, un des producteurs de la série, et de Todd McIntosh, le maquilleur en chef, Juliet Landau fait semblant de lui trancher la gorge. Bianca tient dans la main une éponge gorgée de faux sang. Elle la porte à son cou, et le liquide dégouline sur son chemisier.

Bianca est apparue dans de nombreuses séries télévisées dont *Sister Sister, In the House, Sauvés par le Gong* et *Parenthood* (pour laquelle Joss Whedon avait écrit des scénarios). Elle a commencé sa carrière à l'âge de neuf ans dans un spot publicitaire pour les poupées Barbie, et n'a pas cessé de travailler depuis. Elle a même décroché un petit rôle dans le film de John Travolta *Primary Colors*.

Lorsque Bianca a été choisie pour jouer Kendra dans l'épisode en deux parties du même nom, le scénario n'était pas encore tout à fait fini. Quand les producteurs l'ont appelée pour lui annoncer sa réussite à l'audition, ils lui ont demandé quels accents elle était capable d'imiter, et ont opté pour le jamaïcain.

« J'ai un ami qui donne des cours de diction, et j'ai pas mal répété avec lui. Comme l'accent jamaïcain distingué ressemble trop à l'anglais, j'ai fini par adopter un ton presque vulgaire. »

Ça a dû plaire aux producteurs, puisqu'ils l'ont fait revenir pour un second épisode en deux parties : le dernier de la saison.

Bianca a été plaisamment surprise par l'impact de son apparition dans *Buffy* : « Je n'étais même pas dans la bande-annonce ! Mais le lendemain de la diffusion de "Kendra", des gens très différents m'ont arrêtée dans la rue pour me féliciter. Et pas seulement des jeunes : des adultes, des mères de famille… »

Avez-vous un souvenir favori de la série, devant les caméras ou en coulisses ?

BIANCA : Je me suis beaucoup amusée à tourner les scènes de combat. J'avais déjà fait un peu de boxe et de kickboxing pour m'amuser, mais rien de très sérieux. C'était vraiment génial.

ARA CELI

La première chose qu'on remarque chez elle, c'est son rire chantant et communicatif, opposé au glamour figé d'Hollywood. Un rire qui sonne juste, un rire qui monte du cœur. Et on n'est pas étonné d'apprendre qu'Ara Celi, la jeune actrice au look exotique qui jouait le rôle-titre de « La Momie Inca », est en train de se faire une multitude d'amis dans le monde de la télé et du cinéma.

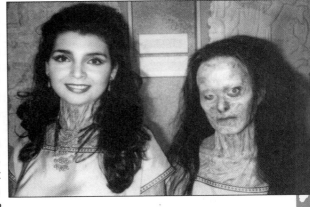

Son apparition dans *Buffy* est due à une rencontre entre la directrice du casting, Marcie Shulman, et le réalisateur Robert Rodriguez. Celui-ci voulait engager Ara pour le rôle féminin principal de *The Hangman's Daughter*, la suite d'*Une Nuit en Enfer*. Il recommanda à Marcie de la voir. Après sa troisième audition, Ara rencontra les producteurs de la série et apprit quelques heures plus tard qu'on lui donnait le rôle d'une jeune fille de seize ans sacrifiée aux croyances de son peuple et maudite pour l'éternité.

De tous les monstres de *Buffy*, Ampata est sans doute le plus sympathique… au moins, à en croire les fans d'Ara. « Tous me disent : "Nous ne te détestons pas comme les autres méchants de la série. Nous t'aimions bien, et nous ne voulions pas que tu meures. Mais que tu sortes avec Alex." C'est très amusant. »

Visiblement, les fans ne sont pas les seuls à s'être attachés à Ara. « Ça s'est bien passé sur le plateau. Les gens n'arrêtaient pas de dire "Dommage qu'on doive te tuer ; si seulement il y avait un moyen…" Tout le monde a été très sympa avec moi. Ils cherchaient un moyen de changer la fin de l'épisode pour pouvoir me faire revenir ! »

Ara est une ancienne Miss Texas, originaire d'El Paso. En plus de *The Hangman's Daughter*, elle a joué le rôle principal dans un film sorti fin 1998 et intitulé *Looking for Lola*. Sa carrière décolle rapidement, mais elle promet qu'aussi occupée soit-elle, elle ne refusera pas une occasion de reprendre le rôle d'Ampata. Elle a adoré participer à «La Momie Inca», surtout grâce à Nicholas Brendon avec qui elle a tourné la plupart de ses scènes.

Après la diffusion de l'épisode, Ara découvrit que beaucoup de fans partageaient son enthousiasme. «Le lendemain, je suis allée au cinéma avec des amis, nous confie-t-elle. Un groupe de dix ou douze mecs se sont mis à crier: "C'est elle!" J'ai regardé autour de moi en me demandant de qui ils parlaient. Puis ils ont dit: "Tu étais super dans *Buffy* hier soir." Et ma copine Ally a éclaté de rire: "C'est de toi qu'ils parlent!" Je vous jure que je n'arrivais pas à y croire. Ils m'ont félicitée. J'étais tellement abasourdie que je leur ai juste fait un signe de la main en disant merci.

«Un peu plus tard, je suis allée au Super Bowl à San Diego. Il y avait une fête monstrueuse dans le Gas Lamp District. Plus de cent trente mille personnes étaient venues; les flics avaient fermé la rue. Des gens m'ont réclamé un autographe en criant: "Ampata, c'est Ampata!" Et c'est là que j'ai réalisé. C'était juste un épisode, mais... Bref, je trouve ça super. C'est le genre de choses que veulent tous les acteurs: devenir célèbre du jour au lendemain.»

Aimez-vous les Twinkies?
ARA: (Rire) Celle-là, on me l'a posée un millier de fois. Gamine, je les adorais. Je n'arrêtais pas d'en grignoter. Mais quand même, en manger huit ou dix d'un coup... Cela dit, ça ne m'a pas dégoûtée!

Huit ou dix?
ARA: En tout, c'est ce qu'on a dû avaler, Nicholas et moi. Après chaque prise, on devenait tout jaunes! C'était hilarant. On a beaucoup ri en tournant cette scène.

Avez-vous un souvenir favori de la série, devant les caméras ou en coulisses?
ARA: La scène où je danse avec Alex. C'était comme un conte de fées devenu réalité. On était dans notre bulle, les yeux dans les yeux. C'était vraiment magique, incroyable. J'ai tout oublié: le boulot, les caméras... J'étais dedans à cent pour cent.

Et je parie qu'il n'a même pas appelé le lendemain.
ARA: En fait, Nicholas a été super! On a échangé nos numéros de téléphone, mais en tant qu'amis. C'est quelqu'un de merveilleux. Il est très, très gentil.

Etes-vous fan de films de terreur?
ARA: Je n'avais jamais vu un épisode de la série avant de jouer dedans. Mais quand j'ai étudié le rôle de cette princesse inca, j'ai adoré sa naïveté, et le fait qu'elle n'ait jamais eu l'occasion de tomber amoureuse. Ça m'a beaucoup plu.

C'était pourtant très triste.
ARA: Oui, mais elle a eu de la chance: elle a fait de nombreuses expériences en peu de temps.

Enfant, de quoi aviez-vous peur?
ARA: Du noir. Et d'être seule, même dans le jardin, en plein jour.

Avez-vous des cicatrices, des tatouages ou d'autres marques distinctives?
ARA: Oui, une chouette cicatrice.

Bizarrement, je ne suis pas surpris. Ça a l'air très courant chez les acteurs.
ARA: Ah bon? Je n'ai pas de tatouage, mais j'ai une cicatrice sur la lèvre supérieure. Elle est très visible; elle ressemble à celles de Frankenstein! Quand j'étais petite, je voulais

sortir de mon berceau, et comme ma mère ne me prenait pas dans ses bras, j'ai essayé de sauter. Je suis tombée et il a fallu me faire sept ou huit points de suture.

« Un peu plus tard, ma mère a dit à ma grand-mère : "Je n'arrive pas à croire qu'elle ait fait ça ; elle s'est défigurée !" Et ma grand-mère a répondu : "Oh, ce n'est pas grave ; ce n'est pas comme si elle allait être actrice ou reine de beauté !" Et puis j'ai remporté le titre de Miss Texas et je suis devenue actrice. Ma grand-mère n'arrête pas de me répéter cette histoire !

« J'adore ma cicatrice. Quand je me suis installée à Hollywood, l'agent qui vivait avec moi m'a dit : "Si tu te la faisais effacer, ton visage serait parfait." Et j'ai répondu : "Je l'aime bien ; elle me donne du caractère. Je ne l'enlèverai jamais." "Avec ce genre d'attitude, tu devrais réussir dans ce business", m'a-t-il félicitée.

Toutes les spectatrices de la série meurent d'envie de savoir si Nicholas embrasse bien.
ARA : Je sais, on m'a souvent posé la question. Et la réponse est oui, définitivement.

Vous ne pouvez pas trop dire le contraire.
ARA : Je sais, mais c'est la vérité.

JOHN RITTER

Acteur de sitcom très populaire pour ses rôles dans *Three's Company et Hearts Afire*, John Ritter a également joué dans les films *L'Amour est une grande aventure, Junior le Terrible, Captain Avenger* et *Sling Blade*. Dans l'épisode « Le Fiancé », il joue le nouveau petit ami de la mère de Buffy : un homme qui n'est pas ce dont il a l'air.

Ce rôle lui a donné l'occasion de briser son image, et a valu à la série un de ses meilleurs taux d'audimat en permettant d'explorer les relations mère-fille plus en détail. En outre, John s'est beaucoup amusé sur le tournage, d'autant plus qu'il était fan de *Buffy* avant d'y participer.

« Mon agent m'a demandé si je voulais tourner dans un épisode. J'avais vu le film, que j'avais bien aimé, mais la série était encore mieux. Il est rare qu'on voie des productions de cette qualité à la télévision, à la fois dramatiques et pleines d'humour. En regardant, j'ai appris des expressions argotiques que je ne connaissais pas ! Les dialogues sonnent juste ; ils sont sarcastiques et intelligents, pas comme dans *Beavis et Butt-Head*.

« Il y a un cocktail à la fois sexy, effrayant et plein d'action. Les combats sont excitants et inventifs : les acteurs ne se contentent pas d'échanger des coups ; ils mettent à profit leur environnement. J'ai fait deux ans de karaté à l'époque où Bruce Lee vivait encore — c'est dire si je suis vieux ! Les gens de *Buffy* sont tellement créatifs… Le maquillage, la façon dont les vampires explosent quand on les tue… Au début, je pensais que ce n'était pas possible, qu'ils n'arriveraient pas à tenir le rythme semaine après semaine.

« Dès le premier épisode, que j'ai regardé avec mes trois enfants, j'étais accro. Quand mon agent a appelé pour me proposer un rôle, j'ai sauté de joie et je lui ai demandé de m'envoyer le scénario. Comme je ne recevais rien, je l'ai rappelé et il m'a dit: "Oh, le truc sur *Sabrina, the teenage witch*?" Puis le scénario est arrivé. Je l'ai trouvé vraiment super et bien écrit. »

Avoir tourné dans la série a ajouté à son prestige auprès de ses enfants. « D'habitude, je leur propose de venir me voir au théâtre ou sur le plateau mais ça ne leur dit rien. Quand ils ont su que je faisais *Buffy*, ils ont été impressionnés. Ils sont venus tous les midis et le soir après l'école. »

Son apparition n'a pas conquis que ses enfants. « Garth Ancier, de Warner Bros, m'a félicité parce que c'était la meilleure audience que la série ait réalisée jusque-là. Depuis, beaucoup de gens viennent me voir en me demandant "Faites ce truc avec votre tête"…

« Si on excepte l'action, *Buffy* traite avant tout d'un groupe de jeunes confrontés aux tourments de l'adolescence, mais d'une façon métaphorique. Dans "Le Fiancé", c'est la peur d'être abandonné par un de ses parents à cause d'un nouveau conjoint. Sauf que Ted était vraiment un sale type. Tout le monde l'aimait uniquement à cause de ses biscuits drogués. »

Et John a excellé dans ce rôle, à tel point qu'il a impressionné le créateur de *Buffy*. « Tous les matins, Joss me disait: "C'était un petit peu trop bizarre. Tâche d'être plus normal. Il faut prendre les spectateurs par surprise." Selon lui, trop de choses effrayantes passaient dans mon regard. Il voulait que je sois un peu plus désinvolte », se souvient John, amusé.

Il a apprécié de travailler avec de jeunes acteurs aussi talentueux. « Ils m'ont coupé le souffle tellement ils sont bons. Il existe une technique particulière pour jouer devant les caméras. Certains acteurs débitent leurs répliques comme s'ils récitaient une leçon et si Homère risquait de sortir de sa tombe au moindre mot écorché. Dans la vie réelle, les gens ne parlent pas comme ça. Nicholas Brendon et Alyson Hannigan arrivent très bien à reproduire cette nonchalance.

« Sarah est une grande professionnelle. Adorable, et capable de tellement de choses malgré son jeune âge ! Elle tourne depuis qu'elle est toute petite ; elle devait déjà jouer dans le ventre de sa mère ! Et il est très agréable de travailler avec elle. Dans la première scène que nous avons tournée ensemble, celle du repas en famille, j'avais l'impression de voir des rouages tourner au fond de ses yeux. Elle n'arrête jamais de réfléchir. La caméra est le seul outil capable d'enregistrer la pensée ; les acteurs qui le savent ont une longueur d'avance sur les autres.

« Entre la première et la deuxième saisons de *Buffy*, Sarah a tourné dans *Scream 2* et dans *Souviens-toi l'été dernier* ; elle n'a pas pris un seul jour de vacances ! Mais je trouve que c'est intelligent de sa part. Quand *Three's Company* a connu le succès dès sa première année, j'ai profité de mon temps libre pour tourner, parce que je ne voulais pas me reposer sur mes lauriers. Ça m'a permis de rencontrer des gens et de me rendre compte que je pouvais faire autre chose que des sitcoms. A l'époque, j'étais jeune ; j'avais assez d'énergie pour mener plusieurs projets de front. »

Pourtant, tout n'a pas été rose pour John sur le plateau de *Buffy*. « Le dernier jour, Sarah et moi étions malades tous les deux, se souvient-il. On n'arrêtait pas de dire "Excusez-moi" et de se précipiter aux toilettes dans nos caravanes respectives. J'étais vraiment dans un sale état, et c'était le jour où on devait filmer la scène de combat. La chose la plus convaincante que j'ai faite a été de jouer le mort, parce que c'est exactement comme ça que je me sentais. Mais quand on est acteur, la déontologie, c'est de respecter le public en ne laissant rien paraître de ses problèmes. »

Puis nous évoquons les films de John, et notamment *Captain Avenger,* qui parle d'un type ordinaire devenu un super-héros. « C'était la première grosse production à laquelle je participais. Ça devait être en 1979 ou en 1980. Je l'ai tourné entre deux saisons de *Three's Company.* L'auteur, A.J. Carruthers, était un type adorable. Il voulait que ça ressemble à un film de Capra. »

Une grande partie de nos lecteurs n'aura sans doute pas vu ce film. John a ensuite tourné toute la série des *Junior le Terrible,* et une comédie dramatique intitulée *L'Amour est une grande aventure.* « Je rêvais de travailler avec Blake Edwards. Nous sommes devenus très amis sur le plateau. Certains jours, on se marrait tellement que c'est un miracle d'avoir réussi à mettre des scènes en boîte.

« Je n'ai jamais connu de réalisateur qui encourage autant les gens à se détendre, ou qui cherche à provoquer des réactions aussi inattendues chez ses acteurs : par exemple, en demandant à l'un d'eux de dire une ligne ne figurant pas dans le scénario, pour voir comment l'autre réagira. Nos éclats de rire ont saboté une quantité folle de prises. Mais ils m'ont aidé à combattre la tristesse sous-jacente du film.

Nous avons entendu dire que vous aimiez taquiner le ballon, et que vous aviez sauvé l'équipe de *Buffy* dans son match contre les *Seventh Heaven.*
JOHN : Où sont les pieux quand on en a vraiment besoin ? Non, c'était vraiment sympa. J'adore jouer.

Enfant, de quoi aviez-vous peur ?
JOHN : De l'amour non réciproque.

C'est plutôt une peur d'adulte...
JOHN : J'étais très mûr pour mon âge. J'ai compris très tôt quels étaient les vrais problèmes : l'amour non réciproque et, même si ça n'a rien à voir, les sables mouvants. Encore que les seconds soient une métaphore du premier... Mais ne plongeons pas trop dans les profondeurs de ma psyché.

Avez-vous un souvenir favori de la série, devant les caméras ou en coulisses ?
JOHN : Je pense que c'est le moment où Nicholas Brendon et moi avons joué à nous renvoyer une balle de base-ball. Et aussi quand j'ai promené mes gamins sur le plateau. Je leur ai présenté les acteurs et je leur ai fait voir le maquillage et les costumes. Il régnait une si bonne atmosphère ! Les contraintes de production sont affolantes, et pourtant, chaque semaine, ces gens arrivent à fournir un épisode d'une qualité incroyable. Sans doute parce que tout le monde respecte Joss et cherche à se montrer à la hauteur.

Aviez-vous travaillé avec d'autres acteurs de la série ?
JOHN : Non, mais avec Tom Whedon, le père de Joss, il y a des années. Et mon fils Jason a joué dans une pièce en un acte écrite par Zack, le frère de Joss.

Aimeriez-vous renouveler cette expérience ?
JOHN : J'ai passé une semaine merveilleuse sur le plateau de *Buffy.* J'en parlais avec Alyson Hannigan, et on se demandait comment on pourrait me faire revenir. « Willow aurait pu garder un petit morceau de Ted, a-t-elle suggéré. Et elle en reconstruirait un par accident. »

ROBIN SACHS

Né à Londres, Robin Sachs est apparemment l'opposé de son personnage, Ethan Rayne : affable, courtois, pas du tout intéressé par la sorcellerie. Bien qu'il soit un acteur de théâtre, il a tourné dans de nombreux films et dans des séries, en Angleterre et aux Etats-Unis. A la télévision, on a pu le voir dans *Diagnosis Murder, Nowhere Man, Nash Bridges, Walker Texas Ranger, Brideshead Revisited, Babylon 5* et *Arabesque*.

Robin connaissait *Buffy* quand son agent l'a mis sur les rangs pour le rôle d'Ethan Rayne. « J'avais vu plusieurs épisodes ; je trouvais ça excellent, bien écrit, bien produit et bien réalisé », se souvient-il.

Bien qu'il ne s'intéresse pas particulièrement au fantastique, Robin a toujours été intrigué par les productions du genre, « Tant qu'elles sont bien faites. J'adore regarder la télé et aller au cinéma. Tous les média visuels m'attirent. Les films de Boris Karloff, qui me semblaient si terrifiants quand j'étais gamin, ne sont rien du tout comparés à ce qu'on fait maintenant ! »

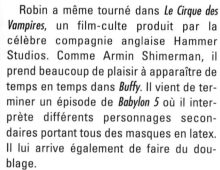

Robin a même tourné dans *Le Cirque des Vampires*, un film-culte produit par la célèbre compagnie anglaise Hammer Studios. Comme Armin Shimerman, il prend beaucoup de plaisir à apparaître de temps en temps dans *Buffy*. Il vient de terminer un épisode de *Babylon 5* où il interprète différents personnages secondaires portant tous des masques en latex. Il lui arrive également de faire du doublage.

Pour ce qui est de son avenir dans la série, il semble probable que nous reverrons Ethan. Robin a une petite idée sur les raisons qui l'ont fait si mal tourner : « Je pense que sa mère ne l'aimait pas trop et qu'elle l'enfermait dans le placard à balais quand elle allait faire ses courses. Ça a certainement un rapport avec son enfance. »

Aviez-vous travaillé avec d'autres acteurs de la série ?
ROBIN : J'avais rencontré Anthony Head en Angleterre.

En supposant, comme nous l'espérons tous, qu'Ethan Rayne reviendra, avez-vous des talents dont vous aimeriez faire la démonstration dans *Buffy* ?
ROBIN : Des tas ! Je suis une ceinture noire de karaté ; j'ai fait de la boxe, je joue au tennis, je monte à cheval. J'adorerais jouer un cow-boy, mais il m'étonnerait que j'en aie l'occasion... surtout dans *Buffy*. Je n'ai pas fait d'équitation depuis mon départ d'Angleterre.

Avez-vous des cicatrices, des tatouages ou d'autres marques distinctives ?
ROBIN : Je suis couvert de cicatrices. Quand j'avais huit ans, je me suis ouvert le bras sur une rambarde en fer. J'ai des cicatrices dans les sourcils, récoltées lors de bagarres dans

la cour de récré, et deux plus récentes que je me suis faites juste avant d'être engagé pour « Halloween ».

« J'étais en train d'installer un climatiseur sur une vieille fenêtre, et il n'y avait personne pour m'aider. Pendant que j'enlevais le vieux, la fenêtre s'est déglinguée et je suis passé au travers avec le climatiseur. Je me suis ouvert l'épaule et le cou à la hauteur de la pomme d'Adam.

« J'ai beaucoup saigné. D'habitude, ça ne m'inquiète pas trop. Mais après avoir installé le nouveau climatiseur, je suis allé me regarder dans une glace. J'avais salement besoin de points de suture sur l'épaule. Et chaque fois que je penchais la tête, ma blessure sur la pomme d'Adam s'ouvrait comme une petite bouche.

« Je devais tourner deux jours plus tard. J'ai donc décidé d'aller à l'hôpital, et ils m'ont recousu avec du fil transparent qui ne se voit pas à l'écran. Mais comme beaucoup d'Anglais, je déteste les docteurs et les hôpitaux. En fait, c'est ma femme qui m'a persuadé d'y aller.

Giles et Ethan ont fait quelque chose de vraiment stupide quand ils étaient plus jeunes. Quelles erreurs vous hantent encore ?

ROBIN : Rien de bien terrible. Quand j'avais une vingtaine d'années, j'ai fait faire une série de portraits. Il paraît que j'étais très bien foutu à l'époque, et le photographe m'a suggéré de faire quelques clichés torse nu, juste au cas où... J'ai accepté, et j'ai envoyé les tirages à mon agent pour qu'il choisisse les meilleurs. Mais il a dû en garder un, parce que j'ai su qu'une photo de moi à moitié nu avait circulé !

JOSS WHEDON

Nous avons eu la chance d'être sur le plateau pendant que Joss réalisait l'épisode final de la deuxième saison. Malgré son emploi du temps surchargé, il a profité de toutes les pauses pour nous parler de sa création… Sans jamais paraître prétentieux: les plus grandes louanges sur la série que nous avons entendues venaient des acteurs et des techniciens.

Buffy ne traite pas tant de créatures des ténèbres que de démons personnels. Comme l'a dit David Greenwalt, «si Joss avait passé une seule journée agréable au lycée, aucun d'entre nous n'en serait là.»

Telle est la magie de la série depuis le début. Les spectateurs peuvent s'identifier à Buffy et compagnie, non parce qu'ils luttent contre les forces du mal, mais parce qu'ils affrontent les mêmes horreurs qu'eux au temps de leur adolescence. Les monstres sont généralement des symboles des problèmes que doivent résoudre les jeunes gens.

Buffy est une des séries les plus populaires du moment. Pourtant, le scénario original de Joss Whedon a suivi un itinéraire peu commun: il a d'abord servi de base à un film qui n'a jamais eu de succès, sinon parmi les amateurs du genre, avant de devenir un pilote dont personne ne voulait, pour finalement se transformer en une série qui rassemble des millions de fans.

Mais autant le film s'était écarté de la vision de Joss, autant la série y est fidèle.

Pour mieux comprendre, intéressons-nous à la carrière de cet enfant prodige d'Hollywood, en passe de devenir un réalisateur culte.

Dans la famille Whedon, on fait de la télévision depuis trois générations. Le grand-père de Joss écrivait pour des émissions telles que *The Donna Reed Show* et *Leave It to Beaver*; son père, Tom Whedon, pour *The Dick Cavett Show, Alice* et *Benson*. Quant à Joss, il a commencé par écrire pour des séries comme *Roseanne* et *Parenthood,* avant de s'intéresser au grand écran et de devenir le scénariste d'*Alien: La Résurrection* et de *Toy Story* (pour lequel il a été nominé aux Oscars).

Il a grandi à Manhattan et fréquenté le lycée pour garçons de Winchester, en Angleterre, avant de retourner aux Etats-Unis pour aller à la fac de Wesleyan, dans le Connecticut. Puis il fut engagé par les producteurs de *Roseanne*, et passa directement d'un petit boulot dans un magasin de vidéo à un poste envié dans le monde de la télévsion.

Malgré sa réussite professionnelle, Joss affirme que *Buffy* est son projet le plus personnel… et la meilleure façon qu'il a trouvée pour exorciser ses mauvais souvenirs d'adolescence. «Je ne revis pas les années passées au lycée, je les réinvente. J'aime faire évoluer les personnages, déterminer ce qui leur arrive et la façon dont ça influera sur leurs rapports.»

Avoir réussi à la sublimer de cette façon devrait changer les sentiments que Joss éprouve vis-à-vis de son adolescence. Pourtant, contrairement à l'opinion si répandue, «tout n'a pas été si terrible. Je me souviens d'un jeudi…» Il éclate de rire.

«J'avais quelques amis, et j'ai vécu de bons moments, mais ce ne sont pas ceux qui m'inspirent le plus. La série me permet de faire la paix avec les mauvais moments. Ce qui ne m'empêche pas de prendre mes distances par rapport à mon vécu. Je ne cherche pas à me venger de quelqu'un en particulier. Au contraire, j'essaye de me mettre à la place des "bourreaux", de voir les choses selon la même perspective qu'eux. Je me dis qu'ils doivent souffrir aussi à leur façon.»

La douleur est devenue le thème prépondérant de la série, bien plus que la terreur ou l'humour. «Quand on s'identifie vraiment aux personnages, il est plus facile d'explorer leur âme. Un jour, j'ai dit en plaisantant: "La clé de la série, c'est que Buffy souffre." Sarah n'arrête pas de se plaindre: "Encore une scène où il faut pleurer? Pourquoi me fais-tu ça? Tu sais où je suis obligée d'aller chercher ces larmes?" et je réponds: "L'Amérique doit te voir souffrir, parce que tu le fais vraiment bien."»

Joss éclate de rire, mais on voit qu'il ne plaisante pas. «Les personnages vivent en permanence des épreuves initiatiques, comme les héros de légende. Souvent, l'histoire n'a aucun sens jusqu'à ce que nous découvrions lequel elle touche le plus, et pourquoi… les méchants compris. Si on ne peut pas s'identifier à eux, ce sont juste des silhouettes de carton.»

Après que le film eut échappé à son contrôle, Joss ne pensait plus avoir l'occasion de travailler sur un projet aussi personnel. Puis Gail Berman et Fran Kuzui lui ont demandé s'il voulait faire la série télé. «Je n'aurais jamais pensé m'occuper moi-même de la réalisation, mais plus j'y réfléchissais, et plus ça m'enthousiasmait. J'avais tellement d'histoires à raconter! Je n'aurais pas cru que ça envahirait toute mon existence à ce point, que ça aurait un tel impact sur moi.»

Bien qu'il aime le fantastique depuis toujours, ce n'est pas cet aspect de la série qui lui tient le plus à cœur. «J'aime faire allusion aux vieux films de terreur, mais le noyau de la série est un environnement émotionnellement sûr. Les personnages se portent beaucoup d'affection, ils sont prêts à tout les uns pour les autres.

«Quand les choses vont mal pour eux, les spectateurs ne peuvent s'empêcher de compatir. Les forces des ténèbres ne sont pas aussi terrifiantes que ce que nous avons déjà au fond de nous ou ce que nous pouvons faire aux gens qui nous entourent. Beaucoup de mes amis, qui ne sont pas amateurs de fantastique, apprécient la série à cause de ça.»

On dit souvent que les scénaristes sont des acteurs ratés. Joss va plus loin encore. «Je suis un scénariste et un acteur raté. Je suis frustré par tout ce que je peux pas faire. Mais sur *Buffy*, j'interviens à chaque stade de la production. Parfois, je m'occupe même des décors et des costumes. C'est ça qui est agréable quand on travaille pour la télévision.»

Le fantastique a toujours occupé une place de choix dans son cœur. Joss est une véritable encyclopédie du cinéma, de la télévision et des comics; ses influences sont aussi nombreuses que variées.

«J'en ai tellement que je serais bien incapable de les citer toutes, reconnaît-il. J'ai tendance à piquer des choses que j'aime à droite et à gauche pour les amalgamer. Les vampires ont un visage démoniaque la moitié du temps. D'un côté, je ne voulais pas qu'on voie une lycéenne démolir des gens apparemment normaux. De l'autre, il ne fallait pas que les spectateurs puissent deviner trop vite si un personnage était un vampire ou pas. S'ils tombent en poussière quand ils meurent, c'est parce que je ne voulais pas que le problème de faire disparaître les cadavres se pose à chaque fois.

« J'ai lu *La Tombe de Dracula* ; je suis un grand fan de *Blade* et du dessinateur de comics Gene Colan. J'adore aussi *Morbius*, et tout ce qui parle de morts-vivants ou d'âmes torturées. Je me délecte de tous ces vieux comics. Mes influences côté cinéma ? *Génération Perdue*, évidemment : là aussi, les vampires se transforment quand ils se nourrissent. *Aux Frontières de l'Aube*... Le Dracula de Langella, que j'ai vu au théâtre. *La Nuit de la Comète*, un film injustement boudé. Le remake de *The Blob*, aussi, que j'ai adoré. J'ai même sur mon bureau une photo de Shawnee Smith avec un M-16 ! Elle m'a beaucoup inspiré. »

Avez-vous un souvenir favori de la série, devant les caméras ou en coulisses ?

JOSS : A la fin de « Moloch », quand Buffy et les autres réalisent à quel point leur vie sentimentale est pathétique. C'est ma fin d'épisode préférée. Pendant le tournage d'« Innocence », aussi : j'avais enfin le sentiment que toutes les pièces du puzzle se mettaient en place. Nous avions créé quelque chose de supérieur à la somme de ses parties et ma série était animée d'une vie propre. C'était génial. J'étais si excité que les taux d'audience record n'y ont pas ajouté grand-chose.

« La scène avec le lance-missiles, quand les méchants volent partout et qu'il y a cette explosion... Je trépignais sur place comme un gamin. Mais le lendemain, on a tourné la dernière scène avec Buffy et sa mère, et pendant que je visionnais les prises, je me suis dit : " C'est encore mieux que tous les lance-missiles du monde. " Sarah et Kristine étaient fantastiques ; leurs paroles sonnaient si justes...

Les acteurs vous ont-ils inspiré l'évolution de leurs personnages ?

JOSS : Absolument. Ils influent sur leur attitude, sur leur façon de parler ; ils ne peuvent s'empêcher d'y mettre un peu d'eux-mêmes, bien que je leur donne des consignes très strictes. Mais plus la série avance, plus Willow ressemble à Alyson... Idem pour les autres. Parce que je découvre mes acteurs en tant que personnes. Ils ajoutent de la profondeur aux personnages et deviennent les héros de leurs propres histoires.

Les vampires de la mythologie de *Buffy* sont-ils organisés en clans ?

JOSS : Non. Je pense à chacun d'eux en tant qu'individus. Comme il est dit dans les livres de C.S. Lewis « Nous vénérons tous le même dieu, mais nous lui donnons des noms différents ». Eh bien, c'est pareil pour mes vampires : ils font tous le mal de façon différente. Il n'existe pas de groupes qui partagent une apparence ou des pouvoirs. Il y a juste des figures charismatiques qui rassemblent les autres autour d'elles, un peu comme des gourous.

Existe-t-il une Assemblée des Observateurs ?

JOSS : Il existe une sorte de bureaucratie, basée en Angleterre, pour laquelle travaille Giles. Mais elle est très mal organisée, puisque aucun de ses membres ne sait jamais ce que font les autres. En réalité, découvrir la Tueuse, l'entraîner et savoir où émergera la prochaine est davantage le fait du hasard ou de la magie que d'une surveillance par l'Assemblée. Ses membres ne sont plus aussi dévoués qu'autrefois ; aussi Giles s'efforce-t-il de s'en détacher. C'est encore un peu vague...

Comptez-vous faire de Willow une Observatrice ?

JOSS : Non, ça n'a jamais été mon intention. J'ai d'autres plans pour elle.

Enfant, de quoi aviez-vous peur ?

JOSS : De trucs bateaux : le noir, les monstres cachés sous le lit... et de mon frère aîné. Mon père, aussi, mais je me suis aperçu en grandissant que c'était un type bien. *Horror*

Hotel, ça, ça me terrifiait : des sorcières avec leur châle, des silhouettes enveloppées de capes qui traversaient des cimetières en psalmodiant... Brrr !

Avez-vous des cicatrices, des tatouages ou d'autres marques distinctives ?
JOSS : J'ai une cicatrice sur le poignet. En général, je prétends que c'est dû à une tentative de suicide. Mais je me suis juste écorché sur un clou rouillé.

Nous vous avons vu vous goinfrer de chocolat Hershey sur le plateau.
JOSS : Ah, oui. De temps en temps, je fais une crise. Mais je ne passe pas ma vie à en manger.

Tous les participants à la série ont l'air de croire que c'est le destin qui les a conduits là. Cela vous effraie-t-il ?
JOSS : Ce qui m'effraie, c'est de penser que je travaillerai un jour sur d'autres séries où ce ne sera pas le cas ! C'est vrai que j'ai aussi cette impression. Il me vient des sueurs froides chaque fois que je me demande ce qui ce serait passé si je n'avais pas trouvé telle ou telle personne. Surtout Sarah. Mais j'ai comme un sentiment d'inéluctabilité.

DAVID GREENWALT

Si vous le voyiez sur le plateau, vous le prendriez pour un acteur. En réalité, David Greenwalt est le co-producteur exécutif de la série, et il a écrit le scénario de plusieurs épisodes. Il travaille main dans la main avec Joss Whedon. Celui-ci mis à part, il est la seule personne au monde qui connaisse la destinée de Buffy.

David est un vétéran d'Hollywood qui exerce ses talents de scénariste, de producteur et de réalisateur depuis plus de vingt ans. Parmi les séries influencées par son travail, citons *The Wonder Years, The Commish, Shannon's deal, Doogie Howser M.D.* et *Profit*, qu'il a co-créé.

Nous l'avons rencontré dans son bureau, où il a eu la gentillesse de nous accorder tout le temps dont nous avions besoin. Nous avons d'abord parlé d'Angel, qui selon lui « est un être torturé. Il reviendra dans la série avant de s'en éloigner définitivement pour suivre son propre chemin. » Et même si Angel est redevenu bon, il sera accueilli très froidement. « Au début, Buffy tentera de garder son retour secret. »

En ce qui concerne la qualité de la série, David refuse modestement d'en être tenu pour responsable. Il fait partie des gens qui ont collé l'étiquette de génie à Joss Whedon. « Joss déborde d'idées. Il est émotionnellement relié à chacun des personnages, et voit vers où ils se dirigent. Le monde de *Buffy* devient de plus en plus complexe, mais ça fait partie de son plan. Les adolescents changent, ils se transforment en jeunes adultes. Les voiles tombent peu à peu devant leurs yeux ; ils prennent conscience des réalités essentielles. L'année prochaine, ils auront leur bac ; certains partiront à la fac, d'autres rentreront dans le monde du travail.

« Mais tout n'est pas planifié depuis le début. Comme le fait que Jenny soit une bohémienne ! On n'arrêtait pas de se dire que ce serait bien si elle avait un secret, et puis on a pensé à ça. La plupart des séries se focalisent sur le même personnage toutes les semaines, parce que c'est plus facile. Mais Joss n'a pas peur de prendre des risques.

« Il donne aux spectateurs l'impression que tout peut arriver : des proches de Buffy peuvent disparaître brutalement ou devenir mauvais, comme Angel. Quand Buffy et lui consomment enfin leur relation et qu'il perd son âme, c'est une métaphore pour "il n'a pas rappelé". La réalisation de vos pires craintes! Un avertissement pour tous les gens qui veulent aller trop vite trop tôt, et qui ont les yeux plus gros que le ventre. »

David a commencé dans le métier comme doublure de Jeff Bridges. Puis il est devenu scénariste et a co-écrit trois films pour le cinéma: *Class, American Dreamer* et *Une amie qui vous veut du bien* qu'il a également réalisé. Plus tard, il a réalisé des téléfilms pour Disney, et s'est impliqué de plus en plus dans le monde de la télévision.

« Ça me plaisait beaucoup; j'avais l'impression que les gens étaient vraiment compétents. Je n'ai jamais fait preuve du snobisme de certains intervenants du cinéma dès qu'il s'agit de télé. Quelqu'un qui peut produire un épisode fabuleux en huit jours est capable de sortir un film tout aussi fabuleux en six mois. A la télé, les gens bossent plus dur.

« Chaque année, nous produisons vingt-deux heures de télévision, ce qui correspond à onze films de cinéma. Ça fait beaucoup. Pour moi, c'est comme un retour dans les années 30 ou 40, quand les gens des studios participaient à cinq films par an. Les génies en sont peut-être capables, mais je ne crois pas que j'apprendrais grand-chose si je faisais un film tous les quatre ans. Trois par semaine, en revanche, je trouve ça stimulant. »

Après avoir écrit et réalisé plusieurs épisodes de *The Wonder Years* et *Shannon's Deal*, David a travaillé sur *The Commish* pour Stephen J. Cannell. Au bout de deux ans, il s'est associé avec un ami pour créer la série *Profit*: une curiosité dans l'histoire de la télé américaine; les critiques l'adoraient, mais personne ne la regardait.

Son originalité (elle avait un méchant pour héros) a fait remarquer David Greenwalt et lui a permis de décrocher un contrat avec la Fox. Il devait travailler pour *X-Files* tout de suite après avoir donné un coup de main sur un projet, le pilote d'une série *Buffy contre les Vampires*. David ne s'attendait pas à ce que ce soit le coup de foudre.

« Je me souviens d'avoir dit à ma femme: "Tu veux savoir quel est le meilleur pilote de l'année? C'est celui de *Buffy*." Joss avait bossé sur *Roseanne* et sur *Parenthood*, et il s'était fait un nom dans le monde du cinéma. Mais *Buffy*, c'est son bébé. Il y est totalement dévoué. Dans une série, il est toujours difficile d'imaginer une centaine d'épisodes, mais les personnages de *Buffy* ont tellement de potentiel que les idées jaillissent toutes seules. »

Inutile de dire que renoncer à *X-Files* ne fut pas facile. Mais David n'a jamais regretté sa décision. Bien qu'il soit le parrain de *Buffy* plus que son père, il est tout satisfait du rôle qu'il joue dans la série. « Dans chaque génération, il y a un Elu, dit-il, parodiant le pré-générique de *Buffy*. Et je pense que c'est Joss. Gare à vous, Steven Spielberg: ce type n'a que trente-quatre ans! Un jour, il sera aussi riche et couvert de gloire que vous. Ça ne fait pas le moindre doute.

« Inventer une histoire avec lui, c'est comme jouer au tennis avec un pro. Il frappe toutes les balles très fort, et ça oblige ses partenaires à améliorer leur jeu. J'ai bossé dur pour apprendre à maîtriser la structure des scénarios, l'équilibre entre humour et émotion, la justesse des dialogues, et Joss a été un fabuleux professeur.

« Il dirige la série, mais il est prêt à laisser les autres prendre des initiatives. Il est très ouvert aux suggestions; il sait bosser en équipe et n'hésite pas à reconnaître les contributions des autres. Je mentirais en disant que cinquante pour cent de la série repose sur mes épaules, mais ça me satisfait pleinement d'être le numéro deux. »

Quant à la popularité de *Buffy*, David l'analyse comme suit: contrairement à beaucoup d'autres, la série n'hésite pas à explorer le côté obscur des choses. « La télévision est souvent considérée comme un monde aseptisé par rapport au cinéma. La règle implicite, c'est d'écrire des scénarios qui finissent bien et qui n'obligent pas les spectateurs à trop réfléchir.

« Mais Joss ne cesse de creuser de plus en plus profond. L'épisode "Mensonge", par exemple, implique que l'innocence et le Bien n'existent pas. Les gentils et les méchants ne sont pas clairement définis. C'est une idée assez perturbante. En même temps, Joss réussit à ne pas s'aliéner les spectateurs. Un véritable tour de force. »

Quant à l'avenir de la série, David affirme que *Buffy* finit à peine de s'échauffer. « La troisième saison va être fabuleuse. Nous occupons une place prépondérante dans l'industrie de la télévision. On parle de la série à la radio ; elle est mentionnée dans les questions de *Jeopardy* et figure déjà dans le lexicon. Pourtant, si on regarde bien, il n'y a que douze mois qu'elle est diffusée.

« Je pense qu'elle est appelée à devenir un classique, et que Sarah ne tardera pas à être nominée aux Emmy Awards. Evidemment, certaines personnes ne regarderont jamais une série intitulée *Buffy contre les Vampires*, mais à mesure que les spectateurs en parlent et la recommandent à leurs amis, nous allons conquérir une plus large audience. »

De toutes les casquettes que vous portez dans *Buffy*, quelle est votre préférée ?

DAVID : Celle de scénariste. Ecrire une histoire, c'est à la fois la chose la plus difficile et la plus satisfaisante. Beaucoup de gens qui veulent devenir scénaristes commettent la même erreur : ça ne consiste pas à jeter des mots sur le papier, mais à comprendre les personnages et leur évolution, à savoir où on veut en venir à la fin d'un épisode. C'est un défi à chaque fois, et c'est aussi très amusant. Cela dit, j'aime bien aussi mon boulot de réalisateur et de producteur.

Avez-vous un souvenir favori de la série, devant les caméras ou en coulisses ?

DAVID : Lorsque j'ai réalisé « Dévotion », et que Buffy danse avec ce type de la fraternité qui se révèle être le chef d'une secte. J'avais beaucoup d'idées sur la manière de tourner cette scène, mais Sarah a protesté : « C'est trop dur à chorégraphier ; occupe-toi juste de la caméra et laisse-nous faire le reste. » Elle a eu raison.

« Ce fut un de ces moments magiques comme on en a parfois sur le plateau, quand les choses se mettent en place d'elles-mêmes et que la prise est encore meilleure que dans votre imagination. Tout sonne incroyablement juste et qu'on oublie presque que c'est de la fiction. Alors, tout le monde retient son souffle en voyant sortir une perle de l'huître.

Plus jeune, étiez-vous intéressé par le fantastique et la terreur ?

DAVID : Pas autant que Joss. Moi, je suis plutôt branché Billy Wilder, John Ford, Preston Sturges et comédies romantiques. Au début de ma carrière, je ne faisais que ça. J'ai appris à maîtriser la structure dramatique au fil des ans, mais ce n'est pas ma tendance naturelle. En bossant avec Joss, j'ai découvert que c'était super, parce que dans son monde, les démons intérieurs des gens se manifestent pour de bon. Ça donne une autre dimension à la série.

FRAN RUBEL KUZUI

Seul Joss Whedon est impliqué dans le projet de *Buffy* depuis plus longtemps que Fran Kuzui. Elle était là au commencement, puisque c'est elle qui a réalisé le film original. Mariée au producteur Kaz Kuzui, elle dirige avec lui Kuzui Entreprises, une des plus grosses compagnies de distribution de films indépendants du Japon.

Son parcours est typique à Hollywood. «Depuis l'âge de douze ans, je savais que je voulais faire des films. J'étais présidente du club de théâtre de mon lycée, et je mettais en scène toutes les pièces. Mon professeur de théâtre était mon mentor et ne cessait de m'encourager. A la fac, j'ai commencé à prendre des cours de réalisation dès la première année.

«A l'Université de New York, dans le cadre d'un devoir de fin d'études, j'ai écrit un projet d'émission télévisée. Mon prof venait juste d'être nommé à la tête des relations publiques de PBS. Il m'a engagée sur la base de ce projet. Trois semaines après la cérémonie de remise des diplômes, j'étais productrice associée au département des documentaires!»

Après avoir travaillé pour la télévision, Fran produisit des films éducatifs pour l'Encyclopedia Britannica. Puis elle rencontra le célèbre réalisateur Milos Forman. «Il venait d'arriver de Tchécoslovaquie. Je lui ai dit que je mourais d'envie de suivre ses traces, et il a proposé de me prendre sous son aile. Pendant deux ans, j'ai été son assistante. Certains ont pensé que je rétrogradais dans la hiérarchie, mais il m'a aidée à entrer dans le syndicat professionnel et il m'a appris presque tout ce que je sais.»

Fran écrivit et réalisa *Tokyo Pop*, un film qui fut vivement applaudi au Festival de Cannes en 1988. Son dernier projet de productrice en date est *Orgazmo*, un film dirigé par Trey Parker et Matt Stone (les créateurs de *South Park*). Si elle a été impliquée dans *Buffy*, c'est pour avoir obéi à son instinct.

«Je venais de rentrer du Festival de Cannes quand mon agent m'a envoyé un scénario que j'ai adoré, celui de *Cool Runnings*. J'ai passé les deux années suivantes à essayer de trouver un financement indépendant, mais comme je devais être la réalisatrice, pas la productrice, les options sur le scénario ont expiré sans que je sois au courant. Quelqu'un d'autre a acheté les droits, et je n'ai jamais pu faire le film.

«Après ça, j'étais complètement déprimée. Lors d'une soirée d'anniversaire, je suis tombée sur Howard Rosenman qui m'a dit: "J'ai un scénario dont tu vas tomber amoureuse. Passe me voir la semaine prochaine." Quand j'y suis allée, il me l'a jeté sur les genoux. J'ai juste lu le titre et dit: "Je vais le faire. Un truc qui s'appelle *Buffy contre les Vampires* ne peut pas être mauvais."

«J'ai appelé Joss, et on s'est rencontrés. Comme j'étais très fan de John Woo, j'ai suggéré qu'on ajoute des arts martiaux. Et comme j'aimais la comédie, j'ai voulu qu'on en fasse quelque chose d'humoristique plutôt que d'effrayant. Ce qui m'intéresse, ce que je veux faire, c'est de l'art populaire. J'entendais m'adresser au grand public plutôt qu'aux fans d'un genre particulier.

«Alors j'ai suggéré que chaque fois que Buffy rencontrerait un vampire, elle fasse des arts martiaux avant de l'éliminer, un peu comme dans *The Killer* de John Woo où la violence est chorégraphiée, filmée à la manière d'un ballet plutôt que de façon très réaliste comme dans les films de Jean-Claude Van Damme. Je pense que c'est la plus grosse modification que j'aie apportée au scénario.

«Pendant qu'on le réécrivait avec Joss, j'ai dit plusieurs fois: "Ça, c'est une remarque idiote; on ne pourrait pas l'enlever?" Il protestait: "Mais je me souviens l'avoir dit quand j'étais au lycée!", et on éclatait de rire en pensant à cette époque. L'adolescence, c'est dur et très joyeux à la fois; je voulais retrouver cet équilibre dans le film. Au départ, Joss était axé sur le côté effrayant, mais il m'a soutenue à cent pour cent et aidée à retravailler le scénario selon ma vision. Ça a quand même pris plusieurs mois... »

Après avoir envoyé le scénario final à la Fox, Fran et Kaz partirent en vacances à Hawaii. En général, les choses mettent du temps à se produire à Hollywood. Mais le lendemain de leur arrivée, ils reçurent un coup de fil de la Fox disant que Joe Roth donnait le feu vert à *Buffy*, et qu'il voulait les rencontrer à Los Angeles le plus tôt possible.

Quand il apprit que le couple était en vacances, il accepta de retarder le rendez-vous d'une semaine. « Entre le moment où mon agent m'a montré le scénario et celui où on a reçu le feu vert, il s'est écoulé à peine six mois, calcule Fran. Dans le monde du cinéma, c'est incroyablement rapide! »

Quant à l'accueil mitigé du public, Fran l'impute à des erreurs de marketing au moment de sa sortie. « Je sais que ce film a des fans, mais je pense que la publicité n'était pas suffisamment ciblée. Gail Berman, qui avait adoré, est venue me voir pour me dire : "Un jour, je ferai de *Buffy* une série télé." J'étais tellement déçue par le manque de succès du film que j'ai répondu : "Je ne crois pas que le moment soit bien choisi." Mais quelques années plus tard, j'ai eu le pressentiment qu'il était venu.

« Pour moi, depuis le début, *Buffy* traitait du Girl Power. Quand j'ai vu que les médias se faisaient de plus en plus le reflet de cette tendance, notamment à travers le succès des groupes de filles comme les Spice Girls, j'ai appelé Gail et je lui ai dit : "Tu te souviens de cette histoire de série télé? Et si on la faisait?" Peu de temps après, tout le monde à Hollywood se battait pour faire partie du projet. Comme s'il était béni des dieux depuis le départ. »

Quand on lui fait remarquer que sa propre carrière est un parfait exemple de Girl Power, Fran marque une pause. « Le vrai défi, pour moi, c'est d'avoir fait un film considéré comme un flop et d'avoir surmonté ça. Puis d'avoir confié la direction créative de la série à Joss Whedon pour lui permettre d'exprimer sa vision.

« C'est le sujet principal de *Buffy*, au fond : assumer les conséquences de ce qu'on fait et ne pas laisser les échecs vous abattre, mais avoir la sagesse de reconnaître ses erreurs et de les corriger. J'ai eu le courage de dire à Joss : "C'est ton projet; revenons à ta vision et basons la série dessus."

Selon Fran, le Girl Power est presque plus important pour les garçons que pour les filles. « *Buffy* est un modèle pour les adolescentes, mais si on n'éduque pas les hommes dès leur plus jeune âge, ils ne laisseront jamais leurs compagnes réaliser leur potentiel. C'est bien gentil d'apprendre à nos filles à devenir des Tueuses, mais il faut aussi apprendre à nos fils à se comporter en Alex. »

Avez-vous un souvenir favori de la série, devant les caméras ou en coulisses ?

FRAN : J'adore l'épisode avec la mante religieuse. Et l'atmosphère qui règne sur le plateau. Comme je n'y viens pas tout le temps, certaines personnes ignorent qui je suis. Un jour, j'ai demandé un renseignement à un machiniste, et il m'a lancé : « Qu'est-ce que vous faites là ? » « Croyez-le ou non, ai-je répondu, je suis la productrice exécutive. » Alors, son visage s'est éclairé. « Merci, merci d'avoir créé tout ça. Travailler ici est une des meilleures expériences de ma vie. »

GAIL BERMAN

A présent qu'elle dirige une nouvelle compagnie, Regency Television, en plus d'être une des productrices exécutives de *Buffy*, Gail Berman a dû déplacer son bureau. Mais elle n'a pas été bien loin, à peine une centaine de mètres.

Quand nous nous asseyons pour l'interviewer, tout n'est pas encore en place ; pourtant, Gail semble maîtriser la situation. Elle fait mettre tous ses appels en attente, à l'exception de ceux de sa fille. La chaleur et la fierté qu'on entend dans sa voix quand elle lui répond font chaud au cœur.

Gail a débuté peu de temps après avoir obtenu son diplôme de l'Université du Maryland. Elle a produit *Joseph and the Amazing Technicolor Dreamcoat* au Ford Theater de Washington D.C.

« Neuf mois après sa sortie d'affiche, le spectacle est arrivé à Broadway, et je suis devenue la plus jeune productrice à avoir jamais travaillé là-bas. Je n'ai jamais eu besoin de passer par le stade d'assistante ; j'ai vraiment eu beaucoup de chance. Je suis restée dans ce milieu pendant dix ans. »

Au théâtre, elle a produit *Hurly Burly*, *The Nerd*, *Blood Knot* et toutes les versions de *Joseph*. Elle a même fait partie du conseil d'administration de la Ligue des Producteurs de Théâtre Américains, où son collègue le plus jeune avait trente ans de plus qu'elle.

En 1989, elle décida qu'il était temps de changer d'orientation. « Mais je n'avais aucune idée de ce que j'allais faire ensuite. » Elle accepta un emploi sur la nouvelle chaîne Comedy Channel (devenue depuis Comedy Central).

« C'était extraordinaire, parce qu'on partait de zéro et qu'il fallait tout apprendre. Faute de gros moyens, tout était localisé au même endroit. J'ai pu toucher à tous les aspects de la télévision. » Entre autres choses, elle produisit une nouvelle émission, *Mystery Science Theater 3000*.

Après que la carrière de son mari les eut obligés à déménager en Californie, Gail démissionna et travailla pour Sandollar à Los Angeles. « Je ne savais pas exactement ce que je voulais faire, mais c'était un bon moyen de démarrer sur la côte ouest. J'ai commencé comme vice-présidente, et j'y suis restée jusqu'à ce que je doive me consacrer exclusivement à *Buffy*. »

Aujourd'hui, en plus d'être une des productrices exécutives de la série, Gail occupe le poste de présidente du studio Regency Television, une société en joint venture avec la Fox. C'est en partie grâce à elle que *Buffy* est arrivé sur le petit écran.

« Quand je suis entrée chez Sandollar, un des premiers scénarios que j'ai lus était celui du film. Je l'ai trouvé épatant. Avant qu'il sorte au cinéma, je suis allée voir Sandy Gallin, notre président, et je lui ai dit : "Ça ferait une série télé géniale." Il a approuvé et donné beaucoup de coups de fil, mais personne n'était intéressé. Très déçue, je suis rentrée chez moi la queue entre les jambes. Comme je ne pouvais rien faire d'autre, j'ai relégué le projet sur une étagère en me disant : "Un jour, peut-être…" »

« Deux ans plus tard, Fran Kuzui m'a appelée. Quelqu'un l'avait contactée en prétendant être intéressé. Mais je savais que c'était nous qui devions le faire. Nous nous sommes mis au travail toutes les deux. Je ne connaissais pas Joss ; j'avais seulement lu le scénario original. Contractuellement, nous étions obligées de lui soumettre le projet. Sa carrière au cinéma décollait, et nous pensions qu'il ne voudrait jamais faire la série… »

« Son agent non plus, et il ne s'est pas privé de nous le dire. Puis il nous a rappelées quelques jours plus tard pour nous apprendre que c'était la seule chose qui l'intéressait. J'ai rencontré Joss, et on s'est tout de suite bien entendus. On avait la même vision des choses, et on a cherché comment la vendre à une chaîne de télé. »

Gail insiste sur le fait que, d'un bout à l'autre, *Buffy* est la série de Joss. « L'idée de l'adapter à la télé vient de moi, mais la création est sienne. Tout ce que vous voyez à l'écran, chaque ligne de dialogue que vous entendez… Certains épisodes me plaisent plus que d'autres, mais je ne suis jamais déçue par son concept. »

Gail est d'autant plus ravie par le succès de la série que la Fox, au début, n'a pas laissé beaucoup de chance à *Buffy*. « On nous considérait comme le fond du tonneau. On a débarqué en milieu d'année, avec une saison de treize épisodes basée sur un film qui avait fait un flop. Ça n'aurait pas pu être pire. »

Même le titre a été un sujet de discorde. « La chaîne n'en voulait pas, mais aucune des idées qu'elle nous a proposées ne nous satisfaisait. Ça a donné lieu à de belles bagarres ! Aujourd'hui, tout le monde trouve ça normal parce que la série marche ; ça ne fait plus tiquer personne. Mais à l'époque, le département marketing de la chaîne avait prédit que ce serait un échec… Les spectateurs ne regarderaient jamais une série intitulée *Buffy contre les Vampires* ! »

Contrairement à l'héroïne de Joss Whedon, qui doit affronter sa destinée quoi qu'il arrive, Gail n'hésite pas à abandonner un projet quand elle estime que ça n'en vaut plus le coup ou qu'elle a déjà perdu trop de billes. Mais elle pense que l'incapacité de Buffy à se dérober à ses devoirs fait partie des choses qui la rendent attachante.

« Suzanne Daniels, de la Fox, a fait remarquer, au début de la première saison, que c'était une des choses qui ne lui plaisaient pas, cette réticence de Buffy à assumer sa destinée. Peu à peu, le personnage a fini par accepter ses responsabilités… même si elles ne l'enchantent toujours pas. »

Aujourd'hui, on voit beaucoup de séries dont les héroïnes ont une forte personnalité. Pensez-vous que c'est une mode, ou que ça durera ?

GAIL : Je ne suis pas devin ! La seule chose que je peux vous dire, c'est que les spectatrices adorent. Je crois que les jeunes filles cherchent des modèles. Je ne crois pas que ce soit une mode, mais plutôt qu'il a fallu du temps à la télévision pour capter cette attente des femmes et y répondre.

« Tôt ou tard, les gens se diront : "Y en a marre de ces séries de filles", et on assistera à un retour des héros masculins forts en gueule. C'est la nature de la télévision. Il faut toujours avoir un temps d'avance. Mais l'important, c'est que les femmes ne se retrouveront pas au même endroit. Elles auront fait un pas de géant.

Qui est votre personnage préféré ?

GAIL : Willow. Beaucoup d'adolescentes s'identifient à elle, surtout celles qui ont la bosse des maths ou qui s'intéressent aux sciences, et que leurs camarades délaissent à cause de ça. Ce que j'aime chez Willow, c'est que même si elle fréquente Buffy, elle ne se transforme pas radicalement. Elle ne commence pas à s'habiller à la mode, et elle garde les mêmes centres d'intérêt.

« Son amitié avec Buffy met en valeur sa loyauté, son intelligence, et son adorable naïveté. J'adore le triangle amoureux avec Alex et Oz. C'est une situation tellement réelle ! J'aime aussi le fait qu'elle soit juive. Pour moi, c'est le premier personnage juif qu'on montre à la télé et qui ne soit pas caricatural. Ça m'aide beaucoup de pouvoir dire à ma fille : "Willow est juive".

Avez-vous un souvenir favori de la série, devant les caméras ou en coulisses ?

GAIL : C'était très tôt, avant même que commence le tournage de la première saison. A la fin de la présentation qu'on avait faite, Buffy lance un pieu sur un poster de Nosferatu, la musique retentit — pas celle du générique, une que nous n'avons plus jamais utilisée — et elle a l'air très satisfaite d'elle-même, et c'est là qu'elle se sent vraiment acceptée dans le groupe. Alors, je me suis dit : « C'est la meilleure série télé du monde ! », et je le pensais.

« Je n'en ai parlé à personne d'autre, mais à partir de là, j'ai su que ça marcherait. Même quand aucune chaîne n'a voulu de la série, je n'ai pas douté. Je sentais qu'on finirait par être choisis et qu'on ferait un carton. Je ne peux pas expliquer pourquoi. Je connaissais Joss, je croyais en lui. Quand vous avez côtoyé une personne comme lui, vous ne pouvez pas faire autrement.

SANDY GALLIN

Demandez au producteur exécutif Sandy Gallin comment il est arrivé là où il est aujourd'hui, et il vous lancera une de ses réponses directes et modestes à la fois : « En faisant trois repas par jour ».

Gallin a représenté des stars telles que Barbra Streisand, Michael Jackson, Mariah Carey, Dolly Parton, Cher, Whoopi Goldberg, Luther Vandross, Lisa Stansfield, Renee Zellweger et Nicole Kidman. Producteur de cinéma, il a concrétisé des projets tels que *L'Envolée Sauvage*, *Le Père de la Mariée*, *Sabrina* et la version originale de *Buffy*.

A la télévision, il a produit des dizaines de téléfilms, de séries et d'émissions : notamment la version longue du *Donny and Marie Show*, la sitcom de Margaret Cho *All-American Girl*, et le documentaire sur le sida qui a gagné un Academy Award *Common Threads: Stories from the Quilt*.

Son nom restera dans l'histoire de l'industrie du divertissement, mais sa place dans l'histoire des Etats-Unis tout court, il la doit à un exploit qu'il réalisa au tout début de sa carrière, quand il travaillait pour General Artists Group (qui devint ensuite ICM), en invitant un petit groupe anglais encore méconnu sur le plateau du *Ed Sullivan Show*. Le groupe s'appelait les Beatles, et peu de temps après, Sandy fut promu vice-président de sa société à l'âge de vingt-sept ans.

« J'avais commencé par trier le courrier. On m'a nommé à la tête du département télévisuel et musical. J'ai déménagé en Californie, et je suis devenu l'imprésario de plusieurs stars. J'ai amené les Beatles aux Etats-Unis. Et en 1985, j'ai fondé Sandollar avec une très bonne cliente et amie, Dolly Parton. »

Sandollar est la société qui a amené la version originale de *Buffy* sur le grand écran. Le film, sorti en 1992, était écrit par Joss Whedon, réalisé par Fran Rubel Kuzui et interprété par Kristy Swanson, Luke Perry, Donald Sutherland, Rutger Hauer et Paul Reubens.

« Le film n'a pas fait beaucoup d'entrées au cinéma, mais il est devenu "culte" pour une certaine catégorie de spectateurs. Un jour, j'ai demandé à Gail Berman, qui dirigeait le département télévisuel de Sandollar, de fouiller dans nos placards pour trouver quelque chose qui puisse faire une bonne série. Elle m'a sorti *Buffy*.

« Alors, nous avons pris Fran Kuzui comme partenaire et fait signer un contrat à Joss pour qu'il écrive, produise et réalise la série. C'était la première fois que je voyais quelqu'un coiffer autant de casquettes à la fois. Mais il n'y a jamais eu le moindre problème. Joss est un type brillant. Il fourmillait d'idées, il voulait tout faire. Je le tiens responsable à cent pour cent du succès de *Buffy*. »

Bien que la nouvelle n'ait pas encore été annoncée officiellement, Sandy Gallin nous a confié qu'une série dérivée de *Buffy* était en préparation, avec Angel comme personnage principal.

Quand nous lui avons demandé à quel moment il avait su que la série ferait un tel carton, il a répondu sans hésiter : « Le jour où j'ai appris que WB avait relevé ses tarifs publicitaires. »

GARETH DAVIES

Quand nous rencontrons Gareth Davies dans son bureau du deuxième étage de l'aile de production de *Buffy*, les murs disparaissent sous les plannings de production et de diffusion, ainsi que sous un tableau récapitulatif des personnages secondaires, où des croix rouges indiquent ceux qui ont été tués.

Gareth parle avec un fort accent anglais. Il est aimable et très détendu, bien qu'il soit déjà 21 h 30. On est en train de tourner une scène au manoir, et le quartier résidentiel où se trouve la maison utilisée pour les prises est sous le coup d'un couvre-feu à 22 heures : autrement dit, le tournage doit être bouclé et le matériel remballé dans une demi-heure.

Des techniciens munis de talkies-walkies entrent de temps en temps dans le bureau pour tenir Gareth au courant de l'avancement des opérations. Si le couvre-feu n'est pas respecté, il y aura une belle amende à payer. (Mais il le sera.)

Gareth est très impressionné par la rapidité avec laquelle *Buffy* est passé du stade de bouche-trou à celui de série-culte, un véritable phénomène de la culture pop. « J'ai travaillé sur un tas de séries, mais aucune n'a jamais remporté un tel succès aussi vite. J'ai accompagné Sarah à la première de *Scream 2*, et j'ai été presque choqué par la réaction des gens devant elle. » A cause de cet engouement, la production est obligée de prendre des précautions. « Vous remarquerez qu'il n'y a pas de noms sur les portes du studio, ni à l'extérieur du bâtiment. Nous ne voulons pas attirer l'attention sur nous. »

Gareth a commencé sa carrière comme acteur, mais il a abandonné très vite parce que : « Je n'étais pas brillant, et je ne me satisfaisais pas d'être médiocre. Le marché est encombré. A moins de sortir du lot, il est très difficile de gagner sa vie. »

Alors, il a travaillé pour le département production, d'abord à la BBC, puis chez ATV. « On m'a envoyé tourner un documentaire en Amérique du Sud. C'est là que j'ai contracté le virus du voyage. Pendant que je survolais les Andes en première classe, une flûte de champagne à la main, je me suis demandé pourquoi j'aurais envie de rentrer à Londres.

Mais le temps que j'arrive à Rio, j'étais complètement fauché !

« Quand je suis retourné en Angleterre, ma boîte préparait une nouvelle série intitulée *Broadway Goes Latin*. J'ai demandé de quoi ça parlait, et on m'a répondu : "Oh, c'est une coproduction avec les Américains ; ça m'étonnerait que tu veuilles travailler dessus." "D'accord, mais de quoi ça parle ?" ai-je insisté.

« Ils avaient pris le seul orchestre latino-américain d'Europe, un groupe de musiciens et de danseurs originaires des Caraïbes, et ils l'avaient fait venir à Londres avec un choré-graphe américain pour réorchestrer tous les succès de Broadway sur des rythmes latins. "Je veux le faire", ai-je déclaré.

« La première émission a été un désastre. Le lendemain matin, le producteur amé-ricain m'a appelé pour me dire: "Il faut qu'on parle. Rendez-vous demain à sept heures." On a été boire un café, et je lui ai avoué que le problème, c'était lui. Personne ne voulait travailler avec un Américain. Alors, nous avions récolté tous les losers de la chaîne.

"Qu'est-ce qu'on peut faire pour s'en débarrasser?" m'a-t-il demandé. "Je vais vous donner une liste de noms. Allez voir la direction en disant que vous voulez travailler avec eux." On a engagé tous les jeunes espoirs, et ça a fait des émissions du tonnerre pendant neuf mois.

« Six mois plus tard, ce type est revenu en Angleterre et m'a demandé de l'accompagner aux Etats-Unis. Il s'appelait Milton Leer, et il avait à Miami une compagnie appelée International Videos Productions, qui travaillait souvent à Puerto Rico. Avec lui, je suis allé en Yougoslavie, en Espagne, à Puerto Rico… un peu partout.

« Au bout de trois ans, j'ai eu l'impression qu'IVP piétinait, et moi avec. Je suis venu à Los Angeles sans connaître personne, mais bien décidé à tenter ma chance. Et j'en ai eu pas mal, puisque les boulots se sont enchaînés. »

Gareth a notamment participé à *The Best of Families*, une mini-série de 1976 avec Sigourney Weaver, William Hurt et Jill Eikenberry (« On a failli avoir Meryl Streep, raconte-t-il, mais son agent ne voulait pas qu'elle soit liée à PBS pendant neuf mois. »), qui passa relati-vement inaperçue car elle eut la malchance d'être diffusée en même temps que *I, Claudius*, *Andersonville*. Il a participé à une myriade de séries dont *Flamingo Road*, *Remington Steele* et *Shannon's Deal*.

Il lui a fallu du temps pour s'impliquer dans *Buffy*. « Quand j'ai vu la présentation, j'ai trouvé ça pas mal, sans plus. Mais mon enthousiasme a augmenté au fil des semaines, quand j'ai réalisé à quel point c'était une série intelligente. »

Quelles sont les difficultés pour produire une série comme *Buffy*?

GARETH : Régler autant de cascades et de combats. Il y a des doublures partout sur le pla-teau, et c'est très long à mettre en boîte. En général, on arrive à tourner l'équivalent de six ou sept pages de scénario par jour, mais dès qu'il y a des scènes d'action, le rythme tombe à une ou deux pages.

« Dans un épisode, sept vampires devaient faire irruption dans un décor et taper sur tout le monde. La description de la scène équivalait à dix pages de dialogue, et le réalisateur s'acharnait pour que tout soit parfait. A la fin, je suis allé le voir pour lui dire que c'était bon. Il ressemblait à un zombie, le pauvre! Je sais à quel point c'est difficile ; j'aurais détesté être à sa place.

« L'autre problème, c'est le maquillage et les prothèses. Chaque fois, il faut deux heures pour transformer un acteur en monstre. Si on doit mettre en scène un combat avec six vampires, on se retrouve avec un plateau qui grouille de maquilleurs. Sans compter que les acteurs arrivent à six heures du matin mais ne sont pas prêts à tourner avant onze heures, et que ça coûte cher ! Mais ça vaut le coup, parce que le résultat est toujours fan-tastique.

Comment vous êtes-vous retrouvé impliqué dans *Buffy*?

GARETH : J'ai reçu un coup de fil de mon agent : « Ça t'intéresserait de bosser sur *Buffy* *contre les Vampires ?* » « C'est une blague ou quoi ? » ai-je répondu. Il m'a emmené voir le film, et j'ai répété ma question. Mais il a insisté pour que je participe à une réunion. Je n'avais pas vu la présentation ; je ne me suis pas bien entendu avec les autres, et je suis sorti de là pas convaincu du tout.

« Plus tard, j'ai appelé mon agent pour lui parler d'un autre projet, et il m'a dit : "Ecoute, tu devrais vraiment revenir sur ta décision, pour *Buffy*." J'ai répété que ça ne me disait rien et que de toute façon, les autres ne m'avaient pas plu du tout. Puis j'ai rencontré Charlie Goldsmith, le vice-président de la production. Je le connaissais et je l'appréciais. Il m'a proposé le job et j'ai accepté.

« Depuis, je suis tombé amoureux de la série. Joss me rend la vie facile. Je n'ai jamais besoin de lui opposer de refus ; il suffit que j'aille le voir et que je lui dise : "Voilà la situation. Tu as le choix entre ça et ça." Neuf fois sur dix, il se montre très rationnel. Parfois, il insiste quand quelque chose lui tient vraiment à cœur. Mais il a souvent raison. Et toute l'équipe est géniale.

DAVID SOLOMON

Le co-producteur exécutif David Solomon est en charge de la postproduction, c'est-à-dire de tout ce qui se passe après le tournage : montage, ajout des effets sonores et spéciaux, mixage, etc. Il dirige également la deuxième unité (les séquences où ne figurent pas les acteurs principaux). Et, pour son plus grand plaisir, il a réalisé la première partie de « Kendra ».

Pendant notre visite, nous voyons David donner des instructions à Drusilla pour qu'elle tranche la gorge de Bianca Lawson dans « Acathla ». Bien qu'il soit sous pression, parce que la scène doit être bouclée le plus rapidement possible, l'ambiance est détendue sur le plateau.

David s'inquiète beaucoup de la quantité de sang qui doit figurer à l'écran (la série essaye de ne jamais tomber dans le gore). Todd McIntosh et lui fixent un minuscule tube au cou de Bianca et lui donnent une éponge gorgée de faux sang qu'elle devra presser quand Juliet fera mine de lui trancher la gorge. Il est très important que les deux actrices ne changent pas de position et regardent dans la même direction afin que cette prise s'harmonise avec la précédente. C'est parfois difficile pour certains réalisateurs, mais grâce à son expérience, David n'a aucun mal à y parvenir.

Bien qu'il travaille à peu près au même rythme toute l'année, il trouve le début d'une saison moins frénétique que la fin. Il utilise Avid, un logiciel McIntosh très sophistiqué qui lui permet de superviser tous les aspects d'un épisode, et collabore étroitement avec Digital Magic.

Il faut savoir une chose : plus les effets spéciaux sont nombreux, plus la postproduction croule sous le travail. « En fait, remarque David, les choses tendent à s'équilibrer. Quand il y a moins d'effets spéciaux, il y a plus de scènes à tourner en deuxième unité... » Pour illustrer sa déclaration, il mentionne l'épisode « Les Hommes Poissons ».

David supervise également les effets dits « sur écran bleu », une méthode vieille de cinquante ans et très éprouvante pour les acteurs, puisqu'elle les oblige à tourner devant un écran qui, au montage, sera remplacé par d'autres éléments visuels. « Heureusement, nous avons des gens formidables sur le plateau. Je ne sais pas comment ils font. Tous les jours, ils sont ici pendant quatorze heures... et il n'est pas question d'arriver avec cinq minutes de retard. »

Armé de son diplôme de biologie de l'Université de Californie du Sud — « Je m'en sers tous les jours », plaisante-t-il — il trouva son premier travail dans l'audiovisuel chez Hanna Barbera, où il s'occupait des effets sonores des dessins animés.

Mais comme Michael Gershman, le directeur de la photographie de *Buffy*, il voulait travailler avec de vrais acteurs. Il fut ensuite assistant sur un film de Billy Wilder intitulé *Buddy Buddy*, avec Jack Lemmon et Walter Matthau. « Je me suis beaucoup amusé à faire ça », se souvient-il.

Il poursuivit une carrière d'assistant au cinéma et à la télévision, notamment pour des séries telles que *Hill Street Blues* (« Ces blousons en cuir étaient une plaie : ils étouffaient tous les sons ! ») ou *Deux flics à Miami*. Puis il réalisa plus de trente téléfilms et pilotes pour Viacom, ainsi que des épisodes de Matlock et de la série de Shadoe Stevens, *Loose cannons*.

Il rencontra Joss dans le cadre de ses activités. Un cadre de la Twentieth Century Fox les mit en contact, et David édita la présentation de vingt minutes que Joss et Sandollar devaient montrer aux différentes chaînes de télé avec l'espoir que l'une d'elles achèterait leur projet.

Quand la série vit enfin le jour, David fut ravi qu'on lui demande d'y collaborer. « A partir du troisième épisode, "Sortilèges", j'ai trouvé que *Buffy* s'animait vraiment d'une vie propre. L'héroïne était un personnage formidable, mais j'en ai pris conscience seulement quand je l'ai vue à l'écran. La deuxième saison a commencé avec des épisodes plus sophistiqués, plus drôles et plus profonds. »

Nous parlons ensuite de la première partie de « Kendra », que David a réalisée. Il a été ravi de revenir ainsi à ses anciennes amours, et plus encore de pouvoir donner le rôle de M. Pfister, l'assassin tarakan surnommé « Le cafard », à un de ses acteurs favoris : Kelly Connell. « Pour la séquence du bras, on avait engagé une doublure, se souvient David, mais Kelly a affirmé que les insectes ne le dérangeaient pas. Les autres acteurs, eux, se tenaient à bonne distance.

« J'ai eu de la chance : j'avais des personnages géniaux à diriger, dont Spike et Drusilla. »

Pour cet épisode fut construit un décor de soute d'avion qui devint plus tard les égouts de Sunnydale. « Nous avons failli renoncer, car ça revenait très cher pour tourner une seule petite scène », explique David. Mais ça aurait coûté trois fois plus de louer un décor, et plus encore s'il avait fallu déplacer toute l'équipe vers un aéroport pour tourner dans un avion. Par bonheur, Carey a fait son possible pour recycler le décor. »

Aviez-vous déjà travaillé avec d'autres membres de l'équipe technique ?

DAVID : C'est amusant que vous me demandiez ça. A l'époque où j'éditais *Hill Street Blues*, Gareth Davies bossait au même étage que moi sur *Remington Steele*. Pendant des années, on s'est croisés dans le couloir et salués de la tête.

Avez-vous des cicatrices, des tatouages ou d'autres marques distinctives ?

DAVID : Quand j'avais vingt ans, je suis tombé d'une moto à Corfou. J'ai sur le genou une grosse cicatrice remplie de graviers. Regardez ! Et je m'étais déjà fait mal au même endroit quand j'étais petit et que je vivais à Tarzana, en Californie.

Avez-vous un souvenir favori de la série, devant les caméras ou en coulisses ?

DAVID : Quand j'ai découvert que je réaliserai un épisode... Je pensais que ça ne se produirait pas avant un bon moment ; puis le metteur en scène prévu pour la première partie de « Kendra » a eu un empêchement. David Greenwalt est venu dans mon bureau pour l'annoncer. Je suis sûr que je suis resté très professionnel ; j'ai dû dire quelque chose du genre « Merci beaucoup. » A l'intérieur, je sautais de joie en hurlant « Youpi ! »

Votre travail sur *Buffy* vous oblige à faire attention à une multitude de détails. ça ne tue pas un peu la magie, quand vous regardez un épisode fini ?

DAVID : Je regarde les épisodes chez moi, quand ils sont diffusés, de la même façon que tout le monde, coupures publicitaires comprises. Il est rare que j'emmène une cassette à la maison. Et je vous assure que j'y prends beaucoup de plaisir.

MARTI NOXON

Marti Noxon est une professionnelle chargée de disséquer tous les événements qui se produisent sur le plateau de *Buffy* et ouvre grands les yeux et les oreilles pour absorber un maximum d'informations.

Mais quand le masque tombe, c'est aussi une femme charmante, sociable et très excitée par l'idée de travailler dans un environnement pareil. Tous les gens que nous avons rencontrés étaient ravis de participer au tournage de *Buffy*, mais Marti a l'air de ne pas croire en sa bonne fortune.

Pourtant, cela n'a rien à voir avec de la chance. A force de travail, Marti a décroché un poste d'éditrice pour la deuxième saison de la série, et elle a été promue co-productrice pour la troisième. Elle participe à toutes les réunions avec les scénaristes et a écrit cinq épisodes de la deuxième saison (dont trois *pivots* : « Kendra » et la première partie d'« Innocence »), plus un sixième en collaboration avec Howard Gordon.

Marti se donne du mal pour se rendre agréable. Elle est tout sourire, et non sans raison : elle a travaillé dur pendant sept ans pour avoir une place de scénariste à Hollywood. Elle a réussi et collabore maintenant à une série célèbre pour la qualité de ses scénarios.

« Jusqu'à l'année dernière, j'étais encore une simple secrétaire, se souvient-elle. Mais je n'avais jamais cessé d'écrire. J'avais connu quelques modestes succès et reçu beaucoup d'encouragements, sans qu'il ne se passe jamais rien de majeur. Puis j'ai trouvé un meilleur agent. »

Et dire qu'elle a failli laisser passer sa chance de travailler pour Joss Whedon ! « Mon nouvel agent lui avait envoyé un exemplaire de mon travail, mais j'avais reçu une proposition d'une autre série, et j'ai failli dire non à Joss. Il m'intimidait : il avait l'air tellement drôle et intelligent, et moi, c'est mon premier boulot de scénariste ! Je craignais qu'il ne place la barre trop haut. »

Accepter un poste sur une série nouvelle, c'était prendre beaucoup de risques. « A l'époque, très peu de gens pensaient que *Buffy* marcherait. A mon agence, on a voulu me persuader de refuser ce boulot. Puis j'ai appelé quelqu'un qui connaissait Joss — le frère de ma belle-sœur était à l'école avec lui — et il m'a dit: "Tu serais folle de ne pas travailler avec lui." Alors, j'ai changé d'avis. J'ai refusé l'autre proposition et accepté celle de Joss. »

Pendant la première saison, les gens la regardaient encore bizarrement. « Quand ils appprenaient que je travaillais sur *Buffy*, ils me faisaient un sourire crispé, un peu condescendant, comme si je n'étais pas assez bonne pour trouver mieux. »

Ce que Marti préfère dans *Buffy*, c'est l'évolution constante des personnages, même si elle admet que ça ne facilite pas les choses pour les aspirants scénaristes. « Le temps qu'ils écrivent un projet, il y a eu deux ou trois bouleversements majeurs : Cordélia et Alex qui sortent ensemble, ou Angel qui redevient mauvais. Mais c'est pour ça que j'admire Joss : il n'a pas peur de prendre des risques avec ses personnages.

« Il est prêt à repousser les limites pour les emmener toujours plus loin. Jamais ne se laisse arrêter par l'idée que l'audience pourrait baisser. Et il a bien raison, puisque visiblement, les spectateurs adorent que ça bouge. Ils aiment savoir qu'il se passe des choses, que la série va de l'avant. C'est très excitant.

« L'année prochaine, Buffy et les autres seront en terminale ; ça va soulever des problèmes intéressants. Ils vont se demander ce qu'ils comptent faire de leur vie, et changer davantage que pendant les saisons précédentes.

« Quand Joss m'a montré la fin d'"Acathla", les yeux ont failli me sortir de la tête. "Tu ne peux pas faire ça !" ai-je protesté. Puis je me suis ravisée. Bien sûr que si, il pouvait. Il le devait, même. Mieux vaut donner au public ce qu'il ne veut pas. Vous vous souvenez de *Clair de Lune* ? A partir du moment où les deux personnages étaient ensemble, la série perdait tout son intérêt. »

Marti n'a que des compliments à faire à propos de Joss. « Travailler avec un Mozart est super ; on se dit qu'avec un peu de chance, son génie déteindra sur vous. »

Peu de temps après avoir rendu ses deux premiers scénarios, elle a compris qu'elle avait pris la bonne décision en rejoignant l'équipe de *Buffy*. « Au début, l'angoisse me paralysait. Un soir, j'ai trouvé un message de Joss et de David Greenwalt sur mon répondeur. "Tu sais, on est désolés de te dire ça, mais ça ne va pas du tout…"

« Puis ils ont éclaté de rire. "Non, on rigole. Tu as fait du super boulot ; ça nous plaît beaucoup." Et j'ai pensé : "S'ils arrivent à me mettre en boîte comme ça, c'est qu'ils veulent que je reste ! " »

Nous avons entendu dire que vous aviez un invité spécial pour le match de softball entre l'équipe de *Buffy* et les *Seventh Heaven*...

MARTI : Oui. John Ritter, qui apparaissait dans « Le Fiancé » cette semaine-là, a bien voulu se joindre à nous. C'est un excellent joueur, et il nous a beaucoup aidés. Evidemment, les *Seventh Heaven* ont gagné quand même : Dieu était de leur côté.

Pouvez-vous nous décrire votre travail quotidien et vos responsabilités ?

MARTI : Ça change tout le temps. Tout dépend de ce que je fais. En arrivant, on se réunit pour discuter des scénarios, quelle que soit la personne qui doit les écrire — en général, David et Joss, mais ça peut être moi ou quelqu'un d'autre. On s'assoit, on boit du café et on mange des beignets en parlant de tout et de rien, sauf de ce que nous sommes censés évoquer. Quand on a abordé tous les sujets possibles, en désespoir de cause, on se met au boulot.

« Il nous faut environ une semaine pour définir une idée. Ensuite, si c'est moi la scénariste, je dispose d'une autre semaine pour mettre au point une trame, y ajouter des répliques humoristiques ou des indications de jeu, soumettre ça aux autres, récolter leurs impressions et, à partir de là, rédiger un premier jet. J'essaye d'écrire un acte par jour, et de laisser reposer pendant quarante-huit heures avant de le relire.

« Vient ensuite le moment épouvantable où je rends ma copie et où j'attends que quelqu'un vienne passer la tête par la porte de mon bureau pour me dire quelque chose de gentil. Parfois, j'en ai des crampes à l'estomac !

Avez-vous un souvenir favori de la série, devant les caméras ou en coulisses ?

MARTI : Récemment, le Musée de la Télévision et de la Radio m'a demandé de faire un cours à des aspirants écrivains encore lycéens. J'ai failli éclater en sanglots : j'étais si heureuse de pouvoir transmettre à d'autres gens ma passion et mon amour de ce que je fais ! Et maintenant, je suis qualifiée pour ça.

« L'autre chose dont je me souviens, c'est d'une de nos premières réunions de scénaristes. Comme on ne faisait pas de pause entre midi et deux, parce qu'on avait trop de boulot, quelqu'un a dit : "Il faut qu'on se fasse apporter à bouffer." Je me suis levée pour passer un coup de fil et réclamer qu'on nous livre quelque chose, mais un collègue a protesté : "Ce n'est pas ton boulot, Marti, on a des commis pour ça." Et j'étais toute épatée de ne plus avoir à m'occuper du déjeuner.

« Et il y a tous les moments où je sais que la moitié des spectateurs de *Buffy* vont rire ou avoir un pincement au cœur. Pour moi, c'est le plus fabuleux : susciter des émotions chez les gens. Je ne trouve même pas les mots pour décrire ça.

Vous intéressez-vous au fantastique ?

MARTI : Oui, j'ai même écrit trois scénarios pour des histoires de fantômes. J'ai toujours adoré la terreur métaphysique, comme dans *La Maison du Diable*, *L'Exorciste* ou *Le Silence des Agneaux*. Cette espèce de transcendance, de tentative pour communiquer avec les morts ou se réconcilier avec son passé... Ce sont les thèmes qui m'intéressent, et la terreur s'y inscrit parfaitement.

Avez-vous des affinités avec un personnage en particulier ?

MARTI : Willow ressemble pas mal à ce que j'étais adolescente : une grosse tête qui a commencé à sortir avec des garçons une fois arrivée à la fac. J'étais complètement antisociale et très timide. Je n'arrivais pas à parler aux garçons. J'étais beaucoup moins cool que Willow, encore plus maladroite et introvertie.

« Je faisais peur même à mes amies, qui n'étaient pas beaucoup mieux loties que moi.

Ensemble, on se planquait dans des salles de classe vides pour ne devoir parler à personne. Mais on s'en sortait bien, parce qu'on était toutes les trois : un peu comme Buffy, Alex et Willow. Et on a survécu. Cela dit, ce n'étaient vraiment pas mes jours de gloire. J'espère d'ailleurs qu'ils restent à venir !

ROB DES HOTEL ET DEAN BATALI

Nous rencontrons Rob Des Hotel et Dean Batali dans le grand bureau qu'ils partagent. La table de travail de Rob est placée face à la porte, celle de Dean perpendiculaire à elle. Ils sont en train de parler des personnages auxquels ils ont donné des noms à clé. Spritzer, le chien qui a été coupé au montage de « La Face Cachée », avait été baptisé ainsi à cause d'un de leurs animaux familiers.

A les voir, on comprend tout de suite qu'ils forment une équipe diantrement efficace ! Tous deux sont intelligents, drôles et dotés d'un formidable sens de la repartie. Ils viennent du monde des sitcoms, où ils ont commencé comme assistants scénaristes sur diverses séries, avant de se rencontrer sur le plateau de *Bob*. Après ça, ils ont travaillé ensemble sur *Hope and Gloria*, *Les Simpsons* et *Duck Man*. Mais ce furent leurs scénarios pour une série Nickelodeon intitulée *The Adventures of Pete and Pete* qui attira l'attention de Joss Whedon.

« A l'époque, Joss lisait tout ce qui lui tombait sous la main, explique Rob : des sitcoms, des téléfilms... *Pete and Pete* était une comédie filmée avec une seule caméra qui, rétrospectivement, était assez proche de *Buffy* : pas à cause des vampires (il n'y en avait pas), mais des sujets. »

Le boulot de Rob et de Dean consiste à jeter des idées en pâture à Joss, qui en choisit une ou plusieurs et leur demande de les développer. Ils lui soumettent une trame d'une page, où chaque scène est décrite en une ligne ou deux. Une fois qu'ils ont reçu son approbation, ils élaborent un plan plus complexe d'environ dix pages.

« Ça peut sembler fastidieux, concède Rob, mais tout le temps qu'on perd en préparation, on l'économise ensuite, parce qu'on n'a pas besoin de tout réécrire à mesure que des problèmes émergent. »

Comme exemple de leur processus créatif, Rob et Dean citent leurs épisodes favoris : « Pleine Lune » pour le premier, « La Marionnette » pour le second. « En guise de directive pour "Pleine Lune", explique Rob, Joss nous avait juste dit: "Oz est un loup-garou." On y a réfléchi un peu et on a trouvé l'idée du chasseur. »

« Les épisodes de la première saison s'intéressaient de très près aux problèmes des adolescents, fait remarquer Dean. Le sentiment d'exclusion dans "Portée Disparue" et "La Marionnette", par exemple, devient un point commun qui lie les gens, comme Buffy et Sid le chasseur de démons. »

Rob nous donne un autre exemple: "Pour « La Face Cachée », Joss nous a simplement dit: "Giles a commis une très grosse erreur dans son passé." Ça nous a donné des centaines d'idées. Quel genre d'erreur, les conséquences qui avaient pu en découler, etc. »

La trame originale du scénario fait pas mal d'allers-retours entre Joss et les scénaristes. « Parfois, l'histoire ne ressemble plus du tout à ce qu'elle était au départ », dit Rob. Ce fut notamment le cas pour « Réminiscence ». « A l'origine, ça devait se passer dans une garderie et pas dans un hôpital. »

En général, c'est Joss Whedon qui apporte des modifications, ou David Greenwalt. Il arrive que Rob et Dean corrigent les trames d'autres scénaristes. Même alors, Joss passe derrière eux, et c'est toujours lui qui a le dernier mot.

Entre le moment où Joss lance une idée de départ et celle où la version définitive du scénario arrive sur son bureau, il s'écoule environ huit semaines. « Le plus long et le plus difficile, c'est de tomber d'accord sur la trame. Le reste suit facilement. »

Parfois, Rob et Dean sont obligés de se dépêcher. Il leur est arrivé de boucler le processus en cinq ou six jours. Par exemple, ils ont accouché de la seconde version de « La Marionnette » en trente-six heures.

C'est en écrivant des scénarios que Rob et Dean découvrent peu à peu la vision à long terme de Joss. « Il a déjà décidé de ce qu'il voulait raconter pendant les deux ou trois prochaines saisons. Parfois, on rajoute des choses en cours de route. Toute l'histoire avec Jenny Calendar, par exemple, quand on découvre que c'est une espionne des bohémiens et qu'elle se fait tuer par Angel… Ce n'était pas prévu, mais ça s'est imposé à nous.

« Trente ou quarante pour cent des idées que nous fournissions à Joss contredisent quelque chose qu'il pense utiliser plus tard, ou arrivent trop tôt par rapport à ses prévisions. Donc, on finit par faire des épisodes plus ou moins indépendants du reste de la série, comme "La Marionnette" ou "Réminiscence". Quand Joss estime qu'on est arrivés à un tournant, il nous dit: "Voilà, il doit se passer ça, ça et ça, à peu près de cette façon." Il devient beaucoup plus directif.

« Cela dit, même les épisodes pseudo-indépendants s'inscrivent dans une continuité et n'auraient pas pu être placés à n'importe quel moment de la saison. "Réminiscence", par exemple, comporte une scène sur la dégradation des relations entre Angel et Buffy. A la base, il devait être tourné plus tôt dans la saison. Mais la majeure partie des scènes se déroulent dans un hôpital, et nous avons eu du mal à trouver un lieu de tournage. Le temps que tout soit en place, il a fallu remanier le scénario original où Angel et Buffy combattaient côte à côte, et où c'était lui qui l'amenait à l'hôpital. »

« Réminiscence » a failli être un épisode fantôme. Des problèmes conceptuels se sont posés pendant l'écriture du scénario. Le monstre semblait très difficile à comprendre. Dans la deuxième ou troisième mouture, ce n'était pas la cousine mais la grand-mère de Buffy qui était morte dans ses bras, ce qui changeait tout.

Comment vous répartissez-vous le travail ?

DEAN: Facile: je fais presque tout. (Rire)

ROB: Nous sommes une équipe bizarre. En fait, nous écrivons comme pour une comédie. Nous faisons tout ensemble, face à face, mot à mot.

DEAN : L'un de nous s'assied à l'ordinateur. Parfois, quand Joss croit qu'un scénario est terminé, on le retravaille encore et on ajoute des idées dans la marge. Celles de Rob sont souvent les meilleures, mais quand on reprend un scénario longtemps après, on n'arrive jamais à se rappeler qui a suggéré quoi.

Pensez-vous que votre longévité sur *Buffy* soit due à votre expérience de scénaristes de sitcoms ?

ROB : Oui. Le groupe de l'année dernière était très hétéroclite. Il y avait trois équipes et une personne qui venait des sitcoms, comme nous. Les deux autres équipes avaient travaillé sur des séries dont les épisodes duraient une heure.

« Puis Dana Reston est arrivée, et elle a fait « Sortilèges ». Kiene et Reinkemeyer viennent de *Space* et de *Law and Order*, des séries d'une heure, tout comme Gable et Swyden. Mais ils ont réussi à s'adapter au format de *Buffy*.

En étudiant les scénarios, nous avons constaté que les acteurs disaient leur texte à la virgule près. Réclament-ils beaucoup de modifications avant ce stade ?

DEAN : Quatre-vingt-dix-neuf pour cent du temps, c'est Joss qui tranche. Mais c'est vrai que les acteurs ont toujours leur mot à dire. Dans « Pleine Lune », par exemple, Sarah voulait qu'on enlève un mot un peu compliqué, parce qu'à son avis, Buffy ne devait pas le connaître. Elle a aussi fait remarquer que son personnage se montrait trop dur envers Willow. Nous en avons tenu compte, et nous avons reformulé ses répliques. Mais en général, c'est Joss qui s'occupe de ça.

Quand vous réfléchissez à des idées de scénarios, gardez-vous en tête les limites budgétaires ?

ROB : Pour notre premier épisode, « Un Premier Rendez-Vous Manqué », on connaissait le budget mais on ignorait totalement ce qu'il permettrait d'acheter. Il était question d'une apparition de vampires. Au début, quand Giles lisait la prophétie à Buffy, ça donnait quelque chose du genre : « Sept mourront, et cinq se relèveront ». A mesure que la production avançait, Joss venait nous voir et nous disait : « Cinq mourront, et combien se relèveront ? » Le temps qu'on arrive au tournage, c'était tombé à un.

« Le combat était chorégraphié pour Buffy, Alex, Willow, Giles, Owen et cinq vampires. Il devait y avoir des urnes mortuaires brisées, des cercueils renversés, des couvercles qui se refermaient sur les gens, et on ne savait pas du tout si c'était possible ou non. C'est pour ça qu'on a fait jusqu'à quatre moutures de ce scénario.

« Quelques semaines plus tard, Joss est venu nous voir. "On ne peut plus faire ça ; on est déjà en dépassement de budget. Il va falloir calmer le jeu !" Alors on a opté pour un combat contre les deux vampires qui faisaient sortir le van de la route. Puis le van est devenu la navette de l'aéroport, et les deux vampires se tenaient au milieu de la route. Mais on les a quand même fait s'écraser sur le lampadaire.

Ces considérations budgétaires vous frustrent-elles ?

ROB : Il est presque injuste d'avoir d'énormes budgets dans le fantastique, parce qu'il devient trop facile de manipuler les spectateurs. Avec notre petit budget, nous sommes obligés de nous reposer sur des thèmes classiques. Le suspens plutôt que les effets spéciaux.

« De temps en temps, on se surprend à dire : « Non, on ne peut pas faire ça, ça coûterait trop cher. » On essaye de ne pas y penser, mais dans ce cas, ce sont les producteurs qui nous le rappellent ! Le pire, c'est de se restreindre sur le tournage en extérieur, parce qu'on dépense des fortunes chaque fois qu'il faut déplacer l'équipe hors des studios.

Alors, des révélations sur la troisième saison ?

DEAN : Vous ne tirerez rien de nous ! Nous n'en avons même pas parlé à nos femmes ou à nos amis. Ah, si : peut-être bien qu'Alex est un extra-terrestre...

MICHAEL GERSHMAN

Michael Gershman porte l'uniforme de rigueur au département production : jean et chemise débraillée. Calme et affable, il est l'antithèse du directeur de la photographie tel qu'on l'imagine généralement. Il s'exprime d'une voix douce, mais très enthousiaste.

Michael a commencé sa carrière en tant que cameraman d'animation à la fin des années 60, sur des séries comme *Peanuts, George de la Jungle* ou *Tom Slick*, et des spots publicitaires animés, comme pour les céréales Captain Crunch. Pendant qu'il travaillait toute la journée dans la pénombre, ses collègues tournaient avec de vrais acteurs dans les rues d'Hollywood, et il ne tarda pas à vouloir en faire autant.

Sans lâcher son boulot précédent, il travailla pour Pylar Camera Systems, une boîte spécialisée dans la cinématographie aérienne. Après avoir reçu une formation adaptée, il croula bientôt sous le travail, à tel point qu'il dut abandonner totalement l'animation. Il resta chez PCS pendant cinq ans, jusqu'à ce que sa peur de l'avion prenne le dessus et qu'il se recycle à nouveau.

A la télévision, Michael travailla d'abord sur des téléfilms et des feuilletons. *Columbo* fut un de ses premiers projets. Il participa à *Days of Heaven*, qui fut tourné au Canada et remporta un Academy Award. Au cinéma, il travailla avec des gens célèbres comme Haskell Wexler et Vilmos Zsigmod, sur des films tels que *The Deerhunter, The Rose* et *La Porte du Paradis*. D'assistant cameraman, il devint opérateur.

Au milieu des années 80, son existence fut bouleversée par son divorce. Devenu père célibataire, il renonça à voyager et se concentra sur son travail à Los Angeles, ce qui le ramena vers la télévision. Il participa au tournage du pilote de *Shannon's Deal*, et fut promu directeur de la photographie quand la série fut achetée par une chaîne.

Puis il rencontra Gareth Davies sur *Middle Ages*, et les deux hommes travaillèrent ensemble sur diverses autres séries avant que Gareth ne persuade Michael de se joindre au projet *Buffy*. Michael se souvient encore de sa réticence initiale.

« Je n'avais pas envie de bosser en 16 mm (le format dans lequel ont été tournées les deux premières saisons). Mais Gareth a tellement insisté que j'ai fini par accepter de rencontrer Joss. Au bout de dix minutes, j'étais convaincu. »

Buffy est une série très différente de celles sur lesquelles vous aviez déjà travaillé.

MICHAEL : C'est le sujet qui change. J'ai toujours tenté d'apporter un regard personnel sur les séries auxquelles j'ai collaboré, de les rendre plus intéressantes. Avec *Buffy*, c'est fabuleux parce qu'il n'y a pas de règles.

« En principe, on évite d'éclairer les gens par en-dessous et de faire remonter la lumière. Mais là, je peux faire tout ce que je veux, bouger la caméra dans tous les sens... Joss me laisse carte blanche. Il me dit ce qui lui plaît ou non, et ça s'arrête là. Les scénarios sont si intéressants et si bien écrits que je me sens obligé d'être à la hauteur quand il s'agit de les retranscrire sur la pellicule.

Vous avez dû filmer en 16 mm. Dans quelle mesure cela a-t-il affecté votre travail sur *Buffy* ?

MICHAEL : Ça me rend les choses plus difficiles, parce que ça a tendance à tout aplatir. Or, il faut que *Buffy* ait l'air original pour stimuler l'intérêt des spectateurs. L'éclairage doit donner de la profondeur et de la texture. J'utilise les couleurs et les lumières pour raviver les contrastes, mettre en valeur la perspective et faire ressortir les acteurs.

Et le décor du *Bronze*?

MICHAEL: C'est un des plus faciles à filmer, parce que je peux laisser beaucoup de choses dans la pénombre. J'aime les choses simples. J'essaye de travailler avec le moins d'unités possible. Les mouvements de caméra sont ma passion. J'utilise le Steadicam et tous les outils à ma disposition.

« La nuit, on recourt à des ballons météorologiques gonflés à l'hélium ; comme ils sont blancs, la lumière se reflète dessus et on peut s'en servir comme éclairage indirect. Mais ça dépend des cas. Quand j'ai besoin de quelque chose, les producteurs se montrent compréhensifs. Je leur explique ce que je veux en faire, et ils me le donnent si c'est possible.

Nous vous avons observé aujourd'hui et constaté que vous collaboriez étroitement avec le réalisateur. Dans la mesure où celui-ci change toutes les semaines, ça ne vous complique pas un peu la vie ?

MICHAEL: Disons que certains réalisateurs ne communiquent pas aussi bien que d'autres. Quand je bosse avec Joss, il n'a pas besoin de terminer ses phrases : j'arrive à les finir pour lui et vice-versa, parce que nos esprits fonctionnent de la même façon. On cherche à obtenir les mêmes résultats et on est d'accord sur les moyens à employer.

« Je m'amuse toujours beaucoup quand c'est lui qui réalise un épisode. Il sait exactement ce qu'il veut ; il n'a pas besoin de tâtonner et de me demander d'essayer deux millions de trucs avant de trouver le bon éclairage.

Vous avez réalisé « La Boule de Thésulah ». Que pensez-vous de cette expérience ?

MICHAEL: Le scénario de Ty King était fabuleux, et j'avais d'autres atouts à ma disposition : je connaissais les décors et les acteurs. Tout le monde m'a beaucoup aidé, y compris les producteurs. Ils m'ont fichu la paix et laissé faire ce que je voulais.

Eclairez-vous les acteurs de différentes façons ?

MICHAEL: Tous les acteurs de la série sont faciles à éclairer : ils sont jeunes, ils ont de la personnalité... La caméra les adore. Si je travaillais avec des gens de vingt ans plus âgés, ce serait plus difficile. Mais eux, c'est impossible de mal les éclairer ! Sarah est splendide sous n'importe quelle lumière, tout comme Aly et Charisma. Même les garçons, on peut leur faire n'importe quoi et ils restent séduisants.

« Une fois de plus, je m'efforce de rester fidèle à l'esprit et à l'originalité des scénarios. C'est de là que tout vient, de Joss. Je ne fais qu'interpréter ses visions. La série est à lui. Sarah et les autres se bornent à lui donner vie. Ces acteurs sont si jeunes, si frais et si talentueux en même temps...

« A vingt et un ans, Sarah est la plus jeune du lot ; pourtant, c'est elle qui a le plus d'expérience... à part peut-être Tony. Elle joue toujours juste. Elle trouve la bonne lumière, le bon angle par rapport à la caméra et aux autres acteurs... Elle a vraiment quelque chose de spécial.

« J'adore la série. Tout le monde travaille dur pour en faire ce qu'elle est. Elle ne ressemble à aucun autre projet sur lequel j'ai travaillé. Même quand on est crevés et qu'on se plaint d'avoir faim ou sommeil, de vouloir rentrer à la maison... on adore ça, au fond.

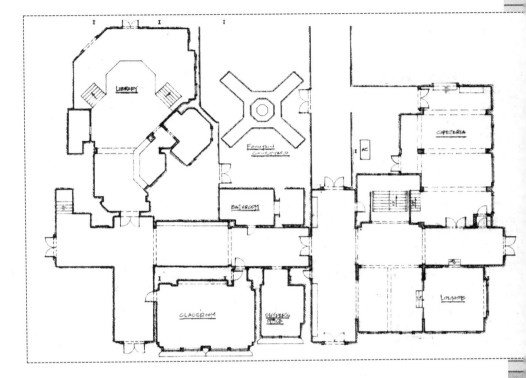

CAREY MEYER

Carey Meyer est devenu le décorateur en chef de *Buffy* au début de la deuxième saison, après avoir été directeur artistique de la série pendant la première. Autrement dit, il conçoit tous les décors, supervise leur construction et leur décoration. Ce poste existe depuis le tournage du film *Autant en Emporte le Vent*: le directeur artistique a eu un tel impact sur le produit final, et il s'est tellement impliqué dans la production, que les responsables ont jugé bon de lui rendre hommage de la sorte.

Quand il s'attaque à un nouvel épisode, Carey reçoit le scénario des mains de Joss et dresse soigneusement la liste des lieux en « extérieur » où son équipe devra intervenir, ainsi que des décors qu'elle devra mettre en place. C'est un homme à la voix douce, dont le bureau est couvert de croquis et de nuanciers. Un plan du manoir s'étale sur le mur, derrière lui.

Armé de son diplôme d'architecte, il étudia le travail de décorateur à l'American Film Institute de Los Angeles. Puis il réalisa que la théorie ne suffirait pas et se mit en devoir d'acquérir une expérience pratique. Après avoir travaillé comme perchiste, il devint assistant de production.

A la même époque, il eut l'occasion de faire le décor d'un film indépendant à très petit budget. Aidé par un ami fraîchement sorti de l'école d'architecture, il créa quelque chose de «très peu orthodoxe, mais de vraiment amusant».

Après ça, il travailla fréquemment dans le décor, que ce soit pour des spots publicitaires, des clips vidéo ou des films indépendants. Il s'occupa aussi de la direction artistique de séries à petit budget. Un de ses patrons de l'époque l'engagea pour participer à VR5, où Anthony Head apparaissait régulièrement. Et tout ça en l'espace de six ans à peine après sa sortie de l'AFI.

Quand Steve Hardy, le décorateur en chef de la première saison de *Buffy*, lui demanda de devenir directeur artistique de la série, Carey fut enchanté: «Je voulais bosser avec Steve depuis longtemps, mais bien que nos chemins se soient souvent croisés, nous n'en avions jamais eu l'occasion.»

La réalité fut tellement à la hauteur de ses espérances que les deux hommes profitèrent de la coupure entre les deux premières saisons pour travailler ensemble sur le film *Denial,* avec Adam Rifkin. Puis Hardy choisit de se consacrer au cinéma, et le producteur Gareth Davies offrit son poste à Carey. Profitant de cette occasion, celui-ci suggéra l'idée du premier repaire de Spike et Drusilla, incendié au cours de la deuxième saison.

Carey voulait prouver à Joss Whedon qu'il pouvait faire du bon travail; aussi ce projet était-il très important pour lui. Il se documenta copieusement et, bien que le repaire soit censé se trouver dans une usine abandonnée, finit par s'inspirer d'une vieille bibliothèque anglaise.

Le look vampirique de la série étant surtout moderne, il voulait créer un décor qui colle avec le reste, mais qui ait une atmosphère propre, un peu différente. «J'ai récupéré un tas de choses hétéroclites, à condition qu'elles aient l'air cool ensemble. Sur une série comme *Buffy*, il n'y a pas de règles pré-établies; il faut marcher au feeling.»

En guise d'exemple, Carey nous cite la genèse du thème «souterrain» récurrent chez les vampires. Tout commença avec l'église enfouie où le Maître était prisonnier. Pour la relier à la surface, Steve Hardy eut l'idée des égouts. Au fil du temps, le réseau se développa sous la ville. Ciment, poussière, rouille et boue en donnaient le ton.

Carey se souvient de la scène où Kendra doit sortir de la soute d'un 747. «On avait des parois incurvées et ce genre de choses, et je me suis dit qu'on pourrait en faire un chouette tunnel…»

A partir de là, les égouts furent utilisés de façon de plus en plus créative. Le sol s'ouvrait sous les pieds des personnages pour les y précipiter; les héros poursuivaient des vampires à l'intérieur; un monstre jaillissait par une bouche ou une grille d'égout. La grotte souterraine de l'épisode «Les Hommes Poissons» est une autre extension de ce thème, tout comme la caverne des Delta Zêta Kappa dans «Dévotion».

Au fil du temps, l'équipe technique réalisa que les égouts pouvaient servir d'équivalent au système de téléportation de *Star Trek*, permettant aux personnages de se déplacer d'un endroit à un autre en transitant par un espace réduit. «On peut partir du principe que tous les décors sont ainsi reliés.»

Tout ça est très important pour les producteurs de *Buffy*, car ça leur permet de réduire le nombre de scènes tournées en extérieur, qui sont techniquement plus difficiles à filmer et beaucoup plus onéreuses, surtout en nocturne. Selon Carey, une journée de tournage en extérieur dure quatorze ou quinze heures, sur le plateau, elle ne dépasse pas douze ou treize.

«Quand nous sommes ici, nous pouvons filmer une première moitié des scènes noc-

AYER" -

Sta
Came

ameron's Mus

Sta
Kendra's

turnes un soir, et l'autre moitié le lendemain ; alors que quand on déplace toute l'équipe, il faut boucler le tournage dans la nuit, ce qui veut dire partir du studio au crépuscule et ne pas terminer avant le lendemain matin.

« Gareth Davies avait envie qu'on construise le plus de décors possible pour cette saison. Avec son feu vert, nous avons pu laisser libre cours à notre imagination et créer des choses incroyables. »

Combien de décors avez-vous conçus en tout ?

CAREY : Pour les autres séries sur lesquelles j'ai travaillé, il y avait un ou deux permanents, et on en construisait un ou deux temporaires par épisode, soit un total de vingt-cinq à trente décors pour une saison de vingt-deux épisodes. Pour *Buffy*, j'ai bien dû en faire trois temporaires par épisode, en plus des huit permanents que nous avons déjà… Disons entre soixante et quatre-vingts pour cette saison. Et c'est Caroline Quinn qui les a tous dessinés.

Où construisez-vous ces décors ?

CAREY : Soit à l'intérieur du bâtiment El Nino, soit sur le plateau même. El Nino est une structure temporaire que nous avons érigée pour protéger le matériel et avoir un endroit au sec où tourner en cas d'orage, parce que nous n'avions pas assez de place en studio. En plus, ça nous permet si nécessaire de filmer à deux endroits à la fois. Nous sommes constamment en train de créer de nouveaux décors, et nous les montons sur place.

Quelle taille font les plateaux ?

CAREY : Le premier, 8 000 mètres carrés. Le second, 6 000. Et on va en construire un troisième qui fera 4 500 mètres carrés.

Aviez-vous déjà travaillé avec d'autres membres de l'équipe technique ?

CAREY : J'avais rencontré la costumière en chef Cynthia Bergstrom sur *VR5*. Et pour mon deuxième job à Los Angeles, j'étais le perchiste de David Konoff, mon actuel décorateur, sur *Eve of Destruction*. Nous nous connaissons depuis onze ans, et nous avons souvent travaillé ensemble.

Parlez-nous du manoir.

CAREY : Un jour, Joss était en train de sortir du parking quand il a arrêté sa voiture près de moi pour m'annoncer : « Au fait, on va brûler le repaire des vampires. » C'était un chouette décor et je l'aimais bien ; ça me faisait de la peine d'y renoncer. Mais vous connaissez Joss : il adore le chaos. Et il n'est pas bon de trop s'attacher à ses créations. On sait qu'elles finiront par être démolies tôt ou tard.

On devait construire un nouveau décor permanent : le manoir et le jardin secret. Il fallait que je trouve un moyen d'utiliser l'espace laissé vacant par l'incendie de l'ancien repaire. Je suis tombé sur la photo d'une vieille bâtisse gothique, avec des arches, d'immenses cheminées, ce genre de choses. Elle avait été détruite dans un tremblement de terre. Joss a détesté tout de suite. Il ne voulait pas faire dans le gothique, afin de s'écarter des vampires d'Anne Rice. Il m'a suggéré de m'inspirer plutôt de l'Art Déco, mais contrairement aux extérieurs de Sunnydale, qui ont des couleurs pastel ou vives, les espaces occupés par les vampires dans la série ont toujours eu une apparence sale et urbaine, et je voulais continuer sur cette voie. Faire quelque chose avec beaucoup de ciment et de métal.

Avez-vous un souvenir favori de la série, devant les caméras ou en coulisses ?

CAREY : Soixante-quinze pour cent du temps ! J'adore créer ces décors, partir d'une simple description et les faire jaillir du néant. Nous avons réussi à en construire plus de soixante, et chacun a une originalité propre. Chacun est travaillé dans le moindre détail. C'est quelque chose dont je suis très fier.

MARCIA SHULMAN

Native de New York, Marcia adore tout ce qui est italien: la nourriture, la culture, et même la langue qu'elle parle couramment depuis qu'elle se rend chaque année en Toscane, où elle espère prendre sa retraite un jour.

Quand on évoque sa carrière et la façon dont elle est arrivée à *Buffy*, Marcia ne peut s'empêcher de rire. «J'étais si naïve quand j'ai débuté dans le métier! En sortant de la fac, je suis allée dans une agence pour l'emploi et je leur ai dit que je voulais bien passer leurs tests de dactylo, mais que j'aspirais avant tout à travailler dans le show business.»

L'agence lui confia un travail de secrétaire à l'Atelier Télévisuel pour Enfants, où elle fut rapidement promue au poste de coordinatrice de talents.

Un producteur indépendant, qui avait son bureau dans le couloir, remarqua que la jeune femme avait une étonnante mémoire photographique, et qu'elle était obsédée par l'idée de mettre un nom sur chaque visage. «Quand j'étais petite, à partir du moment où j'ai su lire, je prenais le programme télé et je regardais défiler les génériques pour associer un rôle à un acteur. Je me surnomme moi-même la *Rain Man* du casting.»

Pour avoir travaillé à l'ATE, Marcia connaissait tous les enfants acteurs de New York, et avait déjà négocié des contrats en leur nom. Le producteur lui suggéra d'ouvrir une agence de casting, ce qu'elle fit. Son premier projet fut *A Christmas Story*.

Puis elle se rendit sur la côte ouest pour faire de la télévision. Elle allait rentrer à New York, en janvier 1996, quand sa meilleure amie Gail Berman lui suggéra de parler à Joss Whedon au sujet de *Buffy*.

Marcia se souvient de leur rencontre avec tendresse. «Comme j'avais envie de rentrer chez moi, je n'ai pris aucune de mes précautions habituelles. Je me suis contentée de lui balancer des noms sans me demander si ça lui plaisait ou pas.

«Je lui ai dit: "J'ai lu votre scénario, et je sais que la plupart des directeurs de casting arrivent avec des listes, mais tous les gens auxquels votre histoire m'a fait penser sont morts." Et j'ai commencé à citer des acteurs des années 30 ou 40, comme Franklin Pangborn qui jouait le domestique dans les films de Fred Astaire.

«Joss s'est exclamé: "Je n'arrive pas à y croire! Vous êtes la seule personne qui m'ait jamais parlé de lui! Dans le film de *Buffy*, j'avais mis une référence obscure à Pangborn, mais elle a été coupée au montage." Bref, c'était très drôle. On s'est immédiatement senti sur la même longueur d'ondes. Il est facile de travailler pour Joss, parce qu'il sait exactement ce qu'il veut, et qu'il est prêt à faire confiance.»

Quand nous lui avons demandé comment elle avait procédé pour le casting de *Buffy*, Marcia nous a expliqué qu'elle avait trois façons de distribuer les rôles. Parfois, en lisant un scénario, elle «voit» un acteur dans la peau de tel ou tel personnage. Dans ce cas, elle se procure une cassette de l'acteur et la montre à Joss, qui n'a encore jamais refusé une de ses suggestions. D'autres fois, elle pense à quatre ou cinq personnes, et leur demande de venir faire une lecture dans son bureau avant de se décider.

La troisième façon, la plus répandue, est celle que Marcia utilise pour les petits rôles parlants. Elle étudie les personnages, puis consulte ses dossiers (elle a une armoire pleine de CV d'acteurs envoyés par leurs agents) pour faire une première sélection, qu'elle présente ensuite à Joss, David Greenwalt ou Gail Berman.

« D'une certaine façon, nous explique-t-elle, il est plus difficile de trouver les personnages secondaires. Les acteurs ont moins d'expérience, et ils sont avides d'avoir une chance de montrer leur talent... Donc, ils ont tendance à trop en faire. Moins ils ont de texte à dire, plus ils en rajoutent.

« Aujourd'hui, par exemple, on a tourné une scène où Buffy se faisait arrêter. Pendant que je cherchais des flics, vous ne pouvez pas imaginer les nombre d'acteurs qui m'ont crié : "Les mains en l'air !" dans les oreilles, comme si on était dans un thriller. J'ai essayé de leur expliquer qu'ils avaient affaire à une gamine, et que c'était leur boulot de tous les jours. Ils n'avaient aucune raison d'être aussi tendus.

« La particularité de *Buffy*, c'est que dans une série dite fantastique, les acteurs doivent jouer comme dans la vie réelle. Quand j'ai commencé le casting pour le pilote, certains disaient le texte comme s'ils se croyaient dans un remake de Dracula. Maintenant que la série marche bien, et que les gens la connaissent, les acteurs qui viennent auditionner sont davantage dans le ton. »

Marcia distribue environ sept rôles par épisode. Ce processus prend « autant de temps que j'en ai devant moi. C'est comme la production : si on dispose de cinq jours pour tourner un truc, ça prendra cinq jours. Si on en a huit, ça en prendra huit. Souvent, les producteurs pour lesquels j'ai travaillé m'ont dit : « C'est bon, on le tient », mais j'ai continué à faire passer des auditions en secret.

« L'autre chose intéressante sur *Buffy*, c'est que les personnages sont souvent drôles et originaux, pas du tout stéréotypés. Ça donne aux acteurs une chance de créer quelque chose de personnel. De jouer vraiment. Et je ne pense pas que ce soit le cas avec beaucoup d'autres séries télé. »

Parlez-nous de cette fameuse histoire de David Boreanaz promenant son chien...

MARCIA : Au départ, Angel ne devait apparaître que dans le premier épisode, un peu comme une vision. La veille du tournage, j'ai dit à Joss : « Laisse-moi encore vingt-quatre heures. Je ne crois pas que nous le tenions. » Et puis un de mes amis m'a appelée pour me dire : « Je viens de voir Angel promener son chien sous mes fenêtres. Je peux te l'envoyer tout de suite. » Un seul regard à David m'a suffi. Je me suis précipitée dans le couloir pour annoncer la nouvelle à Joss. (Elle feuillette son carnet de casting.) 9 septembre 1996. J'ai marqué : « C'est lui ! »

Comment avez-vous su que Sarah Michelle Gellar était Buffy ?

MARCIA : Je n'en savais rien ! Comme Seth Green, je la connaissais depuis l'époque où elle était enfant et où je l'avais fait travailler à New York. Au départ, on voulait que la série soit quelque chose de totalement différent du film. Il n'était pas évident de repartir sur une autre vision. Aussi, je n'ai pas pensé à Sarah immédiatement pour le rôle de Buffy : je la trouvais trop intelligente, trop mûre et presque trop normale.

Buffy devait être rejetée par ses camarades, et comment aurait-on pu rejeter Sarah, qui est tellement adorable ? Alors, je lui ai demandé d'auditionner pour le rôle de Cordélia, et elle était parfaite ! Pendant ce temps, on continuait à chercher Buffy.

Et quand on a rencontré les gens de la chaîne, ils connaissaient Sarah, et ce sont eux qui nous ont suggéré de modeler sur elle notre vision de Buffy. On s'est retrouvés avec un personnage un peu différent, mais encore plus génial.

Du coup, il vous manquait une Cordélia...

MARCIA : J'avais déjà rencontré Charisma Carpenter ; elle est venue auditionner et elle a été drôle à se tenir les côtes de rire. Elle avait la beauté du personnage, et beaucoup de choses à lui apporter.

Comment ça s'est passé pour Willow ?

MARCIA : Ce n'était pas évident du tout. Willow est censée être timide et introvertie : le contraire de ce qu'il faut pour devenir une actrice. Mais Alyson s'en sortait à merveille. Je l'ai fait lire dans mon bureau, puis je lui ai demandé de revenir pour avoir l'avis des autres, et ils étaient tous d'accord. Elle apporte tant de vulnérabilité au personnage... Elle arrive aussi bien à faire rire que pleurer. Beaucoup de lycéennes doivent se reconnaître en elle.

Et pour Alex ?

MARCIA : C'était la même chose qu'avec Alyson. Nicky a d'abord lu dans mon bureau, puis devant les producteurs. Et chaque fois, il apportait quelque chose de nouveau au personnage. Il n'hésitait pas à improviser, et il était si drôle que nous avons gardé certaines de ses répliques pour les inclure dans un épisode. Il a failli nous faire mourir de rire.

Parlez-nous d'Anthony Head, qui joue Giles...

MARCIA : Je l'avais amené le premier jour, et tout le monde l'a adoré immédiatement. J'étais ravie : quand on commence à travailler sur quelque chose de nouveau, on a envie que le premier jour de casting se passe bien, histoire d'impressionner le patron et qu'il vous laisse revenir le lendemain ! Quand j'ai vu la réaction des autres face à Tony, j'ai dit à Gail : « Joss est heureux, donc moi aussi. » Comme avec David, ça semblait évident qu'il était fait pour le rôle.

Et le dernier venu, Oz ?

MARCIA : Seth et moi, on se comprend. Depuis que je les ai rencontrés, Sarah et lui, à New York, j'essaye de les faire travailler sur tous mes projets. Enfants, ils étaient déjà des stars. Et ils ont tenu leurs promesses en grandissant.

Parlez-nous un peu des autres.

MARCIA : James Marsters a auditionné normalement. Mais j'avoue que j'ai un faible pour les acteurs qui viennent du théâtre, ce qui était son cas. Quant à Juliet Landau et Armin Shimerman, je les connaissais déjà. J'ai montré des cassettes à Joss, et il a dit oui tout de suite. Pour Richard Riehle, qui joue Merrick dans « Acathla », j'avais déjà travaillé avec lui à New York.

Carey Me
ne Qui
d Kor
ustaf
Bren
on We
Starli
ve W
ecauve
on Hi
ngblc
n Wile
Grast
he Bar
rgstr
osent
Shap
en Du
uzden
AA
McInt
ldona
Kenu
ri Ba
kpats
erma
Vank
C. K
s Kim
Kim I
Dom
oodn
Sald
ryl F
an Ca
hip I
L. Pe
Men
eli Fle
bert I
ath D
McEn
McEn
McGi
Larry

Aviez-vous déjà travaillé avec d'autres membres de l'équipe technique ?

MARCIA : Quand j'ai rencontré Joss la première fois, je n'ai rien voulu lui dire. Mais après qu'il m'eut engagée, je lui ai révélé que je connaissais son père, Tom Whedon. A l'époque où je débutais dans ce métier, j'ai bossé pour *1, rue Sésame*, et Tom était scénariste sur The Electric Company.

Quant à Gail et moi, on se connaît depuis dix-sept ans. C'est génial de travailler avec une de mes meilleures amies, quelqu'un que je respecte et avec qui je partage tout.

Avez-vous des cicatrices, des tatouages ou d'autres marques distinctives ?

MARCIA : Depuis que je travaille sur Buffy, je me suis cassé les deux chevilles. Je n'arrête pas de dire qu'on va finir par parler de moi comme « la directrice de casting boiteuse ».

Avez-vous un souvenir favori de la série, devant les caméras ou en coulisses ?

MARCIA : Le moment où j'ai engagé David, parce qu'on avait vu tellement d'acteurs pour Angel et que le tournage commençait le lendemain. Mais il y en a d'autres.

Joss a une vision si précise de ce que la série doit être... Je trouve incroyable que nous arrivions à le traduire à l'écran. Une telle cohérence, c'est très rare. Je sais que ça peut sembler fou de produire tant d'épisodes si vite, mais c'est possible à cause de l'alchimie parfaite qui règne sur le plateau, et qui fait de *Buffy* un cas unique.

CYNTHIA BERGSTROM

Après le chaos qui règne sur le plateau, le calme relatif du département des costumes offre un répit bienvenu. Au premier regard, il ressemble à un étrange marché aux puces ou à la garde-robe d'une personne aux goûts très éclectiques. Dans les deux cas, on ne peut s'empêcher de trouver cet endroit fascinant.

Sur la gauche se trouve le bureau de la costumière en chef, Cynthia Bergstrom. Ancien mannequin, elle est grande, belle et dotée d'un goût très sûr. Elle a disposé des bougies un peu partout dans la pièce, et une carafe de cristal remplie d'eau trône sur sa table de travail. Son chien Sammy, qui a une patte blessée, est vautré sur le sol.

C'est une retraite sereine pour une femme dont le travail est souvent à l'opposé. Mais jamais vous n'entendrez Cynthia se plaindre : elle adore son métier. Les vêtements et la mode ont toujours été sa passion.

« Ça fait dix ans que je suis costumière, mais j'ai toujours évolué dans le milieu de la mode. Petite, je faisais des défilés et des photos pour des catalogues de VPC. A l'époque, j'admirais dans l'encyclopédie les tenues des siècles passés : la coupe, le tissu, tout m'intéressait. Et je regardais des films historiques.

« Une des choses qui nous ont rapprochés, Joss et moi, c'est qu'on adorait *Creature Feature* quand on était mômes. Je restais scotchée pendant des heures devant des films de terreur. J'aimais surtout ceux de Dracula, qui me fascinaient. En fait, c'est grâce à Bela Lugosi et Christopher Lee si j'en suis là aujourd'hui ! »

Cynthia a fréquenté la faculté de Brooks à Long Beach, en Californie, et obtenu un diplôme en « conception vestimentaire ». Elle a intégré le monde du travail comme représentante de la marque Esprit. « Je supervisais les treize Etats de l'ouest. Puis je suis partie dans une autre société, mais j'aspirais vraiment à faire autre chose.

«Je me suis souvenue de ma passion enfantine pour les costumes à la télé. Un beau matin, je me suis réveillée en pensant «C'est ça que je veux faire!» C'était sans doute ma destinée, parce que la semaine d'après, un ami m'a appelée pour me dire qu'il tournait un film et qu'il avait besoin de mon aide. Une chose en a entraîné une autre. Depuis, je suis costumière.»

Le film de son ami était une production à petit budget intitulé *Zombie High*, avec Virginia Madsen dans le rôle de l'héroïne. Bien qu'elle n'ait jamais pensé travailler dans le domaine du fantastique, il a suffi de cette première fois pour que Cynthia soit lancée sur les rails qui la conduisirent au tournage de *Scream*.

«C'est à cause de ça que Joss m'a remarquée, se souvient-elle. Il avait aimé le look des jeunes acteurs de *Scream*; il le trouvait plausible. Alors il a demandé aux producteurs de m'engager.»

Bien qu'elle ait participé à beaucoup de films de terreur, Cynthia avoue que les plus récents ne lui plaisent guère. «Je n'apprécie que les vieux trucs. Le gore me laisse complètement froide. J'aime qu'il y ait un vrai scénario, comme dans *Buffy*. C'est ce qui rend la série unique, parce que le fantastique y est très ancré dans le réel, et sert de métaphore à des problèmes concrets.»

Cynthia achète les vêtements contemporains de la série (par opposition aux tenues historiques) dans des magasins de Los Angeles. Certains créateurs, comme Cynthia Rowley et Vivian Tam, lui envoient directement leur collection. Le reste du temps, elle fait son choix chez Fred Siegel, Barney's, American Rag, Contempo Casuals, Rampage, Macy's, Neiman Marcus, Traffic, Bloomingdale's et à la boutique Tommy Hilfiger de Rodeo Drive. «Mais je fouine un peu partout.»

Les costumes historiques lui donnent plus de travail, car elle doit faire des recherches. Mais elle adore ça, et ne laisse à personne le soin de s'en charger à sa place. «Sinon, avoue-t-elle, j'ai l'impression qu'on va négliger des détails importants.

«Je choisis un peintre de la période qui m'intéresse et j'observe la façon dont il a traité les couleurs; je vais dans des musées pour regarder ses tableaux. C'est indispensable si on veut rester crédible. Il faut connaître la fabrication d'un vêtement, pouvoir dire en le voyant de quel siècle il s'inspire. Les films en costumes m'aident beaucoup aussi; je profite des recherches qu'ont faites d'autres personnes avant moi!»

Contrairement à ce qu'on pourrait croire, l'apparence d'un vêtement n'est pas la seule chose qui compte. Cynthia doit aussi faire attention au son qu'il produira. Par exemple, elle a fait mettre des semelles de crêpe sous les chaussures de tous les acteurs pour ne pas qu'elles couinent sur la bande-son. «Souvent, je lave les vêtements avec de l'adoucissant pour les assouplir. Surtout ceux en rayonne, qui sont très bruyants.»

Puis elle les ignifuge. «Tout doit être en fibres naturelles: coton, laine… Rien de synthétique; sinon, ça risque de brûler. J'ai une personne qualifiée pour ça.

«C'est fou le nombre de facteurs qu'on doit prendre en considération avant qu'un vêtement n'arrive sur le plateau. Sarah, par exemple, doit avoir plusieurs exemplaires de chaque tenue, parce qu'elle n'arrête pas de se mouiller ou de déchirer ses vêtements dans les combats.»

Cynthia analyse chaque personnage qu'elle doit habiller, pour que ses costumes collent au mieux avec son caractère. «Jenny Calendar, par exemple. Bien que professeur d'informatique, c'était une très belle femme, un mélange de vieille Europe et de modernité, de passé et de technologie. Je savais que c'était une bohémienne que sa tribu avait envoyée pour surveiller Angel, et je m'en suis inspirée pour trouver des tissus, des coupes et des couleurs qui reflètent son héritage.

« Vous remarquerez que ses vêtements avaient des tons vibrants, et que ses bijoux, bien que neufs, reproduisaient des pièces anciennes. Il était très facile de l'habiller, parce que je voyais exactement ce que je voulais lui faire porter. Quand elle est morte, j'ai eu du mal à m'en défaire. Je continuais à chercher des vêtements pour elle dans les magasins !

« Quant à Angel, ses chemises doivent être spectaculaires. Mais à l'écran, on ne voit pas bien tous les détails. Au début, j'ai essayé de lui faire porter des couleurs plus claires ; même quand il était bon, ça ne lui allait pas du tout : ça démentait le côté ténébreux du personnage. Sa garde-robe a évolué avec lui. La seule chose qui est restée après sa transformation, c'est son côté sexy. »

Pendant qu'Angel redevenait mauvais, Drusilla retrouvait ses forces. « La première fois qu'on la voit à l'écran, elle porte une robe Empire couleur ivoire qui lui donne une image féminine hors du temps. Elle a été tuée en 1860, et cette robe est de la fin du xixe siècle, en pleine période romantique. Au départ, Drusilla est malade, folle et éthérée. Je me suis inspirée des actrices qu'on voyait dans les vieux films de Dracula.

« Plus Drusilla s'affaiblissait, plus sa tenue témoignait d'un certain laisser-aller. Dans la seconde partie de "Kendra", elle sort du repaire en flammes en chemise de nuit. Puis quand elle accomplit le rituel, elle porte une robe noire. Je voulais quelque chose qui ait l'air médiéval et moderne à la fois, qui fasse impression mais qui reste doux. C'est pour ça que j'ai choisi le velours.

« Spike, lui, c'est le méchant déjanté dans toute sa splendeur. Je le trouve super. Il est drôle, il a le sens de la repartie, et j'aime le contraste entre son accent anglais et ses cheveux platine coiffés en pétard. Il fallait qu'il ressemble à une chauve-souris maléfique. Son pardessus a coûté 3 600 dollars, et on l'a littéralement massacré pour lui donner l'air d'avoir été beaucoup porté. On l'a même passé au papier de verre ! »

Cynthia adore les scénarios de la série, surtout quand ils sont un défi pour elle. « Chaque fois que j'ai l'occasion de faire quelque chose d'original, je suis tout excitée », nous confie-t-elle.

« Dans "La Momie Inca", pour une fête au *Bronze*, les acteurs devaient arriver en tenue folklorique. C'était très amusant. "Halloween" n'était pas mal non plus. Buffy avec sa belle robe d'aristocrate, Cordélia dans son costume de chat… Joss m'a laissé toute latitude. Il me fait confiance, et j'ai vraiment les coudées franches. C'est très agréable. »

Cynthia n'est-elle pas un peu jalouse de la garde-robe des personnages ? « Oh, je m'habille de façon plus conservatrice que les filles, sauf le vendredi où je viens en jean et en T-shirt. Mais ça m'arrive d'essayer des minijupes… ou des bottes qui montent jusqu'au genou. J'ai même fini par m'en acheter une paire ! Cela dit, je ne m'habillerais pas tout le temps comme ça. Il faut que j'aie l'air sérieux au travail. »

JEFF PRUITT

Impossible de croire une seule ligne du CV de Jeff Pruitt quand on le rencontre. Il semble beaucoup trop jeune pour avoir accumulé autant d'expérience et atteint un tel degré de maîtrise dans son art.

Avant de devenir le coordinateur des cascades de *Buffy*, il avait occupé le même poste sur une quinzaine de films et cinq séries télévisées, dont *Power Rangers* et *Les Nouvelles Aventures de Robin des Bois*. Il a aussi été cascadeur dans des dizaines de films et de feuilletons.

Jeff est le seul coordinateur de cascades américain qui ait appartenu à une équipe asiatique. Depuis plus de dix ans, il s'est spécialisé dans ce qu'on appelle le «style Hong Kong». Il a plus de deux décennies d'expérience dans les arts martiaux, et a réalisé la moitié de chaque épisode de la deuxième saison de *Power Rangers*.

Pendant notre visite sur le plateau, Jeff semblait être partout à la fois. Nous nous sommes entretenus avec lui autour d'une table de pique-nique et dans le décor du cimetière. Amical et peu avare de confidences, il nous a révélé qu'il était fiancé avec Sophia Crawford, la doublure de Sarah Michelle Gellar pour toutes les cascades.

Sophia est une des quatre seules femmes aux Etats-Unis capables de tourner à la fois des cascades et des séquences d'arts martiaux. Ils étaient faits l'un pour l'autre! Chaque fois qu'ils se croisent sur le plateau, leurs visages s'illuminent.

Jeff est un des meilleurs professionnels dans son domaine. On peut se demander ce qui l'a poussé à choisir un métier aussi dangereux.

«Dans les années 60 et 70, j'étais fan du *Retour du Dragon, Notre Homme Flint, Les Mystères de l'Ouest* et de tous les films de James Bond. C'est à cause de ça que je me suis intéressé aux cascades. Je voulais en faire mon métier, alors j'appris les arts martiaux. Le premier coup de pied sauté que j'ai vu, c'était dans *Le Retour du Dragon*, et ça m'avait tellement impressionné!

«En plus des arts martiaux, j'ai fait du motocross et des courses de voiture. Puis j'ai travaillé comme assistant de production et comme cameraman pour mettre un pied dans le monde de l'audiovisuel, et j'ai continué jusqu'à ce qu'on me donne ma chance.

«C'est un milieu assez difficile. Quand je suis arrivé à Hollywood, à la fin des années 80, il m'a fallu deux ans pour me faire connaître, même si j'avais déjà de l'expérience. Vers 1989, j'ai commencé à faire de la coordination de cascades, et je n'ai pas arrêté depuis.»

Bien que son temps vaille de l'or, Jeff sait apprécier ses fans. Il passe des soirées à dialoguer avec eux sur le site Internet officiel de *Buffy*. «J'ai un placard plein des sweat-shirts et de T-shirts qu'ils m'envoient, dit-il joyeusement. Ils savent tout de moi, de Sophia et de la série.

«En principe, je prépare les combats sur un *storyboard* et je chorégraphie les mouvements avec Sophia. Puis j'examine tout en détail avec Sarah. On filme les gros plans avec elle, et le reste avec Sophia.»

Puisqu'il évoque le sujet, nous voulons tout savoir sur sa future femme. «Sophia a appris les arts martiaux à Hong Kong, explique-t-il. Puis elle est venue aux Etats-Unis où elle a tenu le rôle principal dans un feuilleton. Quand j'ai travaillé sur *Power Rangers*, je l'ai engagée, et c'est elle qui a fait les cascades du ranger Rose. Nous travaillions déjà ensemble depuis quatre ans quand *Buffy* a commencé.»

Au départ, seule Sophia faisait partie de l'équipe technique de la série. «Puis le coordinateur des cascades de la première saison est parti. Celui que Joss Whedon avait engagé pour le remplacer n'a pas fait l'affaire. J'avais envie de me proposer, et je savais que Joss aimait mon travail. Mais il s'inquiétait parce que j'étais avec Sophia.

« Il pensait que si ça tournait mal entre nous, l'ambiance deviendrait insupportable sur le plateau. Vous imaginez la doublure de Buffy et le type qui règle tous ses combats, incapables de s'entendre ? Ç'aurait été terrible. Mais il m'a quand même donné une chance, et tout s'est bien passé. »

Sophia et Jeff ont mis un certain temps à se décider à sortir ensemble. « Les deux premières années où on travaillait sur la série *Power Rangers*, elle me regardait sous son casque rose, mais je ne le voyais pas. J'étais occupé à plancher sur mes *storyboards* en essayant de ne pas la regarder ! On s'est décidés pendant le tournage du film, et on va bientôt se marier. »

Jeff en parle d'une façon si désinvolte qu'on ne devinerait jamais que c'est la peur de sa vie qui l'a poussé à demander la main de Sophia. « Pendant l'épisode "Pleine Lune", elle devait marcher sur un filet lesté de cent trente kilos de contrepoids. J'ai dit aux types qui s'occupaient du matériel que je me laisserais tomber près d'elle pour la faire rebondir, et que je pesais soixante-douze kilos.

« Mais ils ont voulu rajouter du contrepoids, disant qu'ils avaient fait des tests avec des mannequins. Résultat: elle a dépassé la caméra, qui était fixée à dix mètres en l'air, et elle a jailli par-dessus le filet. Alors qu'elle retombait, elle a réussi à agripper le bord et à freiner sa chute.

« Au moment où elle touchait le sol, le filet s'est tendu et lui a flanqué une mauvaise secousse dans la nuque. Heureusement, elle s'en est sortie indemne. Elle a même recommencé la cascade dans la foulée, après qu'on eut enlevé le contrepoids excédentaire. C'est ce soir-là que je lui ai demandé de m'épouser.

« On a fait des dizaines de cascades différentes, mais on n'est pas blasés. Parfois, on se bat ensemble, et on ne se ménage pas: comme on vient tout les deux de l'école de Hong Kong, qui est très réaliste, on porte vraiment nos coups. Les autres n'ont pas l'habitude, et ça leur fait toujours un peu peur. Mais pour nous, c'est normal. La seule chose que je craigne, ce sont les problèmes dus à l'équipement. »

Bien qu'il ait été engagé comme coordinateur, Jeff n'hésite pas à retrousser ses manches et à mettre la main à la pâte. Chaque fois que ça le démange, il remplace un cascadeur. « Juste pour le plaisir. Vous vous rappelez dans "Mensonge", quand on

voit Buffy assommer un type avec un couvercle de poubelle? C'était moi. Je lui avais dit de taper de toutes ses forces, et les gars de l'équipe flippaient comme des malades à chaque prise.»

Bien que les combats soient parfois décrits dans le scénario, Jeff ne suit pas toujours les instructions. «J'essaye de saisir l'ambiance avant, pendant et après... A moins que les acteurs ne doivent utiliser un accessoire spécifique ou se retrouver à un endroit précis à la fin. Sinon, c'est moi qui décide du déroulement du combat. Joss me fait confiance.

«Le combat qui clôt le dernier épisode de la deuxième saison est assez spécial. Il

BUFFY THE VAMPIRE SLAYER
Stunt Coordinator: Jeff Pruitt

BUFFY & KENDRA EXCHANGE HAND TECHNIQUES AND BLOCKS BUFFY'S PUNCH...

KENDRA TURNS AND THROWS BUFFY OVER ONTO THE COFFEE TABLE - SMASHING IT TO PIECES.

AS KENDRA REACHES DOWN, BUFFY KICKS UP BOTH FEET TO KENDRA'S FACE - KNOCKING HER BACK.

Cast Me
7. Joy
4. Po

as
1 F
2 S

e #1

Me
. Bu
. Joy
. Sp

as
3 S

e #1

Me
Joy
Sp

as
2 S

e #1

Me
But
Joy

as
2 S

e #1
, A1

Cast Me
1. Bu

Extras

implique de la part d'Angel et de Buffy, des attitudes qui trahissent leurs sentiments. Pour une fois, ce n'est pas tant une question de chorégraphie que d'émotion. Mais chaque combat a ses propres particularités. »

Comme Sophia a la même silhouette que Sarah Michelle Gellar, c'est elle qui la double pour les cascades et les scènes d'arts martiaux. Pour les autres personnages, Jeff choisit parmi un « catalogue » de cascadeurs auxquels il fait appel en fonction des impératifs de chaque scène.

Son souvenir favori de la série n'a rien à voir avec une cascade. « On tournait "Le Fiancé", qui n'est pas un épisode physiquement mouvementé. Mais j'ai adoré John Ritter. Le dernier jour de tournage, il était malade comme un chien; pourtant, il a pris la peine d'enlever toutes ses protections rembourrées, de les ranger dans leurs sacs plastique et de me les rapporter. D'habitude, les acteurs les arrachent et les abandonnent sur le plateau. Je n'avais jamais rencontré quelqu'un d'aussi attentionné. »

Malgré le peu d'action du « Fiancé », Jeff se souvient de cet épisode pour une autre raison. Après avoir filmé un combat sous différents angles, il s'est aperçu qu'on avait ajouté une mauvaise prise au montage. « Un grand angle de la doublure de John Ritter juste avant qu'il monte l'escalier. Et vlan, le coup ne porte pas ! J'en ai fait tout un plat; de quoi ça me donnait l'air ? Mais ce genre d'erreur arrive. »

Une des choses qu'il apprécie le plus dans *Buffy*, c'est la place prépondérante de l'histoire. « J'ai déjà vu des cadres administratifs réécrire des scénarios. Le genre de type dont toute l'expérience de ce métier se borne à avoir été au cinéma deux ou trois fois pendant qu'ils faisaient leur droit. Ils sortent toujours des trucs du genre: "Le jeune héros a été entraîné par un vieux maître…" On a déjà entendu ça des milliers de fois !

« Dans *Buffy*, les scénaristes sont de vrais professionnels, et personne ne passe derrière eux. Ils arrivent à imaginer des histoires drôles et originales à la fois. »

on, Gail Berman
anwalt
co-producer
DAN PG

TODD McINTOSH ET JERI BAKER

Todd McIntosh est bien plus que le maquilleur en chef de *Buffy*. Il est l'ami, le père, le confesseur et parfois le chef cuisinier de tous les gens qui travaillent sur la série avec lui.

Chef cuisinier? N'en parlez pas à Hanna Mourad, qui occupe officiellement ce poste sur le plateau, mais il lui arrive de se mettre aux fourneaux. Un soir, il a ainsi régalé David Boreanaz, Nicholas Brendon et James Marsters, avant de les inciter à se connecter sur Internet pour discuter de la série avec les fans.

Cet homme-là se soucie de tout. Il rivalise d'attention pour les autres, comme Sarah Michelle Gellar. Et accessoirement, c'est un des meilleurs professionnels du maquillage qu'on trouve en Amérique.

Après la fin de la cession matinale, Todd et la coiffeuse Jeri Baker nous invitent dans la caravane où ils travaillent avec leur équipe. Les murs sont couverts de photos d'acteurs et de cascadeurs déguisés en créatures des ténèbres.

Todd collabore étroitement avec Optic Nerve, la société spécialisée dans les effets spéciaux qui crée les prothèses de la série. «C'est Joss qui se charge d'imaginer la tête des monstres en accord avec les types du budget et John Vulich d'Optic Nerve. Puis ils m'envoient leurs dessins, je leur dis de quoi j'ai besoin et ils le fabriquent. Moi, je pose les prothèses et j'ajoute le maquillage. C'est un travail symbiotique entre Jeri Baker, John Vulich, Joss, l'acteur et moi.»

L'équipe de Todd comprend son second John Maldonado, Jeri Baker, Dugg Kirkpatrick et Francine Shermaine. Quand c'est nécessaire (par exemple, pour les épisodes où apparaissent un grand nombre de vampires), Todd fait appel à des intérimaires syndiqués.

Quant au temps que les acteurs passent dans sa caravane chaque jour, tout dépend bien sûr de ce dont ils ont besoin. «Un maquillage de beauté ne prend pas plus d'une demi-heure. Les monstres, entre une et deux heures. Si c'est moi qui les fais, je peux tomber à quarante-cinq minutes, parce que j'ai l'habitude. Mais les intérimaires que j'embauche parfois en ont pour deux heures. Après la fin du tournage, il faut entre une demi-heure et trois quarts d'heure pour tout enlever, que l'acteur ait tenu la journée avec ou qu'il s'en soit servi cinq minutes à peine.»

Quand un acteur doit se transformer très brièvement en vampire, comme c'est parfois le cas de David Boreanaz, Todd fixe sa prothèse avec de la colle soluble à l'eau. «Ça ne tient pas très bien, mais on peut l'enlever sans trop abîmer la peau», explique-t-il.

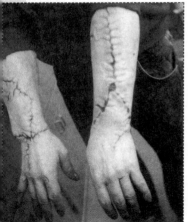

La conversation tourne ensuite sur les doublures et la difficulté de leur donner la même apparence que les acteurs dont elles prennent la place. « Au cinéma, on a tout le temps de leur faire une prothèse. Ici, tout va beaucoup trop vite.

« La doublure de Sarah est Sophia Crawford, une fille très douée pour les arts martiaux. Parfois, quand je visionne un épisode, j'ai beau savoir que c'est elle qui se bat, j'ai quand même du mal à y croire. Sarah et elle ont trouvé un moyen de se ressembler. Elles ne cessent de s'observer mutuellement, de copier leurs expressions et la façon dont elles bougent. On pourrait les prendre pour des jumelles ! »

McIntosh et Baker sont de vrais professionnels, dans un domaine qu'on méprise injustement. Mais leurs parcours ne pourraient être plus différents.

Depuis sa plus tendre enfance, Todd savait ce qu'il voulait faire en grandissant. « A sept ans, j'étais fasciné par *Dark Shadows* et par *Star Trek*. Dès que j'éteignais la télé, je courais me transformer en vampire ou en Vulcain, en utilisant le maquillage de ma mère ou en scotchant mes oreilles pour les rendre pointues.

« Dès l'âge de douze ans, je maquillais des acteurs de théâtre. A dix-sept ans, je me suis trouvé un travail de maquilleur à la télé, et vers vingt, j'étais le représentant du syndicat local à Vancouver. Je suis venu à Los Angeles à trente ans. En tout, ça fait plus de vingt ans que je suis dans le métier.

« Tout a commencé par *Dark Shadows*, qui était selon moi parfait sur le plan du maquillage. Il y avait Angélique, d'autres jolies filles et des monstres. Ça m'a servi de modèle pour *Buffy*.

« Avec cette série, j'ai l'impression que la boucle est bouclée. Je travaille à la fois la beauté et la terreur, par le biais des vampires qui m'ont toujours fasciné. C'est une chance incroyable. Il doit y avoir 800 professionnels du maquillage à Hollywood, et très peu font les deux à la fois. »

Le cheminement de Jeri Baker ne pourrait être plus différent de celui de Todd. Au départ, elle n'avait pas l'intention de travailler pour le cinéma ou la télévision. « J'ai été infirmière en chirurgie pendant treize ans, explique-t-elle, jusqu'à ce que j'aie une allergie à un des produits que nous utilisions.

« Le temps que je découvre lequel c'était, j'y avais été exposée tant de fois que mon corps avait développé une résistance dangereuse. Les médecins m'ont dit que je ne survivrais pas. J'ai lutté pendant deux ans. Quand j'ai été tirée d'affaire, mon thérapeute m'a conseillé de changer de carrière.

« L'hôpital a dû payer ma reconversion, et les études de coiffure étaient les seules accessibles. De nouveau, j'ai eu des problèmes d'allergie à certains produits. J'allais laisser tomber

quand un maquilleur de Burbank nommé Laurie Stein m'a aidée sur un projet.

«Il aimait mon travail; on a commencé à parler, et quand il a découvert d'où je venais, mon parcours médical combiné à mes dons artistiques lui a donné une idée. Grâce à lui, j'ai participé au tournage de tous les films éducatifs destinés au corps médical de la Marine, et une chose en a entraîné une autre.

«Au début, je faisais à la fois la coiffure et le maquillage. Puis j'ai travaillé sur une série qui est passée en "syndication" et il fallu que je prenne une décision, parce que je ne pouvais pas rester à cheval sur les deux.»

Ses goûts personnels la portaient plutôt vers le maquillage, mais elle travaillait déjà avec un très bon professionnel en la matière. Pour conserver son boulot et son salaire, Jeri choisit donc la coiffure. Elle ne l'a jamais regretté.

«Quand j'étais infirmière, j'avais des problèmes à résoudre. Ici, c'est exactement pareil. Il faut trouver un moyen de faire des choses qui semblent impossibles au premier abord.

«Par exemple, sur un tournage, le réalisateur détestait la perruque que devait porter l'un des acteurs. Mais on ne pouvait pas s'en passer, parce que le type avait les cheveux très courts. Selon le scénario, il devait les avoir longs. Alors, j'ai décortiqué la perruque et vu qu'elle était faite de petites bandes. Je les ai coupées et fixées une à une sur le crâne de l'acteur pour que ça ait l'air plus naturel.

«Aujourd'hui, on appelle ça des extensions et on en voit partout, mais au début des années 90, ça ne se faisait pas trop. On ne vous apprenait pas ça à l'école.

«C'est ça que je trouve bien dans notre travail. Il faut sans cesse improviser à la dernière minute. Mais souvent, c'est dans l'urgence qu'on obtient les résultats les plus étonnants, parce qu'on y a mis tant d'énergie. Il ne suffit pas d'avoir appris les bases, ce que tout le monde peut faire : il faut avoir un minimum de talent.»

Jeri a sa propre vision des vampires. «Pour moi, ce sont les séducteurs ultimes, capables d'embobiner aussi bien un animal qu'un enfant, un adulte des deux sexes ou une personne âgée. Il faut les rendre physiquement attirants, pour que les gens se fichent de savoir qu'ils sont dangereux. Et pour qu'ils considèrent que ça vaut la peine de prendre le risque.»

L'éclairage est l'une des principales contraintes des maquilleurs de cinéma ou de télévision — à laquelle on ne pense pas souvent. «Les produits qu'on utilise sont conçus pour bien réagir à différentes lumières, donc on n'a pas besoin de refaire les maquillages à chaque changement de scène. Mais parfois, les couleurs *clashent* quand même. J'ai toujours ma trousse sur moi pour faire des retouches au dernier moment.

« Le personnage du Maître nous posait un problème, parce qu'il était si blanc que l'éclairage ambré du plateau lui donnait l'air boursouflé. Chaque fois qu'on pensait avoir trouvé une solution, on déchantait quand il se retrouvait face aux caméras.

« Finalement, on a fait installer dans notre caravane une lumière qui reproduisait l'éclairage du plateau. Quand on devait maquiller l'acteur, on fermait la porte et on éteignait tout le reste pour pouvoir travailler dans les bonnes conditions. Jusqu'au jour où les techniciens ont décidé de l'éclairer avec un projecteur blanc... C'était à s'arracher les cheveux.

« L'éclairage altère toutes les couleurs. Parfois, si les prothèses sont un peu épaisses ou mal mises, et que la lumière vient de la mauvaise direction, on ne voit que le raccord ! Nous sommes donc obligés de travailler en étroite collaboration avec Michael Gershman.

« Nous lui expliquons nos problèmes, et il fait son possible pour y remédier. Il est très ouvert à la communication, contrairement à beaucoup de directeurs de la photographie qui pensent cela : si un maquillage ne rend pas bien, il faut le changer, même si c'est l'éclairage qui ne convient pas. »

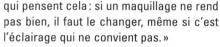

Malgré tout leur travail, Todd et Jeri conviennent que certaines erreurs ne peuvent être évitées. « Parfois, on ne peut rien y faire. On sait qu'il va y avoir un problème, que les acteurs auront l'air fabuleux dans une scène mais que l'éclairage de la suivante va changer la couleur de leurs cheveux. »

C'est particulièrement vrai pour les perruques. Jeri tente d'utiliser le synthétique le moins souvent possible, et de travailler au maximum avec les vrais cheveux de l'acteur. « C'est ce qu'on fait quatre-vingt-dix pour cent du temps, à cause des problèmes d'éclairage. Si je dois vraiment recourir à des extensions, j'essaye de trouver une couleur la plus proche possible et de les fixer dans le dos de l'acteur, en les intercalant avec ses propres mèches pour qu'elles s'y fondent mieux.

« Cela dit, vous aurez beau la payer des milliers de dollars, une perruque restera une perruque. Les spectateurs risquent de s'en apercevoir, surtout quand il y a des changements de dernière minute sur le plateau. Il est rageant d'avoir passé une heure à coiffer quelqu'un pour qu'on lui colle un chapeau sur la tête, ou qu'on fasse tourner un acteur brun sur un fond sombre qui va bouffer sa couleur. »

Nous commençons à parler des personnages de la série, et Jeri nous sort un portrait de James Marsters avant qu'il ne soit engagé pour jouer le rôle de Spike. Surprise : avec ses cheveux châtains presque crépus, l'acteur ne ressemble pas du tout à un vampire punk.

« Spike est si flamboyant qu'il fallait lui donner une couleur tranchée, soit noir soit blanc. Comme Drusilla avait déjà les cheveux foncés, je voulais opter pour la deuxième solution. Mais Joss n'était pas très chaud ; il aurait préféré du blond. Têtue, j'ai envoyé James à un de mes amis pour qu'il le décolore en blanc. »

B VILLAR
KGOVA
RRETT
LA
ELLO
KIN
EIG
D
ERINO
SP

« Sous l'action de l'ammoniaque, la texture de ses cheveux s'est modifiée. Après les avoir coupés, je me suis retrouvée avec ces belles ondulations. James a enfilé son costume et s'est présenté devant Gail et Joss. "C'est exactement ce qu'on voulait!" se sont-ils exclamés. Quand les idées de tout le monde se recoupent, c'est vraiment génial.

« C'est ce que j'aime chez Joss, Gail et David Greenwalt. Ils ne sont pas toujours d'accord avec ce qu'on suggère, mais ils nous laissent essayer quand même. Grâce à ça, j'ai pu faire des choses vraiment super. Spike ne serait pas Spike sans ses cheveux.

« A l'origine, le personnage du Maître avait des cheveux. Todd m'a montré des photos, et j'ai dit que ça ne me plaisait pas. "D'accord, mais il va falloir te battre", m'a-t-il répondu.

« Je suis allée voir les producteurs pour leur expliquer que le Maître devait être chauve. "Vous êtes coiffeuse; pourquoi voulez-vous raser quelqu'un?" se sont-ils étonnés. "Parce qu'il est mort depuis longtemps, et qu'il n'a plus rien d'humain. Or, les cheveux sont une caractéristique typiquement humaine." Ils ont accepté mon point de vue. On a fait un essai; chauve, le Maître avait l'air incroyablement froid, cruel et monstrueux. Tout à fait ce qu'il fallait. »

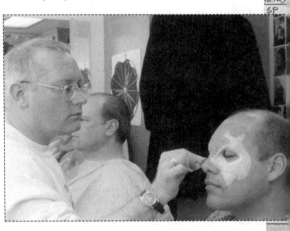

Revenons à Todd et aux vampires. Il est intéressant de constater qu'il s'enflamme aussi bien pour le maquillage de beauté que de terreur; à se demander s'il a une préférence!

« Non, et c'est justement pour ça que j'aime travailler sur *Buffy*: je fais les deux en égale quantité. Au départ, je voulais uniquement faire du maquillage de terreur, mais il n'y avait pas beaucoup d'occasions à Vancouver. Alors je me suis rabattu sur la beauté, et j'ai fini par aimer tout autant.

« *Buffy* me permet de travailler les deux. Les gens me demandent souvent ce qui est le plus difficile; en fait, ce n'est pas le maquillage de beauté ou de terreur, mais le fait de passer constamment de l'un à l'autre. Et c'est ce qui rend ce boulot si excitant. »

Contrairement à ce qu'on pourrait croire, surtout après avoir vu des films fantastiques à petit budget, le maquillage de terreur n'est pas forcément moins élégant que le maquillage de beauté. « Les gens ont l'air de penser qu'il suffit de barbouiller un acteur de sang pour que ça ait l'air génial. Mais si vous nettoyez le sang et que vous observez le boulot, dessous, vous verrez que c'est souvent très sommaire, que les prothèses ne sont même pas fixées correctement.

« Je n'ai plus envie de participer à des séries de terreur proprement dites. J'ai bossé sur *Hideaway*, mais la plupart des effets spéciaux ont été coupés au montage pour échapper à la censure. Vous voulez voir du vrai travail d'artiste? Prenez un film fait par Dick Smith, comme *Marathon Man*.

«Quand le vieil homme se fait trancher la gorge dans la rue... Je me suis repassé la scène image par image sur un lecteur laser, et c'est si bien fait qu'on ne voit pas un seul raccord. Très peu de films gore pourraient soutenir la comparaison. Moi, je veux faire du boulot léché, que ce soit sur les prothèses d'un vampire ou sur le visage de Sarah.»

Comment les fans perçoivent-ils ce qu'ils voient sur le petit écran? «Beaucoup veulent savoir comment obtenir une coiffure particulière, dit Jeri. Ils vont chez leur

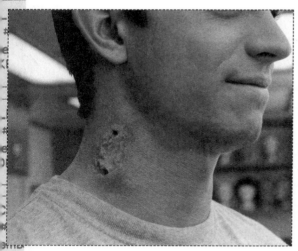

coiffeur avec des photos d'acteurs et disent qu'ils veulent ressembler à ça. Mais il faut savoir que la coiffure à la télé n'a pas grand-chose à voir avec une coupe de cheveux. C'est plutôt du stylisme, et il faut l'entretenir constamment pendant le tournage.

«Dans le monde réel, les gens se coiffent le matin, sortent de chez eux et doivent tenir comme ça toute la journée. Nous, on n'arrête pas d'intervenir pour remettre des mèches en place. Alors, si vous voulez ressembler à un acteur, votre coiffeur peut vous faire la même coupe. Mais faute de savoir l'entretenir, vous passerez complètement à côté de l'effet recherché.

«Le plus important, c'est de trouver votre propre look, quelque chose qui vous va bien et avec lequel vous vous sentez confortable. Il faut être soi-même plutôt que de chercher à copier un acteur.

«J'espère que c'est l'impression dégagée par Buffy. Elle doit avoir une coiffure réalisable en un quart d'heure, parce qu'elle a dix-sept ans et que ça ferait bizarre si elle avait l'air de sortir de chez le coiffeur. Je pense que nous créons des styles dont les fans peuvent facilement s'inspirer pour les personnaliser.»

Todd est ravi d'entendre Jeri parler des retouches nécessaires pendant le tournage. «Les gens qui ne sont pas du métier pensent qu'on bosse deux heures le matin et qu'on rentre chez nous ensuite. Mais c'est faux. Nous sommes là en permanence sur le plateau, pour remettre du rouge à lèvres ou essuyer les nez qui brillent. Nous intervenons toutes les cinq minutes. En fait, nous sommes souvent les premiers arrivés et les derniers partis.»

La conversation continue sur le sujet d'Hollywood, par opposition à la réalité. Todd et Jeri se désolent tous les deux que les gens n'en sachent pas davantage sur les ficelles de leur métier: sinon, leur apparence ne les obséderait peut-être pas autant.

«Pendant un temps, les producteurs étaient obsédés par la beauté classique, selon les critères grecs. Ils mesuraient la distance entre les yeux, jaugeaient la symétrie des traits et demandaient aux maquilleurs d'ajuster le visage des acteurs pour correspondre aux canons en vigueur. C'est aussi débile que l'actuelle controverse sur le poids idéal des femmes en fonction de leur taille, ou sur la grosseur de leurs seins!

On ne peut pas faire entrer tout le monde dans le même moule.

« Ce que nous faisons pour la télé, c'est de l'illusionnisme. Prenez Marlène Dietrich à l'écran ; elle ne ressemblait pas du tout à ça quand elle sortait faire ses courses ! Tout était calculé pour la mettre en valeur, de l'éclairage jusqu'au maquillage. Le matin, on commençait par la filmer en gros plan pendant que tout était parfait ; ensuite, on tournait le reste des scènes. »

Au cas où vous vous poseriez la question, les hommes aussi sont maquillés. « Nicholas Brendon, par exemple, porte une couche de fond de teint qu'on épaissit en fin de journée pour cacher sa barbe naissante et lui donner l'air plus jeune.

« Les acteurs se métamorphosent vraiment dans notre caravane. Au fur et à mesure qu'on les maquille et qu'on les coiffe, on les sent entrer dans la peau de leur personnage. C'est particulièrement flagrant avec Sarah. »

Todd et Jeri adorent travailler sur *Buffy*, et ça les amuse toujours quand des artistes demandent à rejoindre leur équipe. « C'est un peu notre revanche, avoue Todd en souriant. Au début de la première saison, on n'arrivait à engager personne. "Travailler pour *Buffy contre les Vampires* ? Non, merci." Maintenant, ils ne cessent de nous harceler. »

JOHN VULICH

En travaillant pour Optic Nerve, la société qui fournit les prothèses de vampires et de démons pour le tournage de *Buffy*, John Vulich réalise son rêve d'enfant. «J'étais le genre de gosse qui collectionne les magazines de terreur et les planque dans ses livres de classe pour faire semblant d'étudier. Très tôt, je me suis mis à tourner mes propres films en 8 mm, et à élaborer des effets spéciaux. »

Le cinéma l'intéressait tellement qu'il quitta le lycée pendant son année de terminale pour travailler sur un des films de la série *Vendredi 13*. «J'avais envie de devenir réalisateur, mais j'ai pensé qu'il serait plus facile de commencer par les effets spéciaux, un domaine que je maîtrisais déjà bien. »

Fasciné par le fantastique et les monstres, John prit contact avec des magiciens du maquillage tels que Tom Savini. Celui-ci lui promit de l'engager la prochaine fois qu'il travaillerait à Los Angeles, et il tint parole.

Vulich et son équipe d'Optic Nerve sont arrivés à *Buffy* parce qu'ils avaient déjà travaillé avec Todd McIntosh sur une série intitulée *Great Scott*. «Malheureusement, et malgré sa qualité, elle n'a jamais trouvé de public, sans doute parce qu'elle ressemblait trop à *Pete and Pete* qui était diffusée en Nickelodeon… et que j'adorais en secret. »

[Dean Batali et Rob Des Hotel ont écrit des scénarios pour *Pete and Pete*… Encore une de ces coïncidences qui font penser que les acteurs et les membres de l'équipe technique de *Buffy* étaient destinés à travailler ensemble.]

Parce qu'il connaissait Todd, John participa à deux films de Mel Brooks, dont *Sacré Robin des Bois*. Puis Optic Nerve devint le fournisseur de prothèses et de maquillage spécial de la série *Babylon 5*.

Quand Todd commença à travailler sur la présentation de *Buffy* (une sorte de Reader's Digest du pilote, destiné aux cadres des chaînes de télévision), les producteurs avaient fait appel à une autre société d'effets spéciaux. Mais comme celle-ci leur facturait ses services trop cher, Todd McIntosh recommanda Optic Nerve.

«C'était une occasion rêvée, reconnaît John. Depuis quatre ans que je travaillais sur *Babylon 5*, je connaissais bien les impératifs d'un tournage où tout doit être bouclé dans des délais aussi brefs. »

De fait, Optic Nerve avait dû fournir des prothèses en grande quantité, et à une vitesse folle. «C'était sans doute aussi éprouvant que de travailler pour *Star Trek*, et je pense que notre prestation était d'une qualité comparable sinon supérieure. »

«Le défi consiste à travailler de plus en plus vite et avec un budget minimum, sans que ça se voie à l'écran», explique John, avant de nous apprendre qu'Optic Nerve a été engagé pour la série dérivée de *Babylon 5*, actuellement intitulée *The Crusade*.

Afin de diminuer les coûts, John recourt à une organisation très rigoureuse. «Nous avons un catalogue avec des nuques, des oreilles, des cous que nous recyclons d'un projet à l'autre. Par exemple, il comprend quatre ou cinq types de cornes de démons. Pour ne pas nuire à l'originalité de la série qui nous les a commandés en premier, nous ne réutilisons jamais de visages dans leur totalité : juste des morceaux que nous assemblons avec d'autres. »

Buffy a constitué un défi pour Optic Nerve à plus d'un titre, notamment parce que les épisodes sont filmés en huit jours et le budget très serré. «La plus grosse difficulté qu'on ait rencontrée jusque-là, se souvient John, c'est le monstre qui apparaît dans la bibliothèque pendant "Le Manuscrit", le final de la première saison. Nous n'avions qu'une semaine et demie pour le fabriquer. Si nous avions travaillé pour le cinéma, ça aurait pu coûter la moitié du budget de production de l'épisode.»

Faute de temps et d'argent, John dut trouver d'autres solutions pour créer le démon aux multiples tentacules qui semble incarner la Bouche de l'Enfer — ou le premier des Grands Anciens à franchir son seuil. Il pensa d'abord à faire une miniature, mais le monstre avait des interactions avec trop d'acteurs, et reconstituer la bibliothèque à petite échelle était impossible dans des délais aussi courts.

Finalement, il opta pour la solution la moins technologique de toutes. «J'ai mis des gars à l'intérieur des tentacules pour les manipuler comme un costume!» L'enveloppe du monstre était faite de différents types de mousse découpés et collés pour obtenir les formes souhaitées: une méthode simplifiée par rapport à la procédure standard, qui consiste à sculpter dans de l'argile, à faire un moule et à y verser du caoutchouc liquide.

«Ça nous a fait économiser une bonne semaine, reconnaît John. Ce n'était pas aussi bien lissé, mais on a tenté de compenser avec la peinture et les finitions. Comme on savait que la créature ne servirait qu'une fois… Mais ses dents, sa bouche et ses yeux ont quand même été sculptés.»

«J'ai fait des suggestions aux producteurs sur la meilleure manière de filmer notre création. Non seulement ils les ont écoutées (c'est assez rare dans ce milieu pour qu'on le signale), mais ils en ont tenu compte! Ils ont utilisé deux caméras pour faire de très gros plans, histoire que les spectateurs ne sachent pas ce qu'ils regardaient, qu'ils ne voient que des masses de chair.

«Je suis persuadé que le contexte fait cinquante pour cent de l'effet. Si on parachutait la reine d'*Alien* dans un centre commercial, elle aurait l'air plus stupide qu'autre chose.»

Vulich fut très content de son travail quand il vit «Le Manuscrit», lors de sa diffusion. «Ça rendait beaucoup mieux que je ne m'y attendais, avoue-t-il. A la base, on utilisait le même genre de trucage que *Lost in Space* dans les années 60!»

John est également très fier du costume qu'il a fait pour le démon Machido, dans «Dévotion». «Là encore, il a fallu amalgamer différentes techniques. La moitié supérieure de son corps était sculptée, et la queue taillée dans de la mousse comme les tentacules du Grand Ancien.

«On a glissé l'acteur dans une sorte de combinaison qui immobilisait ses jambes, et utilisé une perspective forcée. La queue est beaucoup plus fine au bout que vers la taille, pour donner une impression de longueur. Bref, on recourt à tous les artifices possibles pour créer une illusion.»

Dans les deux cas, John fait remarquer que si ça fonctionne aussi bien, c'est à cause du décor. Quand on lui demande pourquoi, à son avis, la série connaît un tel succès, il évoque son symbolisme sous-jacent. «L'idée du démon qui jaillit d'une fosse dans le QG de la fraternité est très freudienne. Et le kidnapping de Buffy et de Cordélia évoque le sujet des abus sexuels par des proches.

«D'une façon générale, la série traite de tous les problèmes des adolescents par le biais d'une métaphore, d'une créature monstrueuse qui leur donne vie. C'est sa plus grande originalité et son principal atout. Pour toucher le public, le fantastique doit refléter des émotions réelles dans un contexte cauchemardesque. Sinon, ça n'intéresserait personne.»

La conversation dévie vers le processus créatif, et l'équilibre à obtenir entre divertissement et philosophie. John pense que tous les artistes s'efforcent de l'atteindre, consciemment ou non. «Même si on ne s'explique pas pourquoi une idée de scénario nous plaît, il existe toujours une raison profonde. Il n'est pas nécessaire, et parfois même pas souhaitable de la connaître. L'essentiel, c'est qu'elle soit là.»

John nous a parlé des choses dont il était le plus fier sur *Buffy*. Y en a-t-il d'autres dont il est mécontent? «Oui: le loup-garou. Une fois de plus, c'est une question de contexte. On le montre dans un environnement normal, alors qu'il aurait eu l'air beaucoup plus crédible dans une cave, par exemple.

«Pour préparer "Pleine Lune" nous avons visionné beaucoup de films. Aucun ne nous a vraiment plu, à part peut-être *Hurlements*, mais c'était dû surtout à la façon dont les monstres étaient éclairés par derrière. On voyait essentiellement leur silhouette.

«Aussi bizarre que ça puisse paraître, les plans rapprochés sont parfois plus convaincants, à condition de ne pas s'attarder dessus. Comme ils désorientent le spectateur, celui-ci n'a pas le temps d'observer les détails.»

Toute l'équipe d'Optic Nerve était très contente des hommes-poissons dans l'épisode homonyme. Elle comprend une quinzaine de personnes dont le second de John Vulich, Mark Gabarino; John Wheaton, qui s'occupe beaucoup du décor; Andrew Sands, un romancier et scénariste, et Mick Packs qui fabrique les crocs des vampires.

A l'origine, Optic Nerve et Joss Whedon n'étaient pas d'accord sur la prothèse vampirique de base. Joss voulait quelque chose de dramatique, John penchait vers davantage de subtilité: une tactique qui lui avait réussi dans le passé, notamment pour le remake de *La Nuit des Morts-Vivants.*

«Ce n'est pas le sang, la décomposition ou les cornes qui confèrent son aspect effrayant à une créature, mais le fait qu'on puisse croire à son existence. C'est pourquoi, dans ce film, nous avions essayé de traiter les monstres comme des personnages à part entière. Je pense que nous avons réussi.

«Nous nous sommes focalisés sur des détails, comme les oreilles surdimensionnées des zombies. Nous nous sommes également servis de lentilles de contact pour faire paraître leurs yeux plus grands. Dans la réalité, certaines parties du corps ne se ratatinent jamais. Les cartilages et les globes oculaires, notamment.

«Ce sont ces petites choses qui donnent un aspect plausible à nos créatures. Mais quand nous avons commencé à travailler sur *Buffy*, Joss voulait que nous ayons la main un peu plus lourde.»

Produire un épisode de la série fait appel à un processus aussi complexe que rigoureux, nécessitant une parfaite coopération de tous les membres de l'équipe technique.

Dès qu'Optic Nerve reçoit un scénario, John et son équipe dressent une liste de ce qu'ils vont devoir fournir, puis commencent à esquisser des prothèses pour les montrer aux producteurs lors de leur réunion hebdomadaire. Normalement, ils font trois propositions pour chaque créature, limitant les choix au meilleur de ce qu'ils peuvent offrir.

Une fois de plus, l'esthétique passe avant tout. « Nous nous demandons d'abord ce qui va servir la série. Nous ne fabriquons pas un monstre, mais un élément permettant de raconter une histoire. Il faut tenir compte du scénario, de la psychologie de la créature. Si elle se révèle bienveillante en fin de compte, le spectateur doit pouvoir y croire. Dans "Dévotion", Machido a un aspect un peu phallique. Pour insister là-dessus, nous lui avons donné des tons chair plutôt que verdâtres.

« Nous nous intéressons à tout ce qui a déjà été fait. Pas un magazine, pas un livre, pas un film sur le sujet ne nous échappe ! Nous passons une ou deux journées à effectuer nos recherches pour éviter les clichés et tenter d'apporter quelque chose de nouveau. »

Une fois les esquisses approuvées, le reste est une question de budget. « Je fais des suggestions pour obtenir le meilleur rapport qualité-prix. La série n'a pas de gros moyens, et c'est notre principal souci, avoue John. Pour nous rendre indispensables, nous devons faire économiser de l'argent aux producteurs. Dans le cas des hommes-poissons, nous avons utilisé des moules que nous possédions déjà, même si ça obligeait à mettre dans les costumes des acteurs d'un gabarit bien précis. »

Une fois de plus, la coopération est le mot clé. Mais ça n'a jamais été un problème entre Joss et John, qui partagent leur amour des vieux films de terreur. Ils n'ont pas de mal à communiquer, et sont généralement saisis par les mêmes idées au même moment.

« Optic Nerve comprend la vision de Joss. Une fois qu'il a accepté de faire dans la sub-tilité, après les premiers épisodes, nous avons vraiment pu travailler en symbiose. »

DIGITAL MAGIC

**« C'est vraiment super de pouvoir dire : notre boulot
consiste à faire exploser des vampires ! »**
— Stephen Brand, superviseur des effets spéciaux.

Justement, comment les font-ils exploser, ces vampires ?

Loni Peristere de Digital Magic, la société qui s'occupe des effets spéciaux informatiques de *Buffy*, nous révèle que créer le plus régulier du lot fut un défi. Mais son équipe se sentait de taille à faire face.

Fondée en 1990, Digital Magic a travaillé pour des séries telles que *Star Trek Voyager, Teen Angel, Early Edition, You Wish, Dawson, Rodgers and Hammerstein's Cinderella* et *Docteur Quinn, femme-médecin*, ainsi que pour les films *Mortal Kombat : Annihilation* et *La mutante II*.

Dans ses studios de Santa Monica, l'équipe a longtemps cherché un moyen de représenter le phénomène consécutif à la mort d'un vampire : toute l'humidité est aspirée de son corps, ce qui le fait tomber en poussière et exploser dans un nuage de cendres. Pour son plus grand ravissement, les dents devaient tomber les dernières.

Pour créer cet effet, il faut superposer à l'image de l'acteur un double de poussière. « Stephen les conçoit en fonction de chaque scène ; pour leur donner plus de réalisme, il intègre l'impact dramatique suggéré par les acteurs. Ils peuvent être touchants, comme Angel dans le cauchemar de Buffy ("Innocence"), ou vifs comme le plongeon d'Alex dans "Un Charme Déroutant". Tous les détails sont passés au crible. La peau se recroqueville, les dents tombent, et le corps se dissout. »

En plus des explosions de vampires — au moins deux par épisode —, Digital Magic fournit de deux à quatre effets spéciaux numériques par épisode. La scène où le sang de Drusilla se mêle à celui d'Angel dans « Kendra », c'était eux. Ils ont tiré des démons et des momies de leur sommeil, et même ouvert la Bouche de l'Enfer dans l'épisode final de la première saison, « Le Manuscrit ».

Ils ont également rendu à un certain guitariste des Dingoes Ate my Baby son apparence humaine. « L'acteur qui double Seth Green était allongé sur le sol dans un costume de loup-garou très effrayant, créé par Optic Nerve. Il était remplacé par deux acteurs de moins en moins poilus, jusqu'à ce que Seth Green lui-même prenne place devant la caméra. »

(Todd McIntosh nous a raconté comment Jeri et lui ont dû coller un à un les poils synthétiques sur le corps de l'acteur.)

« Notre rôle consistait à fondre ces quatre prises pour donner l'impression d'une métamorphose progressive de loup-garou en homme », explique Loni.

Digital Magic travaille avec un budget serré, et des délais jamais vus dans le monde du cinéma. En général, Loni reçoit les scénarios deux semaines avant de devoir fournir entre deux à huit effets digitaux pour les épisodes correspondants. Le co-producteur David Solomon ajoute ceci : comme Buffy ne recourt pas à beaucoup d'effets spéciaux, tous doivent être fantastiques.

Revenons à cette fameuse explosion. Pour trouver le bon effet, les gens de Digital Magic ont déchiré des sacs de farine et écrabouillé des maquettes en plâtre. Ils ont visionné toutes les scènes de morts vampiriques disponibles en cassette, notamment celles des vieux films de Bela Lugosi. Finalement, ils ont opté pour un aspect « organique » plutôt que lisse et high-tech, comme en produisent la plupart des sociétés d'effets spéciaux.

De vrais acteurs sont incorporés dans les effets numériques beaucoup plus souvent qu'on ne pourrait l'imaginer. Loni se souvient de la scène où Eyghon possède Angel dans « La Face Cachée » (« Le pauvre David Boreanaz a dû répéter ses convulsions avec trois maquillages différents ! »), mais aussi du vortex qui fait se dérober le sol sous les pieds d'Alyson Hannigan dans « La Soirée de Sadie Hawkins ». Au cours du même épisode, Charisma Carpenter avait dû passer des heures au maquillage pour la scène où elle est mordue par un serpent.

« Mon plus beau souvenir de la série ? C'est le premier test que nous avons fait pour une séquence d'"explosion", dit Loni, les yeux brillants. Il était quatre heures du matin, et tout le monde, Joss, Sarah, David, Alyson, Nicky, Tony, Charisma et même les producteurs, a cru voir un vampire tomber en poussière. »

L'équipe de Digital Magic comprend :

JEFF BEAULIEU, producteur exécutif

STEPHEN BRAND, superviseur des effets spéciaux

LONI PERISTERE, producteur-superviseur

BILL LAE, spécialiste en miniaturisation

KIKI CHANSAMONE, spécialiste en effets pyrotechniques

DAN SANTONI ET CASEY DAME, animateurs d'effets numériques

MICHAEL SCHNEIDER, coloriste Téléciné

FUMIGATION PARTY

Find a cockroach, get a free drink

LA BANDE-SON

Buffy
CONTRE LES VAMPIRES

> **Giles :** C'est pas de la musique ; la musique s'écrit avec
> des notes. Ça, c'est du bruit.
> **Buffy :** C'est pour l'aérobic : sans ça, j'ai pas le bon
> rythme.
> **Giles :** Merveilleux, ce qui est bon pour les jambes ne va
> sûrement pas me muscler les oreilles.
> — « **LA FACE CACHÉE** »

Le département de postproduction a pour politique d'écouter toutes les *démos* qu'on lui envoie. Quand ses membres découvrent des chansons adaptées à la série, même si elles viennent de groupes peu ou pas connus, ils sont toujours ravis de les aider à se faire un nom.

Le groupe qui joue à la place des Dingoes Ate My Baby s'appelle Four Star Mary. Si vous écoutez attentivement, vous entendrez Giles fredonner à partir de la scène de l'incendie du repaire des vampires jusqu'au moment où Buffy et lui se tiennent devant la tombe de Jenny, dans « La Boule de Thésulah ». (Et avez-vous remarqué l'apparition non signalée de Sean Lennon dans le rôle d'une des têtes d'affiche du *Bronze* ?)

Voici la liste des chansons qui ont servi dans la bande sonore des deux premières saisons de *Buffy*.

PREMIÈRE SAISON liste des chansons

Artistes	Titre chanson	Épisode #
Sprung Monkey Surfdog—« Swirl », 1995	*Saturated, Believe, Swirl, Things Are Changing, Right My Wrong*	« Bienvenue à Sunnydale (1) »
Mindtribe Enregistrement indépendant, non disponible	*Losing Ground*	« Bienvenue à Sunnydale (1) »
Dashboard Prophets No Name Recordings— « Burning Out the Inside », 1996	*Wearing Me Down, Ballad for Dead Friends*	« Bienvenue à Sunnydale (2) »
Superfine Fish of Death Records, disponible sur le site web du label	*Already Met You, Stoner Love*	« Le Chouchou du Prof »
Three Day Wheely Capitol—« Rubber Halo », 1996	*Rotten Apples*	« Un Premier Rendez-Vous Manqué »
Velvet Chain Overall—« Warm », 1997	*Strong, Treaon*	« Un Premier Rendez-Vous Manqué »
Rubber Enregistrement indépendant ; pas encore disponible	*Junkie Girl*	« Un Premier Rendez-Vous Manqué »
Kim Richey Mercury Nashville—« Kim Richey », 1995	*Let the Sun Fall Down*	« Un Premier Rendez-Vous Manqué »

| Sprung Monkey | *Reluctant Man* | « Les Hyènes » |
| Surfdog — « Swirl », 1995 | | |

| Dashboard Prophets | *All You Want* | « Les Hyènes » |
| No Name Recordings — « Burning Out The Inside », 1996 | | |

| Far | *Job's Eyes* | « Les Hyènes » |
| Epic/Immortal — « Tin Cans With Strings To You », 1996 | | |

| Sophie Zelmani | *I'll Remember You* | « Alias Angélus » |
| Epic/Immortal — « Sophie Zelmani », 1996 | | |

| Patsy Cline | *I Fall to Pieces* | « Le Manuscrit » |
| MCA — « Patsy Cline Showcase », 1961 | | |

| Jonatha Brooke | *Inconsolable* | « Le Manuscrit » |
| Blue Thumb and Refuge/MCA | | |

DEUXIEME SAISON liste des chansons

Artiste	Titre chanson	Épisode #
Cibo Matto	*Sugar Water, Spoon*	« La Métamorphose de Buffy »
Warner Brothers — « Super Relax », 1997		
Alison Krauss and Union Station	*It Doesn't Matter*	« La Métamorphose de Buffy »
Rounder — « So Long, So Wrong », 1997		
Nickel	*Stupid Things, 1000 Nights*	« Attaque à Sunnydale »
Enregistrement indépendant ; disponible sur le site web du groupe		
Four Star Mary	*Fate, Shadows*	« La Momie Inca »
Enregistrement indépendant ; disponible sur le site web du groupe et chez Aaron Records à Hollywood, Californie		
Act of Faith	*Bring Me On*	« Dévotion »
Expansion — « Release Yourself », 1997		
Louie Says	*She*	« Dévotion »
RCA — « Cold to The Touch », 1997		
Epperley	*Shy*	« Halloween »
Triple x — « Epperley », 1996		
Treble Charger	*How She Died*	« Halloween »
RCA — « Maybe It's Me », 1997		
Willoughby	*Lois on the Brink*	« Mensonge »
Fuzz Harris Records — « Be Better Soon », 1996		

Creaming Jesus	*Reptile*	« Mensonge »
Import — « Dead Time »		

Shawn Clement and Sean Murray	*Blood of a Stranger*	« Mensonge »
Enregistrement indépendant ; écrire à smurray@cinenet. net ou clemistry@aol. com		

Rasputina	*Transylvanian Concubine*	« Innocence (1) »
Sony — « Thanks for the Ether », 1996		

Shawn Clement and Sean Murray with vocals by Care Howe	*Anything*	« Innocence (1) »
Enregistrement indépendant ; écrire à smurray@cinenet. net ou clemistry@aol. com		

Lotion	*Blind for Now*	« Pleine Lune »
« Nobody's Fool », 1996		

Four Star Mary	*Pain*	« Un Charme Déroutant »
Enregistrement indépendant ; disponible sur le site web du groupe et chez Aaron Records à Hollywood, Californie		

Naked	*Drift Away*	« Un Charme Déroutant »
Drift Away		

Average White Band	*Got the Love*	« Un Charme Déroutant »
Atlantic — « AWB », 1974		

Morcheeba	*Never an Easy Way*	« La Boule de Thésulah »
WEA/Sire/Discovery2 — "Who Can You Trust?", 1996		

Puccini	*La Bohème: Acte 10* *Soave Fanciulla*	« La Boule de Thésulah »

The Flamingos	*I Only Have Eyes for You*	« La Soirée de Sadie Hawkins »
Collectables — « Flamingos Serenade », 1959		

Splendid	*Charge*	« La Soirée de Sadie Hawkins »
Enregistrement indépendant ; CD prévu en 1999		

Naked	*Mann's Chinese*	« Les Hommes Poissons »
Red Ant — « Naked », 1997		

Nero's Rome	*If You'd Listen*	« Les Hommes Poissons »
Lazy Bones — « Togetherly », 1995		

Sarah McLachlan	*Full of Grace*	« Acathla (2) »
Arista — « Surfacing », 1997		

oute l'actualité de
vos séries préférées :

TOUT **Buffy** EST AU FLEUVE NOIR

Buffy CONTRE LES VAMPIRES

Liste des titres à paraître :

---

7. Les chroniques d'Angel 2 (janvier 2000)
8. La chasse sauvage (mars 2000)
9. Les métamorphoses d'Alex (mai 2000)
10. Retour au chaos (juin 2000)
11. Danse de mort (septembre 2000)
12. Loin de Sunnydale (novembre 2000)

Si vous souhaitez avoir plus d'informations sur votre série préférée,
vous pouvez contacter le fan club français de Buffy :

La guilde de Buffy
7, rue des Ardennes
75019 Paris
Tel. 01 47 70 14 65
E-Mail : planetblue@francemel.com

Achevé d'imprimer
en octobre 1999
Dépôt légal: novembre 1999

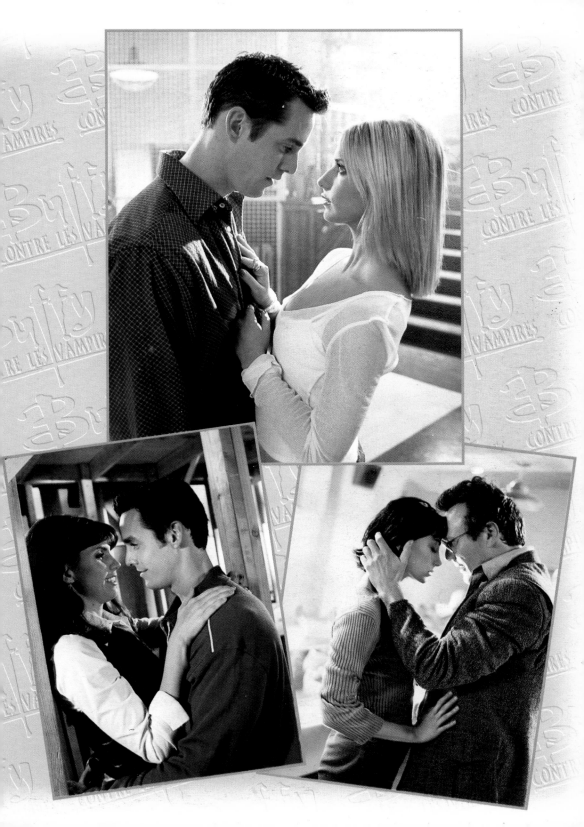